Über dieses Buch

Dieses Lesebuch zeigt in vier Bänden die Epochen deutschen literarischen Lebens von Lessing bis zur Gegenwart. Jeder einzelne, in sich abgeschlossene Band macht die Merkmale einer historischen Zeit sichtbar und versucht, Entwicklungen und Ideen in ursprünglichen Zeugnissen hervortreten zu lassen.

Das Lesebuch knüpft an die große Tradition deutscher Anthologien an, indem es zur Auseinandersetzung mit den dargebotenen Texten auffordert. Deshalb spricht der Herausgeber Walther Killy, Professor an der Freien Universität Berlin, am Schluß der Einleitung des zuerst erschienenen vierten Bandes eine Bitte an den Leser aus, nachdem er die Prinzipien der Auswahl genau erläutert hat. Er hofft, »Geschichte zu zeigen. In den wenigen Abschnitten sollen verschiedene Verhaltensweisen gegenüber einem großen Lebensbereich hervortreten. Es werden nicht nur literarische Verhaltensweisen sein, nicht nur eine Generation wird sich in ihnen begreifen lassen: auch die wandelbare Realität selber und all die ungelösten Fragen mögen in den Blick kommen. Aber das auszufinden und zu bedenken, ist der dem Leser zugemutete Anteil am Werk. Er sei gebeten, wirklich zu lesen, nicht nur Pröbchen zu entnehmen. Er bewege die Stücke gegeneinander und zürne dem Herausgeber nicht, wenn sein Urteil und seine Überzeugungen anderer Art sein sollten: auch im Widerspruch werden ihm die Zeichen der Zeit begegnen«.

ZEICHEN DER ZEIT

Ein deutsches Lesebuch
in vier Bänden

Herausgegeben von
WALTHER KILLY

FISCHER BÜCHEREI

EIN DEUTSCHES LESEBUCH

Band 2

1786–1832

FISCHER BÜCHEREI

Umschlagentwurf: Wolf D. Zimmermann

Erstmalig in der Fischer Bücherei
Juli 1960

Fischer Bücherei KG, Frankfurt am Main und Hamburg
Gesamtherstellung: Hanseatische Druckanstalt GmbH, Hamburg-Wandsbek
Printed in Germany

INHALTSVERZEICHNIS

DRITTER TEIL / GEMEINWESEN

VIERTER TEIL / HUMANITÄT

FÜNFTER TEIL / TRADITION UND BILDUNG

SECHSTER TEIL / GOETHE – SCHILLER

SIEBENTER TEIL / NATUR UND KUNST

ACHTER TEIL / MYTHOS UND SPRACHE

NEUNTER TEIL / LETZTE DINGE

Vorwort zum zweiten Band

Ein Unermeßliches und Unendliches, ein *immensum infinitumque* hat Karl Solger im Jahre 1809 Goethes Wahlverwandtschaften genannt und keinen anderen Vergleich als den mit der antiken Tragödie für angemessen gehalten. Unermeßlich erscheint dem Nachgeborenen das geistige Leben der Jahrzehnte etwa von 1785 bis zu Goethes Tod, in denen ein Kritiker wie Solger noch nicht einmal zum ersten Range gehörte. Wilhelm von Humboldt versicherte sich des Zusammenhanges von Poesie und Humanität, indem er Hermann und Dorothea und den Lebensgang Schillers betrachtet; Schiller gewährte Goethen »innig vertraute Teilnahme, ... geistreiche Anregung und ... einen löblichen Wetteifer«; Hegel analysierte den Wallenstein ganz anders als Tieck; Friedrich Schlegel und Novalis entzündeten sich am Wilhelm Meister; der große Jean Paul, ein von seinem Volke vergessener Fürst, richtete in seiner ›Vorschule‹ über Gerechte und Ungerechte, so wie Goethe es sich bis in sein Greisenalter nicht verdrießen ließ, ex cathedra zu sprechen über die literarischen Erscheinungen des Tages: »Wenn man von Schriften, wie von Handlungen, nicht mit einer liebevollen Teilnahme, mit einem gewissen parteiischen Enthusiasmus spricht, so bleibt so wenig daran, daß es der Rede garnicht wert ist. Lust, Freude, Teilnahme an den Dingen ist das einzig Reelle und was wieder Realität hervorbringt ...«

Die edelste Wirklichkeit wurde so von den Deutschen hervorgebracht in einem Augenblick, da das Wetterleuchten der Revolution über den Rheingebirgen eine andre Zeit vorausverkündigte. Als Solger jene Rezension niederschrieb, war das Römische Reich soeben dahingegangen, dessen letzte Kaiserkrönung das Kind Goethe noch miterlebt hatte. Zurück blieb eine Vielzahl größerer und kleinerer Staatsgebilde, getrennt durch weidlich verspottete Schlagbäume, innig verbunden durch die Tätigkeit eines geistigen Bürgertums, welches keine anderen Grenzen anerkannte als die selbst auferlegten. Allein schon früh haben sich die Deutschen den Blick auf den Zusammenhang solcher Lebensfülle verstellt:

> Verfluchtes Volk! kaum bist du frei,
> So brichst du dich in dir selbst entzwei ...

Der so vielfach anwendbare Goethe-Vers fand auch Anwendung auf den Reichtum vor und nach der Jahrhundertwende. Man teilte ihn, und jeder der beiden Teile wurde mit einer anderen Etikette versehen. Der Stempel »klassisch« entrückte

Goethe und in geringerem Maße Schiller in eine statuarische Entfremdung. Die Marke »romantisch« zähmte einen keineswegs auf das Gefühl beschränkten, vielmehr von intellektueller Leidenschaft belebten Überschwang, ihn auf die Schwingungen lyrischer Gefühle reduzierend. Romantisch — das war schließlich das Waldesrauschen im Mondschein; klassisch — das war der Adel Iphigeniens, deren Abstammung aus Tantalus' Geschlecht übersehen wurde.

Damit war die Einheit in der Vielfalt geschichtlichen Lebens gefährdet und auf folgenreiche Weise dem Bewußtsein der Nation entrückt. Das Wort klassisch erlitt in Deutschland eine Begriffsverengung. Es bezeichnete nicht mehr den ersten Rang geistiger und poetischer Leistung, welche zum Vorbild zu dienen, über die Zeiten hinwegzuwirken und zu guter Zeit wiederzukehren vermag; vielmehr bezeichnete es eine bestimmte literarische Richtung, die der romantischen entgegengesetzte. Die lebensvollen Antagonismen, in denen sich das Dasein verschiedener Generationen und geistiger Erscheinungen zu seiner Zeit manifestiert hatte, wurden als historischer Gegensatz zu den Bildungsakten gelegt. Es blieb kaum bemerkt, daß der Begriff des Klassischen sinnvoll nur ist, wenn er immer aufs neue überprüft wird und zur Revision des Kanons der Überlieferung wie der eigenen Leistung dient. So verstehen ihn die anderen großen Nationen Europas, so verstanden wir ihn nicht. War die Entwicklung unserer Literatur schon an sich ohne Zusammenhang, so wurde auch noch die großartige Konfiguration ihrer bedeutendsten Verwirklichungen aufgelöst. Nietzsche hat die Folgen benannt: »Auch der Begabteste bringt es nur zu einem fortwährenden Experimentieren, wenn der Faden der Entwicklung einmal abgerissen ist.«

Allein es trat noch eine andere Folge ein, durch die Verabsolutierung des Romantischen. Hofmannsthal hat sie derart formuliert: »Deutsche tun sich viel auf die Tiefe zugute, die nur ein anderes Wort ist für nicht realisierte Form. Nach ihnen müßte uns die Natur ohne Haut, als wandelnde Abgründe und Wirbel herumgehen lassen.« Der romantische Drang nach totaler Erkenntnis und Fühlbarkeit, das geheimnisvolle Aufleuchten verborgenen Sinnes, wie es uns in Hölderlins und Novalis' Fragmenten anmutet, die verlockende Wildnis Brentanos schienen den deutschen Tiefsinn zu bergen. Man vergaß, daß Brentano selber seinen Godwi einen »verwilderten Roman« genannt, daß dem Überfließen von Gedanken und Empfindung die romantische Ironie entgegenstand und daß die »romantischen« Gemüter durch die strenge Schule des Idealismus oder — wie die Brüder Grimm — des römischen Rechts gegangen waren. Vor allem aber vergaß man die Gleichzeitigkeit der Erscheinungen, vergaß die Intensität der Mitteilung und das ausgebildete kritische Bewußtsein, welche einen zuvor und hernach unerhörten Kulturzusammenhang herstellten.

Den jungen Freiherrn von Eichendorff kostete es elf Tage zu Schiff und zu Wagen, viel Frieren, trocken Brot und Schnapstrinken, um im November 1809 aus der entfernten schlesischen Provinz in die Hauptstadt des Landes Preußen zu reisen. Aber was Schleiermacher zu dieser Zeit in Berlin, was Steffens in Halle zu sagen hatten, fand ein vielfaches Echo im ganzen Deutschland, das viele unscheinbare und kraftvolle Hauptstädte besaß: das große Berlin, wo Zelter als Statthalter Goethes saß, Kleist gelebt und Hegel lehrte; Weimar; Heidelberg, wo die Zeitung für Einsiedler erschien und Görres wie Creuzer auf die Jugend wirkten; Königsberg, wo Kant erst zu Beginn des Jahrhunderts, das er bestimmt, die Augen geschlossen hatte; Tübingen und Jena, welche seine Lehren gewaltig erweitert; Wien, das Beethoven nie verließ, es sei denn zu einer Badreise nach Böhmen, wo er Goethe traf. Über das ganze Land spannen sich zahllose Fäden der Mitteilung in Zeitschriften und Almanachen, in Büchern und Gesprächen, nicht zuletzt in Briefen und überbrückten die Entfernung, welche die Menschen heute viel geschwinder zurücklegen, um sich nichts mehr zu sagen.

Nimmt man das Wort klassisch in seinem wahren Sinn, so kommt es dem ganzen Zeitraum dieses Bandes zu und so mancher großen Gestalt, die inzwischen fast vergessen ist. Aus Jean Paul hat man einen liebenswürdig-skurrilen Humoristen gemacht, als ob bei ihm nicht die unermeßliche Phantasie mit erschütternder Einsicht sich verbände; formlos seien seine Schriften, so sagte man, mit einem ungegründeten Urteil die eigene Unfähigkeit bemäntelnd, andre Formen als die meßbaren wahrzunehmen. (Über das Silbenmaß hinaus erstrecke sich der Begriff von Form nicht, den die Deutschen haben, hat Goethe einmal an Schiller tadelnd geschrieben.) So blieben der Rhythmus der Vorstellungen und Gemütsbewegungen, die Entsprechungen und Verwandlungen unbemerkt, welche den vielräumigen Gebäuden seiner Erzählungen einen kunstvollen, durch die Fluchten der Gedanken und Bilder verdeckten Grundriß geben. In seinen Visionen — wieviel Vorgriff auf eine moderne Poesie, die nur den Reiz will, der von den Elementen der Wirklichkeit ausgeht! Wie nahe steht manche poetische Prosa Arnims dem modernen Gedicht — aber welche ursprüngliche Fülle der Imagination ist dort noch am Werke. Sehr viele Eigentümlichkeiten, auf welche die neueste Zeit sich etwas zugute tut, hat die Romantik klassisch vorgebildet. Novalis erdenkt sich Erzählungen ohne Zusammenhang, aber voller Assoziation; er definiert die Poesie als die Kunst, fremd zu machen; Schlegel bestimmt sie als unendlichen Entwurf ihrer selbst; Schubert erkennt das Wesen der »Traumbildersprache« lange vor Freud. Man könnte solche Parallelen reichlich vermehren, und der Leser dieses Bandes wird noch viele entdecken; allein man soll sich auch vor einer falschen Aktualisierung des großen Vergangenen hüten und nicht übersehen, was in jener Zeit so ganz anders war als in der unsrigen.

Wohl finden sich viele Züge der modernen Welt vorgebildet, aber noch galt die Überzeugung von der Einheit des Weltganzen. Vielleicht war Goethe der letzte Große, dem sie noch von Natur eingegeben, für alle Gedanken und Produktionen Voraussetzung, bei allen unauflöslichen Widersprüchen unzweifelhaft war. Mit Schiller verband ihn die Überzeugung, daß das Schöne nichts anderes als das Sittliche und die Kunst ein Mittel sei, beide zu verwirklichen, wodurch denn der Mensch erst menschlich wird. Ein Humanitätsideal waltete vor, dessen tragische Gründe und anspruchsvolle Forderungen von der Nachwelt erst verniedlicht und dann verraten wurden. Allein die Unteilbarkeit der Lebenserscheinungen war schon kurz vor der Jahrhundertwende einer jüngeren Generation fragwürdig geworden, welche das sinnvolle Ganze nicht mehr als gegenwärtig, vielmehr seine Verwirklichung als große Aufgabe empfand. Für Hölderlin waren die Götter aus der Welt gewichen und sein Gesang ein einziger tragisch-vergeblicher Versuch, der Welt die Götter und ihnen eine Welt zurückzugeben. Aus der Erfahrung solcher Geschiedenheit entsprangen die umfassenden Entwürfe, mit denen das Denken eine ganze Welt herstellen und das Dichten in einer neuen Mythologie die neue Religion stiften wollte. Schlegels Rede über die Mythologie ist ein Zeugnis, dem viele andere zur Seite stehen. Mögen die Folgen solcher Denkweise problematisch und die Forderung, die sie an die Poesie stellte, unerfüllbar und übermütig gewesen sein: es war doch eine Denk-Weise. Die Würde dieser Jahrzehnte war auch darin begründet, daß die Reflexion Bestandteil jeglicher Kunstübung und Bildung war. Man wußte den Wert der geistigen Übung zu schätzen, man gab sich Rechenschaft von den Bedingungen der Künste und von dem immer aufs neue zu prüfenden Verhältnis zur Überlieferung. Das war die große Wirkung der Beschäftigung mit den Griechen und die Absicht, die in der Beschäftigung mit dem neuentdeckten Mittelalter lag. Das Bild, das man von beiden hatte, mag selbst ein Mythologieentwurf gewesen sein, aber solcher Entwurf schuf Maßstäbe und Hoffnungen für eine menschliche Zukunft.

Die Geschichte hat über diese Zukunft anders entschieden; als Goethe starb, war das wunderbare Blühen vorüber — »les dieux s'en vont« schrieb Heine im Jahre 1833, auf Goethes Tod und die Agonie der »romantischen Schule« blickend, erfüllt von der Furcht vor kommenden barbarischen Zeiten. Wenige Dezennien später meinte Nietzsche, Goethe habe noch gar nicht gewirkt und seine Zeit werde erst kommen. Und wieder ein knappes halbes Jahrhundert danach schrieb Hofmannsthal: »Goethes Bedeutung für die deutsche Literatur ist freilich ungeheuer; hat er aber eine ähnliche oder überhaupt irgendwelche Bedeutung für das gegenwärtige Volk? Wer getraut sich zu antworten?« Wer getraut sich zu antworten, wer scheute nicht die Antwort? Und wie soll eine Anthologie das Zeitalter exemplarisch zusammenfassen, aus dessen unendlichen Reichtümern Goethe die Summe gezogen hat? Mehr als je ist der Herausgeber genötigt, den Gedanken einer vollständigen Repräsentation sich aus dem Sinn zu schlagen, um wenigstens die bedeutendsten Zusammenhänge sichtbar zu machen. Die Überschriften der Kapitel deuten sie an. Ihr Inhalt wird manche Forderung stellen und manche unerfüllt lassen müssen – durch kein Zauberwort läßt sich die Fülle solchen Geisteslebens auf Flaschen ziehen. So verstehe man das hier Zusammengefaßte als Wegweiser in ein reiches, fernes Land. Landschaften, welche darin noch einigermaßen bekannt sind, blieben um der unbekannten willen unbeschrieben. Goethes, Schillers, Kleists Dramen, viele Gedichte und Balladen sind überall erreichbar. Von ihnen Bruchstücke zu bringen, schien nicht geraten, wollte man dem Leser nicht Wichtiges, den Zusammenhang Schaffendes vorenthalten. Das meiste muß er wiederum selber leisten, denn nur im *zusammenhängenden* Lesen wird sich das Buch sinnvoll erschließen. Die in ihm enthaltenen Stücke stehen so, wie Goethe die Anordnung von Gedichten begründet hat: » . . . *in Reih und Glied, da man sie denn erst ihrem Gehalt und Bezug nach erkennen und beurteilen wird. Weitersinnenden und mit unseren Arbeiten sich ernstlicher beschäftigenden Freunden glauben wir durch diese Anordnung etwas Gefälliges erwiesen zu haben.*«

W. K.

Erster Teil

EPOCHE

Unmöglich ists, den Tag dem Tag zu zeigen,
Der nur Verworrnes im Verworrnen spiegelt,
Und jeder selbst sich fühlt als recht und eigen,
Statt sich zu zügeln, nur am andern zügelt;
Da ists den Lippen besser, daß sie schweigen,
Indes der Geist sich fort und fort beflügelt.
Aus Gestern wird nicht Heute; doch Äonen,
Sie werden wechselnd sinken, werden thronen.

Goethe

Jean Paul

Über den Geist der Zeit

Leicht und kühn zitiert ihr den Geist der Zeit, aber lasset ihn uns doch recht in eurer Rede erscheinen, und antwortet! Da die Zeit in Zeiten zerspringt, wie der Regenbogen in fallende Tropfen: so gebt die Größe der Zeit an, von deren inwohnendem Geist ihr sprecht! Ist sein Zeitkörper ein Jahrhundert lang, und zwar nach welcher Zeitrechnung, angefangen nach jüdischer, türkischer, christlicher, oder französischer? Entwischt nicht der Ausdruck »Geist des Jahrhunderts« dem Menschen leicht, weil er, in einem Jahrhundert geboren, eines mit seinem Leben zum Teil ausmessend, eigentlich unter der Zeit nichts meint, als den kleinen Tagbogen, den die ewige Sonne von seinem Lebensmorgen bis zu seinem Abend umschreibt? – Oder streckt sich ein Zeitkörper von einer großen Begebenheit (z. B. der Reformation) bis zu einer zweiten großen aus, sodaß sein Geist entflieht, sobald die zweite gebiert? – Aber welche Umwälzung wird für euch zur zeit-beseelenden, eine philosophische, oder sittliche, oder poetische, oder politische? –

Ferner: ist nicht jeder Zeitgeist weniger ein flüchtiger als ein fliehender, ja ein entflohener, den man lieber Geist der nächsten Vorzeit hieße? Denn seine Spuren setzen ja voraus, daß er eben gegangen, folglich weiter gegangen. Und nur auf Anhöhen kann zurückgelegter Weg beschauet werden, wie künftiger berechnet.

Aber da dieselbe Zeit einen andern Geist heute entwickelt im Saturn – in seinen Trabanten – in seinen Ringen – auf allen zahllosen Welten der Gegenwart – und dann in London – Paris – Warschau; – und da folgt, daß dieselbe unausmeßbare Jetzo-Zeit Millionen verschiedene Zeit-Geister haben muß: so frag' ich, wo erscheint euch denn der zitierte Zeitgeist deutlich, in Deutschland, Frankreich, oder wo? Wie vorhin sein Zeitkörper, so wird euch jetzt sein Raumkörper schwer abzumessen fallen.

Mit der großen Frage, die jeden, also euch mittrifft, wie ihr, wie alle in derselben Zeit befangen, euch so hoch aus ihren Wellen hebt, daß ihr ihren Gang sehen könnt, nicht bloß ihren dunkeln Zug fühlet, verschon' ich euch halb. Und geht nicht der Strom, der euch führt, in einem Meere, worin ihr, aus Mangel an Ufer, seine Bewegung nicht messen könnt? –

2*

Friedrich von Schiller

Der Antritt des neuen Jahrhunderts

Edler Freund! Wo öffnet sich dem Frieden,
Wo der Freiheit sich ein Zufluchtsort?
Das Jahrhundert ist im Sturm geschieden,
Und das neue öffnet sich mit Mord.

Und das Band der Länder ist gehoben,
Und die alten Formen stürzen ein,
Nicht das Weltmeer hemmt des Krieges Toben,
Nicht der Nilgott und der alte Rhein.

Zwo gewalt'ge Nationen ringen
Um der Welt alleinigen Besitz,
Aller Länder Freiheit zu verschlingen,
Schwingen sie den Dreizack und den Blitz.

Gold muß ihnen jede Landschaft wägen,
Und, wie Brennus in der rohen Zeit,
Legt der Franke seinen ehrnen Degen
In die Waage der Gerechtigkeit.

Seine Handelsflotten streckt der Brite
Gierig wie Polypenarme aus,
Und das Reich der freien Amphitrite
Will er schließen wie sein eignes Haus.

Zu des Südpols nie erblickten Sternen
Dringt sein rastlos ungehemmter Lauf,
Alle Inseln spürt er, alle fernen
Küsten – nur das Paradies nicht auf.

Ach umsonst auf allen Länderkarten
Spähst du nach dem seligen Gebiet,
Wo der Freiheit ewig grüner Garten,
Wo der Menschheit schöne Jugend blüht.

Endlos liegt die Welt vor deinen Blicken,
Und die Schiffahrt selbst ermißt sie kaum,
Doch auf ihrem unermeßnen Rücken
Ist für zehen Glückliche nicht Raum.

In des Herzens heilig stille Räume
Mußt du fliehen aus des Lebens Drang:
Freiheit ist nur in dem Reich der Träume,
Und das Schöne blüht nur im Gesang.

August Wilhelm Schlegel

Fastnachtsspiel vom neuen Jahrhundert

Das Neue Jahrhundert *schläft in der Wiege. Das* Alte Jahrhundert *sitzt daneben, wiegt und singt:*

Alte: Schlaf, Kindlein! draußen so dunkel ist,
Ach, gar ein schrecklich Gemunkel ist.
Wenn du dich mucksest mehr wie ein Stein,
Willst wie unartige Kinder schrein,
So schlingt dich der alte Saturn hinein.
Schlaf, Jahrhündertchen klein, klein, klein!
Junge *wacht auf und schreit*: Äh!
Alte: Mein Herzchen, willst du Kinderpappe?
Junge: Nein, Feste will ich, du alte Kappe.
Ist's recht, daß ich ohne Gesang und Schall,
Ohne Paukenschlag und Kanonenknall,
Ohne Masken, Aufzüg' und Ehrenbogen,
Wie ein Dieb in der Nacht, komm' eingezogen?
Alte: Ei, mein Kind, Feste sind unverständig,
Auch sind die Zeiten gar zu elendig.
Man muß das Geld nicht so verschwenden
Und es lieber an die Armut wenden.
Junge: Jawohl, an die Armut! da hast du recht!
Denn arm und erbärmlich ist dein Geschlecht.
Hat denn das Volk so gar keinen Sinn
Für des Jubels und festlicher Freude Gewinn?
Will immer an schwerfälligem Ernste siechen,
Nie kecklich leben wie Römer und Griechen?
Bei denen gab's Kampfspiel und Bacchanalien,
Herrliche Triumph' und Saturnalien,
Zu allem Großen gesellte sich Scherz,
Da hatte der Witz noch ein ander Herz,
Und nie ward schöner gehuldigt den Göttern,
Als wenn sie wurden an ihnen zu Spöttern.
Wie damals den Feldherrn die Soldateske
Beim Triumphe neckte mit mancher Burleske,
So, wollt' ich, hätte man uns genärrt,
Ein spöttliches Grablied dir geplärrt,
Auch meine Geburt gefeiert desgleichen,
Geweissagt von künftigen Narrenstreichen.
Alte: Ei, ei, das könnte ja Anstoß geben!
Die Nachbarn glaubten die Skandala eben.
Lieber, um meinen Ruhm zu fristen,
Ding' ich mir einen Akademisten,

Der meine Verdienste würdig schätzt
Und in umständlichen Paragraphen auseinandersetzt.
JUNGE: So wähle nur zu bessrer Verbreitung
Den Schreiber der Nationalzeitung.
Der hat's ja mit der Publizität,
Das heißt, gar trefflich die Kunst versteht,
Viel Aufheben zu machen um nichts.
ALTE: Bist du solch eine Feindin des Lichts?
Hab' ich nicht den Aberglauben zerstört?
Die Vorurteile ausgekehrt?
Toleranz und Aufklärung erdacht
Und die Humanität aufgebracht?
JUNGE: O, geh' mit diesen hohlen Worten!
Ich muß sie hören allerorten.
Mit wohlfeiler Wahrheit und Tugendflittern
Zu prahlen, das ziemt nur dürftigen Rittern.
Die Alten haben's nicht genannt,
Jedoch die Sach' weit besser gekannt.
ALTE: Nichts hab' ich gelassen unverfeinert,
Alles zierlich verengt und verkleinert.
Die Apostel trugen 'nen warmen Mantel:
Das macht, sie führten gemeinen Wandel;
Daraus hab' ich denn, nach neustem Geschmack,
Geschneidert einen luftigen Frack.
So herrscht nunmehr zu meinem Ruhm
Ein neu gesäubert Christentum,
Nach welchem Christus ein guter Mann,
Sonst aber nichts begehren kann.
Die Offenbarung meine Exegeten
Zu nüchterner Vernunft umdrehten.
JUNGE: Da hast du wohl was Rechtes geschafft.
Wo bleibt dabei die himmlische Kraft
Der Seher Gottes, der heil'gen Väter,
Der Märtyrer und Wundertäter?
Ihr wollt bei euren ird'schen Sinnen
Die Seligkeit nebenbei gewinnen,
Glaubt keines geist'gen Heils Ankunft,
Und eure Unmacht nennt ihr Vernunft.
ALTE: Kein' innre Erleuchtung gab es nie,
Das erklärt man aus der Psychologie.
Wie sollt' ein Geist sich zu uns rühren,
Da wir dergleichen in uns nicht spüren?
Bei uns geht alles begreiflich zu,
Denn, daß die Natur Wunder tu',
Können wir nimmermehr zugeben.
Von drin wohnendem Geist, Kraft und Leben,

Das sind lauter Jakob Böhm'sche Mysterien;
Wir schaffen's bloß mit toten Materien.
Die werden gemischt nach Maß und Zahl,
So entstehen die Kreaturen zumal
Und können sich dann das Leben fristen.
Da lies nur meine Enzyklopädisten.
Uns alle, wie wir gehn und stehn,
Was in und durch uns mag geschehn,
Unterwerfen sie dem Kalkul.

JUNGE: Da gibt das Resultat denn Null.
Freilich ließen sich solche Phantomen
Zusammenbacken aus Atomen,
Die innerlich dienen dem Nichts allein
Und scheuen sich, wirklich da zu sein.
Da so ungöttlich ihre Taten,
Wie sollten sie die Natur erraten,
Die nur der Gottheit Schein und Bild,
Unendlich groß und weis' und mild?

ALTE: So beruht auch meine Staatsverwaltung
Bloß auf der Rechnungsbücher Haltung.
Ich hab' erfunden die Statistik
Samt allen Künsten der Kameralistik.
Die Menschen sind Ziffern zu jeder Frist,
Der Staatsmann ist der Algebraist:
Er schöpft die Weisheit an den Quellen,
Geburts- und Mortalitätstabellen.
Da ist nichts so groß oder so klein,
Es kommt mit in die Rechnung hinein.
Mit Patriotismus bewirtschaften wir die Wälder,
Mit Moralität düngen wir die Felder;
Auf die Gedanken legen wir Taxen,
So müssen unsre Einkünfte wachsen;
Und küßt wer sein Liebchen, heut oder morgen,
Muß er uns für die Bevölkrung sorgen.

JUNGE: So wird der Mammon allen zum Götzen,
Sie kennen nur ein selbstisch Ergötzen.
Wo sind die Zeiten der alten Helden,
Von denen die Geschichten melden,
Da das Vaterland, seiner Kinder Wonne
Und ewig quellender Freuden Bronne,
Sich aller Triebe hatte bemeistert,
Zu Not und Tod die Brüder begeistert?
Bei euch macht Helden der bunte Rock,
Ein bißchen Löhnung und sehr viel Stock.

ALTE: Was nützt die wilde Vaterlandsliebe?
Nein, wir beherrschen unsre Triebe.

Bei uns zielt alles auf den Nutzen;
Will eins nicht, weiß man's zurechtzustutzen.
Da sind zum Beispiel die Hirngespinste,
Die sogenannten schönen Künste:
Die dürften nun finden gar nicht statt,
Denn vom Schönen wird niemand satt,
Gebraucht' ich nicht zu Handlangern sie
Bei meinen Fabriken und Industrie.
Man liebt jetzt nur vernünft'gen Diskurs,
Drum kam die Poesie außer Kurs.
Ich weiß die Phantasie zu kuranzen,
Muß nach der prosaischen Pfeife tanzen.
Den Sittlichkeitsring in die Nase gelegt,
Die Füß' im Takt der Dezenz bewegt.
Das wird der feine Geschmack genannt,
Den die rohen Alten nicht gekannt.

JUNGE: O du Erzfeindin alles Großen!
Vom Schönen und Edlen ausgestoßen!
Zu lang hab' ich dich angehört
Und würde zuletzt noch gar betört.
Du lästerst die Natur und Gott,
Und Recht und Freiheit sind dir Spott,
Zögst gern hinab in deine Vernichtung
Die schöpferische Kraft der Dichtung,
Kraft deren wir alle leben und weben
Und nach unendlichem Dasein streben.
Statt dessen rühmst du deinen Bettel:
Ich will dich erdrosseln, du garst'ge Vettel!

Springt aus der Wiege.

ALTE *beiseit*: O Himmel, wie wird sie groß und stark!
Mir geht ein Graun durch's innerste Mark.
Will sehn, ob Trug mir möchte glücken,
Vielleicht den Hitzkopf zu berücken;
Sie ist, so grob und wild sie tut,
Doch voll von albernem Edelmut. —
Ach, liebes Kind, du brichst mir's Herz;
Hühühü! welch ein bittrer Schmerz!
Es ist mir gar nicht um mein Leben,
Das wollt' ich dir gern aus Liebe geben;
Aber daß ich, in meinen alten Jahren,
Eine solche Schmach noch muß erfahren,
Daß du, meines Leibes wahre Frucht,
Meine einzige Tochter, so verrucht
Deiner Mutter den Hals willst umdrehen:
Ist was Entsetzlicher's je geschehen?

JUNGE: Halte mich nicht auf mit solchen Possen,

Ich wär' aus deinem Blut entsprossen.
Ein jeder Tropf' in meinen Adern
Muß mit dir um die Lüge hadern.
Sieh meine Gestalt, mein Angesicht,
Sie tragen deine Züge nicht,
Auch rät mir keine innre Stimme,
Die Mutter zu verschonen im Grimme.
Bereite denn dich gleich zu sterben,
Ich will dich vertilgen und verderben.

ALTE *beiseit*: Nun will ich noch das letzte versuchen. –
Tochter, ich pflege sonst nicht zu fluchen:
Ich bin deine Mutter, heg' keinen Zweifel;
Wo nicht, so soll mich holen der Teufel.

JUNGE: Weil du die Hölle rufst zum Zeugen,
Muß ich mich ihrem Ausspruch beugen,
Muß mit dem Todesstreich noch zaudern:
Wiewohl mich faßt ein heimlich Schaudern,
Ob durch solch unauflösliche Kette
Das Schicksal dir verknüpft mich hätte.

ALTE *beiseit*: So läßt die Törin sich beschwatzen,
Sie glaubt noch an die alten Fratzen.
Es gibt keinen Teufel, das weiß ich lange,
Drum ist mir vor seinem Holen nicht bange.
Nun hoff' ich noch so fortzuregieren
Und sie am Gängelband zu führen.

SATAN *tritt ein, schnaubt und spricht*:
Hier bin ich, weil du mich verlangst.

ALTE: O welcher Jammer, welche Angst!
Verlangt hätt' ich nach solchem Scheuel?
Ich kenn' dich nicht, geh' fort, du Greuel!

SATAN: Hahaha! bin ich nicht bekannt?
Und doch, wenn deine Lüst' entbrannt,
Hab' ich in mancherlei Gestalten
Als Buhler mit dir zugehalten.
Jetzt zeig' ich dir mich, wie ich bin,
Und fahren mußt du mit mir dahin.
Du hast Wechselbälg' ans Licht gebracht,
Worüber Himmel und Hölle lacht.
Dies Kind hier hattest du gestohlen
Und schwurst, dich solle der Teufel holen,
Wofern es nicht dein Schoß geboren;
Du siehst, die Hölle hat gute Ohren.

JUNGE: Dank sagen muß ich selbst dem Bösen,
Daß er mich will von ihr erlösen.

SATAN: Ich hatte lang auf dich gepaßt,
Jetzt hab' ich dich fest am Kragen gefaßt.

ALTE: Ach, solch Verfahren nicht besteht
Mit Aufklärung und Humanität.
SATAN: Schweig, du bist mein, für deine Frevel
Will ich dich braten in Pech und Schwefel.

SATAN *führt das* ALTE JAHRHUNDERT *ab.*

JUNGE: O habet Preis, ihr himmlischen Mächte!
Ich hoffte kaum, daß ich's vollbrächte:
Allein nach eurem Wollen und Fügen
Hilft selbst das Böse dem Guten siegen.
Die Alte hat mich so sehr gestört,
Das Beste, was ich wollte, verkehrt;
Ich fühlte mich beengt, bedrängt,
Gewicht und Bande mir umgehängt!
Nun kann ich mit neu lebendigem Regen
Zu kühnen Taten mich frisch bewegen.

WILHELM VON HUMBOLDT

Das Zeitalter Kants

Kant unternahm und vollbrachte das größeste Werk, das vielleicht je die philosophierende Vernunft einem einzelnen Manne zu danken gehabt hat. Er prüfte und sichtete das ganze philosophische Verfahren auf einem Wege, auf dem er notwendig den Philosophien aller Zeiten und aller Nationen begegnen mußte, er maß, begrenzte und ebnete den Boden desselben, zerstörte die darauf angelegten Truggebäude, und stellte, nach Vollendung dieser Arbeit, Grundlagen fest, in welchen die philosophische Analyse mit dem durch die früheren Systeme oft irregeleiteten und übertäubten natürlichen Menschensinne zusammentraf. Er führte im wahrsten Sinne des Worts die Philosophie in die Tiefen des menschlichen Busens zurück. Alles, was den großen Denker bezeichnet, besaß er in vollendetem Maße, und vereinigte in sich, was sich sonst zu widerstreben scheint; Tiefe und Schärfe, eine vielleicht nie übertroffene Dialektik, an die doch der Sinn nicht verlorenging, auch *die* Wahrheit zu fassen, die auf diesem Wege nicht erreichbar ist, und das philosophische Genie, welches die Fäden eines weitläufigen Ideengewebes nach allen Richtungen hin ausspinnt, und alle vermittelst der Einheit der Idee zusammenhält, ohne welches kein philosophisches System möglich sein würde. Von den Spuren, die man in seinen Schriften von seinem Gefühl und seinem Herzen antrifft, hat schon Schiller richtig bemerkt, daß der hohe philosophische Beruf beide Eigenschaften (des Denkens und des Empfindens) verbunden fordert. Verläßt man ihn aber auf der Bahn, wo sich sein Geist nach einer Richtung hin zeigt, so lernt man das Außerordentliche des Genies dieses Mannes auch an seinem Umfange kennen. Nichts weder in der Natur noch im Gebiete des Wissens, läßt ihn gleichgültig, alles zieht er in seinen Kreis, aber da das selbsttätige Prinzip in seiner Intellektualität sichtbar die Oberhand behauptet, so leuchtet seine Eigentümlichkeit am strahlendsten da hervor, wo, wie in den Ansichten über den Bau des gestirnten Himmels, der Stoff, in sich erhabner Natur, der Einbildungskraft unter der Leitung einer großen Idee ein weites Feld darbietet. Denn Größe und Macht der Phantasie stehen in Kant der Tiefe und Schärfe des Denkens unmittelbar zur Seite. Wieviel oder wenig sich von der Kantischen Philosophie bis heute erhalten hat, und künftig erhalten wird, maße ich mir nicht an zu entscheiden; allein dreierlei bleibt, wenn man den Ruhm, den Kant seiner Nation, den Nutzen, den er dem spekulativen Denken verliehen hat, bestimmen will, unverkennbar gewiß. Einiges, was er zertrümmert hat, wird sich nie wieder erheben; einiges, was er begründet hat, wird nie wieder untergehen, und was das wichtigste ist, so hat er eine Reform gestiftet, wie die gesamte Geschichte der Philosophie wenig ähnliche aufweist. So wurde die bei dem Erscheinen seiner *Kritik der reinen Vernunft* unter uns kaum noch schwache Kunde von sich gebende spekulative Philosophie von ihm zu einer Regsamkeit geweckt, die den deutschen Geist hoffentlich noch lange beleben wird. Da er nicht sowohl Philosophie, als zu philosophieren lehrte, weniger Gefundenes mitteilte, als die Fackel des eigenen Suchens anzündete, so veranlaßte er mittelbar mehr oder weniger von ihm abweichende Systeme und Schulen, und es charakterisiert die hohe Freiheit seines Geistes, daß er Philosophien, wieder in vollkommner Freiheit und auf selbst geschaffnen Wegen für sich fortwirkend, zu wecken vermochte.

Ein großer Mann ist in jeder Gattung und in jedem Zeitalter eine Erscheinung, von der sich meistenteils gar nicht, und immer nur sehr unvollkommen Rechenschaft ablegen läßt. Wer möchte es wohl unternehmen zu erklären, wie Goethe plötzlich dastand, der Fülle und Tiefe des Genies nach, gleich groß in seinen frühesten, wie in seinen späteren Werken? und doch gründete er eine neue Epoche der Poesie unter uns, schuf die Poesie überhaupt zu einer neuen Gestalt um, drückte der Sprache seine Form auf, und gab dem Geiste seiner Nation für alle Folge entscheidende Impulse.

Das Genie, immer neu und die Regel angebend, tut sein Entstehen erst durch sein Dasein kund, und sein Grund kann nicht in einem Früheren, schon Bekannten gesucht werden; wie es erscheint, erteilt es sich selbst seine Richtung. Aus dem dürftigen Zustande, in welchem Kant die Philosophie, eklektisch herumirrend, vor sich fand, vermochte er keinen anregenden Funken zu ziehen. Auch möchte es schwer sein zu sagen, ob er mehr den alten, oder den späteren Philosophen verdankte. Er selbst, mit dieser Schärfe der Kritik, die seine hervorstechendste Seite ausmachte, war sichtbar dem Geiste der neueren Zeit näher verwandt. Auch war es ein charakteristischer Zug in ihm, mit allen Fortschritten seines Jahrhunderts fortzugehen, selbst an allen Begegnissen des Tages den lebendigsten Anteil zu nehmen. Indem er, mehr als irgendeiner vor ihm, die Philosophie in den Tiefen der menschlichen Brust isolierte, hat wohl niemand zugleich sie in so mannigfaltige und fruchtbare Anwendung gebracht.

Friedrich Hölderlin

An die Deutschen

Spottet ja nicht des Kinds, wenn es mit Peitsch' und Sporn
Auf dem Rosse von Holz mutig und groß sich dünkt,
Denn, ihr Deutschen, auch ihr seid
Tatenarm und gedankenvoll.

Oder kömmt, wie der Strahl aus dem Gewölke kömmt,
Aus Gedanken die Tat? Leben die Bücher bald?
O ihr Lieben, so nimmt mich,
Daß ich büße die Lästerung.

Joseph Görres

Die Herabkunft der Ideen und das Zeitalter

Das ist die große Begebenheit dieser Zeit, daß die Ideen, die seit lange sich in sich selbst zurückgezogen hatten und nur von Zeit zu Zeit als Fremdlinge, von wenigen gesehen, auf die Erde herabgestiegen waren, jetzt mit Macht vom hohen Äther niederkamen, in der Kunst, der Wissenschaft und überall ihr Erbe, die Herrschaft des Irdischen, zurückforderten von denen, die sich in dasselbe eingedrungen hatten. Rund um die Erde aber hatten die

Begriffe sich angesiedelt, und sie hatten alles in Feldmarken eingeteilt und abgezäunt, und alles war ihr Eigentum, und sie bestellten es gehörig unter der Obhut von einigen aus ihrer Mitte, denen die Herrschaft anvertraut war, und genossen ruhig die Früchte ihres Fleißes. Da kamen die stolzen Fremdlinge herangezogen, nicht mehr einzeln, nicht mehr verloren unter der Menge; große Scharen waren ihres Zeichens, keck traten sie unter die Erdgeborenen hin, schlugen die Urkunden ihrer Ansprüche auseinander und forderten ihr Recht. Die Begriffe horchten auf, und die stolze Haltung, der freie Blick, die Kraft, der Mut und die innere Energie der Ankömmlinge gewannen ihnen Achtung ab, und die Besseren unter ihnen, die Gutmütigen, die auch dunkel höhere Bedürfnisse fühlten und an ein Besseres glaubten als das Tierische ist, bewillkommneten sie und erkannten die Gültigkeit ihrer Ansprüche und erklärten sie weiter und freueten sich aus ganzem Herzen der besseren Zeit, die nun beginnen sollte. Selbst die in dumpfer Sinnlichkeit gänzlich Verlornen legten ihre Werkzeuge einen Augenblick aus den schwieligen Händen und liefen den Fremden nach, wo sie sich blicken ließen, und wollten auch werden wie sie und den Helmbusch tragen und den glänzenden Schild und den Speer, und wenn sie untereinander waren, sprachen sie von den sorgenfreien Tagen, die da kommen sollten, wie die Fremden neue Dungmittel mitgebracht hätten, daß die Erde hundertfältig trüge und ungewöhnlich großes Vieh mit Fettschwänzen und Pflüge, die von selbst gingen und dergleichen mehr. Und sie traten zusammen und wählten sich die Ideen zu ihren Heerführern und vertrauten ihnen die Lenkung des gemeinen Wesens und verpflichteten sich, ihnen zu glauben und zu folgen in allem. Und es ging gut eine Zeit und noch eine kleine Zeit. Bald lief ein dumpfes Gemurmel im Lande, die Fremden leisteten nicht, was sie versprochen hätten, Erde bliebe immer Erde, sie könne nicht mehr tragen als zu der Väter Zeiten, und mit dem Dungmittel sei es nichts. Einige aus dem Haufen standen auf und erkundigten sich unmaßgeblich, wes Gestalt die Sachen eigentlich ständen und was eigentlich an dem Mittel sei. Die Ideen fuhren die Frager hart an und behandelten sie mit wegwerfendem Stolze und mit beleidigender Härte, und die Frager schwiegen; aber es setzte böses Blut, und man stellte sich da und dort in Haufen zusammen und räsonnierte frei über den Zustand der Dinge, aber die Ideen wurden noch härter und zerstreuten die Haufen. Nun entstand auch Zwist unter den Herrschern selbst; von der inneren, stolzen Kraft getrieben, stiegen sie auf die Höhe und expandierten sich gegeneinander und suchten sich zu überflügeln, und jeder wollte zur Idee der Ideen sich erheben, und je höher sie in diesem Streben stiegen, umso tiefer kam die Erde und alles, was auf ihr groß ist, unter ihnen zu liegen, umso verächtlicher sahen sie auf das Irdische herab, umso weniger achteten sie die Rechte der Individualität, umso wegwerfender behandelten sie ihre Untergebenen und mißhandelten sie. Und der Hochmut der Ideen ward drückend für die Begriffe, denn jene hatten außer dem Göttlichen, was ihnen der Himmel mitgab, auch ein Endliches von der Mutter mit ins Leben bekommen, damit sie feststehen möchten auf einer breiten, soliden Basis, und diese fingen an, sich auch eines Höheren bewußt zu werden, das geschlafen hatte in ihrem Innern. Und sie wurden laut und konspirierten öffentlich und wollten dreinschlagen auf ihre plumpe Art, die Ideen aber fuhren unter sie und wurden entsetzlich und furchtbar. Da fielen auch die Gutmütigen, die bisher noch ausgehalten und das beste gehofft hatten, von ihnen ab und zogen sich still und langsam und schüchtern zurück; so hatten sie es nicht gewollt, die Gewalttätigkeit war ihnen ein Greuel, diese Wesen waren ihnen schrecklich geworden, sie konnten es nicht ertragen, daß das Tragische, das sie nicht einmal auf der Bühne recht mochten, so nahe in seiner Furchtbarkeit im Leben auf sie eindränge, fortan wollten sie es lieber der Zeit abschmeicheln, als es länger den Schicksalsmächten abtrotzen. Das Volk aber hatte sich bald die Menschlichkeiten und die Blößen abgemerkt, die seine Gewaltigen ihm gaben, denn scharf ist sein Blick für dergleichen; und als es nur einmal den ersten Kopf auf der Pike dahergetragen sah, da glaubte es, wie die Mexikaner, gar nicht mehr an die Unsterblichkeit der Fremdlinge. Und nun war die Masse reif für die Hölle; sie schickte auch ihre Geister herauf, um die Begriffe vollends zu verwirren und zu verhetzen und sie dann anzuführen im Kampfe gegen die Ideen. Diese Geister sind auch Ideen, aber gefallene, verstoßene Engel, deren Strahlenglanz verbleicht ist; von gleicher ursprünglicher Kraft und Energie mit den Lichtgeistern, aber durchaus mit ihrem ganzen Wesen gegen das Böse gekehrt, das Böse nur wollend aus unüberwindlichem Triebe ihrer Natur; in ihnen ist eine unversiegbare Quelle von Dunkel und Finsternis, womit sie das Licht ausgießen wie die Salamander das Feuer. Und sie wenden sich ab von dem Guten, nicht aus verzeihlichem Irrtum, sondern sie hassen es aus innerer Verkehrtheit und weil der Fluch der Verdammnis auf ihnen lastet; sie erkennen das Bessere und tragen das Gefühl der verlorenen Seligkeit in ihrem innersten Herzen; aber es ist ihnen nur ein neuer Stachel, das Schlechte zu üben; sie verstocken sich gegen die Evidenz, weil die Lüge ihre Wollust ist. Woran ihr den Stempel der Hölle erkennt? Im Wissen, an dem frechen Wegleugnen alles dessen, was erhaben und göttlich ist; im menschlichen Geiste, an der Erde soll es kriechen und leben wie andere Tiere; an der geflissentlichen Verbreitung von Trug und Wahn;

an der gottvergessenen Lügenhaftigkeit. Ihr Motto: Alle Theorie ist grau usw. hat Mephistopheles im Faust verraten. In der Kunst aber lästern sie das Genie, verhöhnen das Heilige, predigen den Atheismus des Herzens und der Schönheit, reißen die Götterbilder von den Altären und stellen ihre erbärmlichen Fratzen an die Stelle; um das Gemeine, Schlechte rufen sie den müßigen Pöbel zusammen und kneten ihm Götzen aus Kot und Schweiß und halten dabei einen Kram von Kerzchen und Bildern, um der Dummheit was abzugewinnen. Wo sie aber am frechsten und schamlosesten ihr Wesen treiben, das ist im praktischen Leben; da haben sie überall die Erde mit ihren unterirdischen Gängen durchwühlt, und wo ihr geht, tönt ihre Stimme herauf wie die des alten Maulwurfs im Hamlet.

Da verhöhnen sie jedes warme Gefühl fürs Edle und jede moralische Gesinnung und predigen dafür ihre giftige Weltklugheit, den Glauben an eine höhere Vervollkommnung der Menschheit machen sie zum Spott; wie es immer gewesen, so müsse es bleiben, rufen sie laut; niederträchtig verworfen, krümmen sie sich im Staube vor der Gewalt und schmeicheln und winden sich vor ihr, damit sie sie verderben können; und was schlecht ist am Menschen, fühlen sie heraus und ziehen sorgsam es groß, und alle Schlechtigkeiten fügen sich zusammen; und was gut ist, wird einwärts vermauert, und sie fördern den Bau höher und höher, und oben auf dem Dome stehen sie dann wieder hohnlachend und rufen hinab: Wir haben für die Ewigkeit gebaut: erschüttert, wenn ihr könnt, die Grundfesten unseres Tempels!

Und die Lügengeister mischten sich unter die Begriffe und verwirrten sie vollends und erbosten sie gar; und der Kampf entzündete sich heftig und wild. Und dieser Kampf des Himmels mit der Hölle um das Irdische, er dauert noch fort und wird alle die anderen wichtigen Kämpfe, die die Menschen bisher umgetrieben haben, verschlingen, und er wird in seinem Verlaufe von manchem Wechsel des Glückes auf diese und jene Seite hin bezeichnet werden; aber die Tugend und die Wahrheit und Schönheit werden siegen, und die Ideen werden im Kampfe sich läutern und die Begriffe zu sich hinaufheben, und der Himmel wird triumphieren und die Lügengeister werden in den Abgrund der Hölle versinken.

August von Binzer

Burschenschaftslied

Wir hatten gebauet ein stattliches Haus
Und drin auf Gott vertrauet, trotz Wetter, Sturm und Graus.

Wir lebten so traulich, so einig, so frei,
Den Schlechten ward es graulich, wir hielten gar zu treu!

Sie lugten, sie suchten nach Trug und Verrat,
Verleumdeten, verfluchten die junge grüne Saat.

Was Gott in uns legte – die Welt hats veracht't;
Die Einigkeit erregte bei Guten selbst Verdacht.

Man schalt es Verbrechen, man täuschte sich sehr;
Die Form kann man zerbrechen, die Liebe nimmermehr.

Die Form ist zerbrochen, von außen herein,
Doch was man drin gerochen, ist eitel Dunst und Schein.

Das Band ist zerschnitten, war »*Schwarz, Rot und Gold*«,
Und Gott hat es gelitten: wer weiß, was er gewollt!

Das Haus mag zerfallen, – was hats denn für Not?
Der Geist lebt in uns allen, und unsre Burg ist Gott!

Heinrich Luden

Das Ende des teutschen Reiches

Jetzo hat das teutsche Reich aufgehört, und wird nur noch in seinen Trümmern erblickt. Was auch das künftige Schicksal der Teutschen sein mag: die alten Formen werden zuverlässig nicht wiederkommen, und derjenige, der sie zurück wünschte, würde etwas ganz Verkehrtes und Tadelwertes erstreben. Die Geschichte Teutschlands hat also auch das Interesse verloren, welches sie bisher noch für einen Teil der Studierenden gehabt hat; aber vielleicht hat sie eben damit ein neues Interesse gewonnen für jedes teutsche Gemüt. Für jenen gemeinen Zweck ist sie nichts mehr, aber eben deswegen vielleicht desto mehr für einen höheren und heiligeren. So lange der Mensch im Besitz eines großen Guts ist, pflegt er, glücklich im Genuß und ruhig, selten den ganzen Wert desselben zu überdenken; aber wenn ein plötzliches Geschick ihm dieses Gut entreißt, so fühlt er den Verlust doppelt, und nun erst bezieht er sein Leben auf das Verlorene, und sucht es ganz zu verstehen, zu durchdringen und in sich aufzunehmen. Wir sind Teutsche! Wir – (die Nation) – haben lange sorglos gelebt im Schatten des großen Baums teutscher Verfassung; wir haben seine Früchte genossen, in seinem Schirm geruht, wenn nicht ungestört, doch ohne dauernde Leiden. Fremde sind gekommen und haben ihn geschüttelt und beraubt: wir haben es nicht beachtet, uns verlassend auf seinen alten Stamm, und die Menge urkräftiger Stützen. So sind einige Äste abgerissen, andere abgefallen, noch andere abgestorben: wir sahen es an und blieben ruhig; der Baum war ja so reich an Ästen, so weit verbreitet seine Krone: was sollten wir fürchten! Wehrte nicht einer den andern von denen, die uns zu berauben Lust hatten, und waren wir nicht sicher in dieser Bewerbung und Eifersucht? Nur Wenige, die dem Stamme nahe standen, oder aus dem Verderben der Äste auf die Mürbigkeit der Wurzel schlossen, und deswegen nachgruben und fanden, was sie gefürchtet, haben uns aufmerksam gemacht, ermahnt, gewarnt, gedroht. Wie die Stimme aller Propheten, so ist auch die ihrige verhallt; sie ist ungehört, oder unbefolgt geblieben. Auf einmal ist ein neuer gewaltiger Sturm entstanden, die Menschen aufzuregen aus träger Ruhe, und die Welt zu reinigen von allem, was einer frühern Zeit angehörend, und, versäumt von den Menschen der gegenwärtigen, nicht mehr paßte für die dermalige Ordnung der Dinge. Dieser Sturm schüttelte lange und schrecklich den Baum teutscher Verfassung, als hätten wir aufgefordert werden sollen, zur Unterstützung desselben zu eilen. Endlich, als keine Warnung fruchtete, und wir, lange gewohnt an Untätigkeit, nichts taten, was ihn hätte retten mögen – endlich stürzte er nieder der gewaltige Baum, brach über uns zusammen, zerschmetterte viele der Unsern und keiner blieb unbeschädigt. Wir haben das Schicksal gehabt zu überleben; wir wurden gestreift, verwundet! Da standen wir nun, ausgesetzt den Stürmen, den Regengüssen, dem Froste der Zeit; um uns her liegend die erschlagenen Brüder, und die zerschmetterten Zweige und Äste des niedergeworfenen Baums, eine Masse ohne Schöne und Gestalt, und im seltsamen Widerspruche mit den neuen Sprossen, die sich zu erheben beginnen aus den Trümmern. In dieser für ein teutsches Gemüt unerhörten Zeit, in welcher das Alte zusammengebrochen ist, und das Neue, wie schöne Hoffnungen es auch erregen mag, noch nicht Festigkeit genug erhalten hat, um die Bekümmerten zu beruhigen: Was könnte uns von der einen Seite mehr erquicken und trösten, als die Rückkehr in vergangene schönere Zeiten, wo der nun zerstörte Baum fröhlich emporwuchs, wo sich der Geist des teutschen Lebens in ursprünglicher Reinheit zeigte, oder in Taten mannigfacher Art frei und herrlich und in eigentümlicher Schönheit offenbarte? und von der andern Seite, was könnte unserm ganzen Leben für die Zukunft eine schönere Bedeutung geben, als wenn wir den echten teutschen Sinn wieder in uns hervorriefen, den ursprünglichen Charakter unserer Nation, den alten Vaterlandsgeist in seiner Kraft und Reinheit? was könnte uns mehr stärken zu Tugend und Tat, als das Beispiel der Väter? Die Geschichte eines Volks aber kann niemand ernstlich studieren, ohne das Leben desselben zu wiederholen.

Joseph von Eichendorff

Klage

O könnt' ich mich niederlegen
Weit in den tiefsten Wald,
Zu Häupten den guten Degen,
Der noch von den Vätern alt,

Und dürft' von allem nichts spüren
In dieser dummen Zeit,
Was sie da unten hantieren,
Von Gott verlassen, zerstreut;

Von fürstlichen Taten und Werken,
Von alter Ehre und Pracht,
Und was die Seele mag stärken,
Verträumend die lange Nacht!

Denn eine Zeit wird kommen,
Da macht der Herr ein End',
Da wird den Falschen genommen
Ihr unechtes Regiment.

Denn wie die Erze vom Hammer,
So wird das lockre Geschlecht
Gehaun sein von Not und Jammer
Zu festem Eisen recht.

Da wird Aurora tagen
Hoch über den Wald hinauf,
Da gibt's was zu singen und schlagen,
Da wacht, ihr Getreuen, auf.

Heinrich von Kleist

Was gilt es in diesem Kriege?

Gilt es, was es gegolten hat sonst in den Kriegen, die geführt worden sind, auf dem Gebiete der unermeßlichen Welt? Gilt es den Ruhm eines jungen und unternehmenden Fürsten, der, in dem Duft einer lieblichen Sommernacht, von Lorbeern geträumt hat? Oder Genugtuung für die Empfindlichkeit einer Favorite, deren Reize, vom Beherrscher des Reichs anerkannt, an fremden Höfen in Zweifel gezogen worden sind? Gilt es einen Feldzug, der, jenem spanischen Erbfolgestreit gleich, wie ein Schachspiel gespielt wird; bei welchem kein Herz wärmer schlägt, keine Leidenschaft das Gefühl schwellt, kein Muskel, vom Giftpfeil der Beleidigung getroffen, emporzuckt? Gilt es, ins Feld zu rücken, von beiden Seiten, wenn der Lenz kommt, sich zu treffen mit flatternden Fahnen und zu schlagen und entweder zu siegen oder wieder in die Winterquartiere einzurücken? Gilt es, eine Provinz abzutreten, einen Anspruch auszufechten oder eine Schuldforderung geltend zu machen, oder gilt es sonst irgend etwas, das nach dem Wert des Geldes auszumessen ist, heut besessen, morgen aufgegeben und übermorgen wieder erworben werden kann?

Eine Gemeinschaft gilt es, deren Wurzeln tausendästig, einer Eiche gleich, in den Boden der Zeit eingreifen; deren Wipfel, Tugend und Sittlichkeit überschattend, an den silbernen Saum der Wolken rührt; deren Dasein durch das Dritteil eines Erdalters geheiligt worden ist. Eine Gemeinschaft, die, unbekannt mit dem Geist der Herrschsucht und der Eroberung, des Daseins und der Duldung so würdig ist wie irgendeine; die ihren Ruhm nicht einmal denken kann, sie müßte denn den Ruhm zugleich und das Heil aller übrigen denken, die den Erdkreis bewohnen; deren ausgelassenster und ungeheuerster Gedanke noch, von Dichtern und Weisen, auf Flügeln der Einbildung erschwungen, Unterwerfung unter eine Weltregierung ist, die, in freier Wahl, von der Gesamtheit aller Brüdernationen gesetzt wäre. Eine Gemeinschaft gilt es, deren Wahrhaftigkeit und Offenherzigkeit, gegen Freund und Feind gleich unerschütterlich geübt, bei dem Witz der Nachbarn zum Sprichwort geworden ist; die, über jeden Zweifel erhoben, dem Besitzer jenes echten Ringes gleich, diejenige ist, die die anderen am meisten lieben; deren Unschuld, selbst in dem Augenblick noch, da der Fremdling sie belächelt oder wohl gar verspottet, sein Gefühl geheimnisvoll erweckt: dergestalt, daß derjenige, der zu ihr gehört, nur seinen Namen zu nennen braucht, um auch in den entferntesten Teilen der Welt noch Glauben zu finden. Eine Gemeinschaft, die, weit entfernt, in ihrem Busen auch nur eine Regung von Übermut zu tragen, vielmehr, einem schönen Gemüt gleich, bis auf den heutigen Tag, an ihre eigne Herrlichkeit nicht geglaubt hat; die herumgeflattert ist, unermüdlich, einer Biene gleich, alles, was sie Vortreffliches fand, in sich aufzunehmen, gleich als ob nichts von Ursprung herein Schönes in ihr selber wäre; in deren Schoß gleichwohl (wenn es zu sagen erlaubt ist!) die Götter das Urbild der Menschheit reiner, als in irgendeiner anderen aufbewahrt hatten. Eine Gemeinschaft, die dem Menschengeschlecht nichts, in dem Wechsel der Dienstleistungen, schuldig geblieben ist; die den Völkern, ihren Brüdern und Nachbarn, für jede Kunst des Friedens, welche sie von ihnen erhielt, eine andere zurückgab; eine Gemeinschaft, die, an dem Obelisken der Zeiten, stets unter den wackersten und rüstigsten tätig gewesen ist: ja, die den Grundstein desselben gelegt hat und vielleicht den Schlußblock darauf zu setzen bestimmt war. Eine Gemeinschaft gilt es, die den Leibniz und Gutenberg geboren hat; in welcher ein Guericke den Luftkreis wog, Tschirnhausen den Glanz der Sonne lenkte und Kepler der Gestirne Bahn verzeichnete; eine Gemeinschaft, die große Namen, wie der Lenz Blumen, aufzuweisen hat; die den Hutten und Sickingen, Luther und Melanchthon, Joseph und Friedrich auferzog; in welcher Dürer und Cranach, die Verherrlicher der Tempel, gelebt und Klopstock den Triumph des Erlösers gesungen hat. Eine Gemeinschaft mithin gilt es, die dem ganzen Menschengeschlecht angehört; die die Wilden der Südsee noch, wenn sie sie kennten, zu beschützen herbeiströmen würden; eine Gemeinschaft, deren Dasein keine deutsche Brust überleben und die nur mit Blut, *vor dem die Sonne verdunkelt,* zu Grabe gebracht werden soll.

Volkslied

Bei Waterloo stand eine Eiche,
Worunter wir des Nachts gerastet han:
Ei, was hört ich unter dem Gesträuche?
Ein' Lärm von lauter Kriegsgeschrei.

Auf einmal fiel ein dicker Nebel
Und der Tag verwand't sich in die Nacht,
Und da blitzten so viel tausend Säbel,
Hat manchen Deutschen umgebracht.

Wenn die Kanonenkugeln sausen,
Und der Tambour wirbelt auch dabei,

Wenn die Kartätschenkugeln brausen,
So ist uns alles einerlei.

Und als wir nach vollbrachtem Kampfe
Übers blutge Schlachtfeld ziehn,
Da sahen wir im Pulverdampfe
Die armen Menschen sterben hin.

Der Vater weint um seinen Sohn
Und die Mutter um ihr geliebtes Kind:
Ei, so schick uns Gott den stillen Frieden,
Daß wir in unsre Heimat ziehn.

Henrich Steffens

Die Tugend der Not

Die einseitige Richtung der europäischen Kultur hatte alle Länder ergriffen, hatte alles, was die Vorzeit Großes, Heiliges besaß, aus der lebendigen Erinnerung verdrängt. Daher sehen wir die Tempel äußerlich verfallen, innerlich verödet, den Sinn für ein allgemeineres größeres Leben, für ein erweitertes Dasein in Liebe und Hingebung erloschen. Finanzpläne, Fabriken, stehende Heere waren die einzigen Zierden der Zeit, sie erhoben sich auf den Trümmern der Vergangenheit, verwandelten alle Menschen in Knechte tötender Bedürfnisse, und brachten in allen Verhältnissen jenes kümmerliche Unglück hervor, welches abzuwehren alle Kräfte aufgeboten wurden, die *Geldnot*. Die Könige, wie die Hausväter konnten nur daran denken, ja so ganz waren wir in dieses Elend versunken, daß selbst die Liebe nichts Höheres kannte, als diese Not von den bejammernswerten Menschen so viel als möglich abzuwenden. Zu natürlich entsprang daraus der Egoismus, der diesen Besitz für alles ansah, denn ein höherer Besitz verliert nicht durch die Mitteilung, das irdische Gut fodert alleinigen Besitz, und so erkalteten die Herzen. Wer Geld zu bieten vermochte, konnte alles beherrschen; keine Macht war höher, und die Knechte des Geldes waren die Herren der Welt. Wohl war noch ein Edleres im Menschen, und er sehnte sich nach einem höhern Gute, aber wie in schweren Träumen, beschwert von verworrenen Gedanken, schlummerte der edlere Sinn, und wo er sich regte, erschien er als ein Ungeheures, als ein phantastischer Wahn, gegen welchen man sich ängstlich sträubte. – Da bildete sich das stille Verlangen in den zerstreuten Geistern des edelsten Volks. Die ersten Versuche waren zwar unvollkommen, sie entsprachen, einzeln betrachtet, der erhabenen Idee nur wenig, die ersten Anklänge bedrängter Gemüter ertönten nur unvernehmlich, indem sie, von der stolzen Erscheinung der Zeit in allen Richtungen ergriffen, wie sehr sie sich auch gegen sie sträubten, ihr dennoch angehörten. Aber desto deutlicher wird es uns, daß, was so unzusammenhängend, ja oft verworren im Einzelnen, was so scheinbar kleinlich auf mehreren Punkten entstanden, zu einer gemeinsamen, lebendigen, alles belebenden Ansicht heranreifen konnte, eben deswegen, weil keiner sich nennen kann, als den Urheber, einen größern, erhabenern, unsichtbaren anerkennen muß. Dem Frommen ist es wohl bekannt, wie Gott dem Menschen, wenn das Verlangen nach einem himmlischen Gute in ihm keimt, harte Prüfungen zuschickt, und wie er unter schweren Drangsalen für ein höheres Dasein heranreifen muß. Solche Zeiten der Reue und Buße sollen uns ewig heilig sein, wir sollen die segnende Hand dankend anerkennen, die die harte Hülle der Verirrung schmerzhaft durchbricht, damit die heilige Saat gedeihe, Völker, wie Menschen erfahren sein gnadenreiches Erbarmen. Wie oft, wenn ein großes Unglück in eine Familie, in eine Stadt hineinschlug, wenn Flammen verzehrend die Häuser zertrümmerten, wenn Wehklagen und Jammer in allen Straßen erschollen, sahen wir, wie alle schönere Gefühle, die von der kleinern irdischen Not gefesselt, in den ruhigen Häusern zurückgedrängt waren, wie eine entfesselte himmlische Gestalt über der brennenden Stadt schwebten, die Liebe trat inbrünstiger hervor, die Herzen erwärmten sich an der feurigen Glut, die dasjenige verzehrte, was innerlich trennte, wenn es auch äußerlich vereinigte, und wie in einer allgemeinen Umarmung versunken, vergaßen wir Neid und Haß und jede kleinliche Begierde. O wie oft habe ich in Tagen der allgemeinen Not, des trostlosen Jammers, unter tausend Tränen, die heiligsten Gefühle, die in der täglichen, gewöhnlichen Not erkalten, entfesselt gesehen. — Wehe uns, daß die ruhige Welt den Reiz nicht hat, daß die Liebe mit der verzehrenden Flamme erkaltet, daß die harte Schale sich aus der Asche wieder gebiert, und Liebe und Hingebung enge umschließt. So verläßt der Erlahmte in einem Erdbeben die Ruhestelle, die ihn Jahre lang fesselte — ach! die erneuerte Kraft erlöscht mit der Gefahr, und er sinkt hin, wenn sie vorüber ist.

Heinrich von Kleist

Das letzte Lied

(Nach dem Griechischen, aus dem Zeitalter Philipps von Mazedonien)

Fernab am Horizont, auf Felsenrissen,
Liegt der gewitterschwarze Krieg getürmt.
Die Blitze zucken schon, die ungewissen,
Der Wandrer sucht das Laubdach, das ihn schirmt.
Und wie ein Strom, geschwellt von Regengüssen,
Aus seines Ufers Bette heulend stürmt,
Kommt das Verderben, mit entbundnen Wogen,
Auf alles, was besteht, herangezogen.

Der alten Staaten graues Prachtgerüste
Sinkt donnert ein, von ihm hinweggespült,
Wie auf der Heide Grund ein Wurmgeniste,
Von einem Knaben scharrend weggewühlt;
Und wo das Leben, um der Menschen Brüste,
In tausend Lichtern jauchzend hat gespielt,
Ist es so lautlos jetzt, wie in den Reichen,
Durch die die Wellen des Kozytus schleichen.

Und ein Geschlecht, von düsterm Haar umflogen,
Tritt aus der Nacht, das keinen Namen führt,
Das, wie ein Hirngespinst der Mythologen,
Hervor aus der Erschlagnen Knochen stiert;
Das ist geboren nicht, und nicht erzogen,
Vom alten, das im deutschen Land regiert:
Das läßt in Tönen, wie der Nord an Strömen,
Wenn er im Schilfrohr seufzet, sich vernehmen.

Und du, o Lied, voll unnennbarer Wonnen,
Das das Gefühl so wunderbar erhebt,
Das, einer Himmelsurne wie entronnen,
Zu den entzückten Ohren niederschwebt,
Bei dessen Klang, empor ins Reich der Sonnen,
Von allen Banden frei, die Seele strebt:
Dich trifft der Todespfeil; die Parzen winken,
Und stumm ins Grab mußt du darniedersinken.

Ein Götterkind, bekränzt, im Jugendreigen,
Wirst du nicht mehr von Land zu Lande ziehn,
Nicht mehr in unsre Tänze niedersteigen,
Nicht hochrot mehr, bei unserm Mahl, erglühn.
Und nur wo einsam, unter Tannenzweigen,
Zu Leichensteinen, stille Pfade fliehn,

Wird Wanderern, die bei den Toten leben,
Ein Schatten deiner Schön' entgegenschweben.

Und stärker rauscht der Sänger in die Saiten,
Der Töne ganze Macht lockt er hervor,
Er singt die Lust, fürs Vaterland zu streiten,
Und machtlos schlägt sein Ruf an jedes Ohr,
Und wie er flatternd das Panier der Zeiten
Sich weiter pflanzen sieht, von Tor zu Tor,
Schließ er sein Lied; er wünscht mit ihm zu enden,
Und legt die Leier tränend aus den Händen.

Ernst Moritz Arndt

Folgen der Freiheit

Unser Zeitalter ist ein Saturnus, der seine eignen Kinder auffrißt und sich dann im Taumel seines blutigen Rausches an den dicken Bauch schlägt und den Leuten zuruft: *Seht hier die Folgen der Freiheit! seht hier das von Wahn und Knechtschaft erlöste Menschengeschlecht!* Die Franzosen haben damit angefangen, sie haben das Kapital von Jahrhunderten in einem Vierteljahrhundert aufgefressen; andere Regierungen haben es ihnen in manchen Ländern aus Not nachmachen müssen; hie und da haben sie es ihnen in verblendeter Torheit nachgemacht. Alle Verhältnisse wurden aufgehoben, alle Bande zersprengt, gute und böse, nützliche und schädliche; die Sachen wurden so freigegeben wie die Personen, und die Stürme und Vulkane der Zeit weheten und sprützten beide wie Funken und Aschen umher. Und das ist noch das Schlimmste — was freilich vor fünfzig und sechzig Jahren schon in einigen Ländern galt, daß diese ungebührliche Freilassung die verwünschte Fabriksüchtigkeit und Fabrikflüchtigkeit in die Menschen und in ihre Einrichtungen gebracht hat, und daß die ganze Erde und der Staat selbst von vielen Staatsverwaltern und Staatseinrichtern fast nur wie eine Fabrikanstalt gewürdigt und verwaltet wird. Was man heute bedarf, was ein Mensch und ein Ding morgen einträgt, das fragt man mit hungriger Gier, und deswegen kann man mit den kurzen Augen nicht sehen, was die künftige Zeit bedürfen wird und was die künftigen Menschen sein und tragen werden, ja was sie in aller ewigen Zeit sein und tragen sollen. Es gibt gewisse natürliche Verhältnisse in der Verwaltung und Einrichtung der Erde und des Staates und unter den verschiedenen

Klassen der Staatsgesellschaft, welche nimmer hätten gestört und gebrochen werden sollen, und für deren Erhaltung und Wiederbelebung der Staat sorgen muß, wenn er selbst sicher und lebendig bleiben will. Wir wollen die Fertigkeit und Geschicklichkeit der Menschen immer loben, welche durch künstliche Geräte und Maschinen *einem* Menschenarm die Kraft von hundert Armen und *einer* Hand die Verrichtung von fünfzig Händen geben können; aber wir sagen es gradezu: lieber wollen wir keine einzige Maschine als die Gefahr, daß dieses Maschinenwesen uns die ganze gesunde Ansicht vom Staate und die alle Tugend, Kraft und Redlichkeit erhaltenden einfachen und natürlichen Klassen und Geschäfte der Gesellschaft zerrütte. Wenn alle Handwerker Fabrikanten werden, wenn der Ackerbau selbst endlich wie eine Fabrik angesehen und betrieben wird, kurz, wenn das Einfältige, Stetige und Feste aus den menschlichen Einrichtungen weicht, dann steht es schlecht um das Glück und die Herrlichkeit unsers Geschlechts. Wenn wir dahin kämen, daß Axt, Säge und Senkblei von selbst Häuser zuschnitten und aufrichteten, daß der Pflug und die Sense von selbst den Acker pflügten und aberntеten, wenn wir endlich auf Dampfmaschinen über Berg und Tal fahren und auf Luftbällen in die Schlacht reiten könnten, kurz wenn wir neben unsern künstlichen Maschinen, die alle Arbeit für uns täten, nur so hinzuschlendern brauchten – dann würden wir ein so entartetes, nichtiges und elendiges Geschlecht werden, daß die Geschichte ihre Bücher auf ewig von uns schließen würde.

Johann Wolfgang von Goethe

Wenn du am breiten Flusse wohnst,
Seicht stockt er manchmal auch vorbei;
Dann, wenn du deine Wiesen schonst,
Herüber schlämmt er, es ist ein Brei.

Am klaren Tag hinab die Schiffe,
Der Fischer weislich streicht hinan;
Nun starret Eis am Kies und Riffe,
Das Knabenvolk ist Herr der Bahn.

Das mußt du sehn und unterweilen
Doch immer, was du willst, vollziehn!
Nicht stocken darfst du, vor nicht eilen;
Die Zeit, sie geht gemessen hin.

Ludwig Uhland

In ein Stammbuch

Die Zeit, in ihrem Fluge, streift nicht bloß
Des Feldes Blumen und des Waldes Schmuck,
Den Glanz der Jugend und die frische Kraft:
Ihr schlimmster Raub trifft die Gedankenwelt.
Was schön und edel, reich und göttlich war
Und jeder Arbeit, jeden Opfers wert,
Das zeigt sie uns so farblos, hohl und klein,
So nichtig, daß wir selbst vernichtet sind.
Und dennoch wohl uns, wenn die Asche treu
Den Funken hegt, wenn das getäuschte Herz
Nicht müde wird, von neuem zu erglühn!
Das Echte doch ist eben diese Glut,
Das Bild ist höher, als sein Gegenstand,
Der Schein mehr Wesen, als die Wirklichkeit.
Wer nur die Wahrheit sieht, hat ausgelebt;
Das Leben gleicht der Bühne: dort wie hier
Muß, wann die Täuschung weicht, der Vorhang fallen.

Zweiter Teil

TAG- UND LEBENSZEITEN

Nicht am Morgen allein, noch am Mittag einzig beglückt sie,
Untergehend sogar ist's immer dieselbige Sonne.

Goethe

Johann Wolfgang von Goethe

Früh, wenn Tal, Gebirg und Garten
Nebelschleiern sich enthüllen
Und dem sehnlichsten Erwarten
Blumenkelche bunt sich füllen;

Wenn der Äther, Wolken tragend,
Mit dem klaren Tage streitet
Und ein Ostwind, sie verjagend,
Blaue Sonnenbahn bereitet;

Dankst du dann, am Blick dich weidend,
Reiner Brust der Großen, Holden,
Wird die Sonne, rötlich scheidend,
Rings den Horizont vergolden.

Achim von Arnim

Lebensreise

Als ich einmal an einem grauen Tage einsam und gleichgültig meinen Weg wanderte, um mein verhageltes Feld zu besehen, und von einem Hügel zum andern blickte, und so bedachte, wie bald ich auf dem andern, und dann auf dem dritten, und dann — und dann vor Dir stehen könnte, Du treue Seele, zu der ich am liebsten spreche unter allen in der ganzen Welt, und der ich am wenigsten zu sagen habe, weil Du mich gleich verstehst und alle meine Worte in Liebe mehrest und deutest, da wurde mir allmählich so freudig, daß ich rings umher alles mit anderem Auge ansah, als lernte ich jetzt erst sehen und müßte jetzt nachgenießen, was ich den Tag über in Gleichgültigkeit, Ärger und ferner Träumerei versäumt und übersehen hatte. Ich griff nach dem Steine, den ich neben mir zur Wegebesserung mit frischem schwarzglänzendem Bruche zerschlagen fand, und erkannte ihn als einen gültigen Zeugen größerer Weltbegebenheiten, als die ich erlebt hatte; ich nahm einen Grashalm auf, der zum Futter abgemäht, am Wege verloren gegangen, zu meinen Füßen lag, und fand in ihm einen Zeugen des Frühlings, der uns beide beglückte, und in mir schlug das Herz als ein Zeuge der Liebe, die ich untergegangen wähnte. O wie selten wird uns die Gegenwart! Mitten in meiner Freude tönte meine Klage über verlorene Zeit:

Für die Liebe zu zart,
Für die Gedanken zu schnelle,
Eilest du Gegenwart,
Nahende fliehende Welle;
Alles sich spiegelt in dir,
Dir nach sehen wir sehnend von hier,
Stürzten uns gerne dir nach;
Dich erreichet kein Ach!
Dich erreicht nur die Lust,
Strebend dir nach in der schwimmenden Brust,
Dich erreicht sie im Meer;
Ach wer dort nur erst wär,
Wo viel tausend der Wellen
Sich in der Sonne gesellig erhellen.

Das Leben ist uns ewig offen, daß wir uns schauend mit seiner Allgegenwart erfüllen, aber wir selbst stehen uns im Lichte mit toter Vorsicht, wie mancher große Mann gähnend einem Kinde im Lichte steht, bei dem Festaufzuge, der das Kind entzückt hätte; könnten wir uns nur überzeugen, daß nichts alt und nichts neu in der Welt, nichts abgetan sei, und nichts erschöpft – In diesen Gedanken sah ich umher und es fuhren mehrere Wagen an mir vorüber; aus dem einen lachten und winkten mir neckend viel fröhliche Mädchen, und trieben den Kutscher daß er schnell fahre; im anderen, der sehr bestäubt war, saß ein ernsthaftes und doch jugendliches Paar: ein junger Mann und eine wunderschöne Frau; ohne Betrübnis schienen sie doch beide ganz in sich versunken, und sprachen nicht miteinander und dankten auch nicht meinem Gruße. O Bilder der Ausreise und der Rückreise, dachte ich bei diesen beiden Wagen; jene wie von einem Luftballe am hellsten Tage zu Regionen ewiger Sehnsucht getragen, sehen unter sich die ganze Welt offen liegen; diese wie verwundete Gefangene mögen die bekannte Gegend nicht wiedersehen, die sie kürzlich in Sieges-Hoffnung fröhlich durchzogen.

Friedrich Hölderlin

Des Morgens

Vom Taue glänzt der Rasen; beweglicher
  Eilt schon die wache Quelle; die Buche neigt
    Ihr schwankes Haupt und im Geblätter
      Rauscht es und schimmert; und um die grauen

Gewölke streifen rötliche Flammen dort,
Verkündende, sie wallen geräuschlos auf;
Wie Fluten am Gestade, wogen
Höher und höher die Wandelbaren.

Komm nun, o komm, und eile mir nicht zu schnell,
Du goldner Tag, zum Gipfel des Himmels fort!
Denn offner fliegt, vertrauter dir mein
Auge, du Freudiger! zu, so lang du

In deiner Schöne jugendlich blickst und noch
Zu herrlich nicht, zu stolz mir geworden bist;
Du möchtest immer eilen, könnt ich,
Göttlicher Wandrer, mit dir! — doch lächelst

Des frohen Übermütigen du, daß er
Dir gleichen möchte; segne mir lieber dann
Mein sterblich Tun und heitre wieder
Gütiger! heute den stillen Pfad mir.

Joseph von Eichendorff

Frühe

Im Osten graut's, der Nebel fällt,
Wer weiß, wie bald sich's rühret!
Doch schwer im Schlaf noch ruht die Welt,
Von allem nichts verspüret.

Nur eine frühe Lerche steigt,
Es hat ihr was geträumet
Vom Lichte, wenn noch alles schweigt,
Das kaum die Höhen säumet.

Johann Wolfgang von Goethe

Das Puppenspiel

Wilhelm hatte in seiner Kindlichkeit eine Zeitlang hingelebt, manchmal an jenen glücklichen Weihnachtsabend überhin gedacht, immer gerne Bilder gesehen, Feen- und Heldengeschichten gelesen, als die Großmutter, die doch auch so viel Mühe nicht umsonst wollte gehabt haben, bei dem langüberlegten Besuch einiger Nachbarskinder veranlassete, daß das Puppenspiel wieder aufgeschlagen und wieder gegeben wurde.

Hatte Wilhelm das erstemal die Freude der Überraschung und des Staunens, so hatte er zum zweiten die Wollust des Aufmerkens und Forschens. Wie das zuginge, war jetzo sein Anliegen. Daß die Puppen nicht selbst redeten, das hatte er sich das erstemal schon gesagt; daß sie sich nicht von selbst bewegten, darüber ließ er sich nicht vexieren; aber warum das alles doch so hübsch war und es doch so aussah, als wenn sie selbst redeten und sich bewegten, warum man so gerne zusah, und wo die Lichter und die Leute sein möchten, das war ihm ein Rätsel, das ihn um desto mehr beunruhigte, je mehr er wünschte, zugleich unter den Bezauberten und Zauberern zu sein, zugleich seine Hände verdeckt im Spiel zu haben und als Zuschauer eben die Freude zu genießen, die er und die übrige Kinder empfingen. Das Stück war bald zu Ende und wieder am Tanz, als er sich listig der Hülle zu nähern suchte. Kaum war der Vorhang gefallen, man war unaufmerksam, und er hörte inwendig am Klappern, daß man mit Aufräumen beschäftigt sei, so hub er den untern Teppich auf und guckte zwischen den Tischbeinen weg. Eine Magd bemerkte es haussen und zog ihn zurück, allein er hatte doch so viel gesehen, daß man Freunde und Feinde, Saul und Goliath, Mohren und Zwerge in *einen* Schiebkasten packte, und das wa seiner halbbefriedigten Neugierde frische Nahrung. So wie ir gewissen Zeiten die Kinder auf den Unterschied der Geschlechte aufmerksam werden und ihre Blicke durch die Hüllen, die diese Geheimnisse verbergen, gar wunderbare Bewegungen in ihre Natur hervorbringen, so war's Wilhelmen mit dieser Entdekkung; er war ruhiger und unruhiger als vorher, deuchte sich daß er was erfahren hätte, und spürte eben daran, daß er ga nichts wisse.

Die Kinder haben in einem wohleingerichteten und geordnete Hause eine Empfindung, wie ungefähr Ratten und Mäuse habe mögen, sie sind aufmerksam auf alle Ritze und Löcher, wo si zu einem verbotenen Naschwerke gelangen können; sie genie ßen's mit einer verstohlenen wollüstigen Furcht, und ich glaube daß dieses ein großer Teil des kindischen Glücks ist. Wilheln war vor allen seinen Geschwistern aufmerksam, wenn irgen ein Schlüssel stecken blieb. Je größer die Ehrfurcht war, die e für die verschloss'nen Türen in seinem Herzen herum trug, a denen er Wochen und Monate lang vorbeigehen mußte, und i die er nur manchmal, wenn die Mutter das Heiligtum öffnet um was heraus zu holen, einen verstohlnen Blick tun durft desto schneller war er, einen Augenblick zu benutzen, den ih die Nachlässigkeit der Wirtschafterin manchmal treffen lie

Unter allen Türen war, wie man leicht erraten kann, die Türe der Speisekammer diejenige, auf die seine Sinnen am schärfsten gerichtet waren. Wenig ahndungsvolle Freuden des Lebens glichen der Empfindung, wenn ihn seine Mutter manchmal herein rufte, um ihr etwas heraus tragen zu helfen, und er dann einige gedörrte Pflaumen entweder ihrer Güte oder seiner List zu danken hatte. Die aufgehäufte Schätze übereinander umfingen seine Einbildungskraft mit ihrer Fülle, und selbst der unangenehme Geruch von so mancherlei Ausdünstungen durch einander, als da sind: Seife, Licht, Zitronen und mancherlei alte und neue Büchsen, hatte so eine leckere Wirkung auf ihn, daß er niemals versäumte, so oft er in der Nähe war, sich an der eröffneten Atmosphäre auf einige Schritte wenigstens von ferne zu weiden. Dieser merkwürdige Schlüssel blieb einen Sonntagmorgen, da seine Mutter von dem Geläute übereilt ward und das ganze Haus in einer tiefen Sabbatstille lag, stecken. Kaum hatte es Wilhelm bemerkt, als er etlichemal sachte davor auf- und abging, sich endlich still und fein andrängte, die Türe öffnete und sich mit *einem* Schritt in der Nähe so vieler langgewünschter Glückseligkeit fühlte. Er besah Kästen, Säcke, Schachteln, Büchsen, Gläser mit einem schnellen zweifelnden Blick, was er wählen und nehmen sollte, griff endlich nach den vielgeliebten dürren Pflaumen, versah sich mit einigen getrockneten Äpfeln und nahm genügsam noch eine eingemachte Pomeranzenschale dazu, mit welcher Beute er seinen Weg wieder rückwärts glitschen wollte, als ihm ein paar neben einander stehende Kasten in die Augen fielen, aus deren einem ein paar Drähte, oben mit Häkchen versehen, durch den übel verschlossenen Schieber heraushingen. Ahndungsvoll fiel er darüber her, und mit welcher überirdischen Empfindung entdeckte er, daß darinnen seine Helden- und Freudenwelt aufeinander gepackt sei. Er wollte die obersten aufheben, betrachten, die untersten hervorziehen, allein gar bald verwirrte er die leichten Drähte, kam darüber in Unruh und Bangigkeit, besonders da er die Köchin in der benachbarten Küche einige Bewegungen machen hörte, daß er alles so gut er konnte zusammendrückte, seinen Kasten zuschob und nur ein geschriebenes Büchelchen, darin die Komödie von David und Goliath aufgezeichnet war und das obenauf gelegen hatte, zu sich steckte und sich mit dieser Beute leise die Treppe hinauf in eine Dachkammer rettete. –

Von der Zeit an wandte er alle verstohlene einsame Stunden drauf, sein Schauspiel hin und wieder zu lesen, es auswendig zu lernen und sich in Gedanken vorzustellen, wie herrlich es sein müßte, wenn er auch die Gestalten dazu mit seinen Fingern beleben könnte; er ward darüber in seinen Gedanken selbst zum David und zum Goliath, spielte beide wechselsweise vor sich allein, und ich kann im Vorbeigehen nicht unbemerkt lassen, was vor einen magischen Eindruck Böden, Ställe und heimliche Gemächer auf die Kinder zu machen pflegen, wo sie, von dem Druck ihrer Lehrer befreit, sich fast ganz allein selbst genießen, eine Empfindung, die sich in spätern Jahren langsam verliert und manchmal wiederkehrt, wenn die Orte unsaubrer Notwendigkeit eine geheime Kanzlei für unglücklich Liebende abgeben müssen. An solchen Orten und unter solchen Umständen studierte Wilhelm das Stück ganz in sich hinein, ergriff alle Rollen und lernte sie auswendig, nur daß er sich meist an den Platz der Hauptheldendzu setzen pflegte und die übrigen wie Trabanten nur im Gedächtnis so mitlaufen ließ. So lagen ihm die großmütige Reden Davids, mit denen er den übermütigen Riesen Goliath herausforderte, Tag und Nacht im Sinn, er murmelte sie oft vor sich hin, niemand gab acht drauf, als daß sein Vater, der es hier und da bemerkte, bei sich selbst das gute Gedächtnis des Knaben pries, der von so wenigem Zuhören so mancherlei habe behalten können.

Johann Wolfgang von Goethe

Lust und Qual

Knabe saß ich, Fischerknabe,
Auf dem schwarzen Fels im Meer,
Und bereitend falsche Gabe
Sang ich, lauschend rings umher.
Angel schwebte lockend nieder,
Gleich ein Fischlein streift und schnappt –
Schadenfrohe Schelmenlieder!
Und das Fischlein war ertappt.

Ach! am Ufer, durch die Fluren,
Ins Geklüfte tief zum Hain,
Folgt' ich einer Sohle Spuren,
Und die Hirtin war allein.
Blicke sinken, Worte stocken! –
Wie ein Taschenmesser schnappt,
Faßte sie mich in die Locken,
Und das Bübchen war ertappt.

Weiß doch Gott, mit welchem Hirten
Sie aufs neue sich ergeht!
Muß ich in das Meer mich gürten,

Wie es sauset, wie es weht!
Wenn mich oft im Netze jammert
Das Gewimmel groß und klein,
Immer möcht' ich noch umklammert
Noch von ihren Armen sein!

Clemens Brentano

Wo schlägt ein Herz, das bleibend fühlt?

Wo schlägt ein Herz, das bleibend fühlt?
Wo ruht ein Grund, nicht stets durchwühlt?
Wo strahlt ein See, nicht stets durchspült?
Ein Mutterschoß, der nie erkühlt?
Ein Spiegel, nicht für jedes Bild –
Wo ist ein Grund, ein Dach, ein Schild,
Ein Himmel, der kein Wolkenflug,
Ein Frühling, der kein Vögelzug,
Wo eine Spur, die ewig treu,
Ein Gleis, das nicht stets neu und neu?
Ach, wo ist Bleibens auf der Welt,
Ein redlich, ein gefriedet Feld,
Ein Blick, der hin und her nicht schweift,
Und dies und das, und nichts ergreift,
Ein Geist, der sammelt und erbaut –
Ach, wo ist meiner Sehnsucht Braut?
Ich trage einen treuen Stern,
Und pflanzt ihn in den Himmel gern,
Und find kein Plätzchen tief und klar,
Und keinen Felsgrund zum Altar;
Hilf suchen, Süße, halt, o halt!
Ein jeder Himmel leidt Gewalt.

Johann Wolfgang von Goethe

Die wunderlichen Nachbarskinder

Zwei Nachbarskinder von bedeutenden Häusern, Knabe und Mädchen, in verhältnismäßigem Alter, um dereinst Gatten zu werden, ließ man in dieser angenehmen Aussicht miteinander aufwachsen, und die beiderseitigen Eltern freuten sich einer künftigen Verbindung. Doch man bemerkte gar bald, daß die Absicht zu mißlingen schien, indem sich zwischen den beiden trefflichen Naturen ein sonderbarer Widerwille hervortat. Vielleicht waren sie einander zu ähnlich. Beide in sich selbst gewendet, deutlich in ihrem Wollen, fest in ihren Vorsätzen; jedes einzeln geliebt und geehrt von seinen Gespielen; immer Widersacher, wenn sie zusammen waren, immer aufbauend für sich allein, immer wechselsweise zerstörend, wo sie sich begegneten, nicht wetteifernd nach *einem* Ziel, aber immer kämpfend um *einen* Zweck; gutartig durchaus und liebenswürdig, und nur hassend, ja bösartig, indem sie sich aufeinander bezogen.

Dieses wunderliche Verhältnis zeigte sich schon bei kindischen Spielen, es zeigte sich bei zunehmenden Jahren. Und wie die Knaben Krieg zu spielen, sich in Parteien zu sondern, einander Schlachten zu liefern pflegen, so stellte sich das trotzig-mutige Mädchen einst an die Spitze des einen Heers und focht gegen das andre mit solcher Gewalt und Erbitterung, daß dieses schimpflich wäre in die Flucht geschlagen worden, wenn ihr einzelner Widersacher sich nicht sehr brav gehalten und seine Gegnerin doch noch zuletzt entwaffnet und gefangen genommen hätte. Aber auch da noch wehrte sie sich so gewaltsam, daß er, um seine Augen zu erhalten und die Feindin doch nicht zu beschädigen, sein seidenes Halstuch abreißen und ihr die Hände damit auf den Rücken binden mußte.

Dies verzieh sie ihm nie, ja sie machte so heimliche Anstalten und Versuche, ihn zu beschädigen, daß die Eltern, die auf diese seltsamen Leidenschaften schon längst Acht gehabt, sich miteinander verständigten und beschlossen, die beiden feindlichen Wesen zu trennen und jene lieblichen Hoffnungen aufzugeben.

Der Knabe tat sich in seinen neuen Verhältnissen bald hervor. Jede Art von Unterricht schlug bei ihm an. Gönner und eigene Neigung bestimmten ihn zum Soldatenstande. Überall, wo er sich fand, war er geliebt und geehrt. Seine tüchtige Natur schien nur zum Wohlsein, zum Behagen anderer zu wirken, und er war in sich, ohne deutliches Bewußtsein, recht glücklich, den einzigen Widersacher verloren zu haben, den die Natur ihm zugedacht hatte.

Das Mädchen dagegen trat auf einmal in einen veränderten Zustand. Ihre Jahre, eine zunehmende Bildung, und mehr noch ein gewisses inneres Gefühl zogen sie von den heftigen Spielen hinweg, die sie bisher in Gesellschaft der Knaben auszuüben pflegte. Im Ganzen schien ihr etwas zu fehlen: nichts war um sie herum, das wert gewesen wäre, ihren Haß zu erregen; liebenswürdig hatte sie noch niemanden gefunden.

Ein junger Mann, älter als ihr ehemaliger nachbarlicher Widersacher, von Stand, Vermögen und Bedeutung, beliebt in der Gesellschaft, gesucht von Frauen, wendete ihr seine ganze Neigung zu. Es war das erste Mal, daß sich ein Freund, ein Liebhaber, ein Diener um sie bemühte. Der Vorzug, den er ihr vor vielen gab, die älter, gebildeter, glänzender und anspruchsreicher waren als sie, tat ihr gar zu wohl. Seine fortgesetzte Aufmerksamkeit, ohne daß er zudringlich gewesen wäre, sein treuer Beistand bei verschiedenen unangenehmen Zufällen, sein gegen ihre Eltern zwar ausgesprochenes, doch ruhiges und nur hoffnungsvolles Werben, da sie freilich noch sehr jung war: das alles nahm sie für ihn ein, wozu die Gewohnheit, die äußern, nun von der Welt als bekannt angenommenen Verhältnisse das ihrige beitrugen. Sie war so oft Braut genannt worden, daß sie sich endlich selbst dafür hielt, und weder sie noch irgend jemand dachte daran, daß noch eine Prüfung nötig sei, als sie den Ring mit demjenigen wechselte, der so lange Zeit für ihren Bräutigam galt.

Der ruhige Gang, den die ganze Sache genommen hatte, war auch durch das Verlöbnis nicht beschleunigt worden. Man ließ eben von beiden Seiten alles so fortgewähren; man freute sich des Zusammenlebens und wollte die gute Jahreszeit durchaus noch als einen Frühling des künftigen ernsteren Lebens genießen.

Indessen hatte der Entfernte sich zum schönsten ausgebildet, eine verdiente Stufe seiner Lebensbestimmung erstiegen, und kam mit Urlaub, die Seinigen zu besuchen. Auf eine ganz natürliche, aber doch sonderbare Weise stand er seiner schönen Nachbarin abermals entgegen. Sie hatte in der letzten Zeit nur freundliche, bräutliche Familienempfindungen bei sich genährt, sie war mit allem, was sie umgab, in Übereinstimmung; sie glaubte, glücklich zu sein, und war es auch auf gewisse Weise. Aber nun stand ihr zum erstenmal seit langer Zeit wieder etwas entgegen: es war nicht hassenswert, sie war des Hasses unfähig geworden; ja der kindische Haß, der eigentlich nur ein dunkles Anerkennen des inneren Wertes gewesen, äußerte sich nun in frohem Erstaunen, erfreulichem Betrachten, gefälligem Eingestehen, halb willigem halb unwilligem und doch notwendigem Annahen, und das alles war wechselseitig. Eine lange Entfernung gab zu längeren Unterhaltungen Anlaß. Selbst jene kindische Unvernunft diente den Aufgeklärteren zu scherzhafter Erinnerung, und es war, als wenn man sich jenen neckischen Haß wenigstens durch eine freundschaftliche aufmerksame Behandlung vergüten müsse, als wenn jenes gewaltsame Verkennen nunmehr nicht ohne ein ausgesprochnes Anerkennen bleiben dürfe.

Von seiner Seite blieb alles in einem verständigen, wünschenswerten Maß. Sein Stand, seine Verhältnisse, sein Streben, sein Ehrgeiz beschäftigten ihn so reichlich, daß er die Freundlichkeit der schönen Braut als eine dankenswerte Zugabe mit Behaglichkeit aufnahm, ohne sie deshalb in irgend einem Bezug auf sich zu betrachten, oder sie ihrem Bräutigam zu mißgönnen, mit dem er übrigens in den besten Verhältnissen stand.

Bei ihr hingegen sah es ganz anders aus. Sie schien sich wie aus einem Traum erwacht. Der Kampf gegen ihren jungen Nachbar war die erste Leidenschaft gewesen, und dieser heftige Kampf war doch nur, unter der Form des Widerstrebens, eine heftige gleichsam angeborne Neigung. Auch kam es ihr in der Erinnerung nicht anders vor, als daß sie ihn immer geliebt habe. Sie lächelte über jenes feindliche Suchen mit den Waffen in der Hand; sie wollte sich des angenehmsten Gefühls erinnern, als er sie entwaffnete; sie bildete sich ein, die größte Seligkeit empfunden zu haben, da er sie band, und alles, was sie zu seinem Schaden und Verdruß unternommen hatte, kam ihr nur als unschuldiges Mittel vor, seine Aufmerksamkeit auf sich zu ziehen. Sie verwünschte jene Trennung, sie bejammerte den Schlaf, in den sie verfallen, sie verfluchte die schleppende, träumerische Gewohnheit, durch die ihr ein so unbedeutender Bräutigam hatte werden können; sie war verwandelt, doppelt verwandelt, vorwärts und rückwärts, wie man es nehmen will.

Hätte jemand ihre Empfindungen, die sie ganz geheim hielt, entwickeln und mit ihr teilen können, so würde er sie nicht gescholten haben: denn freilich konnte der Bräutigam die Vergleichung mit dem Nachbar nicht aushalten, sobald man sie nebeneinander sah. Wenn man dem einen ein gewisses Zutrauen nicht versagen konnte, so erregte der andere das vollste Vertrauen; wenn man den einen gern zur Gesellschaft mochte, so wünschte man sich den andern zum Gefährten; und dachte man gar an höhere Teilnahme, an außerordentliche Fälle so hätte man wohl an dem einen gezweifelt, wenn einem der andere vollkommene Gewißheit gab. Für solche Verhältnisse ist den Weibern ein besonderer Takt angeboren, und sie haben Ursache so wie Gelegenheit, ihn auszubilden.

Je mehr die schöne Braut solche Gesinnungen bei sich ganz heimlich nährte, je weniger nur irgend jemand dasjenige auszusprechen im Fall war, was zu Gunsten des Bräutigams gelten konnte, was Verhältnisse, was Pflicht anzuraten und zu gebieten, ja was eine unabänderliche Notwendigkeit unwiderruflich zu fordern schien, desto mehr begünstigte das schöne Herz seine Einseitigkeit; und indem sie von der einen Seite durch Welt und Familie, Bräutigam und eigne Zusage unauflöslich gebunden war, von der andern der emporstrebende Jüngling gar kein Geheimnis von seinen Gesinnungen, Planen und Aussichten machte, sich nur als ein treuer und nicht einmal zärtlicher Bruder gegen sie bewies, und nun gar von seiner unmittelbaren Abreise die Rede war, so schien es, als ob ihr früher kindischer Geist mit allen seinen Tücken und Gewaltsamkeiten wieder erwachte und sich nun auf einer höheren Lebensstufe mit Unwillen rüstete, bedeutender und verderblicher zu wirken. Sie beschloß zu sterben, um den ehemals Gehaßten und nun so heftig Geliebten für seine Unteilnahme zu strafen und sich, indem sie ihn nicht besitzen sollte, wenigstens mit seiner Einbildungskraft, seiner Reue auf ewig zu vermählen. Er sollte ihr totes Bild nicht loswerden, er sollte nicht aufhören, sich Vorwürfe zu machen, daß er ihre Gesinnungen nicht erkannt, nicht erforscht, nicht geschätzt habe.

Dieser seltsame Wahnsinn begleitete sie überallhin. Sie verbarg ihn unter allerlei Formen; und ob sie den Menschen gleich wunderlich vorkam, so war niemand aufmerksam oder klug genug, die innere wahre Ursache zu entdecken.

Indessen hatten sich Freunde, Verwandte, Bekannte in Anordnungen von mancherlei Festen erschöpft. Kaum verging ein Tag, daß nicht irgend etwas Neues und Unerwartetes angestellt worden wäre. Kaum war ein schöner Platz der Landschaft, den man nicht ausgeschmückt und zum Empfang vieler frohen Gäste bereitet hätte. Auch wollte unser junger Ankömmling noch vor seiner Abreise das Seinige tun und lud das junge Paar mit einem engeren Familienkreise zu einer Wasserlustfahrt. Man bestieg ein großes schönes wohlausgeschmücktes Schiff, eine der Jachten, die einen kleinen Saal und einige Zimmer anbieten und auf das Wasser die Bequemlichkeit des Landes überzutragen suchen.

Man fuhr auf dem großen Strome mit Musik dahin, die Gesellschaft hatte sich bei heißer Tageszeit in den untern Räumen versammelt, um sich an Geistes- und Glücksspielen zu ergötzen. Der junge Wirt, der niemals untätig bleiben konnte, hatte sich ans Steuer gesetzt, den alten Schiffsmeister abzulösen, der an seiner Seite eingeschlafen war; und eben brauchte der Wachende alle seine Vorsicht, da er sich einer Stelle nahte, wo zwei Inseln das Flußbette verengten und, indem sie ihre flachen Kiesufer bald an der einen bald an der andern Seite hereinstreckten, ein gefährliches Fahrwasser zubereiteten. Fast war der sorgsame und scharfblickende Steurer in Versuchung, den Meister zu wecken, aber er getraute sich's zu und fuhr gegen die Enge. In dem Augenblick erschien auf dem Verdeck seine schöne Feindin mit einem Blumenkranz in den Haaren. Sie nahm ihn ab und warf ihn auf den Steuernden. Nimm dies zum Andenken! rief sie aus. Störe mich nicht! rief er ihr entgegen, indem er den Kranz auffing: ich bedarf aller meiner Kräfte und meiner Aufmerksamkeit. Ich störe dich nicht weiter, rief sie: du siehst mich nicht wieder! Sie sprach's und eilte nach dem Vorderteil des Schiffs, von da sie ins Wasser sprang. Einige Stimmen riefen: Rettet! rettet! sie ertrinkt! Er war in der entsetzlichsten Verlegenheit. Über den Lärm erwacht der alte Schiffsmeister, will das Ruder ergreifen, der jüngere es ihm übergeben; aber es ist keine Zeit, die Herrschaft zu wechseln: das Schiff strandet, und in eben dem Augenblick, die lästigsten Kleidungsstücke wegwerfend, stürzte er sich ins Wasser und schwamm der schönen Feindin nach.

Das Wasser ist ein freundliches Element für den, der damit bekannt ist und es zu behandeln weiß. Es trug ihn, und der geschickte Schwimmer beherrschte es. Bald hatte er die vor ihm fortgerissene Schöne erreicht; er faßte sie, wußte sie zu heben und zu tragen; beide wurden vom Strom gewaltsam fortgerissen, bis sie die Inseln, die Werder weit hinter sich hatten und der Fluß wieder breit und gemächlich zu fließen anfing. Nun erst ermannte, nun erholte er sich aus der ersten zudringenden Not, in der er ohne Besinnung nur mechanisch gehandelt; er blickte mit emporstrebendem Haupt umher und ruderte nach Vermögen einer flachen buschigten Stelle zu, die sich angenehm und gelegen in den Fluß verlief. Dort brachte er seine schöne Beute aufs Trockne; aber kein Lebenshauch war in ihr zu spüren. Er war in Verzweiflung, als ihm ein betretener Pfad, der durchs Gebüsch lief, in die Augen leuchtete. Er belud sich aufs neue mit der teuren Last, er erblickte bald eine einsame Wohnung und erreichte sie. Dort fand er gute Leute, ein junges Ehepaar. Das Unglück, die Not sprach sich geschwind aus. Was er nach einiger Besinnung forderte, ward geleistet. Ein lichtes Feuer brannte; wollne Decken wurden über ein Lager gebreitet; Pelze, Felle, und was Erwärmendes vorrätig war, schnell herbeigetragen. Hier überwand die Begierde, zu retten, jede andre Betrachtung. Nichts war versäumt, den schönen halbstarren nackten Körper wieder ins Leben zu rufen. Es gelang. Sie schlug die Augen auf, sie erblickte den Freund, umschlang seinen Hals mit ihren himmlischen Armen. So blieb sie lange; ein Tränenstrom stürzte aus ihren Augen und vollendete ihre Genesung. Willst du mich verlassen, rief sie aus, da ich dich so wiederfinde? Niemals, rief er, niemals! und wußte nicht, was er sagte noch was er tat. Nur schone dich, rief er hinzu, schone dich! denke an dich um deinet- und meinetwillen.

Sie dachte nun an sich und bemerkte jetzt erst den Zustand, in dem sie war. Sie konnte sich vor ihrem Liebling, ihrem Retter nicht schämen; aber sie entließ ihn gern, damit er für sich sorgen möge: denn noch war, was ihn umgab, naß und triefend.

Die jungen Eheleute beredeten sich: er bot dem Jüngling und sie der Schönen das Hochzeitkleid an, das noch vollständig da hing, um ein Paar von Kopf zu Fuß und von innen heraus zu bekleiden. In kurzer Zeit waren die beiden Abenteurer nicht nur angezogen, sondern geputzt. Sie sahen allerliebst aus, staunten einander an, als sie zusammentraten, und fielen sich mit unmäßiger Leidenschaft, und doch halb lächelnd über die Vermummung, gewaltsam in die Arme. Die Kraft der Jugend und die Regsamkeit der Liebe stellten sie in wenigen Augenblicken völlig wieder her, und es fehlte nur die Musik, um sie zum Tanz aufzufordern.

Sich vom Wasser zur Erde, vom Tode zum Leben, aus dem Familienkreise in eine Wildnis, aus der Verzweiflung zum Entzücken, aus der Gleichgültigkeit zur Neigung, zur Leidenschaft gefunden zu haben, alles in einem Augenblick – der Kopf wäre nicht hinreichend, das zu fassen, er würde zerspringen oder sich verwirren. Hiebei muß das Herz das Beste tun, wenn eine solche Überraschung ertragen werden soll.

Ganz verloren eins ins andre, konnten sie erst nach einiger Zeit an die Angst, an die Sorgen der Zurückgelassenen denken; und fast konnten sie selbst nicht ohne Angst, ohne Sorge daran denken, wie sie jenen wieder begegnen wollten. Sollen wir fliehen? sollen wir uns verbergen? sagte der Jüngling. Wir wollen zusammen bleiben, sagte sie, indem sie an seinem Hals hing.

Der Landmann, der von ihnen die Geschichte des gestrandeten Schiffs vernommen hatte, eilte, ohne weiter zu fragen, nach dem Ufer. Das Fahrzeug kam glücklich einhergeschwommen; es war mit vieler Mühe losgebracht worden. Man fuhr aufs Ungewisse fort, in Hoffnung, die Verlorenen wiederzufinden. Als daher der Landmann mit Rufen und Winken die Schiffenden aufmerksam machte, an eine Stelle lief, wo ein vorteilhafter Landungsplatz sich zeigte, und mit Winken und Rufen nicht aufhörte, wandte sich das Schiff nach dem Ufer, und welch ein Schauspiel ward es, da sie landeten! Die Eltern der beiden Verlobten drängten sich zuerst ans Ufer; den liebenden Bräutigam hatte fast die Besinnung verlassen. Kaum hatten sie vernommen, daß die lieben Kinder gerettet seien, so traten diese in ihrer sonderbaren Verkleidung aus dem Busch hervor. Man erkannte sie nicht eher, als bis sie ganz herangetreten waren. Wen seh' ich? riefen die Mütter. Was seh' ich? riefen die Väter. Die Geretteten warfen sich vor ihnen nieder. Eure Kinder! riefen sie aus: ein Paar. Verzeiht! rief das Mädchen. Gebt uns euren Segen! rief der Jüngling. Gebt uns euren Segen! riefen beide, da alle Welt staunend verstummte. Euren Segen! ertönte es zum drittenmal, und wer hätte den versagen können?

Friedrich Hölderlin

An Landauer

Sei froh! Du hast das gute Los erkoren,
Denn tief und treu ward eine Seele dir;
Der Freunde Freund zu sein, bist du geboren,
Dies zeugen dir am Feste wir.

Und selig, wer im eignen Hause Frieden,
Wie du, und Lieb' und Fülle sieht und Ruh;
Manch Leben ist, wie Licht und Nacht, verschieden,
In goldner Mitte wohnest du.

Dir glänzt die Sonn' in wohlgebauter Halle,
Am Berge reift die Sonne dir den Wein,
Und immer glücklich führt die Güter alle
Der kluge Gott dir aus und ein.

Und Kind gedeiht, und Mutter um den Gatten,
Und wie den Wald die goldne Wolke krönt,
So seid auch ihr um ihn, geliebte Schatten!
Ihr Seligen, an ihn gewöhnt!

O seid mit ihm! denn Wolk' und Winde ziehen
Unruhig öfters über Land und Haus,
Doch ruht das Herz bei allen Lebensmühen
Im heil'gen Angedenken aus.

Und sieh! aus Freude sagen wir von Sorgen;
Wie dunkler Wein, erfreut auch ernster Sang;
Das Fest verhallt, und jedes gehet morgen
Auf schmaler Erde seinen Gang.

Clemens Brentano

Brautgesang

Komm heraus, komm heraus, o du schöne, schöne Braut,
Deine gute Tage sind nun alle, alle aus;
Dein Schleierlein weht so feucht und tränenschwer,
O wie weinet die schöne Braut so sehr!
Mußt die Mägdlein lassen stehn,
Mußt nun zu den Frauen gehn.

Lege an, lege an heut auf kurze, kurze Zeit
Deine Seidenröslein, dein reiches Brustgeschmeid;
Dein Schleierlein weht so feucht und tränenschwer,
O wie weinet die schöne Braut so sehr!
Mußt die Zöpflein schließen ein
Unterm goldnen Häubelein.

Lache nicht, lache nicht, deine Gold- und Perlenschuh
Werden dich schon drücken, sind eng genug dazu;
Dein Schleierlein weht so feucht und tränenschwer,
O wie weinet die schöne Braut so sehr!
Wenn die andern tanzen gehn,
Mußt du bei der Wiege stehn.

Winke nur, winke nur, sind gar leichte, leichte Wink,
Bis den Finger drücket der goldne Treuering.
Dein Schleierlein weht so feucht und tränenschwer,
O wie weinet die schöne Braut so sehr!
Ringlein sehn heut lieblich aus,
Morgen werden Fesseln draus.

Springe heut, springe heut deinen letzten, letzten Tanz,
Welken erst die Rosen, stehn Dornen in dem Kranz;
Dein Schleierlein weht so feucht und tränenschwer,
O wie weinet die schöne Braut so sehr!
Mußt die Blümlein lassen stehn,
Mußt nun auf den Acker gehn.

Carl Wilhelm Salice Contessa

Manon

Mancher Deutsche, der um das Jahr 1800 in Paris war, erinnert sich vielleicht, unweit des Louvre ein Frauenzimmer gesehen und gehört zu haben, die des Abends, gewöhnlich auf der Seite nach dem Karussellplatz, zwischen einem Haufen von rohen und behauenen Steinen saß und das Mitleid der Vorübergehenden durch ihr Spiel und ihren Gesang in Anspruch nahm.

Ich fand sie dort eines Abends von einem kleinen Kreise von Zuhörern umgeben. Ich wollte vorübergehen; die sanfte klagende Stimme hielt mich fest; ich blieb stehen. Das Lied ging eben zu Ende; niemand trat aus dem Kreise; alles blieb still und schien erwartungsvoll aufzuhorchen. Das Gesicht der Sängerin war mit einem schwarzen Schleier bedeckt; eine Gitarre ruhte in ihrem Arm. Neben ihr saß eine alte Frau, eine Untertasse auf dem Schoß haltend, worin sich die milden Gaben der Zuhörenden sammelten.

In leisen Akkorden fing die Gitarre wieder an; die schwache, aber angenehme Stimme fiel ein. Sie sang das Schicksal des Unglücklichen, der von allem verlassen sein Brot von fremder Hand erbittet. Mit welchem Ausdruck! mit welcher Innigkeit! Töne wie diese, die unter dem schwarzen Schleier hervordrangen, waren mir fremd aus einer französischen Kehle. Ich fühlte mich im Innersten bewegt.

Als es neun Uhr geschlagen hatte, stand die Sängerin auf und ging. Ich folgte. Es war eine schlanke Gestalt. Sie eilte mit ihrer Begleiterin über den Pontneuf nach der Vorstadt St. Germain und schlüpfte in einer kleinen Straße in ein altes Haus hinein. Ich stand einige Augenblicke unschlüssig, ob ich ihr folgen sollte; Mitleiden und Neugierde siegten: ich kroch ihr die dunkeln steilen Treppen bis in das fünfte Stockwerk nach. Hier öffnete sie ein kleines Stübchen, in welchem eine Lampe brannte, und trat hinein, ohne mich bemerkt zu haben.

Da ich laut sprechen hörte, näherte ich mich der Türe, als sie plötzlich sich öffnete und die alte Frau, eine Lampe in der Hand, vor mir stand. Meine Verlegenheit war nicht geringer als ihr Schreck. Sie wich ein paar Schritte zurück; ich nahm mich zusammen und folgte ihr, einige Entschuldigungen hervorstotternd. Meine Sängerin war bei meinem Anblick aufgesprungen und kam mir ängstlich entgegen. Ich sagte ihr, wie mich der Gesang aufs innigste gerührt und die Hoffnung, ihr vielleicht nützlich sein zu können, mich bewogen hätte, ihr nachzufolgen. Sie machte eine kleine Verbeugung. — »Monsieur« — fing sie an und schien im Begriff, mir Dank zu sagen; aber plötzlich, als ob sie sich anders besänne, rief sie sich selbst unterbrechend aus: »nein, nein, mir kann niemand helfen!« Hastig ergriff sie meine Hand und führte mich an ein Bett, worin ich jetzt erst einen jungen Mann erblickte, der, ohne mich zu bemerken, emsig mit etwas beschäftigt war, das vor ihm auf der Decke lag. Ich sah hin; es waren allerlei kleine Figuren aus Papier geschnitten, die er sich zu ordnen bemühte. »Manon, Manon«, rief er mit heiserer Stimme, doch ohne seine Beschäftigung zu unterbrechen. Sie trat zu ihm und strich ihm mit der Hand die schwarzen Haare aus der Stirne: »Was willst du, mein armer Martinet?« — »Du mußt mir einen neuen Kaufmann machen. Dieser wird heute septembrisiert mit seiner Frau; auch die kleine Iphigenia muß dran.« — Er schlug die Augen in die Höhe und sah Manon mit einem stieren Blick und fürchterlichem Grinsen an. Ich wendete mich schaudernd von ihm weg.

»Sehen Sie,« sprach Manon, »dieser Unglückliche da ist mein Mann, mein Wohltäter! O man ist schrecklich mit ihm umgegangen. Er hat gelitten wie sein Erlöser. Auch jetzt hat man ihn mir nehmen wollen,« fuhr sie fort; »aber ich werde ihn nur mit meinem Leben verlassen.«

»Nein, mein armer Martinet, Manon verläßt dich nicht!« — Sie setzte sich an sein Bett und küßte seine Hand.

Ich sah mich in dem Stübchen um. Das Bette ließ kaum noch Raum für einen Tisch und zwei alte Stühle. Hinter dem Bette stand ein Betpult, über welchem ein Kruzifix und einige Heiligenbilder hingen.

»Sie werden neugierig sein«, fing Manon wieder an, »zu wissen, was uns in diesen Zustand gebracht hat, und ich habe nichts zu verschweigen. Meines Mannes Vater war ein Kaufmann in der Straße St. Honoré, der diesem einzigen Sohne mit seiner Handlung ein beträchtliches Vermögen zu hinterlassen dachte. Ich wohnte mit meiner Mutter in dem anstoßenden Hause. Wir lebten von Nähen und Waschen. Mein armer Martinet lernte mich kennen; es sind nun bald zehn Jahre; es war an einem Sonnabend — ich werde den Tag nicht vergessen — ich ging bei seinem Hause vorüber mit einem Körbchen, worin feine Wäsche lag. Er kam eben aus dem Hause. Das Körbchen wurde mir im Gedränge aus der Hand gerissen; die Wäsche fiel auf die Erde; er sprang hinzu und half sie mir wieder auflesen. Ich wollte ihm danken; er sprach einige freundliche Worte mit mir; ich ging, er blieb stehen, und beim Umbiegen um die Straßenecke bemerkte ich, daß er noch auf demselben Flecke stand und mir nachsah. — Die Bekanntschaft war gemacht; wir sahen uns öfter, und er gewann mich lieb.

Seinen Eltern war es nicht zu verdenken, daß sie den Umgang mit mir strafbar fanden. Sie waren so reich, und ich ein so armes Mädchen. Auch ist Gott mein Zeuge, daß ich nicht den Willen hatte, ihn für mich zu behalten. Wie oft habe ich ihn mit Tränen gebeten, seinen Eltern zu gehorchen und mich zu lassen, ob er gleich mein Abgott war! — Ach diese Güte, diese Liebe! — Wenn er zu uns kam, dann setzte er sich in den großen Lehnstuhl, — es ist derselbe, auf dem Sie sitzen — und ich mich zu seinen Füßen auf jenes kleine Tabouret. Ich sah ihm in die großen schwarzen Augen oder auf die freundlichen Lippen, wenn er sprach; ich drückte seine Hände an meine Brust; ich unterbrach ihn mit einem schnellen Kusse, und wir vergaßen dann oft unser Gespräch und alles um uns her. In dieser ganzen Zeit habe ich wenig gebetet. Mein Herz litt keinen andern Gedanken als ihn; ja, ich machte mir beinahe ein Verbrechen daraus, wenn mich einmal auf einen Augenblick etwas anders beschäftigt hatte. Es war, als ob ich ihm dadurch etwas entzöge.« —

Der Widerschein dieser schönen Zeit schien ihre blassen Wangen zu röten. Sie warf einen Blick nach dem Bett und verhüllte ihr Gesicht mit dem Schnupftuche.

»Ich will kurz sein«, fuhr sie nach einer Pause fort. »Meine gute Mutter starb. Gott nahm sie zu sich, damit sie das Elend ihres Kindes nicht sähe. – Martinets Eltern wollten mit Gewalt erzwingen, was ihre Güte nicht vermocht hatte: da verließ er das väterliche Haus, beredete mich, mit ihm zu gehen. Wir bezogen ein kleines Zimmer im entlegensten Teile dieser Vorstadt. Der Vater wollte nichts mehr von seinem Sohne wissen; aber wir verloren den Mut nicht. Mein Mann gab Unterricht im Zeichnen und in der Musik; ich stickte und nähte. – So lebten wir kümmerlich bis ins Jahr 1793 und wußten kaum etwas von der Revolution, als um diese Zeit meines Mannes Vater als verdächtig angeklagt und gefänglich eingezogen wurde. – Sie sind fremd, mein Herr; Sie wissen nicht, was dies damals zu bedeuten hatte. – Seine Frau wollte sich nicht von ihm trennen. Mein armer Martinet eilte hin, als er es erfuhr, erhielt die Erlaubnis, mit seinen Eltern zu sprechen. Das Unglück macht weich. Vater und Sohn versöhnten sich. Auch mir vergönnte man, sie zu besuchen; ich brachte ihnen täglich etwas zu essen. – O mein Gott! die armen alten Leute! Sie waren es besser gewohnt. – Manchmal, wenn ich des Morgens hinkam, knieten sie beide in einem Winkel und beteten mit Inbrunst; dann gingen sie mir entgegen und umarmten mich und wollten mir danken, aber das ertrug ich nicht: ich warf mich vor ihnen nieder, ich umschlang ihre Kniee, und wir weinten miteinander.

Im August wurden sie nach der Abtei gebracht, und wir durften sie nicht mehr sehen. Unterdessen hatte mein Mann alles versucht, um ihre Freiheit zu erhalten: es war vergebens. – Den 2. September kam das Gerücht von der Ermordung der Gefangenen. Martinet eilte zitternd nach der Abtei – Gott der Barmherzigkeit! Ich habe nur Worte und Tränen. – Als er hinkommt, da bringen die Henker seinen Vater geführt! Er dringt in den Kreis, er umklammert seinen Vater, er stürzt den Mördern zu Füßen: man mißhandelt ihn, man wirft ihn zu Boden, und sein Vater mit seiner Mutter und seiner kleinen Schwester, die ihn nicht verlassen wollten, werden vor seinen Augen niedergemetzelt. Ein paar mitleidige Nachbarn nehmen sich seiner an; sie bringen ihn mir ins Haus, blutend, ohne Leben. – Kaum aber hatte er die Augen wieder aufgeschlagen, da kam die Mörderrotte, riß ihn mit Gewalt aus meinen Armen und vergönnte mir nicht einmal, sein Schicksal zu teilen. – Ach, ich spreche nur kalte Worte! – Wohin man ihn gebracht hatte, erfuhr ich nicht; ich hielt ihn für tot. Ein hitziges Fieber warf mich nieder; vier Wochen lag ich ohne Bewußtsein. Als ich wieder besser ward und die Erinnerung des Vergangenen zurückkehrte, wie oft habe ich da zu Gott gefleht, daß er mir den Tod senden möchte; aber der Allmächtige wußte besser, was mir gut war. Ich mußte ja noch meines armen Martinets Pflegerin sein.

Es war im Juni des folgenden Jahres, da bringt ein Bekannter mir die Nachricht, daß mein Mann noch lebe und bald seine Freiheit wieder erhalten werde. In dem Augenblicke waren alle Leiden vergessen; ich frage, ich verlange auf der Stelle zu ihm gebracht zu werden. Mit Tränen in den Augen bittet mich der Mann, meine Freude zu mäßigen, verspricht mir bald weitere Nachricht und läßt mich zwischen ungeduldiger Sehnsucht und ängstlicher Erwartung schwankend zurück. – Einige Tage darauf klopfte es an meiner Türe; derselbe Freund tritt herein. ›Erschrecken Sie nicht‹, ruft er mir zu; die Türe öffnet sich noch einmal; es ist mein unglücklicher Martinet, blaß, hager, mit verworrenen Haaren. Ich schreie laut auf, ich werfe alles von mir, was ich in den Händen hatte, ich fliege auf ihn zu; er sieht mich starr an. ›Manon‹, schreit er mit verzerrten Zügen und schlägt ein gräßliches Gelächter auf. – Er hatte den Verstand verloren! – Jetzt wissen Sie genug. Meine Zunge ist Eis, aber hier, indem sie sich heftig an die Brust schlug, hier – –«

Sie kniete am Bette nieder und verbarg das Gesicht.

Ich legte meine Börse auf den Tisch, drückte ihr die Hand und ging schweigend und mit zerrissenem Herzen.

Eine kleine Reise entfernte mich auf einige Wochen aus Paris. Am andern Morgen nach meiner Rückkehr eile ich, die arme Manon zu besuchen. Ich klopfe an die Türe; niemand antwortet; ich öffne sie: die alte Frau sitzt vor dem Bette; über das Bett ist ein weißes Tuch gebreitet. – Wo ist Manon? – »Sie schläft«, antwortete die Alte weinend und schlug das Tuch zurück. – Sie schlief den Schlaf, von dem kein Erwachen ist. Der oft vergebens gerufene Erretter hatte sie endlich erbarmend in seine Arme genommen. Die Augen waren geschlossen; auf den Lippen hatte die befreite Seele noch ein leichtes Lächeln zurückgelassen. Ihr Antlitz war, wie Tasso sagt, ein nächtlicher, doch heiterer Himmel.

Die Alte erzählte mir, daß der arme Martinet vor wenig Tagen gestorben sei. – Seine treue Manon war ihm bald gefolgt.

Wilhelm Müller

Die Braut

Eine blaue Schürze hast du mir gegeben.
Mutter, schad' ums Färben! Mutter, schad' ums Weben!
Morgen in der Frühe wird sie bleich erscheinen,
Will zu Nacht so lange Tränen auf sie weinen.

Und wenn meine Tränen es nicht schaffen können,
Wie sie immer strömen, wie sie immer brennen,
Wird mein Liebster kommen und mir Wasser bringen,
Wird sich Meereswasser aus den Locken ringen;

Denn er liegt da unten in des Meeres Grunde.
Und wenn ihm die Wogen rauschen diese Kunde,
Daß ich hier soll freien und ihm treulos werden:
Aus der Tiefe steigt er auf zur bösen Erden.

In die Kirche soll ich – nun, ich will ja kommen,
Will mich fromm gesellen zu den andern Frommen;
Laßt mich am Altare still vorüberziehen,
Denn dort ist mein Plätzchen, wo die Witwen knieen.

Clemens Brentano

Aus Godwis Tagebuch

Ich fühlte plötzlich, daß ich mich in meiner Erzählung verloren hatte und aus der Folge meiner innern Erneuerung getreten war.

Ich hatte mich auf meiner Erzählung in mein wirres Leben zurückgetragen, ich hatte meinen Talisman abgelegt. Meine ganze Umgebung sprach mich wieder fremd an. Ich war mit diesem zarten, einfachen Leben uneins geworden und schauerte, in alle Farben der wilden Welt gehüllt, vor dem Umriß meiner Lage, die mich so farbenlos, wie ein Geist anredete – die Natur kommt uns armen unnatürlichen Menschen leider oft so übernatürlich vor.

Tilie, die an meinem Arme hing, schwieg. Ihr Anblick überraschte mich, und ihre Berührung machte mir bang; die ganze Reihe von Bergen um uns her, deren Häupter unsre Nachbarn waren, verschwammen im Mondenglanz in die Wolken und türmten sich regellos wie Dampfsäulen wechselnd in den Himmel.

Eine unergründliche Tiefe zwischen izt und ehedem, wie die Täler zu meinen Füßen, ohne eine einzige Gestalt, wie siedende

Kessel voll weißer Nebel und Dünste, ein ganzes Klima zu erschaffen.

Alles um mich her, ohne eine einzige Stelle etwas hinzustellen, alles so voll und so wogend, wie ein Meer, und in mir die drückende Last und der Drang, mich ewig von den Erinnerungen zu trennen, die ohne Frucht üppig in Blätter und geruchlose Blüten schießend, jedem Bessern die Nahrung stehlen.

Alles das hatte mich zugleich umfaßt, meine ganze Vergangenheit, die ich durch meine lebhafte Erzählung erweckt hatte, ergoß sich mißgestaltend in meine Gegenwart, ich war ganz verloren und wachte in dem abenteuerlichsten Traum.

Ohne irgend etwas zu denken, meine Seele wie in einem Wirbelwinde unter tausend Bildern und Ungestalten herumschwindelnd, blickte ich in den Wald, während ich mit vollem Bewußtsein neben Tilien in der herrlichen Nacht hätte gehen sollen.

Ich blickte schon eine Zeitlang auf einen leuchtenden Punkt im Holze, der zwischen den Bäumen hin und her schwankend, in der Ferne zwischen die Blätter leuchtete und das Grün der Bäume entzündend, schimmernde Zweige in der tiefen Nacht des Waldes erblühen ließ. Meine Zerstreuung suchte dies nicht näher zu erforschen, sondern reichte bequem lieber zu dem nahen Gefühle, das mir so oft die erleuchteten Hüttenfenster auf meiner Reise einflößten.

Unwillkürlich malte ich mir eine kleine Bauernstube und fühlte das Behagliche der Ruhe nach der Ermüdung; ich sah die Kinder rund um den Ofen, die Spinnräder und die Lampe nach der Reihe einschlafen und dachte gar nicht dran, daß hier auf eine Meile Wegs keine Bauernhütte sein könne.

Ich wollte schon anfangen, Tilien meine Gefühle über die Hüttenfenster mitzuteilen, als mir auffiel, daß sie so lange geschwiegen habe.

Ach, es ist sehr traurig, wie ungeschickt uns unsre Erziehung macht; unsre Seele wird vom bürgerlichen Leben, wie von einem Tanzmeister, in eine wunderbare steife Konsequenz und eine auswendig gelernte Mannigfaltigkeit geschraubt, die, sobald wir in die Natur treten, zu höchst verderblicher Ungeschmeidigkeit und Einseitigkeit führen.

Mit meiner Rückkehr in meinen vorigen Seelenzustand verbanden sich nach und nach alle seine Schwächen, so wie ein Weltmann nicht leicht einen französischen Pas und einen natürlichen Sprung in der Mitte vereinigen kann.

Ich war zu verwirrt, ich möchte sagen zu erniedrigt, um Tiliens hohes, reines Leben voraussetzen zu können, und meine Frage, warum sie so lange geschwiegen habe, schien nur eine gewöhnliche Dame zu berühren. Ich vermutete, sie sei ängstlich geworden, meine Erzählung von der weißen Marmorfrau, die Nacht und die Einsamkeit mit mir habe in ihr jene weibliche Furcht erregt, die uns Männern so hinreißend wird, weil sie eine der wenigen Aufwallungen ist, in denen sich das eigne innere Verhältnis noch äußert.

Es ist so selten, daß die bloße Liebe von beiden Seiten gleichtätig die Geschlechter näher verbindet, daß uns bis jetzt die raschere, bestimmtere Annäherung zugeteilt wurde; ebendeswegen tut es uns äußerst wohl, wenn wir einmal der feststehende und nicht der bewegte Teil sind, wenn eine Bewegung der Luft oder das Gewicht der Reife die Rosen oder die Früchte, die wir pflücken wollen, uns entgegenbewegt.

Tilie hatte im Gehen dann und wann ihre Hand fester auf die meinige gelegt.

ICH: Wie ist dir, Tilie, sag', warum so stille?
TILIE: Daß ich nicht spreche, ist dein eigner Wille,

Wie konntest du das alles so erzählen,
Nur diesen hohlen, bangen Ton erwählen,
Der wie durch einen dunkeln, tiefen Gang
In deiner seltsamen Erzählung klang.

Im Anfang folgt' ich dir, verließ die helle,
Die sterngezierte Nacht, die ernste Schwelle
Neugierig überschreitend, drang ich vor,
Bis ich mich ganz in Dunkelheit verlor.

Du warst so weit, so tief hineingegangen,
Und Tilie konnte dich nicht mehr erlangen.
Ich eilte rückwärts, hörte dich nicht mehr,
Nur deine Stimme klang noch zu mir her.

Ich setzte mich still an der Höhle nieder
Und liebte dich nicht, denn du kamst nicht wieder.
Ich schaute einsam durch die dunklen Räume,
Aus Waldestiefen kamen zarte Träume
Und spielten mit des Mondes Geisterbildern,
Um meines Freundes Abschied mir zu mildern.

Nur eins von allen blieb bei mir zurücke,
Die weiße Marmorfrau, und meine Blicke
Ließ ich durch Schatten und durch Lichter spähen
Und hoffte fest, die Arme zu ersehen,
Aus den Gebüschen, glaubt' ich, müß sie schauen
Und könne mir allein ihr Leid vertrauen.

Mich ergriffen ihre Worte heftig, wohl war ich Armer in einem langen düstern Gang und konnte nicht wieder heraus.

Ich konnte Tilien nicht antworten; ich wußte nichts, gar nichts, und hätte fast vom Wetter gesprochen, hätten mir die Hüttenfenster nicht eine freundliche Unterhaltung angeboten.

TILIE: Hier oben – Hüttenfenster, sag, wie ist dir?
Hier oben sind ja keine Hütten –

Die Auflösung meines Irrtums, der sich nun schon eine ganze halbe Stunde lang in meine Gedankenreihe verflochten hatte, vollendete meine Zerstörung. Mit einem sehr häßlichen Unwillen fuhr ich fort:

Was denn sonst
Soll's sein, was dorten leuchtet?
SIE: Nun, es wird wohl
Ein stilles Licht sein, kennst du diese nicht?
ICH: Ein stilles Licht? – das ist ein Aberglaube.
TILIE: Ein Aberglaube? – sag, was nennst du so?
ICH: Ein Aberglaube? – nun, ein falscher Glaube.
TILIE: Wie sprichst du, Mann, wie hast du dich verändert;
Die Worte, falsch und schief, versteh ich nicht.
Woher sind sie gekommen, hast du sie
Aus deiner falschen Welt heraufgebracht?
ICH: Ich meine, liebe Tilie, daß die Lichter
Aus der Natur entspringen, und daß jeder
Verschiedne Glaube ihres Ursprungs falsch sei.
TILIE: Von allem diesem weiß ich nichts. Natürlich
Ist alles. Von den stillen Lichtern schweige,
Ich ehre sie, sie sind mir lieb. Sehr selten
Ist's, daß sich eines zeigt; es gehet dann
In meinem Leben sicher etwas Seltnes
Und Wunderbares vor, sie schimmern
Wie Winke meines Schutzgeists in der Nacht
Und wandern ferne in der Gegenwart,
Wie kühnere Minuten meiner Zukunft vor mir.
Eusebion lieben sie, er sprach schon oft
Mit ihnen, und sie tanzen freundlich um ihn.
Willst du mir meine zarten Freunde stören,
So gib mir erst, was sie mir still gewähren.

So weit für heut, ich bin so müde.

Godwi

Godwi an Römer

Ich bin schon wieder genesen. Ich gehe schon wieder durch Wald und Flur, und ohne Mühe, ohne Kampf mit dem vorigen. Auch mein Körper ist sanfter gestimmt. Alles ist einfacher in mir.

Ich kann lange an einer Stelle stehen, ohne jene innere Angst, die mich immer weitertreibt.

O wie ist die Natur so groß, und wie ist der Mensch größer! Wie kann er sie bändigen in sich; wie kann er weit hinaussehen und so unendlich viel in sein Auge fassen und es mit seinem Geiste ruhig anfühlen und betrachten.

Es ist mir nun alles erklärbar, alles verstehe ich; es hängen mir nicht mehr um jede Aussicht alle Erinnerungen und reißen mich von der Gegenwart gewaltsam zurück.

Sonst mußte ich immer durch eine düstere Wolke von Reflexionen durchbrechen, um zu genießen. Es ist, als sei nach dieser Krankheit mein Bedürfnis kleiner und mein Begehren heftiger geworden.

Der Alte ist nun immer freundlicher mit mir, und ich bringe heilige Stunden mit ihm und Tilien zu.

Eins nur kann ich noch nicht lösen; wer war sie, die mit dem Knaben auf dem Arm am Ende der Wiese stand? –

Godwi

Fortsetzung des Tagebuchs

Die Worte Tiliens beschämten mich. Ich schwieg. Ich wollte Tilien ihre Götter rauben, und sie blieb mir freundlich. Ich sah in mich zurück und um mich her, da blieb es kalt und leer. Kein Bild sprach mit mir von einem heiligen Zusammenhange mit einem höhern Leben. Oh, wer gibt mir diese Religion?

Wenn ich Tilien und mit ihr den schönen Zusammenhang mit ihren stillen Lichtern erhalten könnte! Wie ehre ich nun diese stillen Lichter. – Sind sie Tilien, was sie mir ist? – sollte mich nicht eine schöne Eifersucht bewegen, an ihre Stelle zu treten, meine Stelle mit ihnen zu vertauschen? Wie – wie kann die wilde, verzehrende Flamme in mir zum stillen Lichte werden?

So war es in mir. Tilie ging ruhig an meiner Seite und sang:

Sprich aus der Ferne,
Heimliche Welt,
Die sich so gerne
Zu mir gesellt.

Wenn das Abendrot niedergesunken,
Keine freudige Farbe mehr spricht
Und die Kränze stilleuchtender Funken
Die Nacht um die schattigte Stirne flicht:

Wehet der Sterne
Heiliger Sinn
Leis durch die Ferne
Bis zu mir hin.

Wenn des Mondes still lindernde Tränen
Lösen der Nächte verborgenes Weh;
Dann wehet Friede. In goldenen Kähnen
Schiffen die Geister im himmlischen See.

Glänzender Lieder
Klingender Lauf
Ringelt sich nieder,
Wallet hinauf.

Wenn der Mitternacht heiliges Grauen
Bang durch die dunklen Wälder hinschleicht
Und die Büsche gar wundersam schauen,
Alles sich finster tiefsinnig bezeugt:

Wandelt im Dunkeln
Freundliches Spiel,
Still Lichter funkeln
Schimmerndes Ziel.

Alles ist freundlich wohlwollend verbunden,
Bietet sich tröstend und traurend die Hand,
Sind durch die Nächte die Lichter gewunden,
Alles ist ewig im Innern verwandt.

Sprich aus der Ferne,
Heimliche Welt,
Die sich so gerne
Zu mir gesellt.

So sang Tilie durch die Büsche, als bete sie. Der ganze Tempel der Nacht feierte über ihr, und ihre Töne, die in die dunkeln Büsche klangen, schienen sie mit goldnen, singenden Blüten zu überziehen.

Ich selbst war wunderbar gerührt und weinte fast, daß ich an der Seite dieses hellen, freundlichen Bildes so trüb und verschoben dastehe.

Hier wendete sich Tilie zu mir und sprach:

Dir ist nicht wohl, du magst den Wald nicht leiden,
Weil Dunkelheit schon in dir selbst regiert;
So will ich dich den andern Weg geleiten,
Der über eine helle Wiese führt,
Wo Licht und Schatten nicht so bange streiten
Und sich der Pfad in hellen Glanz verliert.
Durch jene Flur, in sanften grünen Wogen,
Wird sie von leisem Wehen hingezogen.

Tilie trat mit mir aus dem Walde auf die glänzende Wiese heraus, und ich erschrak fast vor ihrer Schönheit.

Ist des Lebens Band mit Schmerz gelöset,
Liegt der Körper ohne Blick, ohn Leben,
Fremde Liebe weint, und er geneset.
Seine Liebe muß zum Himmel schweben,
Von dem trägen Leibe keusch entblößet,
Kann zu Gott der Engel sie erheben.
Und er hält sie mit dem Arm umfasset,
Schwebet höher, bis das Grab erblasset.

Ist er durchs Vergängliche gedrungen,
Kehrt die Seele in die Ewigkeit,
Oh, so ist dem Tod genug gelungen,
Und er stürzet rückwärts in die Zeit.
Um die Seele bleibet Wonn geschlungen,
Alles gibt sich ihr, die alles beut,
Wird zum ewgen Geben und Empfangen,
Kann des Wechsels Ende nie erlangen.

So war mir, als ich auf die Wiese trat und Tilie neben mir; es war, als stürze alles Licht auf sie herab, sie zu verschlingen oder zu erschaffen, oder sie erschaffe alles Licht; es war, als entstehe sie aus den Wellen der Grashalmen und Blumen, über die sie schwebend hinging, wie Venus aus dem Schaume des Meeres.

ICH: Wie diese stille Fläche sah der See
In meines Vaters Garten aus; Ottilie,
Dort, wo die Büsche sich verengen, stand
Das weiße Bild, o Gott –.

TILIE: Was ist dir?

ICH: Dort steht die Frau.

TILIE: Wo? Laß uns zu ihr hin;
Da steht sie, ja ich sehe sie, die Arme!

Ich war in die Erde gewurzelt, die weiße Marmorfrau stand am andern Ende der Wiese und hatte den Knaben im Arm.

Tilie saß neben mir, rief mich dann und wann und rüttelte mich leise, ich war sinnlos niedergesunken.

TILIE: Wie ist dir, sprich, du machst mir bange,
Liebst du das weiße Frauenbild nicht mehr?
Hast du ihm wehgetan, daß du es fürchtest?
Mir war es lieb, daß sie sich vor uns stellte.

ICH: Sahst du sie denn?

TILIE: Gewiß, bis sie verschwand.
Doch komme, wunderbarer Mann, komm schnell,

Laß uns nach Haus zu meinem Vater eilen,
Mit dir ist es nicht gut allein zu weilen.

Das stille Licht sahen wir schnell durch den Wald hinfliehen und trennten uns an der Türe. Ich bin krank –

Godwi

Achim von Arnim

Tränennot

Warum muß ich fliehen, woher sie alle ziehen, die strahlenden, die malenden, die luftig zerstreuten im Leuchten erfreuten Blicke der Liebe! – Des Unbedeutenden Macht hat keiner gedacht und des Bedeutenden Blick ist voller Tück. Was riß mich fort? Was hielt mich dort? Mich hielt ein Blick, sie hat ihn abgewendet vom Glück. Nun reißen vier Stricke am Wagen gespannet, mich weg von dem Glücke, ich hab mich ermannet. Den Wagen sie ziehen, die Steine erglühen, wär einer gerissen, ich hätte halten müssen. Warum reißet mein Schmerz doch nie und schreiet nur immer: Flieh. Mit wem red ich, wer kennt mich, wer sind wir? – Ich und die Luft hier.

Der Lüfte lieb Wort, der Vogel zieht fort, wer war der erste im Flug, ihn treffe mein Fluch. Die Luft zieht ihm nach, und ich seufze mein einsam Ach! *Niemand* hört mich, *Keiner* stört mich und die sind mir jetzt Gesellschaft, meine ganze irdische Freundschaft.

Sie liebt einen andern und ich muß wandern.

»Herr, da liegt eine Leiche am Weg.«

Schwager, fahr stille weg, er mußte auch wandern mit den andern, auch du geliebter Feind mußt wandern mit den andern, wenngleich dein Leib geheiligt ist, seit sie dich hat geküßt.

Der hat das Ende der Welt erreicht, der von der Liebsten weicht! Dem ihre Stimme fehlet in Freud und Grimme. O Erde nenne sie mir! Du schweigest vor dir, bist frostig verschlossen und ich bin verdrossen. Ach meine Lieb war mehr als ich, denn sie bezwang mich. Ach meine Liebe ist nun für immer aus, sie fand kein Haus!

Wie ein verspätet Kind ausgeschlossen in Regen und Wind; der Regen läuft ihm über's Angesicht, es stehet vor dem Hause dicht, es möchte noch klopfen an und es nicht wagen kann. Wenn vieles ich nicht sagen will, so sag ich nichts und schweige still. – Ich bin kein Kind, mir über's Gesicht wehte scharf der Wind, daß mir der Bart aufging; die Jugend verging, ich hab

sie nicht genossen, die süßen Gedanken sind alle zu nichts zerflossen.
Ich wandle weiter voraus vor des Wagens dunkles Haus; ich seh ihn nicht, ich hör ihn klirren mit den Geschirren und wie das Schicksal folgt er mir nach. Hier steh ich am Bach, im kleinen Haus gehet die Mühle mit Braus. Der Bach verrinnt, der Stein zerreibt, und keiner gewinnt und keiner bleibt.

Ich schwanke zwischen Bäumen, da will mir träumen, als führ ich in dem schwarzen Meer in dunkler Nacht daher; im schwarzen Meer die Masten, sie ziehen ohne Rasten, kein Schiffer will mehr grüßen, die tiefe Still wird büßen, den Leuchtturm versenkt schon der Sturm. Die Segel herunter, es gehet bald bunter. Ich bin auch einer der euern, ihr müßt nicht feiern. Die Segel hernieder, ihr Brüder. Nun tragt mich ihr Füße durch Regengüsse. Die bestimmten erklimmten Wolken am Waldhang sich senken, es tropft mir das Haar so klar. Wer kann nachdenken! — Wir machen im Dunkel große Augen und keiner kann sie brauchen. Ihr Wirbel im Meere, ihr füllet die Leere; ihr Augen, Leuchttürme, Eingänge der andern Welt, neulebend möchte hinaus der Held; ihr seligen Erinnerungen, ich leb in euch und bin von euch durchdrungen; ihr lieben Augen der Geliebten, wie kann das taugen dem Betrübten, ihr habt mir Meer und Sturm und Himmel verschlungen und durchdrungen.

Müde sink ich in die Kniee, soll ich beten, weil ich glühe, viele Tropfen fallen kühl, keine Tränen, kein Gefühl! Dieser Schritt ist nun der letzte und ich sink der Selbstgehetzte, der sich selber hat gejaget, selbst zerrissen, nicht geklaget, und die keusche Jagdgöttin sinkt in Strahlen auf mich hin.

Meine Mütze voll von Trauben, Nüsse, die am Boden rollen, Pfirschen rötlich, weich in Wolle, frischen meinen schwachen Glauben und ich denk an andre Zonen, wo die dunklen Menschen wohnen, wo ein Goldlack Mädchenblicke, schwarze Locken ohne Tücke. Stille wird's in meinem Herzen und im Hirne wird es wach. Liebe, süße Liebesschmerzen, lasset ihr doch endlich nach. Und die Fluten, die zerstörten, lassen mich, dem Tiefbetörten, hier im Grünen einsam stehn. Ach wie ist mir doch geschehn. Ach wo war ich doch so lange; kühlend wehet ein Vergessen und mir wird nun endlich bange, daß ich gar nichts hab besessen. Hab ich einstmals doch gesessen meinem Glücke in dem Schoß und hier sitz ich nackt und bloß. Neun Monat lag ich im Mutterschoß und hab ihn mit Weinen verlassen, so ließ mich die Liebe nackt und bloß am Berge in Nebelmassen; die Schwalben streifen nur daran, wie um das Grab des Geliebten;

sie hören mich singen und wissen nicht wo, und kreuzen durch die Lüfte und verlieren sich im Klaren.
Mögen alle Gläser springen, alle Lippen davor erblassen, ja ich will die Wahrheit singen, muß ich auch die Wahrheit hassen. Warum die Schönheit so flüchtig ist, das will ich euch verkünden, sie ist ein Gift, das um sich frißt, die Augen davon erblinden. Warum die Liebe so töricht ist, das will ich euch verkünden, weil sie mit aller ihrer List sich selbst nicht kann ergründen; o wohl uns, daß so viel Schönheit tot, daß wir sie nicht brauchen zu lieben, o weh uns, daß in der Tränennot mehr Glück als in der Überlegung. Könnt ich von meinen Augen noch eine Träne erpressen, könnt ich von ihrem Hauche die Seligkeit vergessen!

Friedrich Hölderlin

Wohl geh' ich täglich . . .

Wohl geh' ich täglich andre Pfade, bald
Ins grüne Laub im Walde, zur Quelle bald,
Zum Felsen, wo die Rosen blühen,
Blicke vom Hügel ins Land, doch nirgend

Du Holde, nirgend find ich im Lichte dich
Und in die Lüfte schwinden die Worte mir
Die frommen, die bei dir ich ehmals
— — — — — — — — — — — — — — —

Ja, ferne bist du, seliges Angesicht!
Und deines Lebens Wohllaut verhallt von mir
Nicht mehr belauscht, und ach! wo seid ihr
Zaubergesänge, die einst das Herz mir

Besänftiget mit Ruhe der Himmlischen?
Wie lang ist's! o wie lange! der Jüngling ist
Gealtert, selbst die Erde, die mir
Damals gelächelt, ist anders worden.

Leb immer wohl! es scheidet und kehrt zu dir
Die Seele jeden Tag, und es weint um dich
Das Auge, daß es helle wieder
Dort wo du säumest, hinüberblicke.

Novalis

An Adolf Selmnitz

Was paßt, das muß sich ründen,
Was sich versteht, sich finden,
Was gut ist, sich verbinden,
Was liebt, zusammensein,
Was hindert, muß entweichen,
Was krumm ist, muß sich gleichen,
Was fern ist, sich erreichen,
Was keimt, das muß gedeihn.

Gib treulich mir die Hände,
Sei Bruder mir, und wende
Den Blick vor deinem Ende
Nicht wieder weg von mir.
Ein Tempel – wo wir knien,
Ein Ort – wohin wir ziehen,
Ein Glück – für das wir glühen,
Ein Himmel – mir und dir.

Jean Paul

Firmian St. Siebenkäs' Abschied von Natalie

Glücklicher Firmian, ungeachtet deiner Bedrängnisse! Wenn du jetzo durch die Glastüre auf den eisernen Fußboden hinaustrittst: so sieht dich die Sonne an, und sinkt noch einmal, und die Erde deckt ihr großes Auge, wie das einer sterbenden Göttin zu! – Dann rauchen die Berge um dich wie Altäre – aus den Wäldern rufen die Chöre – die Schleier des Tages, die Schatten, flattern um die entzündeten, durchsichtigen Gipfel auf, und liegen über den bunten Schmucknadeln aus Blumen, und das Glanzgold der Abendröte wirft ein Mattgold nach Osten, und fället mit Rosenfarben an die schwebende Brust der erschütterten Lerche, der erhöhten Abendglocke der Natur! – Glücklicher Mensch! wenn ein herrlicher Geist von weitem über die Erde und ihren Frühling fliegt, und wenn unter ihm sich tausend schöne Abende in *einen* brennenden zusammenziehen: so ist er nur so elysisch, wie der, der um dich verglimmt.

Als die Flammen der Fenster verfalbten, und der Mond noch schwer hinter der Erde emporstieg: gingen beide stumm und voll ins helldunkle Zimmer hinab. Firmian öffnete das Fortepiano, und wiederholte auf den Tönen seinen Abend, die zitternden Saiten wurden die feurigen Zungen seiner gedrängten Brust; die Blumenasche seiner Jugend wurde aufgeweht, und unter ihr grünten wieder einige junge Minuten nach. Aber da die Töne Nataliens gehaltenes geschwollenes Herz, dessen Stiche nur verquollen nicht genesen waren, mit warmen Lebensbalsam überflossen: so ging es sanft und wie zerteilet auseinander, und alle seine schweren Tränen, die darin geglühet hatten, flossen daraus ohne Maß, und es wurde schwach, aber leicht. Firmian, der es sah, daß sie noch einmal durch das Opfertor ins Opfermesser gehe, endigte die Opfermusik, und suchte sie von diesem Altar wegzuführen. – Da lag der Mond plötzlich mit seinem ersten Streif, wie mit einem Schwanenflügel, auf der wächsernen Traube. Er bat sie, in den stillen, neblichen Nachsommer des Tages, in den Mondabend, hinauszugehen: sie gab ihm den Arm, ohne ja zu sagen.

Welche flimmernde Welt! Durch Zweige und durch Quellen, und über Berge und über Wälder flossen blitzend die zerschmolzenen Silberadern, die der Mond aus den Nachtschlacken ausgeschieden hatte, sein Silberblick flog über die zersprungene Woge und über das rege, glatte Apfelblatt, und legte sich fest um weiße Marmorsäulen an, und um gleißende Birkenstämme! Sie standen still, eh' sie in das magische Tal, wie in eine mit Nacht und Licht spielende Zauberhöhle stiegen, worin alle Lebensquellen, die am Tage Düfte, und Stimmen, und Lieder, und durchsichtige Flügel, und gefiederte empor geworfen hatten, zusammengefallen, einen tiefen, stillen Golf anfüllten; sie schaueten nach dem Sophienberg, dessen Gipfel die Last der Zeit breit drückte, und auf dem, statt der Alpenspitze, der Koloß eines Nebels aufstand; sie blickten über die blaßgrüne, unter den fernern, stillern Sonnen schlummernde Welt, und an den Silberstaub der Sterne, der vor dem heraufrollenden Mond weit weg in ferne Tiefen versprang – und dann sahen sie sich voll frommer Freundschaft an, wie nur zwei unschuldige, frohe, erstgeschaffene Engel es vor Freude können, und Firmian sagte: »sind Sie so glücklich wie ich?« – Sie antwortete, indem sie unwillkürlich nicht seine Hand, sondern seinen Arm drückte: »Nein, das bin ich nicht – denn auf eine solche Nacht müßte kein Tag kommen, sondern etwas viel schöneres, etwas viel reicheres, was das durstige Herz befriedigt, und das blutende verschließt.« – »Und was ist das?« fragt' er. – »Der Tod!« (sagte sie leise.) Sie hob ihre strömenden Augen auf zu ihm, und wiederholte: »edler Freund, nicht wahr für mich der Tod?« – »Nein«, sagte Firmian, »höchstens für mich.« Sie setzte schnell dazu, um den zerstörenden Augenblick zu unterbrechen: »wollen wir hinunter an die Stelle, wo wir uns zum erstenmale sahen, und wo ich zwei Tage zu früh schon Ihre Freundin war – und es war doch nicht zu früh – wollen wir?«

Er gehorchte ihr; aber seine Seele schwamm noch im vorigen Gedanken, und indem sie einem langen, gesenkten Kiesweg nachsanken, den die Schatten des Laubenganges betropften, und über dessen weißes, nur von Schatten wie Steinen geflecktes, Bette das Licht des Mondes hinüberrieselte, so sagt' er: »ja, in dieser Stunde, wo der Tod und der Himmel ihre Brüder schicken,* da darf schon eine Seele, wie Ihre, an das Sterben denken. Ich aber noch mehr; denn ich bin noch froher. O! die Freude sieht am liebsten bei ihrem Gastmahl den Tod; denn er selber ist eine und das letzte Entzücken der Erde. Nur das Volk kann den himmelhohen Zug der Menschen in das ferne Land der Frühlinge, mit den Larven- und Leichenerscheinungen unten auf der Erde verwechseln, ganz so wie es das Rufen der Eulen, wenn sie in wärmere Länder ziehen, für Gespenster-Toben hält. – Und doch gute, gute Natalie! kann ich bei Ihnen nicht denken und ertragen, was Sie genannt. – Nein, eine so reiche Seele muß schon in einem frühern Frühling ganz aufblühen als in dem hinter dem Leben; o Gott, sie muß.« – Beide kamen eben an einer vom breiten Wasserfalle des Mondlichts überkleideten Felsenwand herunter, an die sich ein Rosen-Gegitter andrückte. – Natalie brach einen grün- und weich-dornigen Zweig mit zwei anfangenden Rosenknöspchen, und sagte: »ihr brecht niemals auf«, steckte sie an ihr Herz, sah ihn sonderbar an, und sagte: »ganz jung stechen sie noch wenig.«

Unten an der heiligen Stätte ihrer ersten Erscheinung, am steinernen Wasserbecken suchten beide noch Worte für ihr Herz: da stieg jemand aus dem trocknen Becken heraus. Niemand konnte anders lächeln, als gerührt; da es ihr Leibgeber war, der hier versteckt mit einer Weinflasche neben abgebildeten Wassergöttern gelauert hatte, bis sie kamen. Es war in seinem verstörten Auge etwas gewesen, das für diese Frühlingsnacht aus solchem, wie ein *Libation* unseres Freudenkelches, gefallen war. »Dieser Platz und Hafen euerer ersten Landung hier (sagt' er) muß sehr verständig eingeweihet werden. Auch Sie müssen anstoßen. – Beim Himmel, von seinem *blauen* Gewölbe hanget heute mehr Kostbares herunter, daß mans ergreifen kann, als von irgendeinem *grünen.*« Sie nahmen drei Gläser und stießen an, und sagten (mehre unter ihnen, glaub' ich, mit erstickter Stimme): »es lebe die Freundschaft! – Es grüne der Ort, wo sie anfing! es blühe jede Stelle, wo sie wuchs – und wenn alles abblüht und alles abfällt, so dauere sie doch noch fort!« Natalie mußte die Augen abwenden. Heinrich legte die

* Der Tod den Schlaf, der Himmel den Traum.

Hand auf seinen achatenen Stockknopf; aber bloß, (weil die seines Freundes, der ihn noch hatte, schon vorher darauf lag,) bloß um diese recht herzlich und ungestüm zu drücken, und sagte: »gib her; du sollst heute gar keine *Wolken* in der Hand haben.« Auf dem Achat hatte nämlich die unterirdische Natur Wolkenstreifen eingeätzt. Diese verschämte Hülle über den heißen Zeichen der Freundschaft würde jedes Herz, nicht bloß Nataliens weiches, mit gerührter Wonne umgekehret haben. »Sie bleiben nicht bei uns?« sagte sie schwach, als er fort wollte. »Ich gehe hinauf zum Wirte«, sagt' er, »und wenn ich droben eine Querpfeife oder ein Waldhorn ausfinde: so stell' ich mich heraus, und musiziere über das Tal herein, und blase den Frühling an.« –

Als er verschwand, war seinem Freund, als verschwände seine Jugendzeit. Auf einmal sah er hoch über den taumelnden Maikäfern und verwehten Nachtschmetterlingen, und ihren pfeilschnellen Jägern, den Fledermäusen, im Himmel ein breites, einem zerstückten Wölkchen ähnliches Gefolge von Zugvögeln durch das Blaue schweben, die zu unserem Frühling wiederkamen. Hier stürzten sich alle Erinnerungen an seine Stube im Marktflecken, an sein Abendblatt, und an die Stunde, wo ers unter einer ähnlichen Wiederkunft früherer Zugvögel mit dem Glauben geschlossen hatte, sein Leben bald zu schließen, diese Erinnerungen stürzten mit allen ihren Tränen an sein geöffnetes Herz – und brachten ihm den Glauben seines Todes wieder – und diesen wollt' er seiner Freundin geben. Die breite Nacht lag vor ihm, wie eine große Leiche auf der Welt; aber vor dem Wehen aus Morgen zuckten ihre Schattenglieder unter den beschienenen Zweigen – und vor der Sonne richtet sie sich auf, als ein verschlingender Nebel, als ein umgreifendes Gewölke, und die Menschen sagen: es ist der Tag. In Firmians Seele standen zwei überflorte Gedanken, wie Schrecklarven, und stritten mit einander; der eine sagte: er stirbt am Schlage, und er sieht sie ohnehin nicht mehr – und der andere sagte: er stellet sich gestorben, und dann darf er sie nicht mehr sehen. – Er ergriff von Vergangenheit und Gegenwart erdrückt Nataliens Hand, und sagte: »Sie dürfen mir heute die höchste Rührung vergeben – ich sehe Sie nie mehr wieder, Sie waren die edelste Ihres Geschlechts, die ich gefunden, aber wir begegnen uns nie mehr – Bald müssen Sie hören, daß ich gestorben bin, oder mein Name verschwunden ist, auf welche Art es auch sei; aber mein Herz bleibt noch für Sie, für dich ... O daß ich doch die Gegenwart mit ihrer Gebirgkette von Totenhügeln hinter mir hätte, und – die Zukunft jetzo vor mir mit allen ihren offnen Grabhöhlen, und daß ich heute so an der letzten Höhle stände, und dich noch ansähe und dann selig hinunter stürzte.«

Natalie antwortete nichts. Auf einmal stockte ihr Gang, ihr Arm zuckte, ihr Atem quälte sich, sie hielt an, und sagte mit zitternder Stimme, und mit einem ganz bleichen Angesicht: »bleiben Sie auf dieser Stelle – lassen Sie mich nur eine Minute lang auf die Rasenbank dort allein sitzen – ach! ich bin so hastig!« – Er sah sie wegzittern. Sie sank, wie unter Lasten, auf eine lichte Rasenbank, sie heftete ihre Augen geblendet an den Mond, um welchen der blaue Himmel eine Nacht wurde, und die Erde ein Rauch; ihre Arme lagen erstarrt in ihrem Schoß, bloß ein Schmerz, einem Lächeln ähnlich, zuckte um den Mund, und in dem Auge war keine Träne. Aber vor ihrem Freund lag jetzo das Leben wie ein aus- und ineinander rinnendes Schattenreich, voll dumpfer, hereingesenkter Bergwerkgänge, voll Nebel wie Berggeister, und mit einer einzigen, aber so engen, so fernen, oben hereinleuchtenden Öffnung hinaus in den Himmel, in die freie Luft, in den Frühling, in den hellen Tag. Seine Freundin ruhte dort in dem weißen kristallenen Schimmer, wie ein Engel auf dem Grabe eines Säuglings ... Plötzlich ergriffen die hereinfallenden Töne Heinrichs, gleichsam das Glokkenspiel eines Gewitterstürmers, die zwei betäubten Seelen wie vor einem Gewitter, und in den heißen Quellen der Melodie ging das hingerissene Herz auseinander ... Nun nickte Natalie mit dem Haupte, als wenn sie eine Entschließung bejahte; sie stand auf, und trat wie eine Verklärte aus der grünen überblühten Gruft – und öffnete die Arme, und ging ihm entgegen. Eine Träne nach der andern floß über ihr errötendes Angesicht; aber ihr Herz war noch sprachlos – sie konnte, erliegend unter der großen Welt in ihrer Seele, nicht weiter wanken, und er flog ihr entgegen – sie hielt, heißer weinend, ihn von sich, um erst zu sprechen – aber nach den Worten: »erster und letzter Freund, zum ersten und letztenmale« mußte sie atemlos verstummen, und sie sank, von Schmerzen schwer, in seine Arme, an seinen Mund, an seine Brust. »Nein, nein, (stammelte sie) o Gott, gib mir nur die Sprache – Firmian, mein Firmian, nimm hin, meine Freude, alle meine Erdenfreuden, was ich nur habe. Aber niemals, bei Gott, nie sieh mich mehr wieder auf der Erde; aber (sagte sie leise) das beschwöre mir jetzt!« – Sie riß ihr Haupt zurück, und die Töne gingen wie redende Schmerzen zwischen ihnen hin und her, und sie starrete ihn an, und das bleiche, zerknirschte Angesicht ihres Freundes zerrüttete ihr wundes Herz, und sie wiederholte die Bitte mit brechendem Auge: »schwöre nur!« – Er stammelte: »du edle herrliche Seele, ja ich schwöre dirs, ich will dich nicht mehr sehen.« – Sie sank stumm und starr, wie vom Tode gerührt, auf sein Herz mit gebücktem Haupte nieder, und er sagte noch einmal wie sterbend: »ich will dich nicht mehr sehen.« Dann hob sie leuchtend wie ein Engel, das erschöpfte Angesicht auf zu ihm und sagte: »nun ists vorbei! — nimm dir noch den Todes-Kuß und sage nichts mehr zu mir.« Er nahm ihn und sie entwand sich sanft; aber im Umwenden reichte sie ihm rückwärts noch die grüne Rosenknospe mit weichen Dornen, und sagte: »denk' an heute.« — Sie ging entschlossen, obwohl zitternd fort und verlor sich bald in den dunkelgrünen, von wenigen Strahlen durchschnittenen Gängen, ohne sich mehr umzuwenden.

— Und das Ende dieser Nacht wird sich jede Seele, die geliebt, ohne meine Worte malen.

Johann Wolfgang von Goethe

An die Gräfin Christine von Brühl

Auf den Auen wandlen wir
Und bleiben glücklich ohne Gedanken,
Am Hügel schwebt des Abschieds Laut,
Es bringt der West den Fluß hinab
Ein leises Lebewohl.
Und der Schmerz ergreift die Brust,
Und der Geist schwankt hin und her,
Und sinkt und steigt und sinkt.
Von weiten winkt die Wiederkehr
Und sagt der Seele Freude zu.
Ist es so? Ja! Zweifle nicht!

Johann Peter Hebel

Der Abendstern

De bisch au wieder zitli do,
und laufsch der Sunne weidli no,
du liebe, schöne Obestern!
Was gilts, de hättsch di Schmützli gern!
Er trippelt ihre Spure no,
und cha sie doch nit übercho.

Vo alle Sterne groß und chlei,
isch er der liebst und er ellei,
si Brüderli, der Morgestern,
si het en nit ums halb so gern;

und wo sie wandlet us und i,
se meint sie, müeß er um sie sy.

Früeih wenn sie hinterm Morgerot
wohl ob dem Schwarzwald ufe goht,
sie füehrt ihr Büebli an der Hand,
sie zeigt em Berg und Strom und Land,
sie seit: »Tue g'mach, s'pressirt nit so!
Di Gumpe wird der bald vergoh.«

Er schwätzt und frogt sie das und deis,
sie git em B'richt, so guet sie 's weiß.
Er seit: »O Muetter, lueg doch au,
do unte glänzts im Morgetau
so schön wie in di'm Himmelssaal!«
»He, seit sie, drum isch's Wiesental.«

Sie frogt en: »Hesch bald Alles gseh?
Jez gangi, und wart nümme meh.«
Druf springt er ihrer Hand dervo,
und mengem wiße Wülkli no;
doch, wenn er meint, iez han i di,
verschwunden isch's, weiß Gott, wohi.

Druf wie si Muetter höcher stoht,
und alsgmach gegenem Rhistrom goht,
se rüeft sie 'm: »Chumm und fall nit do!«
Sie füehrt en fest am Händli no:
»De chönntsch verlösche, Handumcher,
Nimm, was mers für e Chummer wär!«

Doch, wo sie überm Elsis stoht,
und alsgmach ehnen abe goht,
wird nootno 's Büebli müed und still,
's weiß nümme, was es mache will;
's will nümme goh, und will nit goh,
's frogt hundertmol: »Wie wit ischs no?«

Druf, wie sie ob de Berge stoht,
und tiefer sinkt ins Oberot,
und er afange matt und müed
im rote Schimmer d'Heimet sieht,
se loßt er sie am Fürtuech goh,
und zottlet alsgmach hinte no.

In d'Heimet wandle Herd und Hirt,
der Vogel sitzt, der Chäfer schwirrt;
und 's Heimli betet dört und do
si luten Obedsege scho.

Iez, denkt er, hani hochi Zit,
Gottlob und Dank, 's isch nümme wit.

Und sichtber, wiener nöcher chunnt,
umstrahlt sie au si Gsichtli rund.
Drum stoht si Muetter vorem Hus:
»Chumm, weidli chumm, du chleini Muus!«
Iez sinkt er freudig niederwärts —
iez ischs em wohl am Muetterherz.

Schlof wohl, du schöner Obestern!
's isch wohr, mer hen di alli gern.
Er luegt in d' Welt so lieb und guet,
und bschaut en eis mit schwerem Muet,
und isch me müed, und het e Schmerz,
mit stillem Frieden füllt er's Herz.

Die anderen im Strahleg'wand,
he, frili io, sin au scharmant.
O lueg, wie's flimmert wit und breit
in Lieb und Freud und Einigkeit!
's macht kein em andre 's Lebe schwer;
wenns doch donieden au so wär!

Es chunnt e chüele Obedluft
und an de Halme hangt der Duft.
Denkwol, mer göhn iez au alsgmach
im stille Frieden unter's Dach!
Gang, Liseli, zünd 's Aempli a!
Mach kei so große Dochte dra!

Clemens Brentano

An den Mond

Sieh, dort kommt der sanfte Freund gegangen,
Leise, um die Menschen nicht zu wecken;
Kleine Wölkchen küssen ihm die Wangen,
Und die schwarze Nacht muß sich verstecken.
  Nur allein
  Wer mit Pein
Liebt, den kühlet sein lieblicher Schein.

Freundlich küsset er die stillen Tränen
Von der Liebe schwermutsvollen Blicken,
Stillt im Busen alles bange Sehnen,
Alles Leiden weiß er zu erquicken.
  Liebe eint,
  Wenn erscheint
Unvermutet die Freundin dem Freund.

Auch mich kleinen Knaben siehst du gerne,
Kommst mit deinen Strahlen recht geschwinde,
Mir zu leuchten aus der blauen Ferne,
Wenn ich Tiliens seidne Locken winde.
  Zuzusehn,
  Bis wir gehn,
Wenn die kühleren Nachtwinde wehn.

Joseph von Eichendorff

Nachtwanderer

Er reitet nachts auf einem braunen Roß,
Er reitet vorüber an manchem Schloß:
Schlaf droben, mein Kind, bis der Tag erscheint,
Die finstre Nacht ist des Menschen Feind!

Er reitet vorüber an einem Teich,
Da stehet ein schönes Mädchen bleich
Und singt, ihr Hemdlein flattert im Wind:
Vorüber, vorüber, mir graut vor dem Kind!

Er reitet vorüber an einem Fluß,
Da ruft ihm der Wassermann seinen Gruß,
Taucht wieder unter dann mit Gesaus,
Und stille wird's über dem kühlen Haus.

Wann Tag und Nacht in verworrenem Streit,
Schon Hähne krähen in Dörfern weit,
Da schauert sein Roß und wühlet hinab,
Scharret ihm schnaubend sein eigenes Grab.

E. T. A. Hoffmann

Der schwebende Teller

Ihr wißt, daß ich mich vor einiger Zeit, und zwar kurz vor dem letzten Feldzuge, auf dem Gute des Obristen von P. befand. Der Obrist war ein munterer jovialer Mann, so wie seine Gemahlin die Ruhe, die Unbefangenheit selbst.

Der Sohn befand sich, als ich dort war, bei der Armee, so daß die Familie außer dem Ehepaar nur noch aus zwei Töchtern und einer alten Französin bestand, die eine Art von Gouvernante vorzustellen sich mühte, unerachtet die Mädchen schon über die Zeit des Gouvernierens hinaus schienen. Die Älteste war ein munteres Ding, bis zur Ausgelassenheit lebendig, nicht ohne Geist, aber so wie sie nicht fünf Schritte gehen konnte, ohne wenigstens drei Entrechats zu machen, so sprang sie auch im Gespräch, in all ihrem Tun, rastlos von einem Dinge zum andern. Ich hab' es erlebt, daß sie in weniger als zehn Minuten stickte — las — zeichnete — sang — tanzte —, daß sie in einem Moment weinte um den armen Cousin, der in der Schlacht geblieben, und die bittern Tränen noch in den Augen, in ein hell aufquiekendes Gelächter ausbrach, als die Französin unversehens ihre Tabaksdose über den kleinen Mops ausschüttete, der sofort entsetzlich zu niesen begann, worauf die Alte lamentierte: Ah che fatalita! — ah carino — poverino! — Sie pflegte nämlich mit besagtem Mops nur in italienischer Zunge zu reden, da er aus Padua gebürtig — und dabei war das Fräulein die lieblichste Blondine, die es geben mag, und in allen ihren seltsamen Capriccios voll Anmut und Liebenswürdigkeit, so daß sie überall einen unwiderstehlichen Zauber übte, ohne es zu wollen.

Das seltsamste Widerspiel bildete die jüngere Schwester, Adelgunde geheißen. Vergebens ringe ich nach Worten, Euch den ganz eignen wunderbaren Eindruck zu beschreiben, den das Mädchen auf mich machte, als ich sie zum ersten Male sah. Denkt euch die schönste Gestalt, das wunderherrlichste Antlitz. Aber eine Totenblässe liegt auf Lipp' und Wangen, und die Gestalt bewegte sich leise, langsam, gemessenen Schrittes, und wenn dann ein halblautes Wort von den kaum geöffneten Lippen ertönt und im weiten Saal verklingt, fühlt man sich von gespenstischen Schauern durchbebt. — Ich überwand wohl bald diese Schauer und mußte, als ich das tief in sich gekehrte Mädchen zum Sprechen vermocht, mir selbst gestehen, daß das Seltsame, ja Spukhafte dieser Erscheinung nur im Äußern liege, keineswegs sich aber aus dem Innern heraus offenbare. In dem wenigen, was das Mädchen sprach, zeigte sich ein zarter weiblicher Sinn, ein heller Verstand, ein freundliches Gemüt. Keine Spur irgend einer Überspannung war zu finden, wiewohl das schmerzliche Lächeln, der tränenschwere Blick wenigstens irgend einen physischen Krankheitszustand, der auch auf das Gemüt des zarten Kindes feindlich einwirken mußte, vermuten ließ. Sehr sonderbar fiel es mir auf, daß die Familie, keinen, selbst die alte Französin nicht, ausgeschlossen, beängstet schien, so wie man mit dem Mädchen sprach, und versuchte, das Gespräch zu unterbrechen, sich darin manchmal auf gar erzwungene Weise einmischend. Das Seltsamste war aber, daß, sowie es abends acht Uhr geworden, das Fräulein erst von der Französin, dann von Mutter, Schwester, Vater gemahnt wurde, sich in ihr Zimmer zu begeben, wie man kleine Kinder zu Bette treibt, damit sie nicht übermüden, sondern fein ausschlafen. Die Französin begleitete sie, und so kam es, daß beide niemals das Abendessen, welches um neun Uhr angerichtet wurde, abwarten durften. – Die Obristin, meine Verwunderung wohl bemerkend, warf einmal, um jeder Frage vorzubeugen, leicht hin, daß Adelgunde viel kränkle, daß sie vorzüglich abends um neun Uhr von Fieberanfällen heimgesucht werde, und daß daher der Arzt geraten, sie zu dieser Zeit der unbedingtesten Ruhe zu überlassen. – Ich fühlte, daß es noch eine ganz andere Bewandtnis damit haben müsse, ohne irgend Deutliches ahnen zu können. Erst heute erfuhr ich den wahren entsetzlichen Zusammenhang der Sache und das Ereignis, das den kleinen glücklichen Familienkreis auf furchtbare Weise verstört hat. –

Adelgunde war sonst das blühendste, munterste Kind, das man nur sehen konnte. Ihr vierzehnter Geburtstag wurde gefeiert, eine Menge Gespielinnen waren dazu eingeladen. – Die sitzen in dem schönen Boskett des Schloßgartens im Kreise umher und scherzen und lachen und kümmern sich nicht darum, daß immer finstrer und finstrer der Abend heraufzieht, da die lauen Juliuslüfte erquickend wehen und erst jetzt ihre Lust recht aufgeht. In der magischen Dämmerung beginnen sie allerlei seltsame Tänze, indem sie Elfen und andere flinke Spukgeister vorstellen wollen. »Hört«, ruft Adelgunde, als es im Boskett ganz finster geworden, »hört, Kinder, nun will ich euch einmal als die weiße Frau erscheinen, von der unser alter verstorbener Gärtner so oft erzählt hat. Aber da müßt ihr mit mir kommen bis ans Ende des Gartens, dorthin, wo das alte Gemäuer steht.« – Und damit wickelt sie sich in ihren weißen Shawl und schwebt leichtfüßig fort durch den Laubgang, und die Mädchen laufen ihr nach in vollem Schäkern und Lachen. Aber kaum ist Adelgunde an das alte, halb eingefallene Gewölbe gekommen, als sie erstarrt – gelähmt an allen Gliedern stehen bleibt. Die Schloßuhr schlägt neun. »Seht ihr nichts«, ruft Adelgunde mit dem dumpfen hohlen Ton des tiefsten Entsetzens, »seht ihr nichts – die Gestalt – die dicht vor mir steht – Jesus! – sie streckt die Hand nach mir aus – seht ihr denn nichts?« – Die Kinder sehen nicht das mindeste, aber alle erfaßt Angst und Grauen. Sie rennen fort bis auf eine, die, die beherzteste, sich ermutigt, auf Adelgunde zuspringt, sie in die Arme fassen will. Aber in dem Augenblick sinkt Adelgunde todähnlich zu Boden. Auf des Mädchens gellendes Angstgeschrei eilt alles aus dem Schlosse herzu. Man bringt Adelgunde hinein. Sie erwacht endlich aus der Ohnmacht und erzählt, an allen Gliedern zitternd, daß, kaum sei sie vor das Gewölbe getreten, dicht vor ihr eine luftige Gestalt, wie in Nebel gehüllt, gestanden und die Hand nach ihr ausgestreckt habe. – Was war natürlicher, als daß man die ganze Erscheinung den wunderbaren Täuschungen des dämmernden Abendlichts zuschrieb. Adelgunde erholte sich in derselben Nacht so ganz und gar von ihrem Schreck, daß man durchaus keine bösen Folgen befürchtete, sondern die ganze Sache für völlig abgetan hielt. – Wie ganz anders begab sich alles! – Kaum schlägt es den Abend darauf neun Uhr, als Adelgunde mitten in der Gesellschaft, die sie umgibt, entsetzt aufspringt und ruft: »Da ist es – da ist es – seht ihr denn nichts! – dicht vor mir steht es!« – Genug, seit jenem unglückseligen Abende behauptete Adelgunde, so wie es abends neune schlug, daß die Gestalt dicht vor ihr stehe und einige Sekunden weile, ohne daß irgend ein Mensch außer ihr auch nur das mindeste wahrnehmen konnte oder in irgend einer psychischen Empfindung die Nähe eines unbekannten geistigen Prinzips gespürt haben sollte. Nun wurde die arme Adelgunde für wahnsinnig gehalten, und die Familie schämte sich in seltsamer Verkehrtheit dieses Zustandes der Tochter, der Schwester. Daher jene sonderbare Art, sie zu behandeln, deren ich erst erwähnte. Es fehlte nicht an Ärzten und an Mitteln, die das arme Kind von der fixen Idee, wie man die von ihr behauptete Erscheinung zu nennen beliebte, befreien sollten, aber alles blieb vergebens, und sie bat unter vielen Tränen, man möge sie doch nur in Ruhe lassen, da die Gestalt, die in ihren ungewissen, unkenntlichen Zügen an und vor sich selbst gar nichts Schreckliches habe, ihr kein Entsetzen mehr errege, wiewohl es jedesmal nach der Erscheinung ihr zumute sei, als wäre ihr Innerstes mit allen Gedanken hinausgewendet und schwebe körperlos außer ihr selbst umher, wovon sie krank und matt werde. – Endlich machte der Obrist die Bekanntschaft eines berühmten Arztes, der in dem Ruf stand, Wahnsinnige auf eine überaus pfiffige Weise zu heilen. Als der Obrist diesem entdeckt hatte, wie es sich mit der armen Adelgunde begeb, lachte er laut auf und meinte, nichts sei leichter, als diesen Wahnsinn zu heilen, der bloß in der überreizten Einbildungskraft seinen Grund finde. Die Idee der Erscheinung des Gespenstes sei mit dem Ausschlagen der neunten Abendstunde so fest verknüpft, daß die innere Kraft des Geistes sie nicht mehr trennen könne, und es käme daher nur darauf an, diese Trennung von außen her zu bewirken. Dies könne aber nun wieder sehr leicht dadurch geschehen, daß man das Fräulein in der Zeit täusche und die neunte Stunde vorübergehen lasse, ohne daß sie es wisse. Wäre dann das Gespenst nicht erschienen, so würde sie selbst ihren Wahn einsehen, und physische Erkräftigungsmittel würden dann die Kur glücklich vollenden. – Der unselige Rat wurde ausgeführt! – In einer Nacht stellte man sämtliche Uhren im Schlosse, ja selbst die Dorfuhr, deren dumpfe Schläge herabsummten, um eine Stunde zurück, so daß Adelgunde, sowie sie am frühen Morgen erwachte, in der Zeit um eine Stunde irren mußte. Der Abend kam heran. Die kleine Familie war wie gewöhnlich in einem heiter verzierten Eckzimmer versammelt, kein Fremder zugegen. Die Obristin mühte sich, allerlei Lustiges zu erzählen, der Obrist fing an, wie es seine Art war, wenn er vorzüglich bei Laune, die alte Französin ein wenig aufzuziehen, worin ihm Auguste (das ältere Fräulein) beistand. Man lachte, man war fröhlicher als je. – Da schlägt die Wanduhr achte (es war also die neunte Stunde), und leichenblaß sinkt Adelgunde in den Lehnsessel zurück – das Nähzeug entfällt ihren Händen! Dann erhebt sie sich, alle Schauer des Entsetzens im Antlitz, starrt hin in des Zimmers öden Raum, murmelt dumpf und hohl: – »Was! – eine Stunde früher? – ha, seht ihr's? – seht ihr's? – da steht es dicht vor mir – dicht vor mir!« – Alle fahren auf, vom Schrecken erfaßt, aber als niemand auch nur das mindeste gewahrt, ruft der Obrist: »Adelgunde! – fasse dich! – es ist nichts, es ist ein Hirngespinst, ein Spiel deiner Einbildungskraft, was sich täuscht, wir sehen nichts, gar nichts, und müßten wir, ließe sich wirklich dicht vor dir eine Gestalt erschauen, müßten wir sie nicht ebensogut wahrnehmen als du? – Fasse dich – fasse dich, Adelgunde!« – »O Gott – o Gott«, seufzt Adelgunde, »will man mich denn wahnsinnig machen! – Seht, da streckt es den weißen Arm lang aus nach mir – es winkt.« – Und wie willenlos, unverwandten starren Blickes, greift nun Adelgunde hinter sich, faßt einen kleinen Teller, der zufällig auf dem Tische steht, reicht ihn vor sich hin in die Luft, läßt ihn los – und der Teller, wie von unsichtbarer Hand getragen, schwebt langsam im Kreise der Anwesenden umher und läßt sich dann leise auf den Tisch nieder! – Die Obristin, Auguste lagen in tiefer Ohnmacht, der ein hitziges Nervenfieber folgte. Der Obrist nahm sich mit aller Kraft zusammen, aber man merkte wohl an seinem verstörten Wesen die tiefe feindliche Wirkung jenes unerklärlichen Phänomens.

Die alte Französin hatte, auf die Knie gesunken, das Gesicht zur Erde gebeugt, still gebetet, sie blieb so wie Adelgunde frei von allen bösen Folgen. In kurzer Zeit war die Obristin hingerafft. Auguste überstand die Krankheit, aber wünschenswerter war gewiß ihr Tod als ihr jetziger Zustand. — Sie, die volle herrliche Jugendlust selbst, wie ich sie erst beschrieben, ist von einem Wahnsinn befallen, der mir wenigstens grauenvoller, entsetzlicher vorkommt als irgend einer, den jemals eine fixe Idee erzeugte. Sie bildet sich nämlich ein, *sie* sei jenes unsichtbare körperlose Gespenst Adelgundens, flieht daher alle Menschen oder hütet sich wenigstens, sobald ein anderer zugegen, zu reden, sich zu bewegen. Kaum wagt sie es zu atmen, denn fest glaubt sie, daß, verrate sie ihre Gegenwart auf diese, jene Weise, jeder vor Entsetzen des Todes sein müsse. Man öffnet ihr die Türe, man setzt ihr Speisen hin, dann schlüpft sie verstohlen hinein und heraus — ißt eben so heimlich usw. Kann ein Zustand qualvoller sein?

Der Obrist, ganz Gram und Verzweiflung, folgte den Fahnen zum neuen Feldzug. Er blieb in der siegreichen Schlacht bei W. — Merkwürdig, höchst merkwürdig ist es, daß Adelgunde seit jenem verhängnisvollen Abende von dem Phantom befreit ist. Sie pflegt getreulich die kranke Schwester, und ihr steht die alte Französin bei. So wie Sylvester mir heute sagte, ist der Oheim der armen Kinder hier, um mit unserm wackern R. über die Kurmethode, die man allenfalls bei Augusten versuchen könne, zurate zu gehen. — Gebe der Himmel, daß die unwahrscheinliche Rettung möglich.

Joseph von Eichendorff

Lockung

Hörst du nicht die Bäume rauschen
Draußen durch die stille Rund'?
Lockt's dich nicht, hinabzulauschen
Von dem Söller in den Grund,
Wo die vielen Bäche gehen
Wunderbar im Mondenschein
Und die stillen Schlösser sehen
In den Fluß vom hohen Stein?

Kennst du noch die irren Lieder
Aus der alten, schönen Zeit?
Sie erwachen alle wieder

Nachts in Waldeseinsamkeit,
Wenn die Bäume träumend lauschen
Und der Flieder duftet schwül
Und im Fluß die Nixen rauschen –
Komm herab, hier ist's so kühl.

Johann Peter Hebel

Unverhofftes Wiedersehen

In Falun in Schweden küßte vor guten fünfzig Jahren und mehr ein junger Bergmann seine junge hübsche Braut und sagte zu ihr: »Auf Sankt Luciä wird unsere Liebe von des Priesters Hand gesegnet. Dann sind wir Mann und Weib, und bauen uns ein eigenes Nestlein«, – und Friede und Liebe soll darin wohnen, sagte die schöne Braut mit holdem Lächeln, denn du bist mein Einziges und Alles, und ohne dich möchte ich lieber im Grab sein, als an einem andern Ort. Als sie aber von St. Luciä der Pfarrer zum zweitenmal in der Kirche ausgerufen hatte: *»So nun jemand Hindernis wüßte anzuzeigen, warum diese Personen nicht möchten ehelich zusammenkommen,«* da meldete sich der *Tod*. Denn als der Jüngling den andern Morgen in seiner schwarzen Bergmannskleidung an ihrem Haus vorbeiging, der Bergmann hat sein Totenkleid immer an, da klopfte er zwar noch einmal an ihrem Fenster, und sagte ihr guten Morgen, aber keinen guten Abend mehr. Er kam nimmer aus dem Bergwerk zurück, und sie saumte vergeblich selbigen Morgen ein schwarzes Halstuch mit rotem Rand für ihn zum Hochzeittag, sondern als er nimmer kam, legte sie es weg, und weinte um ihn und vergaß ihn nie. Unterdessen wurde die Stadt Lissabon in Portugal durch ein Erdbeben zerstört, und der siebenjährige Krieg ging vorüber, und Kaiser Franz der erste starb, und der Jesuiten-Orden wurde aufgehoben und Polen geteilt, und die Kaiserin Maria Theresia starb, und der Struensee wurde hingerichtet, Amerika wurde frei, und die vereinigte französische und spanische Macht konnte Gibraltar nicht erobern. Die Türken schlossen den General Stein in der Veteraner Höhle in Ungarn ein, und der Kaiser Joseph starb auch. Der König Gustav von Schweden eroberte russisch Finnland, und die französische Revolution und der lange Krieg fing an, und der Kaiser Leopold der zweite ging auch ins Grab. Napoleon eroberte Preußen, und die Engländer bombardierten Kopenhagen, und die Ackerleute säeten und schnitten. Der Müller mahlte und die Schmiede hämmerten, und die Bergleute gruben nach den Metalladern in ihrer unterirdischen Werkstatt. Als aber die Bergleute in Falun im Jahr 1809 etwas vor oder nach Johannis zwischen zwei Schachten eine Öffnung durchgraben wollten, gute dreihundert Ellen tief unter dem Boden, gruben sie aus dem Schutt und Vitriolwasser den Leichnam eines Jünglings heraus, der ganz mit Eisenvitriol durchdrungen, sonst aber unverwest und unverändert war; also daß man seine Gesichtszüge und sein Alter noch völlig erkennen konnte, als wenn er erst vor einer Stunde gestorben, oder ein wenig eingeschlafen wäre, an der Arbeit. Als man ihn aber zu Tag ausgefördert hatte, Vater und Mutter, Gefreundte und Bekannte waren schon lange tot, kein Mensch wollte den schlafenden Jüngling kennen oder etwas von seinem Unglück wissen, bis die ehemalige Verlobte des Bergmanns kam, der eines Tages auf die Schicht gegangen war und nimmer zurückkehrte. Grau und zusammengeschrumpft kam sie an einer Krücke an den Platz und erkannte ihren Bräutigam; und mehr mit freudigem Entzücken als mit Schreck sank sie auf die geliebte Leiche nieder, und erst als sie sich von einer langen heftigen Bewegung des Gemüts erholt hatte, »es ist mein Verlobter«, sagte sie endlich, »um den ich fünfzig Jahre lang getrauert hatte, und den mich Gott noch einmal sehen läßt vor meinem Ende. Acht Tage vor der Hochzeit ist er auf die Grube gegangen und nimmer gekommen.« Da wurden die Gemüter aller Umstehenden von Wehmut und Tränen ergriffen, als sie sahen die ehemalige Braut jetzt in der Gestalt des hingewelkten kraftlosen Alters und den Bräutigam noch in seiner jugendlichen Schöne, und wie in ihrer Brust nach 50 Jahren die Flamme der jugendlichen Liebe noch einmal erwachte; aber er öffnete den Mund nimmer zum Lächeln oder die Augen zum Wiedererkennen; und wie sie ihn endlich von den Bergleuten in ihr Stüblein tragen ließ, als die einzige, die ihm angehöre, und ein Recht an ihn habe, bis sein Grab gerüstet sei auf dem Kirchhof. Den andern Tag, als das Grab gerüstet war auf dem Kirchhof und ihn die Bergleute holten, legte sie ihm das schwarzseidene Halstuch mit roten Streifen um, und begleitete ihn in ihrem Sonntagsgewand, als wenn es ihr Hochzeittag und nicht der Tag seiner Beerdigung wäre. Denn als man ihn auf dem Kirchhof ins Grab legte, sagte sie: »Schlafe nun wohl, noch einen Tag oder zehen im kühlen Hochzeitbett, und laß dir die Zeit nicht lang werden. Ich habe nur noch wenig zu tun, und komme bald, und bald wirds wieder Tag. – Was die Erde einmal wieder gegeben hat, wird sie zum zweitenmal auch nicht behalten«, sagte sie, als sie fortging, und noch einmal umschaute.

Ludwig Uhland

Der König auf dem Turme

Da liegen sie alle, die grauen Höhn,
Die dunkeln Täler in milder Ruh;
Der Schlummer waltet, die Lüfte wehn
Keinen Laut der Klage mir zu.

Für alle hab' ich gesorgt und gestrebt,
Mit Sorgen trank ich den funkelnden Wein;
Die Nacht ist gekommen, der Himmel belebt,
Meine Seele will ich erfreun.

O du goldne Schrift durch den Sterneraum!
Zu dir ja schau' ich liebend empor.
Ihr Wunderklänge, vernommen kaum,
Wie besäuselt ihr sehnlich mein Ohr!

Mein Haar ist ergraut, mein Auge getrübt,
Die Siegeswaffen hängen im Saal,
Habe Recht gesprochen und Recht geübt,
Wann darf ich rasten einmal?

O selige Rast, wie verlang' ich dein!
O herrliche Nacht, wie säumst du so lang,
Da ich schaue der Sterne lichteren Schein
Und höre volleren Klang!

Novalis

Hymnen an die Nacht (V)

Über der Menschen weitverbreitete Stämme herrschte vor Zeiten ein eisernes Schicksal mit stummer Gewalt. Eine dunkle, schwere Binde lag um ihre bange Seele – Unendlich war die Erde – der Götter Aufenthalt, und ihre Heimat. Seit Ewigkeiten stand ihr geheimnisvoller Bau. Über des Morgens roten Bergen, in des Meeres heiligem Schoß wohnte die Sonne, das allzündende, lebendige Licht. Ein alter Riese trug die selige Welt. Fest unter Bergen lagen die Ursöhne der Mutter Erde. Ohnmächtig in ihrer zerstörenden Wut gegen das neue herrliche Göttergeschlecht und dessen Verwandten, die fröhlichen Menschen. Des Meers dunkle, grüne Tiefe war einer Göttin Schoß. In den kristallenen Grotten schwelgte ein üppiges Volk. Flüsse, Bäume, Blumen und Tiere hatten menschlichen Sinn. Süßer schmeckte der Wein von sichtbarer Jugendfülle geschenkt — ein Gott in den Trauben — eine liebende, mütterliche Göttin, empor wachsend in vollen goldenen Garben — der Liebe heilger Rausch ein süßer Dienst der schönsten Götterfrau — ein ewig buntes Fest der Himmelskinder und der Erdbewohner rauschte das Leben, wie ein Frühling, durch die Jahrhunderte hin. — Alle Geschlechter verehrten kindlich die zarte, tausendfältige Flamme, als das Höchste der Welt. *Ein* Gedanke nur war es, *ein* entsetzliches Traumbild,

Das furchtbar zu den frohen Tischen trat
Und das Gemüt in wilde Schrecken hüllte.
Hier wußten selbst die Götter keinen Rat,
Der die beklommne Brust mit Trost erfüllte.
Geheimnisvoll war dieses Unholds Pfad,
Des Wut kein Flehn und keine Gabe stillte;
Es war der Tod, der dieses Lustgelag
Mit Angst und Schmerz und Tränen unterbrach.

Auf ewig nun von allem abgeschieden,
Was hier das Herz in süßer Wollust regt,
Getrennt von den Geliebten, die hinieden
Vergebne Sehnsucht, langes Weh bewegt,
Schien matter Traum dem Toten nur beschieden,
Ohnmächtges Ringen nur ihm auferlegt.
Zerbrochen war die Woge des Genusses
Am Felsen des unendlichen Verdrusses.

Mit kühnem Geist und hoher Sinnenglut
Verschönte sich der Mensch die grause Larve,
Ein sanfter Jüngling löscht das Licht und ruht —
Sanft wird das Ende, wie ein Wehn der Harfe.
Erinnrung schmilzt in kühler Schattenflut,
So sang das Lied dem traurigen Bedarfe.
Doch unenträtselt blieb die ewge Nacht,
Das ernste Zeichen einer fernen Macht.

Zu Ende neigte die alte Welt sich. Des jungen Geschlechts Lustgarten verwelkte — hinauf in den freieren, wüsten Raum strebten die unkindlichen, wachsenden Menschen. Die Götter verschwanden mit ihrem Gefolge — Einsam und leblos stand die Natur. Mit eiserner Kette band sie die dürre Zahl und das strenge Maß. Wie in Staub und Lüfte zerfiel in dunkle Worte die unermeßliche Blüte des Lebens. Entflohn war der beschwörende Glauben, und die allverwandelnde, allverschwisternde Himmelsgenossin, die Phantasie. Unfreundlich blies ein kalter Nordwind über die erstarrte Flur, und die erstarrte Wunderheimat verflog in den Äther. Des Himmels Fernen füllten mit leuchtenden Welten sich. Ins tiefre Heiligtum, in des Gemüts höhern Raum zog mit ihren Mächten die Seele der Welt – zu walten dort bis zum Anbruch der tagenden Weltherrlichkeit. Nicht mehr war das Licht der Götter Aufenthalt und himmlisches Zeichen – den Schleier der Nacht warfen sie über sich. Die Nacht ward der Offenbarungen mächtiger Schoß – in ihn kehrten die Götter zurück – schlummerten ein, um in neuen herrlichern Gestalten auszugehn über die veränderte Welt. Im Volk, das vor allen verachtet zu früh reif und der seligen Unschuld der Jugend trotzig fremd geworden war, erschien mit niegesehenem Angesicht die neue Welt – In der Armut dichterischer Hütte – Ein Sohn der ersten Jungfrau und Mutter – Geheimnisvoller Umarmung unendliche Frucht. Des Morgenlands ahndende, blütenreiche Weisheit erkannte zuerst der neuen Zeit Beginn – Zu des Königs demütiger Wiege wies ihr ein Stern den Weg. In der weiten Zukunft Namen huldigten sie ihm mit Glanz und Duft, den höchsten Wundern der Natur. Einsam entfaltete das himmlische Herz sich zu einem Blütenkelch allmächtger Liebe – des Vaters hohem Antlitz zugewandt und ruhend an dem ahndungsselgen Busen der lieblich ernsten Mutter. Mit vergötternder Inbrunst schaute das weissagende Auge des blühenden Kindes auf die Tage der Zukunft, nach seinen Geliebten, den Sprossen seines Götterstamms, unbekümmert über seiner Tage irdisches Schicksal. Bald sammelten die kindlichsten Gemüter von inniger Liebe wundersam ergriffen sich um ihn her. Wie Blumen keimte ein neues fremdes Leben in seiner Nähe. Unerschöpfliche Worte und der Botschaften fröhlichste fielen wie Funken eines göttlichen Geistes von seinen freundlichen Lippen. Von ferner Küste, unter Hellas heiterm Himmel geboren, kam ein Sänger nach Palästina und ergab sein ganzes Herz dem Wunderkinde:

Der Jüngling bist du, der seit langer Zeit
Auf unsern Gräbern steht in tiefem Sinnen;
Ein tröstlich Zeichen in der Dunkelheit –
Der höhern Menschheit freudiges Beginnen.
Was uns gesenkt in tiefe Traurigkeit,
Zieht uns mit süßer Sehnsucht nun von hinnen.
Im Tode ward das ewge Leben kund,
Du bist der Tod und machst uns erst gesund.

Der Sänger zog voll Freudigkeit nach Indostan – das Herz von süßer Liebe trunken; und schüttete in feurigen Gesängen es unter jenem milden Himmel aus, daß tausend Herzen sich zu ihm neigten, und die fröhliche Botschaft tausendzweigig emporwuchs. Bald nach des Sängers Abschied ward das köstliche Leben ein Opfer des menschlichen tiefen Verfalls — Er starb in jungen Jahren, weggerissen von der geliebten Welt, von der weinenden Mutter und seinen zagenden Freunden. Der unsäglichen Leiden dunkeln Kelch leerte der liebliche Mund — In entsetzlicher Angst nahte die Stunde der Geburt der neuen Welt. Hart rang er mit des alten Todes Schrecken — Schwer lag der Druck der alten Welt auf ihm. Noch einmal sah er freundlich nach der Mutter — da kam der ewigen Liebe lösende Hand — und er entschlief. Nur wenig Tage hing ein tiefer Schleier über das brausende Meer, über das bebende Land — unzählige Tränen weinten die Geliebten — Entsiegelt ward das Geheimnis — himmlische Geister hoben den uralten Stein vom dunkeln Grabe. Engel saßen bei dem Schlummernden — aus seinen Träumen zartgebildet — Erwacht in neuer Götterherrlichkeit erstieg er die Höhe der neugebornen Welt — begrub mit eigner Hand den alten Leichnam in die verlaßne Höhle und legte mit allmächtiger Hand den Stein, den keine Macht erhebt, darauf. Noch weinen deine Lieben Tränen der Freude, Tränen der Rührung und des unendlichen Danks an deinem Grabe — sehn dich noch immer, freudig erschreckt, auferstehn — und sich mit dir; sehn dich weinen mit süßer Inbrunst an der Mutter seligem Busen, ernst mit den Freunden wandeln, Worte sagen, wie vom Baum des Lebens gebrochen; sehen dich eilen mit voller Sehnsucht in des Vaters Arm, bringend die junge Menschheit, und der goldnen Zukunft unversieglichen Becher. Die Mutter eilte bald dir nach — in himmlischem Triumph — Sie war die erste in der neuen Heimat bei dir. Lange Zeiten entflossen seitdem, und in immer höherm Glanze regte deine neue Schöpfung sich — und Tausende zogen aus Schmerzen und Qualen, voll Glauben und Sehnsucht und Treue dir nach — walten mit dir und der himmlischen Jungfrau im Reiche der Liebe — dienen im Tempel des himmlischen Todes und sind in Ewigkeit dein.

Gehoben ist der Stein —
Die Menschheit ist erstanden —
Wir alle bleiben dein
Und fühlen keine Banden.
Der herbste Kummer fleucht
Vor deiner goldnen Schale,
Wenn Erd und Leben weicht,
Im letzten Abendmahle.

Zur Hochzeit ruft der Tod —
Die Lampen brennen helle —
Die Jungfraun sind zur Stelle —
Um Öl ist keine Not —

Erklänge doch die Ferne
Von deinem Zuge schon,
Und ruften uns die Sterne
Mit Menschenzung' und Ton.

Nach dir, Maria, heben
Schon tausend Herzen sich.
In diesem Schattenleben
Verlangten sie nur dich.
Sie hoffen zu genesen
Mit ahndungsvoller Lust —
Drückst du sie, heilges Wesen,
An deine treue Brust.

So manche, die sich glühend
In bittrer Qual verzehrt
Und dieser Welt entfliehend
Nach dir sich hingekehrt;
Die hülfreich uns erschienen
In mancher Not und Pein —
Wir kommen nun zu ihnen,
Um ewig da zu sein.

Nun weint an keinem Grabe,
Für Schmerz, wer liebend glaubt.
Der Liebe süße Habe
Wird keinem nicht geraubt —
Die Sehnsucht ihm zu lindern,
Begeistert ihn die Nacht —
Von treuen Himmelskindern
Wird ihm sein Herz bewacht.

Getrost, das Leben schreitet
Zum ewgen Leben hin;
Von innrer Glut geweitet
Verklärt sich unser Sinn.
Die Sternwelt wird zerfließen
Zum goldnen Lebenswein,
Wir werden sie genießen
Und lichte Sterne sein.

Die Lieb' ist frei gegeben,
Und keine Trennung mehr.
Es wogt das volle Leben
Wie ein unendlich Meer.

Nur *eine* Nacht der Wonne –
Ein ewiges Gedicht –
Und unser aller Sonne
Ist Gottes Angesicht.

Johann Wolfgang von Goethe

Der Bräutigam

Um Mitternacht – ich schlief, im Busen wachte
Das liebevolle Herz, als wär es Tag;
Der Tag erschien – mir war, als ob es nachte:
Was ist es mir, so viel er bringen mag.

Sie fehlte ja; mein emsig Tun und Streben,
Für sie allein ertrug ich's durch die Glut
Der heißen Stunde; welch erquicktes Leben
Am kühlen Abend! lohnend war's und gut.

Die Sonne sank, und Hand in Hand verpflichtet
Begrüßten wir den letzten Segensblick,
Und Auge sprach, ins Auge klar gerichtet:
Von Osten, hoffe nur, sie kommt zurück.

Um Mitternacht – der Sterne Glanz geleitet
Im holden Traum zur Schwelle, wo sie ruht.
O sei auch mir dort auszuruhn bereitet!
Wie es auch sei, das Leben, es ist gut.

Dritter Teil

GEMEINWESEN

Verfluchtes Volk! kaum bist du frei,
So brichst du dich in dir selbst entzwei.
War nicht der Not, des Glücks genug?
Deutsch oder teutsch — du wirst nicht klug.

Goethe

Karl Ludwig von Knebel

Wirkung und Gegenwirkung

Das Leben der Menschen ist eine gewisse Portion von Leiden und Freuden, *aktiver* und *passiver* Kraft. Es scheint die Aufgabe für ein weiseres Gemüt zu sein, durch Erhöhung der beiden dem Leben Wirkung und Festigkeit zu geben. Das Gleichgewicht ist notwendig. Wer nicht *leiden* kann, kann auch nicht *tun*. Jenes ist gleichsam der Hebel, der zur Wirksamkeit aufdrängt. So finden wir, daß die größten Wirksamkeiten der Menschen durch vorherigen starken Druck entstanden — oder vielmehr emporgetreten sind. So lehrt man den Kindern den Gehorsam, welches ein Druck auf ihre Willenskraft ist, um die echte Kraft in richtigem Maße hervortreten zu machen. Wer Gehorsam auflegt, um die Kräfte zu unterdrücken, der ist — ein *Unterdrücker*. Nichts hat in dem Leben, so wie in der Natur überhaupt, Wert als Kraft; denn das Leben selbst ist Kraft. Wer also Gehorsam fordert ohne Weisheit, d. h. ohne Erzielung einer vorteilhaftern Anwendung der Kraft, der beraubt uns und tötet einen Teil unsers Lebens. Man sieht hieraus, in welche Kategorie die Despoten kommen, und eigenmächtige Menschen. —

Adam Müller

Von der Idee des Staates

Der Staat ist die Totalität der menschlichen Angelegenheiten, ihre Verbindung zu einem lebendigen Ganzen. Schneiden wir auch nur das unbedeutendste Teil des menschlichen Wesens aus diesem Zusammenhange für immer heraus, trennen wir den menschlichen Charakter auch nur an irgendeiner Stelle vom bürgerlichen, so können wir den Staat als Lebenserscheinung oder als Idee, worauf es hier ankommt, nicht mehr empfinden. Die Allgemeinheit, in der die Idee des Staates hier erscheint, darf nicht erschrecken: die Theorie hat uns unzählige falsche Schranken in den Weg gebaut, den wir betreten; diese müssen alle erst fortgeräumt werden, ehe die wahren Schranken, welche die Bewegung des Staates nicht hindern, sondern vielmehr befördern, gezeigt und aufgerichtet werden können. Diese wahren Schranken sind da, in allen wirklichen Staaten um uns her; sie bestimmen den praktischen Staatsmann und Gesetzgeber, wenn die kleinste Abgabe gefordert, der unbedeutendste Rechtsfall geschlichtet werden soll; aber die Theorie betrachtet sie falsch, sie fixiert diese Schranken, nimmt ihnen Leben und Wachstum und stört dergestalt das Wirken des Staatsmanns. Wir müssen vor allen Dingen die Theorie berichtigen, denn es kommt uns darauf an, sie mit der Praxis zu versöhnen. Fragt nun nach dieser Darstellung noch irgend jemand nach dem Zweck des Staates, so frage ich ihn wieder: du betrachtest also den Staat als Mittel? als ein künstliches Mittel? du meinst also immer noch, daß es etwas außerhalb des Staates gebe, um dessentwillen er da ist, dem er dienen muß, wie das Gerüst dem Gebäude, wie die Schale dem Kern? — Du glaubst im Herzen immer noch, daß es doch wohl noch einmal darauf hinaus kommen könne, daß der Staat nun überflüssig wäre und etwas anderes, besseres ans Licht kommen könne als der Staat? — Ordnung, Freiheit, Sicherheit, Recht, die Glückseligkeit aller sind erhabene Ideen für den, der sie ideenweise auffaßt; der Staat, wie groß und erhaben er auch sei, wie alles umfassend, wie in und auf sich selbst ruhend, verschmäht es nicht, mitunter betrachtet zu werden, als sei er um eines dieser Zwecke willen da, aber er ist zu groß, zu lebendig, um sich den Wünschen der Theoretiker gemäß einem dieser Zwecke ausschließend und allein hinzugeben. Er dient ihnen allen, er dient allen gedenkbaren Zwecken, weil er sich selbst dient.

So hat man auch häufig nach der Bestimmung des Menschen gefragt! Der Mensch fühlte sich unvollständig, krank und halb. Es ward geantwortet: der Mensch ist um seiner Glückseligkeit willen da; um seiner Tugend willen, sagten andre; für seine Vervollkommnung, sagten andre. Recht gut! Wenn ihr nur fühlen möchtet, wie alle diese Zwecke immer in den Menschen zurückkehren, wie es immer wieder auf *seine* Tugend, *seine* Glückseligkeit, *seine* Vollkommenheit abgesehen bleibt und *er* und nichts Einzelnes am Ende doch sein eigner Zweck bleibt. Du hast dich selbst empfunden, und so hast du zugleich alle deine unendlichen Bestimmungen empfunden: Du hast das Leben des Staats empfunden; was hilft der einzelne Zweck, den ich dir begriffsweise zum Einstecken hinreichen kann, da du schon tausend andre Bestimmungen des Staates empfunden hast.

Es ist hinreichend erörtert worden, daß die Idee des Rechts grade so alt als die Menschheit ist, oder vielmehr, daß sie das einzige und erste, echte Kennzeichen der Menschheit sei. Das Recht aber nun ist der allgemeinen Meinung nach das Wesentliche am Staat. Also ist der Staat, wenn man von allem Unwesentlichen, Konventionellen und Lokalen seiner Form absehn will, auch nicht um einen Tag jünger als das menschliche Geschlecht. Sobald die Natur den Gedanken der Menschheit in zwei verschiedene Formen oder Geschlechter ausgeprägt hatte, und damit mußte sie doch anfangen, um die Menschheit fortpflanzen zu können, ebensobald gab es auch ein Verhältnis zwischen diesen beiden Menschen oder zwischen diesen beiden Geschlechtern; es gab Bedingungen ihres Nebeneinanderbestehens; es gab ein gesellschaftliches Gesetz, und dieses Gesetz mußte ein lebendiges, bewegliches sein, weil das Verhältnis zweier Menschen untereinander lebendig und beweglich ist; kurz, die *Idee* des Rechts war im Gange. Diese das Verhältnis zweier oder mehrerer Menschen ewig regulierende Idee gehört unzertrennlich zur Natur des Menschen, also ist es für die Sache selbst ganz gleichgültig, ob sie bloß empfunden oder auch wirklich ausgesprochen oder ob sie niedergeschrieben wird auf zwei mosaischen und zwölf römischen Tafeln oder ob sie wirklich lebendig und persönlich repräsentiert wird durch einen Patriarchen, Monarchen, Rex oder Imperator. Wenn man es vorzieht, die Idee des Rechts durch den Buchstaben ausdrücken zu lassen, so nennen wir einen solchen Zustand der gesellschaftlichen Dinge vorzugsweise *Republik;* hält man es für passender, daß eine wirkliche Person diese Idee repräsentiere und lebend ausübe, so zeigt sich die *Monarchie;* wiewohl keiner von diesen beiden Zuständen ausschließend hinreicht, die Idee des Rechts oder die allernatürlichste Verfassung der menschlichen Dinge aufrechtzuerhalten. In der ersten Familie, welche auf dieser Erde existiert haben mag, muß wechselsweise bald der Mann oder die Frau, bald eine dritte unbegreifliche Stimme, die Stimme Gottes oder der Instinkt des Gesetzes regiert haben. Es hat also in diesem allerersten Regiment auf Erden wechselsweise monarchische Momente gegeben, wo eine von den beiden Personen herrschte, und republikanische Momente, wo keines von beiden, sondern ein, wenn auch noch so dunkles Gefühl des Rechts, was die späteren Jahrhunderte durch den Buchstaben auszubilden, zu verdeutlichen und festzuhalten glaubten, die Oberhand hatte. Wie auch die Formen sich späterhin verändert haben mögen, in wieviel größeren Dimensionen, in wieviel reicheren Gestalten die Idee des Rechts erscheinen möge, ihr Wesen ist durch alle Zeitalter der Menschheit hindurch immer dasselbige geblieben. — Noch heutigen Tages spricht man in den uneingeschränktesten Monarchien von einer Unterworfenheit des Souveräns unter dem Gesetz; man setzt einen Streit zwischen dem Gesetz und dem Repräsentanten des Gesetzes voraus; das Gesetz, wie es da im Buchstaben ausgedrückt ist, kann wegen seiner Starrheit und Leblosigkeit nicht regieren, deshalb ist ein lebendiger Ausüber des Gesetzes, ein wirklicher persönlicher Souverän vonnöten; dieser nun wegen seiner Veränderlichkeit und seiner menschlichen Gebrechlichkeit soll mit beständiger Rücksicht auf das Gesetz regieren. Also weder der Souverän *soll*, noch das Gesetz *kann* allein regieren; demnach regiert wirklich ein Drittes, Höheres, was aus dem Konflikt des Gesetzes mit dem Souverän in jedem Augenblick hervorgeht, was vom Souverän das Leben und vom Gesetz die Eigenschaft der Dauer erhält, und dieses ist die Idee des Rechts.

Deshalb irrt man sich, wenn man voraussetzt, zu irgendeiner Zeit, die man nicht einmal historisch anzugeben imstande ist, sei das Recht wirklich und leibhaftig, in eigener hoher Person an den Tag gekommen; es sei eine absolute, bindende und zwingende Gewalt erschienen, die vorher nicht dagewesen sei. Von der Zeit an, heißt es, sei der Staat eine Zwangsanstalt, und diese zwingende Gewalt sei das eigentliche Kennzeichen des Staats. Aber der Buchstabe des Gesetzes allein *kann* nicht zwingen, und der Souverän allein *soll* nicht zwingen; die Idee des Rechts allein darf zwingen, und in diesem Sinne war die erste irdische Familie schon eine Zwangsanstalt; daß man späterhin den Oberherrn mit physischer Gewalt zum Zwingen ausgerüstet hat, daß nachher spätere Jahrhunderte dem dergestalt künstlichen bewaffneten Machthaber den philanthropischen Gedanken unterlegt haben, er sei das Recht selbst, und wo der Zwang erfunden werde, müsse auch das Recht sein, das ist schön und gut, nichtsdestoweniger aber haben die aufgeklärtesten und menschenfreundlichsten, auch unumschränktesten Souveräns in unsern Tagen öfters erklärt, daß sie sich dem Gesetze unterworfen fühlten, daß also eine unsichtbare höhere Gewalt allen ihren Zwang wieder bezwinge und daß die präsumierte Vollkommenheit und rechtliche Abgeschlossenheit des Staates nicht stattfinde, welche die *Theorie* behauptet. Diese ist in einem sonderbaren Widerspruch mit sich selbst: einerseits setzt sie eine wirkliche und absolute Zwangsgewalt voraus, als längst und vollkommen rechtlich existierend; anderseits leugnet sie, daß ein wirkliches Wesen schon gefunden sei, dem wegen seiner Vollkommenheit, diese Zwangsgewalt übertragen werden könne. Das erste tut sie in ihrem positiven Recht, das andre in ihrem Naturrecht; wenn man es strenge untersuchen will, so wird man finden, daß sie in der einen von diesen Disziplinen das wieder aufhebt, was sie in der andern behauptet. Leugnen wir also getrost alles Naturrecht außer oder über oder vor dem positiven Recht, erkennen wir alles positive Recht für natürliches Recht an, denn alle die unendlichen Lokalitäten, die das positive Recht herbeiführen, fließen ja alle aus der Natur, und nennen wir künftig, da einmal alles positive Recht zugleich natürliches Recht ist, das Bestreben, die wahre Natur im positiven Rechte zu behaupten, *Naturrecht*. In diesem Sinne nennt einer der größten jetzt lebenden Rechtslehrer, der Hofrat Hugo in Göttingen, das Naturrecht *Philosophie des positiven Rechts*.

Also der Staat ist so alt wie das menschliche Geschlecht, er ist notwendig, keine künstliche Erfindung, alles umfassend; das geistige und sittliche Leben ebensowohl als das körperliche und gesetzliche gehört in seinen Umkreis; weder in der Wirklichkeit noch in der Spekulation bietet sich eine Stelle dar, die außerhalb des Staats läge, wir können uns sowenig vom Staate als von uns selbst losreißen, nur die verworfenste, kern- und herzloseste Wissenschaft, nur die nichtswürdigste Spekulation kann tun, als stände sie in keiner Beziehung auf den Staat, und die hervorstechendste in der bisherigen Theorie zu leicht angeschlagene oder ganz übersehene Eigenschaft des Staats ist seine Bewegung, weshalb er sich nur ideenweise erkennen läßt.

Friedrich von Schiller

Die Worte des Wahns

Drei Worte hört man, bedeutungschwer,
Im Munde der Guten und Besten,
Sie schallen vergeblich, ihr Klang ist leer,
Sie können nicht helfen und trösten.
Verscherzt ist dem Menschen des Lebens Frucht,
So lang' er die Schatten zu haschen sucht.

So lang' er glaubt an die goldene Zeit,
Wo das Rechte, das Gute wird siegen –
Das Rechte, das Gute führt ewig Streit,
Nie wird der Feind ihm erliegen;
Und erstickst du ihn nicht in den Lüften frei,
Stets wächst ihm die Kraft auf der Erde neu.

So lang' er glaubt, daß das buhlende Glück
Sich dem Edeln vereinigen werde –
Dem Schlechten folgt es mit Liebesblick,
Nicht dem Guten gehöret die Erde.
Er ist ein Fremdling, er wandert aus
Und suchet ein unvergänglich Haus.

So lang' er glaubt, daß dem ird'schen Verstand
Die Wahrheit je wird erscheinen –
Ihren Schleier hebt keine sterbliche Hand,
Wir können nur raten und meinen.
Du kerkerst den Geist in ein tönend Wort,
Doch der freie wandelt im Sturme fort.

Drum, edle Seele, entreiß dich dem Wahn
Und den himmlischen Glauben bewahre!
Was kein Ohr vernahm, was die Augen nicht sahn,
Es ist dennoch das Schöne, das Wahre!
Es ist nicht draußen, da sucht es der Tor,
Es ist in dir, du bringst es ewig hervor.

Friedrich von Schiller

Das Vermögen zur Freiheit

Wäre das Faktum wahr, — wäre der außerordentliche Fall wirklich eingetreten, daß die politische Gesetzgebung der Vernunft übertragen, der Mensch als Selbstzweck respektiert und behandelt, das Gesetz auf den Thron erhoben, und wahre Freiheit zur Grundlage des Staatsgebäudes gemacht worden, so wollte ich auf ewig von den Musen Abschied nehmen, und dem herrlichsten aller Kunstwerke, der Monarchie der Vernunft, alle meine Tätigkeit widmen. Aber dieses Faktum ist es eben, was ich zu bezweifeln wage. Ja, ich bin soweit entfernt, an den Anfang einer Regeneration im Politischen zu glauben, daß mir die Ereignisse der Zeit vielmehr alle Hoffnungen dazu auf Jahrhunderte benehmen.

Ehe diese Ereignisse eintraten, Gnädigster Prinz, konnte man sich allenfalls mit dem lieblichen Wahne schmeicheln, daß der unmerkliche aber ununterbrochene Einfluß denkender Köpfe, die seit Jahrhunderten ausgestreuten Keime der Wahrheit, der aufgehäufte Schatz von Erfahrung die Gemüter allmählich zum Empfang des Bessern gestimmt und so eine Epoche vorbereitet haben müßten, wo die Philosophie den moralischen Weltbau übernehmen, und das Licht über die Finsternis siegen könnte. So weit war man in der theoretischen Kultur vorgedrungen, daß auch die ehrwürdigsten Säulen des Aberglaubens zu wanken anfingen, und der Thron tausendjähriger Vorurteile schon erschüttert ward. Nichts schien mehr zu fehlen, als das *Signal* zur großen Veränderung und eine Vereinigung der Gemüter. Beides ist nun gegeben — aber wie ist es ausgeschlagen?

Der Versuch des französischen Volks, sich in seine heiligen Menschenrechte einzusetzen, und eine politische Freiheit zu erringen, hat bloß das Unvermögen und die Unwürdigkeit desselben an den Tag gebracht, und nicht nur dieses unglückliche Volk, sondern mit ihm auch einen beträchtlichen Teil Europens, und ein ganzes Jahrhundert, in Barbarei und Knechtschaft zurückgeschleudert. Der Moment war der günstigste, aber er fand eine verderbte Generation, die ihn nicht wert war, und weder zu würdigen noch zu benutzen wußte. Der Gebrauch, den sie von diesem großen Geschenk des Zufalls macht und gemacht hat, beweist unwidersprechlich, daß das Menschengeschlecht der vormundschaftlichen Gewalt noch nicht entwachsen ist, daß das liberale Regiment der Vernunft da noch zu frühe kommt, wo man kaum damit fertig wird, sich der brutalen Gewalt der Tierheit zu erwehren, und daß derjenige noch nicht reif ist zur *bürgerlichen* Freiheit, dem noch so vieles zur *menschlichen* fehlt.

In seinen Taten malt sich der Mensch – und was für ein Bild ist das, das sich im Spiegel der jetzigen Zeit uns darstellt? Hier die empörendste Verwilderung, dort das entgegengesetzte Extrem der Erschlaffung: die zwei traurigsten Verirrungen, in die der Menschencharakter versinken kann, in einer Epoche vereint!

In den niedern Klassen sehen wir nichts als rohe gesetzlose Triebe, die sich nach aufgehobenem Band der bürgerlichen Ordnung entfesseln, und mit unlenksamer Wut ihrer tierischen Befriedigung zueilen. Es war also nicht der moralische Widerstand von innen, bloß die Zwangsgewalt von außen, was bisher ihren Ausbruch zurückhielt. Es waren also nicht freie Menschen, die der Staat unterdrückt hatte, nein, es waren bloß wilde Tiere, die er an heilsame Ketten legte. Hätte der Staat die Menschheit wirklich unterdrückt, wie man ihm Schuld gibt, so müßte man Menschheit sehen, nachdem er zertrümmert worden ist. Aber der Nachlaß der äußern Unterdrückung macht nur die innere sichtbar, und der wilde Despotismus der Triebe heckt alle jene Untaten aus, die uns in gleichem Grad anekeln und schaudern machen.

Auf der andern Seite geben uns die zivilisierten Klassen den noch widrigeren Anblick der Erschlaffung, der Geistesschwäche, und einer Versunkenheit des Charakters, die um so empörender ist, je mehr die Kultur selbst daran Teil hat. Ich erinnere mich nicht mehr, welcher alte oder neue Philosoph die Bemerkung machte, daß das Edlere in seiner Verderbnis das Abscheulichere sei, aber die Erfahrung bestätigt sie auch hier. Wenn die Kultur ausartet, so geht sie in eine weit bösartigere Verderbnis über, als die Barbarei je erfahren kann. Der sinnliche Mensch kann nicht tiefer als zum Tier herabstürzen; fällt aber der aufgeklärte, so fällt er bis zum Teuflischen herab, und treibt ein ruchloses Spiel mit dem Heiligsten der Menschheit.

Die Aufklärung, deren sich die höheren Stände unsers Zeitalters nicht mit Unrecht rühmen, ist bloß theoretische Kultur, und zeigt, im Ganzen genommen, so wenig einen veredelnden Einfluß auf die Gesinnung, daß sie vielmehr bloß dazu hilft, die Verderbnis in ein System zu bringen, und unheilbarer zu machen. Ein raffinierter und konsequenter Epikurism hat angefangen, alle Energie des Charakters zu ersticken, und die immer fester sich zuschnürende Fessel der Bedürfnisse, die vermehrte Abhängigkeit der Menschheit vom Physischen hat es allmählich dahin geleitet, daß die Maxime der Passivität und des leidenden Gehorsams als höchste Lebensregel gilt. Daher die Beschränktheit im Denken, die Kraftlosigkeit im Handeln, die klägliche Mittelmäßigkeit im Hervorbringen, die unser Zeitalter zu einer Schande charakterisiert. Und so sehen wir den Geist der Zeit zwischen Barbarei und Schlaffheit, Freigeisterei und Aberglauben, Rohheit und Verzärtelung schwanken, und es ist bloß das *Gleichgewicht der Laster*, was das Ganze noch zusammenhält.

Und ist dieses nun die Menschheit, möchte ich fragen, für deren Rechte der Philosoph sich verwendet, die der edle Weltbürger in Gedanken hat, und an welcher ein neuerer Solon seine Ideen von einer Staatsverfassung realisieren möchte? Ich zweifle sehr. Nur seine Fähigkeit als ein sittliches Wesen zu handeln, gibt dem Menschen Anspruch auf Freiheit; ein Gemüt aber, das nur sinnlicher Bestimmung fähig ist, ist der Freiheit so wenig wert, als empfänglich. Alle Reform, die Bestand haben soll, muß von der Denkungsart ausgehen, und wo eine Verderbnis in den Prinzipien herrscht, da kann nichts Gesundes, nichts Gutartiges aufkeimen. Nur der Charakter der Bürger erschafft und erhält den Staat, und macht politische und bürgerliche Freiheit möglich. Denn wenn die Weisheit selbst in Person vom Olymp herabstiege, und die vollkommendste Verfassung einführte, so müßte sie ja doch Menschen die Ausführung übergeben.

Wenn ich also, Gnädigster Prinz, über die gegenwärtigen politischen Bedürfnisse und Erwartungen meine Meinung sagen darf, so gestehe ich, daß ich jeden Versuch einer Staatsverbesserung aus Prinzipien (denn jede andere ist bloßes Not- und Flickwerk) so lange für unzeitig, und jede darauf gegründete Hoffnung so lange für schwärmerisch halte, bis der Charakter der Menschheit von seinem tiefen Verfall wieder emporgehoben worden ist — eine Arbeit für mehr als ein Jahrhundert. Man wird zwar unterdessen von manchem abgestellten Mißbrauch, von mancher glücklich versuchten Reform im Einzelnen, von manchem Sieg der Vernunft über das Vorurteil hören, aber was hier zehn große Menschen aufbauten, werden dort funfzig Schwachköpfe wieder niederreißen. Man wird in andern Weltteilen den Negern die Ketten abnehmen, und in Europa den — Geistern anlegen. So lange aber der oberste Grundsatz der Staaten von einem empörenden Egoismus zeugt, und so lange die Tendenz der Staatsbürger nur auf das physische Wohlsein beschränkt ist, so lange, fürchte ich, wird die politische Regeneration, die man so nahe glaubte, nichts als ein schöner philosophischer Traum bleiben.

Soll man also aufhören, darnach zu streben? Soll man gerade die wichtigste aller menschlichen Angelegenheiten einer gesetzlosen Willkür, einem blinden Zufall anheimstellen, während daß das Reich der Vernunft nach jeder andern Seite zusehends erweitert wird? Nichts weniger, Gnädigster Prinz. Politische und bürgerliche Freiheit bleibt immer und ewig das heiligste aller Güter, das würdigste Ziel aller Anstrengungen, und das große Zentrum aller Kultur — aber man wird diesen herrlichen Bau nur auf dem festen Grund eines veredelten Charakters aufführen, man wird damit anfangen müssen, für die Verfassung Bürger zu erschaffen, ehe man den Bürgern eine Verfassung geben kann.

Henrich Steffens

Grenzen des Staates

In einer jeden Nation erkennen wir eine zweifache Richtung ihrer Tätigkeit, die auf ihre Selbsterhaltung in ihrem ganzen großen Umfang geht. Die eine, wir wollen sie die äußere nennen, hat ihren Ursprung aus dem Ganzen der Nation, oder aus den Einzelnen, insofern sie das Ganze repräsentieren, aus den Regenten, den obern Behörden; sie geht auf Ordnung, Gesetz, innere Übereinstimmung, Erhaltung aller äußern Momente des nationalen Lebens, und äußert sich durch die Gesetzgebung, die Verwaltung, die Verteidigung. Ihr ist alle äußere Gewalt gegeben, alle positive Kraft; und sie bezeichnet die Grenze, innerhalb welcher die Tätigkeit der Einzelnen eingeschlossen ist, sie fordert vollkommne Anerkennung dieser Grenze, Gehorsam. Das Produkt dieser äußern Organisation der Nation ist der Staat.

Die zweite Richtung der Tätigkeit der Nation, wir nennen sie die innere, hat ihren Ursprung aus der innern Seele eines jeden Bürgers; ihre Quelle ist die unantastbare Freiheit, sie sucht Selbstbefriedigung, innere Übereinstimmung auf zweierlei Wegen, die sich begegnen, und wechselseitig erhellen. — Auf dem ersten ordnet, belebt sich der Wille, dessen innere Konsequenz und Übereinstimmung mit sich selbst die Sittlichkeit, dessen Zentrum die Religion; auf dem zweiten gründet, erleuchtet sich der Verstand, dessen innere Übereinstimmung mit sich selbst die Wahrheit, dessen Zentrum die Wissenschaft ist.

Der Staat erkennt es, daß seine Gewalt in diese eigentümliche Freistätte des Bürgers nicht hineinreicht, daß ein jeglicher im Religiosen, wie im Wissenschaftlichen, nur Übereinstimmung mit sich selbst, nicht mit einem Äußern sucht; ja wir können es mit Recht den erfreulichsten Gewinn unseres Zeitalters nennen, daß die Grenze rein anerkannt ist und daß eine Zeit, die uns so manches, auch Schöne und Treffliche, entbehren lehrt, doch vor allem diese innere Freistätte der Seele geheiligt und vor äußeren Angriffen, wir hoffen auf immer, gesichert hat. Die Zeit ist vorüber, in welcher man glaubte, daß diese innere Freiheit den Staaten gefährlich werden könnte, und man ist zu der klaren Einsicht gelangt, daß jene beiden Richtungen sich nie wechselseitig bekämpfen, beschränken dürfen, daß die unbefangenste Verfolgung der eigentümlichen Bestimmung beider in reinster Trennung die innigste Vereinigung hervorruft, und daß aus dieser allein sich das frische Leben der Nation auf eine eigentümliche Weise, tüchtig, fruchtbar, herrlich, die Gegenwart erleuchtend, die Zukunft belebend, zu entfalten vermag. — Die innere Richtung kann nicht über ihre Grenze gehen wollen, innerhalb welcher sie alle Kraft, jegliche Verheißung, ewige Befriedigung findet; denn über die Grenze hinaustretend, vernichtet sie nicht nur den Staat, sondern auch sich selbst. Die Geschichte hat warnend die Zeiten verewigt, in welchen die religiöse Tätigkeit ihre Grenzen zu überschreiten wagte. — Der Wille verdarb, aus Sitte ward Untat, aus Religion Fanatismus, und tiefe Spuren furchtbarer Zerrüttung der Staaten, Untergang der Nationen bezeichnet die Epochen der Geschichte, in welcher die Richtung die Verheißung des Himmels vergaß, und, anstatt, als mildes Himmelslicht, aus dem fernen Mittelpunkt eignes Daseins, alles belebend zu erleuchten, sich selbst verkennend, den irdischen Kampf begann, sich selbst in eine feurige Glut verzehrend verwandelte und die dürre Stätte, schauderhaften Andenkens, hinter sich zurückließ. Die Geschichte unserer Tage hat uns die unglücklichen Folgen der Versuche gezeigt, den Verstand des Einzelnen als Norm für die Organisation der Staaten anzunehmen. Der Verstand ward verfinstert, aus Wahrheit ward Wahn, aus Wissenschaft ein lockeres Spiel mit seichten, nach innen hohlen, nach außen verzehrenden Begriffen; Freiheit, Gleichheit, Menschenrechte, als Zeichen der Willkür, die an die Stelle der gesetzliebenden Freiheit trat, bezeichnen die Epoche eines Fanatismus des Verstandes, der leerer, bedeutungsloser, als jener religiose war, weil ihm alles Gemüt fehlte und eine schauderhafte Anarchie brach vernichtend hervor, die nur mit dem grellsten Gegensatze endigen konnte. —

Die äußere Richtung, der Staat, kann nicht aus seiner Grenze heraustreten wollen, innerhalb welcher er Klarheit und Kraft, Gewalt und Leben hat. Die Geschichte hat diese unglücklichen Versuche durch die herben Zeiten des tötenden Despotismus verewigt; aus Notwendigkeit ward Zwang, das Gesetz verlo den Geist, die Bürger wurden Knechte und, da eine Rotte von Knechten keinen Staat bilden können, so vernichtete er sich selbst. So strenge sondert der Staat jenes innere Heiligtum eines jeglichen von seiner äußern Gewalt, daß in keinem gebildeten Staate sich der Herrscher, als solcher, eine Beschränkung innerer religioser, oder wissenschaftlicher Überzeugung erlaubt. Wenn ein Beamter seine innere Überzeugung, religioser oder wissenschaftlicher Art, laut werden läßt, so entkleidet er sich aller äußern Gewalt und stellt sich dem äußerlich Geringsten gleich. Alle Erziehung, jeglicher Unterricht, durch den Staat geleitet, geordnet, will diese innere Freiheit schützen, alle Gesetze sie pflegen, keineswegs sie unterdrücken.

Und dennoch weiß es der Staat, daß er ohne diese innere Tätigkeit selbst ein Nichtiges wäre, daß sie als die innere, inwohnende Seele desselben betrachtet werden muß, daß die Gesetze erst durch den Willen des Bürgers ihre belebende Kraft, jegliche Vorschrift und Anordnung erst durch den Verstand des Bürgers ihre Bedeutung erhält – und so entsteht ein heiliges Zutrauen des Einzelnen zum Ganzen, indem er sich, gehorchend, der äußern Gewalt durchaus ergibt, mit der vollen Zuversicht, daß sie seiner Freiheit nicht gefährlich werden könne, und ein ebenso tiefes Zutrauen des Ganzen zum Einzelnen, daß dem Gesetz aus dem Gemüt der Bürger der gute Wille, daß den Vorschriften aus der Seele der Bürger ein denkender Verstand entgegen treten werde, Gesetz und Vorschrift verklärend und belebend. Wohl wissen wir, daß dieses wechselseitige Zutrauen nie allgemein herrschend ist, oder sein kann; wo es aber nicht vorwaltet, geht die Nation ihrer Vernichtung entgegen.

Friedrich Carl von Savigny

Das Volk und das Recht

Wo wir zuerst urkundliche Geschichte finden, hat das bürgerliche Recht schon einen bestimmten Charakter, dem Volk eigentümlich, so wie seine Sprache, Sitte, Verfassung. Ja diese Erscheinungen haben kein abgesondertes Dasein, es sind nur einzelne Kräfte und Tätigkeiten des einen Volkes, in der Natur untrennbar verbunden, und nur unsrer Betrachtung als besondere Eigenschaften erscheinend. Was sie zu einem Ganzen verknüpft, ist die gemeinsame Überzeugung des Volkes, das gleiche Gefühl innerer Notwendigkeit, welches allen Gedanken an zufällige und willkürliche Entstehung ausschließt.

Wie diese eigentümlichen Funktionen der Völker, wodurch sie selbst erst zu Individuen werden, entstanden sind, diese Frage ist auf geschichtlichem Wege nicht zu beantworten. In neueren Zeiten ist die Ansicht herrschend gewesen, daß alles zuerst in einem tierähnlichen Zustand gelebt habe, und von da durch allmähliche Entwicklung zu einem leidlichen Dasein, bis endlich zu der Höhe gekommen sei, auf welcher wir jetzt stehen. Wir können diese Ansicht unberührt lassen, und uns auf die Tatsache jenes ersten urkundlichen Zustandes des bürgerlichen Rechts beschränken. Wir wollen versuchen, einige allgemeine Züge dieser Periode darzustellen, in welcher das Recht wie die Sprache im Bewußtsein des Volkes lebt.

Diese Jugendzeit der Völker ist arm an Begriffen, aber sie genießt ein klares Bewußtsein ihrer Zustände und Verhältnisse, sie fühlt und durchlebt diese ganz und vollständig, während wir, in unsrem künstlich verwickelten Dasein, von unserm eigenen Reichtum überwältigt sind, anstatt ihn zu genießen und zu beherrschen. Jener klare, naturgemäße Zustand bewährt sich vorzüglich auch im bürgerlichen Rechte, und so wie für jeden einzelnen Menschen seine Familienverhältnisse und sein Grundbesitz durch eigene Würdigung bedeutender werden, so ist aus gleichem Grunde möglich, daß die Regeln des Privatrechts selbst zu den Gegenständen des Volksglaubens gehören. Allein jene geistigen Funktionen bedürfen eines körperlichen Daseins, um festgehalten zu werden. Ein solcher Körper ist für die Sprache ihre stete, ununterbrochene Übung, für die Verfassung sind es die sichtbaren öffentlichen Gewalten, was vertritt aber diese Stelle bei dem bürgerlichen Rechte? In unsren Zeiten sind es ausgesprochene Grundsätze, durch Schrift und mündliche Rede mitgeteilt. Diese Art der Festhaltung aber setzt eine bedeutende Abstraktion voraus, und ist darum in jener jugendlichen Zeit nicht möglich. Dagegen finden wir hier überall symbolische Handlungen, wo Rechtsverhältnisse entstehen oder untergehen sollen. Die sinnliche Anschaulichkeit dieser Handlungen ist es, was äußerlich das Recht in bestimmter Gestalt festhält, und ihr Ernst und ihre Würde entspricht der Bedeutsamkeit der Rechtsverhältnisse selbst, welche schon als dieser Periode eigentümlich bemerkt worden ist. In dem ausgedehnten Gebrauch solcher förmlichen Handlungen kommen z. B. die germanischen Stämme mit den altitalischen überein, nur daß bei diesen letzten die Formen selbst bestimmter und geregelter erscheinen, was mit den städtischen Verfassungen zusammen hangen kann. Man kann diese förmlichen Handlungen als die eigentliche Grammatik des Rechts in dieser Periode betrachten, und es ist sehr bedeutend, daß das Hauptgeschäft der älteren römischen Juristen in der Erhaltung und genauen Anwendung derselben bestand. Wir in neueren Zeiten haben sie häufig als Barbarei und Aberglauben verachtet, und uns sehr groß damit gedünkt, daß wir sie nicht haben, ohne zu bedenken, daß auch wir überall mit juristischen Formen versorgt sind, denen nur gerade die Hauptvorteile der alten Formen abgehen, die Anschaulichkeit nämlich und der allgemeine Volksglaube, während die unsrigen von jedem als etwas willkürliches und darum als eine Last empfunden werden. In solchen einseitigen Betrachtungen früher Zeiten sind wir den Reisenden ähnlich, die in Frankreich mit großer Verwunderung bemerken, daß kleine Kinder, ja ganz gemeine Leute, recht fertig französisch reden.

Aber dieser organische Zusammenhang des Rechts mit dem Wesen und Charakter des Volkes bewährt sich auch im Fortgang der Zeiten, und auch hierin ist es der Sprache zu vergleichen. So wie für diese, gibt es auch für das Recht keinen Augenblick eines absoluten Stillstandes, es ist derselben Bewegung und Entwicklung unterworfen, wie jede andere Richtung des Volkes, und auch diese Entwicklung steht unter demselben Gesetz innerer Notwendigkeit, wie jene früheste Erscheinung. Das Recht wächst also mit dem Volke fort, bildet sich aus mit diesem, und stirbt endlich ab, so wie das Volk seine Eigentümlichkeit verliert. Allein diese innere Fortbildung auch in der Zeit der Kultur hat für die Betrachtung eine große Schwierigkeit. Es ist nämlich oben behauptet worden, daß der eigentliche Sitz des Rechts das gemeinsame Bewußtsein des Volkes sei. Dieses läßt sich z. B. im Römischen Rechte für die Grundzüge desselben, die allgemeine Natur der Ehe, des Eigentums u.s.w. recht wohl denken, aber für das unermeßliche Detail, wovon wir in den Pandekten einen Auszug besitzen, muß es jeder für ganz unmöglich erkennen. Diese Schwierigkeit führt uns auf eine neue Ansicht der Entwicklung des Rechts. Bei steigender Kultur nämlich sondern sich alle Tätigkeiten des Volkes immer mehr, und was sonst gemeinschaftlich betrieben wurde, fällt jetzt einzelnen Ständen anheim. Als ein solcher abgesonderter Stand erscheinen nunmehr auch die Juristen. Das Recht bildet sich nunmehr in der Sprache aus, es nimmt eine wissenschaftliche Richtung, und wie es vorher im Bewußtsein des gesamten Volkes lebte, so fällt es jetzt dem Bewußtsein der Juristen anheim, von welchen das Volk nunmehr in dieser Funktion repräsentiert wird. Das Dasein des Rechts ist von nun an künstlicher und verwickelter, indem es ein doppeltes Leben hat, einmal als Teil des ganzen Volkslebens, was es zu sein nicht aufhört, dann als besondere Wissenschaft in den Händen der Juristen. Aus dem Zusammenwirken dieses doppelten Lebensprinzips erklären sich alle spätere Erscheinungen, und es ist nunmehr begreiflich, wie auch jenes ungeheure Detail ganz auf organische Weise, ohne eigentümliche Willkür und Absicht, entstehen konnte.

August von Kotzebue

Die deutschen Kleinstädter

Der dritte Akt
Erste bis fünfte Szene

Frau Staar.

Frau Staar *allein:* Nein, so etwas dergleichen von Ungezogenheit ist mir noch nicht vorgekommen. Sind das die feinen Sitten in der Residenz? Gott behüte und bewahre! – Von der Madam will ich gar nichts mehr reden, denn die liegt mir schon tief im Magen. Aber – ich weise ihm den Ehrenplatz an zwischen zwei respektabeln alten Frauen, was tut er? er läßt sie sitzen, wie ein paar Wachsbilder in der Jahrmarktsbude, und pflanzt sich mitten unter das junge Volk! – Ei! ei! ei! – Nein, da lob' ich mir den Herr Bau-, Berg- und Weginspektorssubstituten! das ist doch ein Männchen! galant und scharmant, gebügelt und geschniegelt.

Frau Staar. Frau Brendel. Frau Morgenroth.
Beide nach ihrer Art geputzt

Frau Staar: Nun, Frau Muhme? der liebe bescheidene Gast!

Frau Morgenroth: Der scheint mir ein lockerer Zeisig.

Frau Brendel: Haben Sie bemerkt, wie er das Brot zu Kugeln drehte und die Jungfer Muhme damit warf?

Frau Staar: Der böse Mensch! die edle Gottesgabe!

Frau Brendel: Den roten Wein hat er aufs Tischtuch verspritzt.

Frau Morgenroth: Was wollen Sie sagen! beim Lichtputzen hat er sogar einen Funken darauf fallen lassen.

Frau Staar: I du Bösewicht! mein damastnes Tischtuch.

Frau Brendel: Das Essen schien ihm auch nicht recht zu schmekken.

Frau Morgenroth: Er ließ manche Schüssel ganz vorübergehn. Schickt sich das?

Frau Staar: Ich habe ihm doch genug gesagt, wie gut jede Schüssel zubereitet sei, und aus welchen Ingredienzen sie bestehe.

Frau Brendel: Ich denke, am Nötigen haben wir es alle nicht fehlen lassen.

FRAU MORGENROTH: Er war ja so unverschämt, sich das Nötigen ganz zu verbitten.

FRAU STAAR: Man sieht, daß er noch wenig gute Gesellschaft frequentiert hat.

FRAU BRENDEL: Nicht einmal den Kuchen hat er gelobt, und der war doch vortrefflich.

FRAU MORGENROTH: Außerordentlich mürbe.

FRAU BRENDEL: Er zerging auf der Zunge.

FRAU MORGENROTH: Vermutlich selbst gebacken?

FRAU STAAR: Zu dienen.

FRAU BRENDEL: O das merkt man gleich.

FRAU STAAR: Allzugütig.

FRAU MORGENROTH: Der Teig ist wie Schaum.

FRAU STAAR: Sie beschämen mich.

FRAU BRENDEL: Darf ich fragen, wie viel Eier die Frau Muhme dazu nehmen?

FRAU STAAR: Ich werde die Ehre haben, das ganze Rezept mitzuteilen. Man nimmt erstens –

HERR STAAR. DIE VORIGEN.

HERR STAAR: Bleibt mir vom Halse mit Eurem vornehmen Gaste! Der kann sich erst aus meiner Lesebibliothek das Sittenbüchlein holen und solches fleißig studieren.

FRAU BRENDEL: Jawohl, Herr Vizekirchenvorsteher, der ist gar sehr in der Erziehung verwahrlost.

HERR STAAR: Erst hat er nicht einmal ordentlich sein Tischgebet verrichtet.

FRAU STAAR: Und noch obendrein über die armen Kinder gelacht, die doch ihr »Komm, Herr Jesu, sei unser Gast« recht ordentlich herunter beteten.

HERR STAAR: Als ich, nach alter scherzhafter Weise, die Gesundheit: Was wir lieben! ausbrachte, gleich rief er: was uns wieder liebt und seinem Nachbar einen Kuß gibt.

FRAU BRENDEL *sich verschämt mit dem Fächer wedelnd:* Ich hatte das Unglück, ihm an der linken Hand zu sitzen.

FRAU STAAR: Die hübsche Mamsell Morgenroth, die ihm zur Rechten saß, wurde feuerrot.

HERR STAAR: Die Sabine warf ihm einen grimmigen Blick zu.

FRAU STAAR: Am Ende wollte er ja gar ein heidnisches Lied singen: Freude, schöner Götterfunken! Nein, so verrucht geht es bei uns nicht zu.

HERR STAAR: Weil er selbst keinen Titel hat, so gibt er auch keinem Menschen seine gebührende Ehre.

FRAU STAAR: Wenn mein Sohn, der Bürgermeister, auch Oberältester, die wichtigsten Prozesse abhandelte, so saß er und kritzelte mit der Gabel auf dem Teller.

FRAU BRENDEL: Und Zucker hat er in den Kaffee geworfen, eine ganze Hand voll!

FRAU MORGENROTH: Und statt nach Tische zur gesegneten Mahlzeit die Hand zu küssen, hat er sich ein einziges Mal rings herum verbeugt.

HERR STAAR: Ich möchte nur wissen, wie der Herr Minister solche Leute empfehlen kann.

SPERLING. VORIGE.

SPERLING: Hochgeehrteste Frau Muhmen, ich wollte, der Fremde läge noch im Steinbruche, denn unter uns gesagt, er hat keine Konduite.

HERR STAAR: Darüber sind wir einig.

SPERLING: Haben Sie wohl das spöttische Lächeln bemerkt, als ich den löblichen alten Leberreim vorschlug?

HERR STAAR: Von Ihrer schönen Ode auf die Braunschweiger Muhme hat er nicht drei Worte gehört.

FRAU BRENDEL: Da zwinkert' er immer mit der Jungfer Muhme, die ihm gegenüber saß.

SPERLING: Für die schöne Literatur scheint er wenig Sinn zu haben.

HERR STAAR: Er hat nicht einmal den Rinaldo Rinaldini gelesen.

SPERLING: Er ist zu bedauern. Es mag ihm nicht an Anlage fehlen, aber keine Ausbildung.

HERR STAAR: Keine Sitten.

FRAU BRENDEL: Keine Moral.

FRAU MORGENROTH: Keine Lebensart.

FRAU STAAR: Keinen Titel.

SPERLING: Wenn der bei dem morgenden großen Feste erscheint, geben Sie acht, der wird zum Kinderspott.

HERR STAAR: Danken wir dem Himmel, daß in unserer guten Stadt Krähwinkel die liebe Jugend feiner erzogen wird.

SABINE. VORIGE.

FRAU STAAR: Gut, Binchen, daß du kommst. Sag' uns doch ein wenig: gleichen die jungen Herren in der Residenz alle diesem Musje Olmers?

SABINE: Alle, die Anspruch auf feine Bildung machen.

FRAU STAAR: So? Scharmant.

HERR STAAR: Er ist ja ein Grobian.

FRAU BRENDEL: Dreht Brotkugeln.

FRAU MORGENROTH: Befleckt die Tischtücher.

FRAU STAAR: Tituliert keinen Menschen.

SPERLING: Verhöhnt die Poesie.

FRAU BRENDEL: Lobt keinen Kuchen.

FRAU MORGENROTH: Läßt die Hälfte auf dem Teller liegen.

Ierr Staar: Weiß von keinem Tischgebet.
rau Staar: Will heidnische Lieder singen.
perling: Küßt die Nachbarin.
rau Staar: Hat weder deinem Vater noch dem Herrn Pastor loci geduldig zugehört.
abine: O weh! o weh! der arme Olmers! – Liebe Großmutter, in der Residenz verbannt man soviel als möglich allen Zwang. Komplimente sind dem, der sie macht, im Grunde ebenso lästig, als dem, der sie empfängt. Man läßt die Leute essen, wovon sie Lust haben, und so viel sie mögen, man nötigt nie. Das Tischgebet ist nicht mehr gebräuchlich, weil die Kinder nur plappern, und die Erwachsenen nichts dabei denken. Ein anständiger Scherz, ein frohes Lied würzen das Mahl. Der Titel bedient man sich bloß im Amte, im geselligen Leben würden sie nur die Freude verscheuchen. Kurz, ein guter Wirt sucht alles zu entfernen, was die Behaglichkeit seiner Gäste stören könnte. Man kommt, man setzt sich, man sieht, alles nach Belieben. Man geht wieder, ohne Abschied zu nehmen.
rau Staar: Hör' auf! Ich bekomme meinen Schwindel.
rau Brendel: Ohne Abschied! Ist das möglich?
rau Morgenroth: Sich nicht einmal zu bedanken für genossene Ehre!
abine: Wenn die Gäste vergnügt sind, so hält der Wirt das für den besten Dank.
rau Staar: Ach du mein Gott! ist denn die Residenz zu einer Dorfschenke geworden?

Clemens Brentano

Philistermorgen

Venn der Philister morgens aus seinem traumlosen Schlafe, wie in ertrunkener Leichnam, aus dem Wasser herauftaucht, so robiert er sachte mit seinen Gliedmaßen herum, ob sie auch och alle zugegen, hierauf bleibt er ruhig liegen, und dem anochenden Bringer des Wochenblatts ruft er zu, er solle es in er Küche abgeben, denn er liege jetzt im ersten Schweiß und önne, ohne ein Wagehals zu sein, nicht aufstehn; sodann denkt r daran, der Welt nützlich zu sein, und weil er fest überzeugt st, daß der nüchterne Speichel etwas sehr Heilkräftiges sei, o bestreicht er sich die Augen damit, oder der Frau Philisterin, der seinen kleinen Philistern, oder seinem wachsamen Hund, der niemand. Seine weiße baumwollne Schlafmütze, zu welchen diese Ungeheuer große Liebe tragen, sitzt unverrückt, denn ein Philister rührt sich nicht im Schlaf. Wenn er aufgestanden, so wechselt er das Hemd, wenn er es tut, so, daß er das erste ganz auszieht, ehe er das andere anzieht, und ist imstand, seine Flanelljacke gelinde mit seinem linken wollnen Strumpfe zu reiben, damit sie keinen Rheumatismus bekomme, auf die Haut selbst kommt er sich nie; sodann geht es an ein gewaltiges Zungenschaben und Ohrenbohren, an ein Räuspern und Spukken, entsetzliches Gurgeln und irgendeine absonderliche Art, sich zu waschen, nach einer fixen Idee, kalt oder warm sei gesund; sodann kaut er einige Wacholderbeeren, während er an das gelbe Fieber denkt; oder er hält seinen Kindern eine Abhandlung vom Gebet und sagt, wenn er sie zur Schule geschickt, zu seiner Frau: Man muß den äußern Schein beobachten, das erhält einem den Kredit, sie werden früh genug den Aberglauben einsehen. Sodann raucht er Tabak, wozu er die höchste Leidenschaft hat, oder welches er übertrieben affektiert haßt; im ganzen ist der Rauchtabak den Philistern unendlich lieb, sie sagen sehr gern, er halte ihnen den Leib gelinde offen, und sie könnten bei dem Zug der Rauchwolken Betrachtungen über die Vergänglichkeit anstellen, so hängt die Pfeife eng mit ihrer Philosophie zusammen; auch besitzt er gewiß irgendein Tabaksgedicht oder hat selbst eins gemacht. Übrigens wenn gleich mancher Tabak raucht, ohne darum ein Philister zu sein, so kann man es doch nur in einer Zeit gelernt haben, in der man ideenlos verkehrt und ein Philister gewesen, und die lebendigsten, tüchtigsten, reinsten und seelenvollsten Menschen, die ich gekannt, waren nie auf den Tabak gekommen. Zweifelsohne zieht der Philister nun auch alle Uhren des Hauses auf und schreibt den Datum mit Kreide über die Türe; trinkt er Kaffee, so spricht er von den Engländern, nennt den Kaffee auch wohl die schwarze afrikanische Brühe; sehr kränkend würde es ihm sein, wenn die Frau ihm nicht ein halbdutzendmal sagte: Trinke doch, es ist so schöne warm, trinke doch, eh' er kalt wird; wenn er ihm aber nicht warm gebracht wurde, wehe dann der armen Frau. Seine Kaffeekanne ist von Bunzlauer Steingut, und ist er ein langsamer Trinker, so hat sie ein ordentliches Kaffeemäntelchen um, wie ein andrer Philister auch, denen diese braunen Kannen überhaupt sehr ähnlich sehen. Wenn er zu seinen Geschäften ausgeht, zieht er Schmierstiefeln an, wozu er eine große Leidenschaft hat, oft auch Spornen, ohne je zu reiten; Wichsstiefeln spiegeln, und ein Spiegel ist schon etwas Transzendentales.

Carl Friedrich Zelter

Handwerksbräuche

Der neue Frühling des Jahres 1776 war nun gekommen, und ich sollte – leider! – nun wieder mauern. In Berlin wurde ein neues Königliches Kadettenhaus gebaut, daran sollte ich arbeiten. Mein Vater übergab mich einem andern sehr geschickten Lehrmeister namens Lehmer; hier sollte ich das letzte Lehrjahr bestehn und das Versäumte nachholen.

Die erste Bekanntschaft, welche ich hier machte, waren die Hoboisten des Kadettenkorps, welche ganz unwissende Leute waren; jedoch ich nahm mit ihnen, und sie auch mit mir vorlieb; denn am Ende war ich doch nichts als ein Maurerbursche.

Mein Lehrmeister aber selber war nicht unmusikalisch, denn er spielte etwas Violine und Violoncell; und wenn Sonntags noch einige Freunde dazu kamen, so gab es in seinem Hause ein kleines Konzert, das ihm ganz wohlgefiel.

Außerdem war Lehmer in seiner Art ein gebildeter Mann zu nennen; er war klug, kalt, und wußte sich zu halten, um allenfalls für etwas mehr zu gelten; auch gab es in seiner Zeit noch mehrere Handwerker dieser Art.

Es waren bis daher in ganz Deutschland unter den Ständen besonders die Gewerbe deutlich voneinander geschieden gewesen, indem jedes für sich eine Kaste bildete, die sich genau zusammenhielt. Daraus waren Gebräuche und Äußerungsarten entstanden, woran sowohl die Stände selbst, als auch die Glieder derselben genau zu unterscheiden waren.

Äußere Eingriffe in diese Kasten oder exzentrische Auswallungen von innen mußten daher scharf bemerkt werden und Unruhe erregen.

In dem Kreise der Gewerbe entstand dadurch eine Art Familienpolizei, die desto aufmerksamer und ahndungsvoller für die Mitglieder war, je weniger sie außer diesem Kreise bemerkt wurde. Von außen war sie nirgends anzutasten, weil sie nirgends zu erkennen war, und auch die Gesetzgeber und Staatsmänner beeiferten sich oft genug vergebens dagegen, indem sie keine Gewerbsleute waren. Die Kaiserlichen und Königlichen Privilegien deutscher Gewerbe sind zwar alle so prekär gestellt, daß sie oft ganz verschiedene Deutungen zulassen, doch die Gewerke selbst als Eigentümer dieser Privilegien wußten sich solche nach und nach eben deswegen so dem Begriffe jedes Handwerks anzupassen, daß durch vieljährige ruhige Observanz mit Genehmigung der obrigkeitlichen Autoritäten nur das darunter verstanden werden konnte, was die Besitzer wollten.

So beruhete in dem Gewerbe selbst ein allgemeiner Begriff, den ich den Kreis-Verstand nennen möchte. Wenn ein Handwerker mehr verstand als sein Handwerk, so war man geneigt, ihm dies von seiner Gewerbsfähigkeit zu subtrahieren, indem es auf der andern Seite keinem Handwerker schimpflich war, nicht schreiben zu können, weil dem Handwerke selber alles andere nachstehen mußte, und daher schreibt sich wahrscheinlich die große Virtuosität der Vorfahren in allem, was mit Menschenhänden gemacht werden kann.

Mein Vater vertrauete mir, als er mich in den *Gebräuchen* des Handwerks unterrichtete, daß er in dem Hause des Dresdner Advokaten, wo er als Schreiber gedient, schon zum Handwerke verdorben sei und bloß durch sein exemplarisch sittliches Betragen und durch sein Zeichnen und Rechnen sich seinen Meistern, wo er gelernt und als Gesell gearbeitet, unentbehrlich zu machen gewußt und deshalb mit den Gesellen immerdar auf einem still gespannten Fuß gestanden habe; man habe ihn spottweise den gelehrten Maurer genannt, und wo er als Gesell in Deutschland gewandert sei, habe man ihm überall dies und jenes unter seinen Mitgesellen verschwiegen, was er zwar recht gut erraten, aber niemals aufrichtig von ihnen erfahren habe.

Im Handwerke galt eine Handwerkssittlichkeit; wer diese verletzte, ward bestraft, ja oft hart bestraft, und so war es möglich, die Handwerke in Flor zu bringen. Entstanden nun An- und Eingriffe von außen auf das Handwerk selbst, so war die Bewegung gewaltig, weil sie ganz war und zusammenhaltend.

Die Handwerksehre ging dem Handwerker über alles, und der geringste Schimpf oder die leiseste Verletzung erschuf eine Bewegung.

Solcher Bewegungen entstanden während meiner Lehrjahre und kurz vorher mehrere.

Die Artilleristen, welche vor den Toren der Stadt Kanonen probierten, schossen einst den Galgen ein. Der König wollte den Galgen sogleich wieder aufgebaut wissen, doch dies ging nicht sogleich. Der Stadtmagistrat mußte sich in Pleno hinaus verfügen, den ersten Schlag an dem Gebäude tun und die Stadtfahne darüber schwenken, ehe die dabei arbeitenden Maurer, Schmiede, Schlosser und Zimmerleute, welche mit klingendem Spiel und fliegenden Fahnen hinterherzogen, Hand anlegen wollten.

Friedrich der Große, seit dem langen Kriege an philosophische Ruhe und Übersicht gewöhnt, nannte dies ein Possenspiel und verbot es für die Zukunft.

Mein Vater war der Meinung, das Kleine beim Kleinen zu lassen und den Leuten zu gewähren, was in seiner Art unschuldig sei und bleiben könne, wenn die Polizei nur aufmerksam genug sei; auch stimmten alle erfahrenen Mitglieder der genannten

Gewerke hierin überein und baten den Magistrat, dagegen beim Könige Vorstellungen einzureichen. Des Königs Wille war bekannt genug geworden, und nun mischten sich die Philosophen der Stadt in die Sache; es ward darüber gesprochen und geschrieben, und niemand wollte so verstandlos sein, die Albernheit solcher Aufzüge nicht einzusehn, welche nur Unordnungen und Müßiggang veranlassen könnten.

Mein Vater sagte dagegen: Wenn die Leute Aufzüge machen, können sie freilich nicht arbeiten; da sie aber täglich arbeiten müssen, um zu leben, und viel arbeiten müssen, wenn sie für ihre Kosten Aufzüge veranstalten wollen, so verbiete sich der Müßiggang von selber, und gegen Unordnung gebe es unter den Gesellen selber Mittel, die leichter zu unterstützen wären als abzuschaffen.

Indessen blieb immer die Frage stehn: *wofür sind solche Aufzüge gut?*, und diese Frage ließ sich weder gegen obere Behörden noch gegen jene Stadtphilosophen so beantworten, daß an einem rechten Einverständnisse zu denken gewesen wäre. Selbst im Gewerke waren darüber verschiedene Meinungen. Mein Vater behauptete, es werde dies bald Folgen haben für das Gewerk und späterhin für das Land, indem dies eigentlich der Zügel sei, an welchem man mit gehöriger Klugheit das Gewerbe führen und leiten könne; er halte es daher auch für unpolitisch und sei überzeugt, eine politische Regierung müsse die stärksten Arme des Landes (unter Bedingungen, die das Gewerbe genug begrenze) frei lassen, um so mehr, wenn sie auf der andern Seite hergebrachte Befreiungen allgemeiner Lasten respektiere.

Die Gesellen taten sich bei solchen Aufzügen in Kleidung und Anstand hervor, trugen Degen und beeiferten sich, ihrem Stande Ehre zu machen. Wer gut focht, die Fahne spielte, tanzte, galant war gegen das Frauenzimmer, ward angesehn; dagegen ein Gesell, der Sonntag und Werkeltag arbeitete und sich nicht sauber zu kleiden wußte, weniger geachtet war. Wer schlechtes Handwerkszeug hatte, oder sich wohl gar dies und jenes leihen mußte, nachlässig oder unsauber arbeitete, ruchlose Reden führte, sich in fremde Händel mischte, die Arbeit verunreinigte, ward zur Buße gezogen von den Mitgesellen. Man konnte den Ton dieser Leute unter sich gut nennen.

Waren die Vergehungen nicht entehrend für den ganzen Stand, so bestanden die Bußen in Freihaltungen, wobei alles lustig zuging; waren sie es aber, so war die Buße oft grausam und mit Ausstoßungen verbunden, von denen keine Errettung war im ganzen Deutschlande.

Es dauerte nicht gar lange, so zeigte sich eine Gelegenheit, die Prophezeiung meines Vaters zu bestätigen. Ein Gesell warf dem andern eine tote Katze in seinen Kalkkasten. Augenblicklich warf dieser sein Handwerkszeug von sich, erregte die übrigen Arbeiter, welche das nämliche taten, und alle Gesellen dieses Baues zogen in Gesellschaft umher, riefen die Leute von anderen Bauen ab, und es entstand Bewegung in der ganzen Stadt.

So unrecht dies war, eine einzelne Sache zu einer allgemeinen Sache der Stadt zu machen, so gewaltig waren die Anstalten dagegen.

Überließ man dem Gewerke, die Sache zu vermitteln, so war die Sache in einem Tage abgemacht, und die Schuldigen konnten nachher zur gebührenden Strafe gezogen werden. Dagegen ward aber das ganze Militär der Stadt in Bewegung gesetzt, um einige hundert trunkener Gesellen zu zerstreuen und zum Teil aufzubringen, und es gab einen Lärm, der eine ganze Woche dauerte.

Volkslied

Ihr Burschen hört mich an,
Was ich euch sagen kann:
In meinen jungen Jahren
Hab ich schon viel erfahren,
Viel Hunger und viel Durst,
Viel Hitz und auch viel Frost.

Zu Frankfurt kam ich an,
Ich armer Wandersmann.
Die Schildwacht tut mich fragen,
Ich sollt ihr nur mal sagen:
›Wo kommt die Reise her?‹
»Von Straßburg kommt sie her!«

›Leg er sein Bündel ab
Und zeig er seinen Paß!
Ich wills ihm unterschreiben;
Die Herberg will ich zeigen:
Draußen vorm grünen Tor
Im Schild im schwarzen Mohr.‹

Zur Herberg komm ich an,
Ich armer Wandersmann:
»Guten Tag, Frau Herbergsmutter,
Bring sie mir Brot und Butter,
Dazu ein frisch Glas Bier,
Weil ich muß bleiben hier!

Nun sag ich vielmal Dank,
Weil ich bin unbekannt;
Ich will noch weiter reisen
Fort in das neue Preußen,
Bin ich gleich hier und dort,
Ists auch mein Vatersort.«

Christian Wilhelm Bechstedt

Auf Wanderschaft in Wien

Am sechsten Tage, spät abends, legten wir in Nußdorf an, und als wir andern Morgens zur Flöße kamen, sagte der Schiffer: »Ich habe hier zwei Tage zu tun; wer nach Wien will, kann zu Fuß in einer Stunde hinkommen.« Mein Erlanger und ich packten sogleich auf, und nach einer guten Stunde passierten wir zur Stadt Wien hinein.

Die Gasse, in der unsere Herberge lag, hieß »Der Salzgries«. Noch am selben Tage, gegen Abend, kamen Polizeidiener mit Soldaten und nahmen uns die Pässe ab. Wir mußten unsere Bündel aufhocken, in Reih und Glied treten und wurden gezählt; es waren einige zwanzig Bäckergesellen, die nun abmarschierten. Vor einem Bäckerhause wurde »Halt!« kommandiert und nachgefragt, wieviel Gesellen nötig seien. »Zweie«, hieß es. Die Polizei griff zwei Stück heraus und gab sie in der Bäckerei ab. Unter »Marsch!« und »Vorwärts!« ging es von Backhaus zu Backhaus; hier wurde einer, dort wurden mehrere verlangt. Der Erlanger und ich wollten gerne zusammenbleiben; ich griff einen Polizeidiener am Arm und sagte es ihm heimlich. Er nickte, blünzte mit den Augen und drückte mir die Hand. Nun ging es rechts herum, eine schmale Berggasse hinauf, das Lorenzer Gässel. Auf der rechten Seite stand eine Haustüre offen; man sah hinten das Feuer im Backofen brennen. Mein Polizist faßte meine Hand und zog. »Wieviel hier?« schrie er. »Zwei Stück«, hieß es, und wir folgten ihm rasch zur Türe hinein. »Wünsche viel Glück, meine lieben Herren«, sagte er und gab auch dem Erlanger die Hand.

»Das ist doch einmal ein höflicher Polizeidiener«, meinte mein Kamerad. »Na, wartet nur, er wird euch schon besuchen«, sagte ein Mann, der das Feuer im Backofen schürte, ging und machte eine Tür auf. »Da geht hinein.« Es war die Backstube; sechs Bursche befanden sich in Tätigkeit; große Kübel standen umher wie in einer Stärkefabrik; zwei lange Balken liefen hoch durch die ziemlich große Stube. Nur einer der Kameraden kümmerte sich um uns. Er stieg von seinem Sitzarbeitsplatz herab und sagte zu meinem Erlanger: »Du langer Strick mußt Kübler werden, und du«, sagte er zu mir, »wirst Jodel.« Er brannte ein Licht an, führte uns in ein Souterrain, wo links das Backholz lag und rechts eine Art von Betten standen. – »Das sind eure zwei Kotzen, legt hier ab!« – Kotzen, das waren die Betten.

Das war mein Empfang in der großen Kaiserstadt Wien. ›Nun‹, dachte ich, ›schadet nichts! Du bist gesund wie ein Fisch; vielleicht kommt's später schöner.‹ – Nach drei bis vier Tagen hatte ich die Rangordnung meiner Kameraden kennengelernt.

1. Rang: Der Werkmeister, ›Helfer‹ genannt, ein Mainzer.
2. Rang: Der Weißmischer, kommandiert en chef in der Backstube, ein Österreicher, stolzer Dummkopf.
3. Rang: Der Ausschütter, ein einsilbiger, guter Mensch, steht nach dem Helfer am Ofen und macht die kleinen Gebäcke.
4. Rang: Der Schwarzmischer, ein offener lustiger Bursche aus Linz, schön von Gesicht und nicht ungebildet.
5. Rang: Zwei Kipfelschläger aus Wien oder der Umgegend, liederliche, schlechte Bengels.
6. Rang: Der Semmler, einfältiger Hannes, in schöne Kleider gesteckt.
7. Rang: Der Vicé, ein durchtriebener Gaudieb. Zwölf Jahre in Wien; trug die Ware in die Gasthöfe und zu den Kunden.
8. Rang: Der Kübler – mein guter Erlanger.
9. Rang: Der Jodel, meine Wenigkeit.
10. Rang: Der Bua, achtzehn Jahre alt. Stockböhm und stockdumm.

So hatte ich also doch noch einen unter mir. Was Jodel heißt, wußte ich schon von Linz aus: Hauspudel, der aller Welt gehorchen muß. Mit diesen Titeln wurden wir angeredet und gerufen, sowohl unter uns, als vom Herrn, der Madame, der Ladenmamsell und der Köchin. Nach wenigen Tagen hatte ich es aber doch so weit gebracht, daß sie mich alle ›Sachs‹ riefen; nur der Weißmischer tat es nicht; er sei zwei Jahre Jodel gewesen, sagte er, und nie anders genannt worden. Noch nicht vierzehn Tage waren verstrichen, als eines Nachts beim Semmelwirken der Schwarzmischer von seinem umgestürzten Kübel, worauf er saß, abstieg und ich, der das Stehn satt hatte, mich draufsetzte. »Jodel, gleich vom Kübel runter! Ein Jodel muß stehn«, gröhlte der Weißmischer. Ich verbiß meinen Ärger und sagte: »Wenn ich meine Arbeit ordentlich fortmache, so hast du mir weiter nichts zu befehlen.« – »Was?« fuhr er von seinem Trogkopf herunter, »der Weißmischer hat dem Jodel nichts zu befehlen?

Das will ich dir gleich zeigen!« Er packte von hinten und riß mich zur Erde. In meiner Wut fahre ich auf, greif nach einem Garpflock; der geht unglücklicherweise aus der Wand heraus; ich schlage damit aus Leibeskräften auf den Kerl los; es tut einen harten Knall und – plump – lag er an der Erde und zuckte kein Glied. Mir stand vor Angst der Atem still; einige nahmen Licht und beleuchteten ihn; der Vicé brachte einen Topf kalt Wasser und goß es ihm aufs Gesicht, da schüttelte er sich.

»Der Hund verreckt noch lange nicht«, sagte der Vicé. Jetzt hörten wir es am Boden sachte fluchen und knurren. »Helft mir auf.« Einige griffen zu, doch er konnte nicht stehen. »Der Esel hat mir die Hüfte inzweigeschlagen«, knurrte er. »Aber ich habe ja nur einmal geschlagen«, wandte ich schüchtern ein, froh, daß er noch lebte. »Nein, Sachs, du hast dreimal geschlagen«, sagte der Schwarzmischer sachte zu mir, »und der dritte Schlag ging vor den Kopf.«

Der Weißmischer blutete an der Stirne; mehrere faßten ihn und trugen ihn hinaus auf seinen Kotzen, kamen aber gleich wieder zurück, denn die Arbeit durfte nicht unterbrochen werden. »Wasch' dich«, sagte einer zu mir, »dein Gesicht ist voller Blut.« Jetzt fühlte ich auch den Schmerz – ein Stück Haut war mir von der Backe gerissen; aber ich wusch das Blut nicht ab. Alle Morgen, gegen fünf Uhr, kam der Herr in die Backstube, überblickte uns, sah nach der Ware und ging hinaus zum Helfer. Diesmal blieb sein Blick an meinem Gesicht haften. »Wie sieht der Jodel aus! – der Sachs wollt' ich sagen! Habt's gerauft? – Wo ist der Weißmischer?«

Nachdem ihm berichtet worden war, ließ er sich zum Weißmischer leuchten, kam aber nicht wieder in die Backstube. Später sagte der Helfer zu mir: »Der Herr scheint dich gern zu haben; er hat mit dem Weißmischer gezankt; es kommt heute noch ein anderer herein.« Und so wurde es.

Die Bäckerei ging, ohne Aufhören, Tag und Nacht fort. Die oberen Chargen hatten kürzere Zeit zu arbeiten und bekamen mehr Lohn als die andern. Der Helfer hatte in der Backstube gar nichts zu tun; des Weißmischers Arbeit dauerte von abends acht bis morgens sechs bis sieben Uhr; der Ausschütter hatte von morgens acht bis abends acht Uhr zu arbeiten, der Schwarzmischer von morgens vier bis abends sechs Uhr, die Kipfler von abends zehn Uhr bis den andern Nachmittag ein Uhr, der Semmler von abends acht Uhr bis den andern Mittag; der Vicé, der gar kein Bäcker zu sein brauchte, mußte den Korb aufhocken und Waren austragen, mit dem Hefenfäßchen auf dem Rücken-Reff in die entfernten Bierbrauereien gehen und auch die Nacht Semmel wegsetzen, wobei es aber immer Krieg gab. Der Kübler hatte schon keine regelmäßige Arbeitszeit, wurde stets kommandiert und mußte sich die Zeit zum Schlafen fast stehlen; der Jodel war der Pudel für alle und nur, weil hier auch noch ein Bua war und auch wohl, weil sie meine Überlegenheit in manchen Dingen fühlten, schonten sie mich.

Es war nun bald Weihnachten, und ich war schon einige Male mit dem Schwarzmischer im Leopoldstädter Theater gewesen, als er mir erzählte, daß nächsten Januar wieder ein Sprechtag sei. Diese Sprech- oder Kündigungstage waren abgeschafft worden, weil es in der übervölkerten Stadt an Bäckerware fehlte; kein Bäckergeselle durfte ohne gewichtigen Grund aus der Arbeit gehen. Ich erfuhr, daß der Ausschütter zum Sprechtag abgehen würde und bekümmerte mich nun sehr um seine Arbeit. Er mußte täglich Hopfen kochen zur künstlichen Hefe und die Gärung führen bis zum – Ausschütten – in den Backtrog. Dazu gehörten fünf Mann; die rief er mit dem Worte ›Ausschütten!‹ zusammen. Auch mußte er die kleinen Kipfelgebacke einschieben und ausbacken und den Ofen mit dünnen Spreißeln dazu heizen. Ich stellte mich gut mit ihm, und er ließ mich zuweilen seine Arbeit machen; als der Sprechtag herannahte, war ich complètement in die Mysterien des Ausschütters eingeweiht.

Am Sprechtage, früh acht Uhr, mußte jeder zum Herrn hinauf und sagen, ob er bleiben wolle oder nicht. Es ging nach dem Range, und an Mußbachen – nämlich an den Jodel – kam es zuletzt. »Herr Pfitzinger«, sagte ich, »ich will recht gerne bei Ihnen in der Arbeit bleiben, aber nicht mehr als Jodel, sondern als Ausschütter.« – »Sachse, plagt dich der Teufel! Bist vier Wochen in Wien und willst Ausschütter werden? Weißt du, daß du dir damit eine Rute aufbindest? Kannst viel verderben, und ich habe das Recht, dich von der Polizei strafen zu lassen. Als Jodel bist du ein wahrer Freiherr und kannst nichts verderben.« – »Aber auch nichts gutmachen. Ich will kein Freiherr sein, Herr Pfitzinger, hergegen verspreche ich Ihnen, alle meinen Fleiß und die größte Aufmerksamkeit anzuwenden, wenn Sie mich als Ausschütter einstellen wollen.« – »Na, es ist gut, du sollst es sein. Du wirst zwei neue Kipfer und einen Jodel bekommen; beobachte sie, daß du mir darüber referieren kannst« – und er winkte ab wie Napoleon oder jeder große Herr, wenn er einen fort haben will.

Mit Hochgefühl ging ich die Treppe hinunter in die Backstube und machte mit glänzendem Gesicht meine Standeserhöhung bekannt. Der Schwarzmischer umarmte mich, und meinem guten Erlanger standen Freudentränen in den Augen. Auch der Semmler und der Vicé gratulierten mir freundlich, was mich ganz glücklich machte, denn ich war doch über sie hingesprungen. –

Friedrich Christian Laukhard

Kampagne in Frankreich

Den Tag, an welchem wir in Frankreich einrückten, werde ich nicht vergessen, so lange mir die Augen aufstehen. Als wir früh aus unserem Lager aufbrachen, war das Wetter gelinde und gut, aber nach einem Marsch von zwei Meilen mußten wir haltmachen, um die Kavallerie und Artillerie vorzulassen, und während dieses Halts fing es an, jämmerlich zu regnen. Der Regen war kalt und durchdringend, so daß wir alle rack und steif wurden. Endlich brachen wir wieder auf und postierten uns neben einem Dorfe, das Brehain la Ville hieß, eine gute Meile von der deutschen Grenze.

Der Regen währte ununterbrochen fort, und weil die Packpferde weit zurückgeblieben waren, indem sie wegen des gewaltig schlimmen Weges nicht voran konnten, so mußten wir unter freiem Himmel aushalten und uns bis auf die Haut durchnässen lassen. Da hätte man das Fluchen der Offiziere und Soldaten hören sollen!

Endlich wurde befohlen, daß man einstweilen für die Pferde fouragieren und aus den nächsten Dörfern Holz und Stroh holen sollte.

Das Getreide stand noch meistens im Felde, weil dieses Jahr wegen des anhaltenden Regens die Ernte später als gewöhnlich fiel. Das fouragieren ging so recht nach Feindesart: man schnitt ab, riß aus, zertrat alles Getreide weit und breit, und machte eine Gegend, woraus acht bis zehn Dörfer ihre Nahrung auf ein ganzes Jahr ziehen sollten, in weniger als einer Stunde zur Wüstenei.

In den Dörfern ging es noch weit abscheulicher her. Das unserm Regiment zunächst liegende war das genannte Brehain la Ville, ein schönes großes Dorf, worin ehedem ein sogenannter Bailli du Roi seine Residenz gehabt hatte. Um durch Laufen mich in Wärme zu setzen, lief ich mit vielen anderen auch nach diesem Dorf, wo wir Holz und Stroh holen sollten. Ehe aber diese Dinge genommen wurden, untersuchten die meisten erst die Häuser, und was sie da Anständiges vorfanden, nahmen sie mit, als: Leinwand, Kleider, Lebensmittel und andere Sachen, welche der Soldat entweder selbst brauchen oder doch an die Marketender verkaufen kann. Was dazu nicht diente, wurde zerschlagen oder sonst verdorben. So habe ich selbst gesehen, daß Soldaten vom Regiment Woldeck ganze Service von Porzellan im Pfarrhof und anderwärts zerschmissen; alles Töpferzeug hatte dasselbe Schicksal. Aufgebracht über diese Barbarei, stellte ich einen dieser Leute zur Rede, warum er einer armen

Frau, trotz ihrem bitteren Weinen und Händeringen, das Geschirr zerschmissen und ihre Fenster eingeschlagen habe? Aber der unbesonnene wüste Kerl gab mir zur Antwort: »Was, Sakkerment, soll man denn hier schonen? Sind's nicht verfluchte Patrioten? Die Kerls sind ja eigentlich schuld, daß wir so viel ausstehen müssen!« Und damit ging's mit dem Ruinieren immer vorwärts. Ich schwieg und dachte so mein Eigenes über das Wort *Patriot* in dem Munde eines – Soldaten.

Die Männer aus diesen Dörfern hatten sich alle wegbegeben und bloß ihre Weiber zurückgelassen, vielleicht weil sie glaubten, daß diese den eindringenden Feind eher besänftigen könnten. Aber der rohe Soldat hat eben nicht viel Achtung für das schöne Geschlecht überhaupt, zumal bei Feindseligkeiten, und es gibt wüste Teufel unter ihnen, welche einem Frauenzimmer allen Drang antun können, die aber vor jedem Mannsgesicht aus Feigheit gleich zu Kreuze kriechen. Ich habe davon einmal eine Probe gesehen bei Homburg an der Höhe in einem Dorfe. Es kam hier nämlich ein Offizier vom Regiment Hohenlohe in ein Haus, worein ich getreten war, um Wasser zu trinken. Mit dem größten Ungestüm forderte er Butter oder Käse, und als ihm das Mädchen versicherte, daß sie weder das eine noch das andere hätte, ward er grob und sagte: »Euer Haus sollte man euch anstecken, ihr verfluchtes Patriotengrob!« u.s.w. Dies hörte des Mädchens Bruder vor der Türe, trat hinein und schaute dem Herrn Leutnant ins Gesicht: »Herr, was räsonniert Er da von Patriotengrob? Den Augenblick zur Tür hinaus, oder ich schwuppe Ihn hier herum, wie einen Tanzbär!« Dies sagte er, und der Herr Leutnant schob ab und sagte kein Wort. Mich hatte er nicht bemerkt, denn ich saß hinterm Ofen. Dies im Vorbeigehen.

Unsere Leute hatten auf den Dörfern die Schafhürden und Schweineställe geöffnet, und so sah man auf den Feldern viele Schafe und Schweine herumlaufen. Diese wurden, wie leicht zu denken steht, haufenweise aufgefangen und nach dem Lager geschleppt. Ich muß gestehen, daß ich mich auch unter den Haufen der Räuber mischte und ein Schaf nach meinem Zelte brachte; ich dachte: wenn du's nicht nimmst, so nimmt's ein anderer, oder es verläuft sich, und dieser Grund bestimmte mich, an der allgemeinen Plünderei teilzunehmen. Der rechte Eigentümer, dachte ich ferner, gewinnt doch nichts, wenn ich auch sein Eigentum nicht berühre, ja, ich werde dann noch obendrein für einen Pinsel gehalten, der seinen Vorteil nicht zu benutzen wisse. Kurz, alle Imputabilität des Plünderns gehört, wie mich dünkt, für die Aufseher über die Disziplin und den Lebensunterhalt; diese haben zunächst alles zu verantworten.

Das Hammel- und Schweinefleisch wurde gekocht oder an den Säbel gesteckt und so in der Flamme gebraten, und hernach ohne

Brot und ohne Salz verzehrt, denn das Brot war uns ausgegangen, und hier zum erstenmal fühlten wir Brotmangel, der uns nach dieser Zeit noch oft betroffen und bitter gequält hat.

Das Dorf Brehain la Ville und alle anderen, in dessen Nähe, sahen bald aus wie Räuberhöhlen, selbst das Dorf nicht ausgenommen, worin unser König logierte.

Endlich, als es fast dunkel war, kamen die Zelte an, worin wir uns, durchnaß und überaus besudelt, niederlegten und auf dem nassen Boden und Stroh eine garstige Nacht hinbrachten. Die Bursche, welche auf der Wache waren, gingen des Nachts von ihrem Posten in die Dörfer auf Beute.

Das abscheuliche kältende Wetter und das schlechte nasse Lager hatten die Folge, daß schon am anderen Tage gar viele Soldaten zurück in die Spitäler gebracht werden mußten, weil sie das Fieber hatten und nicht mehr mitmarschieren konnten.

Die armen Leute in den Dörfern, die sich ihres Auskommens nun auf lange Zeit beraubt sahen, schlugen die Hände zusammen und jammerten erbärmlich, aber unsere Leute ließen sich von dem Angstgeschrei der Elenden nicht rühren und lachten ihnen ins Gesicht oder schalten sie Patrioten und Spitzbuben.

Wegen des Plünderns hörte ich noch am nämlichen Tage zwei Offiziere — es war ein Kapitän und ein Major — dieses miteinander reden:

MAJOR: Aber, bei Gott, es ist doch eine Schande, daß gleich am ersten Tage unseres Einmarsches solche Greuel verübt werden!

KAPITÄN: O, verzeihen Sie, Herr Obristwachtmeister, das ist eben unser Hauptvorteil, daß dies gleich geschieht.

MAJOR: Nun, so lassen Sie hören, wie und warum.

KAPITÄN: Sehen Sie, das geht heute vor, und zwar etwas stark, ich gestehe es; aber nun macht das auch einen rechten Lärm in ganz Frankreich. Jeder spricht: So machen's die Preußen! So plündern die Preußen! So schlagen die Preußen den Leuten das Leder voll!

MAJOR: Das ist eben das Schlimme, daß man nun so in ganz Frankreich herumschreien wird. Das wird uns wahrlich wenig Ehre machen.

KAPITÄN: Ei was Ehre! Es schreckt doch die Patrioten ab. Sie werden denken: machen's die Preußen schon am ersten Tage so, was werden sie noch tun, wenn sie weiter kommen? Da werden die Spitzbuben desto eher zum Kreuze kriechen.

MAJOR: Meinen Sie? Nein, mein Lieber, es wird die Nation erbittern und selbst die wider uns aufbringen, die es bisher noch gut mit uns gemeint haben. Und wirklich, das heißt doch nicht Wort halten!

KAPITÄN: Wieso, Herr Obristwachtmeister?

MAJOR: Hat nicht der Herzog im neulichen Manifest den Franzosen versprochen, daß er als Freund kommen und bloß die Herstellung der inneren Ruhe zum Zwecke haben wolle? Das heißt aber schön als Freund kommen, wenn man die Dörfer ausplündert, die Felder abmäht, und Leuten, die uns nichts getan haben, das Fell ausgerbt. Pfui, pfui!

KAPITÄN: Das ist aber doch Kriegsmanier!

MAJOR: Der Teufel hole diese Kriegsmanier! Ich sage und bleibe dabei: das heutige Benehmen der Truppen und ihr verdammtes Marodieren wird uns mehr schaden, als wenn wir eine Schlacht verloren hätten!

KAPITÄN: Herr Obristwachtmeister, innerhalb drei Wochen ist die ganze Patrioterei am Ende: in drei Wochen ist Frankreich ruhig, und wir haben Frieden. Wollen Sie wetten? Ich biete 10 Louisdor.

MAJOR: Topp! wenn in drei Wochen Friede ist, so haben Sie gewonnen!

Der Hauptmann schlug ein — und zahlte hernach bei Luxemburg auf dem Rückzug 10 Louisdor!

Der Herzog erfuhr die Plündereien nicht so bald, als er sie gleich aufs schärfste untersagen ließ. Allein was half's! Anfangs folgte man, aber hernach, besonders auf dem Rückzug, ging's, trotz mancher exemplarischen Bestrafung, oft sehr arg.

Volkslied

JETZT GEHT DER MARSCH INS FELD,
Da heißts: Soldat, schlag auf dein Zelt!
Früh morgens da muß man exerzier'n,
Halb links, halb rechts das Glied formier'n.
Sobald der Tag anbricht,
Das Gewehr geschultert liegt.

Da ruft manch braver Soldat:
O weh, wo bleibt mein lieber Kamerad?
Liegt er auf grüner Heiden,
Gar zu schön wollen wir ihn begleiten.
Mein Kamerad und der ist tot,
Tröst ihn der liebe Gott!

Die Weiber fangen zu weinen an:
O weh, wo bleibt mein lieber lieber Mann?
Die Kinder schreien allzugleich:
Tröst Gott meinen Vater im Himmelreich!

Mein Vater und der ist tot:
Wer schafft uns Kindern Brot?

Die Mädchen fangen zu weinen an:
Wo ist, wo bleibt mein Bräutigam?
Er liegt auf grüniger Heide,
Schneeweiß wolln wir ihn bekleiden,
Er ist geschossen zu Tod:
Tröst ihn der liebe Gott!

Jetzt gehts zum Ziel, zum End;
Mein Schatz, mein herzallerliebstes Kind!
Bleib du fein ehrlich und getreu,
Bis die Bataille ist vorbei,
Dann komm ich wieder zu dir:
Mein Schatz, das glaub du mir!

Joseph von Eichendorff

Adelsleben auf dem Lande

Die fernen blauen Berge über den Waldesgipfeln waren damals wirklich noch ein unerreichbarer Gegenstand der Sehnsucht und Neugier, das Leben der großen Welt, von der wohl zuweilen die Zeitungen Nachricht brachten, erschien wie ein wunderbares Märchen. Die große Einförmigkeit wurde nur durch häufige Jagden, die gewöhnlich mit ungeheurem Lärm, Freudenschüssen und abenteuerlichen Jägerlügen endigten, sowie durch die unvermeidlichen Fahrten zum Jahrmarkt der nächsten Landstadt unterbrochen. Die letzteren insbesondere waren seltsam genug und könnten sich jetzt wohl in einem Karnevalszuge mit Glück sehen lassen. Vorauf fuhren die Damen im besten Sonntagsstaate, bei den schlechten Wegen nicht ohne Lebensgefahr, unter beständigem Peitschenknall in einer mit vier dicken Rappen bespannten altmodischen Karosse, die über dem unförmlichen Balkengestell in ledernen Riemen hängend, bedenklich hin und her schwankte. Die Herren dagegen folgten auf einer sogenannten »Wurst«, einem langen gepolsterten Koffer, auf welchem diese Haimonskinder dicht hintereinander und einer dem andern auf den Kopf sehend, rittlings balancierten. — Am liebenswürdigsten aber waren sie unstreitig auf ihren Winterbällen, die die Nachbarn auf ihren verschneiten Landsitzen wechselweise einander ausrichteten. Hier zeigte es sich, wie wenig Apparat zur Lust gehört, die überall am liebsten improvisiert sein will und jetzt so häufig von lauter Anstalten dazu erdrückt wird. Das größte, schnell ausgeräumte Wohnzimmer mit oft bedrohlich elastischem Fußboden stellte den Saal vor, der Schulmeister mit seiner Bande das Orchester, wenige Lichter in den verschiedenartigsten Leuchtern warfen eine ungewisse Dämmerung in die entfernteren Winkel umher und über die Gruppe von Verwalter- und Jägerfrauen, die in der offenen Nebentüre Kopf an Kopf dem Tanze der Herrschaften ehrerbietig zusahen. Desto strahlender aber leuchteten die frischen Augen der vergnügten Landfräulein, die beständig untereinander etwas zu flüstern, zu kichern und zu necken hatten. Ihre unschuldige Koketterie wußte noch nichts von jener fatalen Prüderie, die immer nur ein Symptom von sittlicher Befangenheit ist. Man konnte sie füglich mit jungen Kätzchen vergleichen, die sorglos in wilden und doch graziös anmutigen Sprüngen und Windungen im Frühlingssonnenscheine spielen. Denn hübsch waren sie meist, bis auf wenige dunkelrote Exemplare, die in ihrem knappen Festkleide, wie Päonien, von allzu massiver Gesundheit strotzten. – Der Ball wurde jederzeit noch mit dem herkömmlichen Initialschnörkel einer ziemlich ungeschickt ausgeführten Menuett eröffnet und gleichsam parodisch mit dem graden Gegenteil, dem tollen »Kehraus« beschlossen. Ein besonders gutgeschultes Paar gab wohl auch, von einem Kreise bewundernder Zuschauer umringt, den »Kosackischen« zum besten, wo nur *ein* Herr und *eine* Dame ohne alle Touren, *sie* in heiter zierlichen Bewegungen, *er* mit grotesker Kühnheit wie ein am Schnürchen gezogener Hampelmann, abwechselnd gegeneinander tanzten. Überhaupt wurde damals, weil mit Leib und Seele, noch mit einer aufopfernden Todesverachtung und Kunstbeflissenheit getanzt, gegen die das heutige vornehm nachlässige Schlendern ein ermüdendes Bild allgemeiner Blasiertheit darbietet. Dabei schwirrten die Geigen und schmetterten die Trompeten und klirrten unaufhörlich die Gläser im Nebengemach, ja zuweilen, wenn der Punsch stark genug gewesen, stürzten selbst die alten Herren, zum sichtbaren Verdruß ihrer Ehefrauen, sich mit den ungeheuerlichsten Kapriolen mit in den Tanz; es war eine wahrhaft ansteckende Lustigkeit. Und zuletzt dann noch auf der nächtlichen Heimfahrt durch die gespensterhafte Stille der Winterlandschaft unter dem klaren Sternenhimmel das selige Nachträumen der schönen Kinder.

Die Glücklichen hausten mit genügsamem Behagen großenteils in ganz unansehnlichen Häusern (unvermeidlich »Schlösser« geheißen), die selbst in der reizendsten Gegend nicht etwa nach ästhetischem Bedürfnis schöner Fernsichten angelegt waren, sondern um aus allen Fenstern Ställe und Scheunen bequem überschauen zu können. Denn ein guter Ökonom war das

Ideal der Herren, der Ruf einer »Kernwirtin« der Stolz der Dame. Sie hatten weder Zeit noch Sinn für die Schönheit der Natur, sie waren selbst noch Naturprodukte. Das bißchen Poesie des Lebens war als nutzloser Luxus lediglich den jungen Töchtern überlassen, die denn auch nicht verfehlten, in den wenigen müßigen Stunden längst veraltete Arien und Sonaten auf einem schlechten Klaviere zu klimpern und den hinter dem Hause gelegenen Obst- und Gemüsegarten mit auserlesenen Blumenbeeten zu schmücken. Gleich mit Tagesanbruch entstand ein gewaltiges Rumoren in Haus und Hof, vor dem der erschrockene Fremde, um nicht etwa umgerannt zu werden, eilig in den Garten zu flüchten suchte. Da flogen überall die Türen krachend auf und zu, da wurde unter vielem Gezänk und vergeblichem Rufen gefegt, gemolken und gebuttert, und die Schwalben, als ob sie bei der Wirtschaft mit beteiligt wären, kreuzten jubelnd über dem Gewirr, und durch die offenen Fenster schien die Morgensonne so heiter durchs ganze Haus über die vergilbten Familienbilder und die Messingbeschläge der alten Möbel, die jetzt als Rokoko wieder für jung gelten würden. An schönen Sommernachmittagen aber kam häufig Besuch aus der Nachbarschaft. Nach den geräuschvollen Empfangskomplimenten und höflichen Fragen nach dem werten Befinden ließ man sich dann gewöhnlich in der desolaten Gartenlaube nieder, auf deren Schindeldache der buntübermalte hölzerne Cupido bereits Pfeil und Bogen eingebüßt hatte. Hier wurde mit hergebrachten Späßen und Neckereien gegen die Damen scharmütziert, hier wurde viel Kaffee getrunken, sehr viel Tabak verraucht, und dabei von den Getreidepreisen, von dem zu verhoffenden Erntewetter, von Prozessen und schweren Abgaben verhandelt; während die ungezogenen kleinen Schloßjunker auf dem Kirschbaum saßen und mit den Kernen nach ihren gelangweilten Schwestern feuerten, die über den Gartenzaun ins Land schauten, ob nicht der Federbusch eines insgeheim erwarteten Reiteroffiziers der nahen Garnison aus dem fernen Grün emportauche. Und dazwischen tönte vom Hofe herüber immerfort der Lärm der Sperlinge, die sich in der Linde tummelten, das Gollern der Truthähne, der einförmige Takt der Drescher und all' jene wunderliche Musik des ländlichen Stillebens, die den Landbürtigen in der Fremde, wie das Alphorn den Schweizer oft unversehens in Heimweh versenkt. In den Tälern unten aber schlugen die Kornfelder leise Wellen, überall eine fast unheimlich schwüle Gewitterstille, und niemand merkte oder beachtete es, daß das Wetter von Westen bereits aufstieg und einzelne Blitze schon über dem dunklen Waldeskranze prophetisch hin und her zuckten.

Joseph von Eichendorff

Die Heimat

An meinen Bruder

Denkst du des Schlosses noch auf stiller Höh'?
Das Horn lockt nächtlich dort, als ob's dich riefe,
Am Abgrund grast das Reh,
Es rauscht der Wald verwirrend aus der Tiefe –
O stille, wecke nicht, es war als schliefe
Da drunten ein unnennbar Weh.

Kennst du den Garten? – Wenn sich Lenz erneut,
Geht dort ein Mädchen auf den kühlen Gängen
Still durch die Einsamkeit,
Und weckt den leisen Strom von Zauberklängen,
Als ob die Blumen und die Bäume sängen
Rings von der alten schönen Zeit.

Ihr Wipfel und ihr Bronnen rauscht nur zu!
Wohin du auch in wilder Lust magst dringen,
Du findest nirgends Ruh,
Erreichen wird dich das geheime Singen, –
Ach, dieses Bannes zauberischen Ringen
Entfliehn wir nimmer, ich und du!

David Friedländer

An die Judenfeinde

»Ihr«, möchten wir denjenigen zurufen, welche uns durchaus eine angeborne Lasterhaftigkeit aufbürden wollen; »ihr, die ihr uns mit dem bloßen Zurufe: Jude! zu erniedrigen gedenkt, wir fühlen das ganze Gewicht der Verachtung, die ihr in diese zwei kleinen Silben zusammenpreßt; aber wenn ihr wirklich der Wahrheit und der Menschlichkeit huldigt, wie ihr vorgebt: zeigt uns doch das religiösere Volk, bei welchem die Tugenden der Menschheit häufiger als bei uns angetroffen werden? Welches übt die wahre Mildtätigkeit, die nicht sorgsam erst nach Kirchenglauben und Heimat sich erkundigt, in einem höhern Grade aus? Wo ist väterliche und kindliche Liebe, wo Heiligkeit der Ehen tiefer gegründet? Wo sind die Aufopferungen zum Besten anderer zahlreicher und größer? Wo ist das gesittetere Volk, bei dem die groben Verbrechen, Mord und Raub und Totschlag und Landesverräterei, seltener sind? Bei welchem sind die unnatürlichen Laster, die verdorbenen Sitten weniger häufig? — — Antwort auf diese Fragen erwarten wir, wenn unser Zeugnis widerlegt werden soll. Mit Deklamationen und Berufungen auf Judenfeinde des vorigen Jahrhunderts, oder auch des jetzigen, ja mit allen euren Nachweisungen auf Aktenstücke von Verbrechern in fremden Ländern, wo die Juden mit einer unerhörten Härte behandelt werden, widerlegt ihr die Erfahrung in unsern Gegenden nicht; entkräftet ihr die Aussprüche der Vernunft und der Wahrheit nicht. Nur adelt nicht eigenmächtig gewisse Verbrechen, nur schwärzt nicht willkürlich den Stempel der Verwerfung, den ihr auf gewisse Vergehen deswegen drückt, weil sie den Juden, die ein besonderes Gewerbe ausschließend treiben, vorzüglich ankleben. Ihr werft ihnen *Bestechung, Betrug* und *Wucher,* als die ihnen eigentümlichen Laster, vor. Aber wer hat euch das Recht gegeben, auf den *bestechenden Juden* verächtliche Blicke zu werfen, und bei dem *bestochenen Richter* die Augen zuzuschließen? Überhaupt, wer hat euch das Recht gegeben, die Fehler und Laster der Menschen zu klassifizieren, und Betrug und Wucher für die ersten, schrecklichsten, den Staat umkehrenden Laster zu erklären? Bedenkt doch, ehe ihr aburteilt, daß es in der Religion der Juden nicht liegen kann, wenn sie diesen Lastern vorzüglich unterworfen sind. Ihr Gesetzgeber, der sie von allem Verkehr mit andern Völkern abziehn, durchaus nur ein ackerbauendes, kein handeltreibendes Volk aus ihnen bilden wollte, versagte ihnen allen, auch den nach unsern Landesgesetzen rechtmäßigsten, Zins; und dennoch sollen diese Religionsbekenner, darum weil sie Juden sind, durchaus Betrüger und Wucherer sein müssen? O, gebt doch der Wahrheit, der sich so leicht darbietenden Wahrheit, den Preis, und erkennt, daß es bloß in der ausschließenden Beschäftigung, zu der die herrschende Partei die Juden verdammt hat, in dem Handel liegt, daß sie der Vergehungen des Betrügens und der Übervorteilungen aller Art, mehr als alle andere Klassen der Staatsbürger, sich schuldig machen. Und wenn euch auch das noch nicht genügt — so gehet und forschet nach dem Charakter andrer Kleinhändler und Trödler, eurer gewerbtreibenden Mitchristen, die nicht unter unmittelbarer Aufsicht der Polizei stehn, und die mit den Produkten ihres Fleißes zugleich Handel treiben; zählt und rechnet *ihren* Betrug und *ihre* Untaten; haltet sie, dem Gewicht und der Zahl nach, mit den betrügerischen Untaten der Juden zusammen, und seid — unbestechliche Richter.«

Wilhelm Müller

Gebet in der Christnacht

O Liebe, die am Kreuze rang,
O Liebe, die den Tod bezwang
Für alle Menschenkinder,
Gedenk in dieser sel'gen Nacht,
Die dich zu uns herabgebracht,
Der Seelen, die dir fehlen!

O Liebe, die den Stern gesandt
Hinaus ins ferne Morgenland,
Die Könige zu rufen;
Die laut durch ihres Boten Mund
Sich gab den armen Hirten kund,
Wie bist du still geworden?

Noch eine fromme Hirtin liegt
In blinden Schlummer eingewiegt
Und träumt von grünen Bäumen.
Singt nicht vor ihrem Fensterlein
Ein Engel: Esther, laß mich ein,
Der Heiland ist geboren?

Dorothea Schlegel geb. Mendelsohn

Armes Deutschland

O mein armes Land! – Wer bin ich, daß ich ein Vaterland zu haben glaube? – O armes Deutschland, arme Welt! Du leidest so schwer, so bitterlich und weißt es nicht warum? und suchst die Ursache hie und dort und findest sie nicht, weil du sie nicht in dir selber suchst? O wer dir doch die Augen öffnete; wo ist der Held, der Prophet? er könnte dir mehr nutzen als tausend Heere, als gräßliche Schlachten. Denn die Gegenwart ist für dich verloren, und du kannst nur für die Zukunft ringen, und wer soll dich lehren, wie du es tun sollst? wer erzieht deine blinde wieder Kindheit gewordene Unvernunft? Wird kein Prophet kommen, der den künftigen Helden, den künftigen Retter bildet? Das wäre eure rechte, eure glorreiche Bestimmung, ihr Dichter und Weisen, und ihr wäret mehr als Zehntausende, die nicht wissen, was sie tun sollen, und nicht, für wen, und nicht, für was? und darüber auch nichts zustande bringen. Lehrten die

Propheten nach Zions Fall und während demselben *den Mord?* oder nicht vielmehr die Buße? Die Zeit muß büßen, wie der einzelne Mensch, ihre schwere Schuld; sie trägt jetzt die auferlegte Buße. Wer sich der Buße trotzig oder hochmütig entzieht, der sündigt mehr, als er mit dem Verbrechen sündigt, das die Buße notwendig machte. Büßen muß die Welt, in sich gehen, die Schuld des Unglücks in sich selber aufsuchen und die Wurzel ausreißen — dann, o wer kann zweifeln? dann und nicht *früher*, wird das Licht euch wieder leuchten und ihr den Weg des Heils und die segnende Hand in allen euren Ratschlägen, in allen euren Taten wieder erleuchtend fühlen. Woher soll jetzt das Heil denn kommen? Von den schwachen Fürsten? von dem ungetreuen, nur seine eigne zeitliche Wohlfahrt bedenkenden Rat? von den verwöhnten, nichts verteidigenden Heerführern? von dem leichtsinnigen ungläubigen Volk? von der Uneinigkeit, von dem Hohn und der Nichtachtung aller gegen alle und der bebenden Furcht vor dem Überwinder? O gütiger Heiland, erleuchte die Herzen, erleuchte sie durch deinen heiligen Geist, gib ihnen den Frieden, den die Welt nicht geben kann!

Heiland der Welt, du mögst ihm nichts gedenken,
Die tausendfache Schuld ihm gnädig schenken!

O die Schande, die Schuld meines Landes lastet schwerer auf ihm als selbst der größte Druck des Unterdrückers; Buße und Strafe ist Anfang der Gnade und Erbarmung, das Verbrechen allein ist drückend! Durch einen *Mord* wird diese Schande nicht abgewaschen werden. Und wie unbedacht wäre dieser Mord! Er hätte denselben Erfolg und ungefähr das nämliche Verdienst, als Charlotte Corday hatte. Wer kann glauben, daß an *einem Einzigen* dies Unglück hängt, und wenn dem so wäre, wer kann glauben, daß ein Einziger diese Macht ohne göttliche Absicht habe? Strafbarer Unglaube ist es, das zu denken, und ihr seht es ja alle, die ihr diese Mordtat wünscht, ihr seid ja selbst gar nicht einig, was nach ihr geschehen soll. Ein jeder von euch würde etwas anders, bloß seine Wünsche, seine Einfälle, vielleicht gar sich selber an die Stelle setzen wollen, ohne Übereinstimmung, ohne zu denken, daß das, was jetzt durch solch schändliche willkürliche Tat zustande gebracht würde, notwendig eben so wüst und so verderblich sein müßte, denn nicht *er* ist es, sondern die der Welt notwendige Buße, die ihr nicht willkürlich abschütteln dürft, ihr Blinden! Betet, lernt, lehrt, arbeitet der Zukunft treu in die Hände, die glanzvoll leuchten wird; dazu allein ist die Gegenwart jetzt bestimmt. Ihr Kleingläubigen, was wollt ihr eure reinen Hände an ihn legen! Sehet ihr denn nicht, daß er selbst sein Grab gräbt, daß er seinem

Untergange selbst entgegen gehen *muß*? Oder meint ihr, die Geister der Hölle würden ihn allein sanft verschonen; meint ihr, der Wald von Dunsinan würde nicht kommen; der Mensch würde ausbleiben, der nicht vom Weibe geboren ward, um ihn zu schlagen?

Vierter Teil

HUMANITÄT

Das All es wird so hingenötigt,
Der Mensch allein er hat die Wahl.

Goethe

Johann Wolfgang von Goethe

Menschliche Mängel

Der Mensch ist dem Irren unterworfen, und wie er in einer Folge, wie er anhaltend irrt, so wird er sogleich falsch gegen sich und gegen andere; dieser Irrtum mag in Meinungen oder in Neigungen bestehen. Von Neigungen wird es uns deutlicher, weil nicht leicht jemand sein wird, der eine solche Erfahrung nicht an sich gemacht hätte. Man widme einer Person mehr Liebe, mehr Achtung, als sie verdient, sogleich muß man falsch gegen sich und andre werden: man ist genötigt, auffallende Mängel als Vorzüge zu betrachten und sie bei sich wie bei andern dafür gelten zu machen.

Dagegen lassen Vernunft und Gewissen sich ihre Rechte nicht nehmen. Man kann sie belügen, aber nicht täuschen. Ja wir tun nicht zu viel, wenn wir sagen: je moralischer, je vernünftiger der Mensch ist, desto lügenhafter wird er, sobald er irrt, desto ungeheurer muß der Irrtum werden, sobald er darin verharrt; und je schwächer die Vernunft, je stumpfer das Gewissen, desto mehr ziemt der Irrtum dem Menschen, weil er nicht gewarnt ist. Das Irren wird nur bedauernswert, ja es kann liebenswürdig erscheinen.

Ängstlich aber ist es anzusehen, wenn ein starker Charakter, um sich selbst getreu zu bleiben, treulos gegen die Welt wird und, um innerlich wahr zu sein, das Wirkliche für eine Lüge erklärt und sich dabei ganz gleichgültig erzeigt, ob man ihn für halsstarrig, verstockt, eigensinnig, oder für lächerlich halte. Dessen ungeachtet bleibt der Charakter immer Charakter, er mag das Rechte oder das Unrechte, das Wahre oder das Falsche wollen und eifrig dafür arbeiten.

Allein hiermit ist noch nicht das ganze Rätsel aufgelöst; noch ein Geheimnisvolleres liegt dahinter. Es kann sich nämlich im Menschen ein höheres Bewußtsein finden, so daß er über die notwendige ihm einwohnende Natur, an der er durch alle Freiheit nichts zu verändern vermag, eine gewisse Übersicht erhält. Hierüber völlig ins Klare zu kommen, ist beinahe unmöglich; sich in einzelnen Augenblicken zu schelten, geht wohl an, aber niemanden ist gegeben, sich fortwährend zu tadeln. Greift man nicht zu dem gemeinen Mittel, seine Mängel auf die Umstände, auf andere Menschen zu schieben, so entsteht zuletzt aus dem Konflikt eines vernünftig richtenden Bewußtseins mit der zwar modifikablen, aber doch unveränderlichen Natur eine Art von Ironie in und mit uns selbst, so daß wir unsere Fehler und Irrtümer wie ungezogene Kinder spielend behandeln, die uns vielleicht nicht so lieb sein würden, wenn sie nicht eben mit solchen Unarten behaftet wären.

Diese Ironie, dieses Bewußtsein, womit man seinen Mängeln nachsieht, mit seinen Irrtümern scherzt und ihnen desto mehr Raum und Lauf läßt, weil man sie doch am Ende zu beherrschen glaubt oder hofft, kann von der klarsten Verruchtheit bis zur dumpfsten Ahnung sich in mancherlei Subjekten stufenweise finden, und wir getrauten uns, eine solche Galerie von Charakteren, nach lebendigen und abgeschiedenen Mustern, wenn es nicht allzu verfänglich wäre, wohl aufzustellen.

Johann Wolfgang von Goethe

Schwebender Genius über der Erdkugel

mit der einen Hand nach unten, mit der andern nach oben deutend.

1.

Zwischen Oben, zwischen Unten
Schweb' ich hin zu muntrer Schau,
Ich ergetze mich am Bunten,
Ich erquicke mich im Blau.

Und wenn mich am Tag die Ferne
Luftiger Berge sehnlich zieht,
Nachts das Übermaß der Sterne
Prächtig mir zu Häupten glüht —

Alle Tag' und alle Nächte
Rühm' ich so des Menschen Los:
Denkt er ewig sich ins Rechte,
Ist er ewig schön und groß.

2.

Memento mori! gibt's genug,
Mag sie nicht hererzählen;
Warum sollt' ich im Lebensflug
Dich mit der Grenze quälen?

Drum, als ein alter Knasterbart,
Empfehl' ich dir *docendo:*
Mein teurer Freund, nach deiner Art,
Nur *vivere memento!*

3.

Wenn am Tag Zenith und Ferne
Blau ins Ungemeßne fließt,
Nachts die Überwucht der Sterne
Himmlische Gewölbe schließt,

So am Grünen, so am Bunten
Kräftigt sich ein reiner Sinn,
Und das Oben wie das Unten
Bringt dem edlen Geist Gewinn.

Friedrich Schleiermacher

Sprache und Sittlichkeit

Der Mensch gehört der Welt an, die er machen half, diese umfaßt das Ganze seines Wollens und Denkens, nur jenseit ihrer ist er ein Fremdling. Wer mit der Gegenwart zufrieden lebt und anders nicht begehrt, der ist ein Zeitgenosse jener frühen Halbbarbaren, welche zu dieser Welt den ersten Grund gelegt; er lebt von ihrem Leben die Fortsetzung, genießt zufrieden die Vollendung dessen, was sie gewollt, und das Bessere, was sie nicht umfassen konnten, umfaßt auch er nicht. So bin ich der Denkart und dem Leben des jetzigen Geschlechts ein Fremdling, ein prophetischer Bürger einer spätern Welt, zu ihr durch lebendige Phantasie und starken Glauben hingezogen, ihr angehörig jede Tat und jeglicher Gedanke. Gleichgültig läßt mich, was die Welt, die jetzige, tut oder leidet; tief unter mir scheint sie mir klein und leichten Blickes übersieht das Auge die großen verworrnen Kreise ihrer Bahn. Aus allen Erschütterungen im Gebiete des Lebens und der Wissenschaft, stets wieder auf denselben Punkt zurückkehrend, und die nämliche Gestalt erhaltend, zeigt sie deutlich ihre Beschränkung und ihres Bestrebens geringen Umfang. Was aus ihr selbst hervorgeht kann sie nicht weiter bringen, bewegt sie immer nur im alten Kreise; und ich kann dessen mich nicht erfreun, es täuscht mich nicht mit leerer Erwartung jeder günstge Schein. Doch wo ich einen Funken des verborgenen Feuers sehe, das früh oder spät das Alte verzehren und die Welt erneuern wird, da fühl ich mich in Lieb und Hoffnung hingezogen zu dem süßen Zeichen der fernen Heimat. Auch wo ich stehe soll man in fremdem Licht die heilge Flamme brennen sehen, dem Verständgen ein Zeugnis von dem Geiste der da waltet. Es nahet sich in Liebe und Hoffnung jeder, der wie ich der Zukunft angehört, und durch jegliche Tat und Rede eines jeden schließt sich enger und erweitert sich das schöne freie Bündnis der Verschwornen für die bessere Zeit.

Doch auch dies erschwert so viel sie kann die Welt, und hindert jedes Erkennen der befreundeten Gemüter, und trachtet die Saat der bessern Zukunft zu verderben. Die Tat, die aus den heiligsten Ideen entsprungen ist, gibt tausendfacher Deutung Raum; es muß geschehen, daß oft das reinste Handeln im Geist der Sittlichkeit verwechselt wird mit dem Sinne der Welt. Zu viele schmücken sich mit falschem Schein des Bessern, als daß man jedem, wo sich Besseres ahnden läßt, vertrauen dürfte; schwergläubig weigert sich mit Recht dem ersten Schein der, welcher Brüder im Geiste sucht; so gehn sie oft einander unerkannt vorüber, weil des Vertrauens Kühnheit Zeit und Welt danieder drücken. So fasse Mut und hoffe! Nicht du allein stehst eingewurzelt in den tiefen Boden der spät erst Oberfläche wird, es keimet überall die Saat der Zukunft! Fahr immer fort zu spähen wo du kannst, noch manchen wirst du finden, noch manchen erkennen, den du lange verkannt. So wirst auch du von manchen erkannt: der Welt zum Trotz verschwindet endlich Mißtrauen und Argwohn, wenn immer das gleiche Handeln wiederkehrt und gleiche Ahndung das fromme Herz ermahnt. Nur kühn den Stempel des Geistes jeder Handlung eingeprägt, daß dich die Nahen finden; nur kühn hinaus geredet in die Welt des Herzens Meinung, daß dich die Fernen hören!

Es dienet freilich der Zauber der Sprache auch nur der Welt nicht uns. Sie hat genaue Zeichen und schönen Überfluß für alles was im Sinn der Welt gedacht wird und gefühlt; sie ist der reinste Spiegel der Zeit, ein Kunstwerk, worin ihr Geist sich zu erkennen gibt. Uns ist sie noch roh und ungebildet, ein schweres Mittel der Gemeinschaft. Wie lange hindert sie den Geist zuerst, daß er nicht kann zum Anschaun seiner selbst gelangen! Durch sie gehört er schon der Welt eh er sich findet, und muß sich langsam erst aus ihren Verstrickungen entwinden; und ist er dann trotz alles Irrtums und verkehrten Wesens, das sie ihm angelernt zur Wahrheit hindurch gedrungen: wie ändert sie dann betrügerisch den Krieg, und hält ihn eng umschlossen, daß er keinem sich mitteilen, keine Nahrung empfangen kann. Lange sucht er im vollen Überfluß ein unverdächtiges Zeichen zu finden, um unter seinem Schutz die innersten Gedanken abzusenden: es fangen gleich die Feinde ihn auf, fremde Deutung legen sie hinein, und vorsichtig zweifelt der Empfänger, wem es wohl ursprünglich angehöre. Wohl manche Antwort kommt herüber aus der Ferne dem Einsamen, doch muß er zweifeln, ob sie das bedeuten soll was er faßt, ob Freundes Hand ob Feindes sie geschrieben. Daß doch die Sprache gemeines Gut ist für die Söhne des Geistes und für die Kinder der Welt! daß doch so lehrbegierig diese sich stellen nach der hohen Weisheit! Doch nein, gelingen soll es ihnen nicht, uns zu verwirren oder einzuschrecken! Dies ist der große Kampf um die geheiligten Paniere der Menschheit, welche wir der bessern Zukunft den folgenden Geschlechtern erhalten müssen; der Kampf der alles entscheidet, aber auch das sichere Spiel, das über Zufall und Glück erhaben, nur durch Kraft des Geistes und wahre Kunst gewonnen wird.

Es soll die Sitte der innern Eigentümlichkeit Gewand und Hülle sein, zart und bedeutungsvoll sich jeder edlen Gestalt anschmiegend, und ihrer Glieder Maß verkündigend jede Bewegung schön begleiten. Nur dies schöne Kunstwerk mit Heiligkeit behandelt, nur es immer durchsichtiger und feiner gewebt, und immer dichter an sich es gezogen: so wird der künstliche Betrug sein Ende finden müssen, so wird es bald sich offenbaren, wenn unheilige gemeine Natur in edler hoher Gestalt erscheinen will. Es sieht der Wissende bei jeder Regung das geheime Spiel der schlechten Glieder, nur lose liegt um den trügerischen leeren Raum das magische Gewand, und kenntlich entflattert es bei jedem raschen Schritte, und zeigt das innere Mißverhältnis an. So soll und wird der Sitte Beständigkeit und Ebenmaß ein untrüglich Merkmal von des Geistes innerm Wesen, und der geheime Gruß der Bessern werden. Abbilden soll die Sprache des Geistes innersten Gedanken, seine höchste Anschauung, seine geheimste Betrachtung des eignen Handelns soll sie wiedergeben, und ihre wunderbare Musik soll deuten den Wert den er auf jedes legt, die eigne Stufenleiter seiner Liebe. Wohl können sie die Zeichen, die wir dem Höchsten widmeten mißbrauchen, und dem Heiligen, das sie andeuten sollen ihre kleinlichen Gedanken unterschieben und ihre beschränkte Sinnesart: doch anders ist des Weltlings Tonart als des Geweihten; anders als dem Weisen reihen sich dem Sklaven der Zeit die Zeichen der Gedanken zu einer andern Melodie; etwas anders erhebt er zum Ursprünglichen, und leitet davon ab, was ihm ferner und unbekannter liegt. Es bilde nur jeder seine Sprache sich zum Eigentum und zum kunstreichen Ganzen, daß Ableitung und Übergang, Zusammenhang und Folge der Bauart seines Geistes genau entsprechen, und die Harmonie der Rede der Denkart Grundton, den Akzent des Herzens wieder gebe. Dann gibts in der gemeinen noch eine heilige und geheime Sprache, die der Ungeweihte nicht deuten noch nachahmen kann, weil nur im Innern der Gesinnung der Schlüssel liegt zu ihren Charakteren; ein kurzer Gang nur aus dem Spiele der Gedanken, ein paar Akkorde nur aus seiner Rede werden ihn verraten.

O wenn nur so an Sitte und Rede sich die Weisen und Guten erkennen möchten, wäre die Verwirrung nur gelöst, gezogen die

Scheidewand, käme zum Ausbruch erst die innere Fehde: so würde der Sieg auch nahn, aufgehn die schöne Sonne, denn auf die bessre Seite müßte sich neigen der jüngeren Geschlechter freies Urteil und unbefangner Sinn. Verkündet doch nur bedeutungsvolle Bewegung des Geistes Dasein, Wunder nur bezeugen eines Götterbildes Ursprung. Und so müßte sichs offenbaren, daß es am Bewußtsein des innern Handelns fehle, wo schöne Einheit der Sitte mangelt, oder nur als kalte Verstellung da ist, als übertünchte Unförmlichkeit; daß der von eigner Bildung nichts weiß, noch je das Innere der Menschheit in sich angeschaut hat, dem das feste Grundgestein der Sprache zu Tage gefördert aus dem Innern in kleine Bruchstücke verwittert, dem der Rede Kraft, die tief das Innere ergreifen soll, in leere Unbedeutenheit und flache Schönheit sich auflöst, und ihre hohe Musik in müßige Schallkünstelei die nicht vermag des Geistes eignes Wesen darzustellen. Harmonisch in einfacher schöner Sitte leben kann kein anderer, als wer die toten Formeln hassend eigne Bildung sucht und so der künftigen Welt gehört; ein wahrer Künstler der Sprache kann kein anderer werden, als wer freien Blickes sich selbst betrachtet, und des innern Wesens der Menschheit sich bemächtigt hat.

Aus dieser Gefühle stiller Allmacht, nicht aus frevelhafter Gewaltsamkeit vergeblichen Versuchen, muß endlich die Ehrfurcht vor dem Höchsten, der Anfang eines bessern Alters hervorgehn. Sie zu befördern sei mein Trachten in der Welt, womit ich meiner Schuld mich gegen sie entlade, und meinem Beruf genüge. So einiget sich meine Kraft dem Wirken aller Auserwählten, und mein freies Handeln hilft die Menschheit fortbewegen auf der rechten Bahn zu ihrem Ziele.

Friedrich von Schiller

Die Worte des Glaubens

Drei Worte nenn' ich euch, inhaltschwer,
  Sie gehen von Munde zu Munde,
Doch stammen sie nicht von außen her,
  Das Herz nur gibt davon Kunde;
Dem Menschen ist aller Wert geraubt,
Wenn er nicht mehr an die drei Worte glaubt.

Der Mensch ist frei geschaffen, ist frei,
  Und würd' er in Ketten geboren,

Laßt euch nicht irren des Pöbels Geschrei,
Nicht den Mißbrauch rasender Toren;
Vor dem Sklaven, wenn er die Kette bricht,
Vor dem freien Menschen erzittert nicht.

Und die Tugend, sie ist kein leerer Schall,
Der Mensch kann sie üben im Leben,
Und sollt' er auch straucheln überall,
Er kann nach der göttlichen streben;
Und was kein Verstand der Verständigen sieht,
Das übet in Einfalt ein kindlich Gemüt.

Und ein Gott ist, ein heiliger Wille lebt,
Wie auch der menschliche wanke,
Hoch über der Zeit und dem Raume webt
Lebendig der höchste Gedanke;
Und ob alles in ewigem Wechsel kreist,
Es beharret im Wechsel ein ruhiger Geist.

Die drei Worte bewahret euch, inhaltschwer,
Sie pflanzet von Munde zu Munde,
Und stammen sie gleich nicht von außen her,
Euer Innres gibt davon Kunde;
Dem Menschen ist nimmer sein Wert geraubt,
So lang' er noch an die drei Worte glaubt.

FRIEDRICH VON SCHILLER

Idee / Liebe

Alle Geister werden angezogen von Vollkommenheit. Alle — es gibt hier Verirrungen, aber keine einzige Ausnahme — alle streben nach dem Zustand der höchsten freien Äußerung ihrer Kräfte, alle besitzen den gemeinschaftlichen Trieb, ihre Tätigkeit auszudehnen, alles an sich zu ziehen, in sich zu versammeln, sich eigen zu machen, was sie als gut, als vortrefflich, als reizend erkennen. Anschauung des Schönen, des Wahren, des Vortrefflichen ist augenblickliche Besitznehmung dieser Eigenschaften. Welchen Zustand wir wahrnehmen, in diesen treten wir selbst. In dem Augenblicke, wo wir sie uns denken, sind wir Eigentümer einer Tugend, Urheber einer Handlung, Erfinder einer Wahrheit, Inhaber einer Glückseligkeit. Wir selber werden das empfundene Objekt. Verwirre mich hier durch kein zweideutiges

Lächeln, mein Raphael – diese Voraussetzung ist der Grund, worauf ich alles Folgende gründe, und einig müssen wir sein, ehe ich Mut habe, meinen Bau zu vollenden.

Etwas Ähnliches sagt einem jeden schon das innre Gefühl. Wenn wir z. B. eine Handlung der Großmut, der Tapferkeit, der Klugheit bewundern, regt sich da nicht ein geheimes Bewußtsein in unserm Herzen, daß wir fähig wären, ein gleiches zu tun? Verrät nicht schon die hohe Röte, die bei Anhörung einer solchen Geschichte unsre Wangen färbt, daß *unsre* Bescheidenheit vor der Bewunderung zittert? daß *wir* über dem Lobe verlegen sind, welches uns diese Veredlung unsers Wesens erwerben muß? Ja unser Körper selbst stimmt sich in diesem Augenblick in die Gebärden des handelnden Menschen und zeigt offenbar, daß unsre Seele in diesen Zustand übergegangen. Wenn du zugegen warst, Raphael, wo eine große Begebenheit vor einer zahlreichen Versammlung erzählt wurde, sahest du es da dem Erzähler nicht an, wie er selbst auf den Weihrauch wartete, er selbst den Beifall aufzehrte, der seinem Helden geopfert wurde – und, wenn du der Erzähler warst, überraschtest du dein Herz niemals auf dieser glücklichen Täuschung? Du hast Beispiele, Raphael, wie lebhaft ich sogar mit meinem Herzensfreund um die Vorlesung einer schönen Anekdote, eines vortrefflichen Gedichtes mich zanken kann, und mein Herz hat mirs leise gestanden, daß es dir dann nur den Lorbeer mißgönnte, der von dem Schöpfer auf den Vorleser übergeht. Schnelles und inniges Kunstgefühl für die Tugend gilt darum allgemein für ein großes Talent zu der Tugend, wie man im Gegenteil kein Bedenken trägt, das Herz eines Mannes zu bezweifeln, dessen Kopf die moralische Schönheit schwer und langsam faßt.

Wende mir nicht ein, daß bei lebendiger Erkenntnis einer Vollkommenheit nicht selten das entgegenstehende Gebrechen sich finde, daß selbst den Bösewicht oft eine hohe Begeisterung für das Vortreffliche anwandele, selbst den Schwachen zuweilen ein Enthusiasmus hoher herkulischer Größe durchflamme. Ich weiß z. B., daß unser bewunderter Haller, der das geschätzte Nichts der eiteln Ehre so männlich entlarvte, dessen philosophischer Größe ich so viel Bewunderung zollte, daß eben dieser das noch eitlere Nichts eines Rittersternes, der seine Größe beleidigte, nicht zu verachten imstande war. Ich bin überzeugt, daß in dem glücklichen Momente des Ideales der Künstler, der Philosoph und der Dichter die großen und guten Menschen wirklich sind, deren Bild sie entwerfen – aber diese Veredlung des Geistes ist bei vielen nur ein unnatürlicher Zustand, durch eine lebhaftere Wallung des Bluts, einen rascheren Schwung der Phantasie gewaltsam hervorgebracht, der aber auch eben deswegen so flüchtig wie jede andre Bezauberung dahin schwindet und das

Herz der despotischen Willkür niedriger Leidenschaften desto ermatteter überliefert. Desto ermatteter, sage ich — denn eine allgemeine Erfahrung lehrt, daß der rückfällige Verbrecher immer der wütendere ist, daß die Renegaten der Tugend sich von dem lästigen Zwange der Reue in den Armen des Lasters nur desto süßer erholen.

Ich wollte erweisen, mein Raphael, daß es unser eigener Zustand ist, wenn wir einen fremden empfinden, daß die Vollkommenheit auf den Augenblick unser wird, worin wir uns eine Vorstellung von ihr erwecken, daß unser Wohlgefallen an Wahrheit, Schönheit und Tugend sich endlich in das Bewußtsein eigner Veredlung, eigner Bereicherung auflöset, und ich glaube, ich habe es erwiesen.

Wir haben Begriffe von der Weisheit des höchsten Wesens, von seiner Güte, von seiner Gerechtigkeit — aber keinen von seiner Allmacht. Seine Allmacht zu bezeichnen, helfen wir uns mit der stückweisen Vorstellung dreier Sukzessionen: Nichts, sein Wille und Etwas. Es ist wüste und finster — Gott ruft: Licht — und es wird Licht. Hätten wir eine Real-Idee seiner wirkenden Allmacht, so wären wir Schöpfer, wie Er.

Jede Vollkommenheit also, die ich wahrnehme, wird mein eigen, sie gibt mir Freude, weil sie mein eigen ist, ich begehre sie, weil ich mich selbst liebe. Vollkommenheit in der Natur ist keine Eigenschaft der Materie, sondern der Geister. Alle Geister sind glücklich durch ihre Vollkommenheit. Ich begehre das Glück aller Geister, weil ich mich selbst liebe. Die Glückseligkeit, die ich mir vorstelle, wird meine Glückseligkeit; also liegt mir daran, diese Vorstellungen zu erwecken, zu vervielfältigen, zu erhöhen — also liegt mir daran, Glückseligkeit um mich her zu verbreiten. Welche Schönheit, welche Vortrefflichkeit, welchen Genuß ich außer mir hervorbringe, bringe ich mir hervor; welchen ich vernachlässige, zerstöre, zerstöre ich mir, vernachlässige ich mir — Ich begehre fremde Glückseligkeit, weil ich meine eigne begehre. Begierde nach fremder Glückseligkeit nennen wir Wohlwollen, *Liebe.*

Jetzt, bester Raphael, laß mich herumschauen. Die Höhe ist erstiegen, der Nebel ist gefallen, wie in einer blühenden Landschaft stehe ich mitten im Unermeßlichen. Ein reineres Sonnenlicht hat alle meine Begriffe geläutert.

Liebe also — das schönste Phänomen in der beseelten Schöpfung, der allmächtige Magnet in der Geisterwelt, die Quelle der Andacht und der erhabensten Tugend — Liebe ist nur der Widerschein dieser einzigen Urkraft, eine Anziehung des Vortrefflichen, gegründet auf einen augenblicklichen Tausch der Persönlichkeit, eine Verwechslung der Wesen.

Wenn ich hasse, so nehme ich mir etwas; wenn ich liebe, so werde ich um das reicher, was ich liebe. Verzeihung ist das Wiederfinden eines veräußerten Eigentums — Menschenhaß ein verlängerter Selbstmord; Egoismus die höchste Armut eines erschaffenen Wesens.

Als Raphael sich meiner letzten Umarmung entwand, da zerriß meine Seele, und ich weine um den Verlust meiner schöneren Hälfte. An jenem seligen Abend — du kennest ihn — da unsre Seelen sich zum erstenmal feurig berührten, wurden alle deine großen Empfindungen mein, machte ich nur mein ewiges Eigentumsrecht auf deine Vortrefflichkeit gelten — stolzer darauf, dich zu lieben, als von dir geliebt zu sein, denn das erste hatte mich zu Raphael gemacht.

War's nicht dies allmächtige Getriebe,
das zum ew'gen Jubelbund der Liebe
unsre Herzen an einander zwang?
Raphael, an deinem Arm — o Wonne!
wag' auch ich zur großen Geistersonne
freudig den Vollendungsgang.

Glücklich! Glücklich! Dich hab' ich gefunden,
hab' aus Millionen dich umwunden
und aus Millionen *mein* bist du.
Laß das wilde Chaos wiederkehren,
durch einander die Atomen stören:
ewig fliehn sich unsre Herzen zu.

Muß ich nicht aus deinen Flammenaugen
meiner Wollust Widerstrahlen saugen?
Nur in dir bestaun ich mich.
Schöner malt sich mir die schöne Erde,
heller spiegelt in des Freunds Gebärde
reizender der Himmel sich.

Schwermut wirft die bange Tränenlasten,
süßer von des Leidens Sturm zu rasten,
in der Liebe Busen ab.
Sucht nicht selbst das folternde Entzücken,
Raphael, in deinen Seelenblicken
ungeduldig ein wollüst'ges Grab?

Stünd' im All der Schöpfung ich alleine,
Seelen träumt' ich in die Felsensteine,
und umarmend küßt' ich sie.
Meine Klagen stöhnt' ich in die Lüfte,
freute mich, antworteten die Klüfte,
Tor genug, der süßen Sympathie.

Liebe findet nicht statt unter gleichtönenden Seelen, aber unter harmonischen. Mit Wohlgefallen erkenne ich meine Empfindungen wieder in dem Spiegel der deinigen, aber mit feuriger Sehnsucht verschlinge ich die höheren, die mir mangeln. *Eine* Regel leitet Freundschaft und Liebe. Die sanfte Desdemona liebt ihren Othello wegen der Gefahren, die er bestanden; der männliche Othello liebt sie um der Träne willen, die sie ihm weinte.

Es gibt Augenblicke im Leben, wo wir aufgelegt sind, jede Blume und jedes entlegene Gestirne, jeden Wurm und jeden geahndeten höhern Geist an den Busen zu drücken – ein Umarmen der ganzen Natur gleich unsrer Geliebten. Du verstehst mich, mein Raphael, *der* Mensch, der es so weit gebracht hat, alle Schönheit, Größe, Vortrefflichkeit im Kleinen und Großen der Natur aufzulesen und zu dieser Mannigfaltigkeit die große Einheit zu finden, ist der Gottheit schon sehr viel näher gerückt. Die ganze Schöpfung zerfließt in seine Persönlichkeit. Wenn jeder Mensch alle Menschen liebte, so besäße jeder Einzelne die Welt.

Die Philosophie unsrer Zeiten – ich fürchte es – widerspricht dieser Lehre. Viele unsrer denkenden Köpfe haben es sich angelegen sein lassen, diesen himmlischen Trieb aus der menschlichen Seele hinweg zu spotten, das Gepräge der Gottheit zu verwischen und diese Energie, diesen edlen Enthusiasmus im kalten tötenden Hauch einer kleinmütigen Indifferenz aufzulösen. Im Knechtsgefühle ihrer eignen Entwürdigung haben sie sich mit dem gefährlichen Feinde des Wohlwollens, dem Eigennutz abgefunden, ein Phänomen zu erklären, das ihrem begrenzten Herzen zu göttlich war. Aus einem dürftigen Egoismus haben sie ihre trostlose Lehre gesponnen und ihre eigene Beschränkung zum Maßstab des Schöpfers gemacht – Entartete Sklaven, die unter dem Klang ihrer Ketten die Freiheit verschreien. Swift, der den Tadel der Torheit bis zur Infamie der Menschheit getrieben und an den Schandpfahl, den er dem ganzen Geschlechte baute, zuerst seinen eigenen Namen schrieb, Swift selbst konnte der menschlichen Natur keine so tödliche Wunde schlagen als diese gefährlichen Denker, die mit allem Aufwande des Scharfsinns und des Genies den Eigennutz ausschmücken und zu einem Systeme veredeln.

Warum soll es die ganze Gattung entgelten, wenn einige Glieder an ihrem Werte verzagen?

Ich bekenne es freimütig, ich glaube an die Wirklichkeit einer uneigennützigen Liebe. Ich bin verloren, wenn sie nicht ist, ich gebe die Gottheit auf, die Unsterblichkeit und die Tugend. Ich habe keinen Beweis für diese Hoffnungen mehr übrig, wenn ich aufhöre, an die Liebe zu glauben. Ein Geist, der sich allein liebt, ist ein schwimmender Atom im unermeßlichen *leeren* Raume.

Johann Wolfgang von Goethe

»Die Jahre nahmen dir, du sagst, so vieles:
Die eigentliche Lust des Sinnespieles,
Erinnerung des allerliebsten Tandes
Von gestern, weit- und breiten Landes
Durchschweifen frommt nicht mehr; selbst nicht von oben
Der Ehren anerkannte Zier, das Loben,
Erfreulich sonst. Aus eignem Tun Behagen
Quillt nicht mehr auf, dir fehlt ein dreistes Wagen!
Nun wüßt' ich nicht, was dir Besondres bliebe?«

Mir bleibt genug! Es bleibt Idee und Liebe!

Johann Gottfried Herder

Humanität ist der Zweck der Menschennatur, und Gott hat unserm Geschlecht mit diesem Zweck sein eigenes Schicksal in die Hände gegeben

Der Zweck einer Sache, die nicht bloß ein totes Mittel ist, muß in ihr selbst liegen. Wären wir dazu geschaffen, um, wie der Magnet sich nach Norden kehrt, einem Punkt der Vollkommenheit, der außer uns ist und den wir nie erreichen könnten, mit ewig vergeblicher Mühe nachzustreben: so würden wir als blinde Maschinen nicht nur uns, sondern selbst das Wesen bedauern dürfen, das uns zu einem tantalischen Schicksal verdammte, indem es unser Geschlecht bloß zu seiner, einer schadenfrohen, ungöttlichen Augenweide schuf. Wollten wir auch zu seiner Entschuldigung sagen, daß durch diese leeren Bemühungen, die nie zum Ziele reichen, doch etwas Gutes befördert und unsere Natur in einer ewigen Regsamkeit erhalten würde, so bliebe es immer doch ein unvollkommenes, grausames Wesen, das diese Entschuldigung verdiente; denn in der Regsamkeit, die keinen Zweck erreicht, liegt kein Gutes, und es hätte uns, ohnmächtig oder boshaft, durch Vorhaltung eines solchen Traums von Absicht seiner selbst unwürdig getäuschet. Glücklicherweise aber wird dieser Wahn von der Natur der Dinge uns nicht gelehret; betrachten wir die Menschheit, wie wir sie kennen, nach den Gesetzen, die in ihr liegen, so kennen wir nichts Höheres als Humanität im Menschen; denn selbst wenn wir uns Engel oder Götter denken, denken wir sie uns nur als idealische, höhere Menschen.

Zu diesem offenbaren Zweck, sahen wir, ist unsre Natur organisieret: zu ihm sind unsere feineren Sinne und Triebe, unsre Vernunft und Freiheit, unsere zarte und dauernde Gesundheit, unsre Sprache, Kunst und Religion uns gegeben. In allen Zuständen und Gesellschaften hat der Mensch durchaus nichts anders im Sinn haben, nichts anders anbauen können, als Humanität, wie er sich dieselbe auch dachte. Ihr zugut sind die Anordnungen unsrer Geschlechter und Lebensalter von der Natur gemacht, daß unsre Kindheit länger daure und nur mit Hilfe der Erziehung eine Art Humanität lerne. Ihr zugut sind auf der weiten Erde alle Lebensarten der Menschen eingerichtet, alle Gattungen der Gesellschaft eingeführt worden. Jäger oder Fischer, Hirt oder Ackermann und Bürger; in jedem Zustande lernte der Mensch Nahrungsmittel unterscheiden, Wohnungen für sich und die Seinigen errichten: er lernte für seine beiden Geschlechter Kleidungen zum Schmuck erhöhen und sein Hauswesen ordnen. Er erfand mancherlei Gesetze und Regierungsformen, die alle zum Zweck haben wollten, daß jeder, unbefehdet vom andern, seine Kräfte üben und einen schönern, freieren Genuß des Lebens sich erwerben könnte. Hiezu ward das Eigentum gesichert und Arbeit, Kunst, Handel, Umgang zwischen mehreren Menschen erleichtert: es wurden Strafen für die Verbrecher, Belohnungen für die Vortrefflichen erfunden, auch tausend sittliche Gebräuche der verschiednen Stände im öffentlichen und häuslichen Leben, selbst in der Religion, angeordnet. Hiezu endlich wurden Kriege geführt, Verträge geschlossen, allmählich eine Art Kriegs- und Völkerrecht, nebst mancherlei Bündnissen der Gastfreundschaft und des Handels, errichtet, damit auch außer den Grenzen seines Vaterlandes der Mensch geschont und geehrt würde. Was also in der Geschichte je Gutes getan ward, ist für die Humanität getan worden; was in ihr Törichtes, Lasterhaftes und Abscheuliches in Schwang kam, ward gegen die Humanität verübet, so daß der Mensch sich durchaus keinen andern Zweck aller seiner Erdanstalten denken kann, als der in ihm selbst, d. i. in der schwachen und starken, niedrigen und edlen Natur liegt, die ihm sein Gott anschuf. Wenn wir nun in der ganzen Schöpfung jede Sache nur durch das, was sie ist und wie sie wirkt, kennen: so ist uns der Zweck des Menschengeschlechts auf der Erde durch seine Natur und Geschichte wie durch die helleste Demonstration gegeben.

Lasset uns auf den Erdstrich zurückblicken, den wir bisher durchwandert haben; in allen Einrichtungen der Völker von Sina bis Rom, in allen Mannigfaltigkeiten ihrer Verfassung, sowie in jeder ihrer Erfindungen des Krieges und Friedens, selbst bei allen Greueln und Fehlern der Nationen blieb das Hauptgesetz der Natur kenntlich: »Der Mensch sei Mensch, er bilde sich seinen Zustand nach dem, was er für das Beste erkennet.« Hiezu bemächtigten sich die Völker ihres Landes und richteten sich ein wie sie konnten. Aus dem Weibe und dem Staat, aus Sklaven, Kleidern und Häusern, aus Ergötzungen und Speisen, aus Wissenschaft und Kunst ist hie und da auf der Erde alles gemacht worden, was man zu seinem oder des Ganzen Besten daraus machen zu können glaubte. Überall also finden wir die Menschheit im Besitz und Gebrauch des Rechtes, sich zu einer Art von Humanität zu bilden, nachdem es solche erkannte. Irrten sie oder blieben auf dem halben Wege einer ererbten Tradition stehen, so litten sie die Folgen ihres Irrtums und büßeten ihre eigne Schuld. Die Gottheit hatte ihnen in nichts die Hände gebunden, als durch das, was sie waren, durch Zeit, Ort und die ihnen einwohnenden Kräfte. Sie kam ihnen bei ihren Fehlern auch nirgend durch Wunder zu Hilfe, sondern ließ diese Fehler wirken, damit Menschen solche selbst bessern lernten.

So einfach dieses Naturgesetz ist, so würdig ist es Gottes, so zusammenstimmend und fruchtbar an Folgen für das Geschlecht der Menschen. Sollte dies sein, was es ist, und werden, was es werden könnte, so mußte es eine selbstwirksame Natur und einen Kreis freier Tätigkeit um sich her erhalten, in welchem es kein ihm unnatürliches Wunder störte. Alle tote Materie, alle Geschlechter der Lebendigen, die der Instinkt führet, sind seit der Schöpfung geblieben, was sie waren; den Menschen machte Gott zu einem Gott auf Erden, er legte das Prinzipium eigner Wirksamkeit in ihn und setzte solches durch innere und äußere Bedürfnisse seiner Natur von Anfange an in Bewegung. Der Mensch konnte nicht leben und sich erhalten, wenn er nicht Vernunft brauchen lernte; sobald er diese brauchte, war ihm freilich die Pforte zu tausend Irrtümern und Fehlversuchen, eben aber auch, und selbst durch diese Irrtümer und Fehlversuche, der Weg zum bessern Gebrauch der Vernunft eröffnet. Je schneller er seine Fehler erkennen lernt, mit je rüstigerer Kraft er darauf geht, sie zu bessern, desto weiter kommt er, desto mehr bildet sich seine Humanität; und er muß sie ausbilden oder Jahrhunderte durch unter der Last eigner Schulden ächzen.

Wir sehen also auch, daß sich die Natur zu Errichtung dieses Gesetzes einen so weiten Raum erkor, als ihr der Wohnplatz unsres Geschlechts vergönnte; sie organisierte den Menschen so vielfach, als auf unsrer Erde ein Menschengeschlecht sich organisieren konnte. Nahe an den Affen stellete sie den Neger hin, und von der Negervernunft an bis zum Gehirn der feinsten Menschenbildung ließ sie ihr großes Problem der Humanität von allen Völkern aller Zeiten auflösen. Das Notwendige, zu welchem der Trieb und das Bedürfnis führet, konnte beinah' keine Nation der Erde verfehlen; zur feinern Ausbildung des Zustandes der Menschheit gab es auch feinere Völker sanfterer Klimate. Wie nun alles Wohlgeordnete und Schöne in der Mitte zweier Extreme liegt, so mußte auch die schönere Form der Vernunft und Humanität in diesem gemäßigtern Mittelstrich ihren Platz finden. Und sie hat ihn nach dem Naturgesetz dieser allgemeinen Konvenienz reichlich gefunden. Denn ob man gleich fast alle asiatischen Nationen von jener Trägheit nicht freisprechen kann, die bei guten Anordnungen zu frühe stehen blieb und eine ererbte Form für unableglich und heilig schätzte, so muß man sie doch entschuldigen, wenn man den ungeheuren Strich ihres festen Landes und die Zufälle bedenkt, denen sie insonderheit von dem Gebirg' her ausgesetzt waren. Im ganzen bleiben ihre ersten frühen Anstalten zur Bildung der Humanität, eine jede nach Zeit und Ort betrachtet, lobenswert, und noch weniger sind die Fortschritte zu verkennen, die die Völker an den Küsten des Mittelländischen Meeres in ihrer größern Regsamkeit gemacht haben. Sie schüttelten das Joch des Despotismus alter Regierungsformen und Traditionen ab und bewiesen damit das große, gütige Gesetz des Menschenschicksals: »daß, was ein Volk oder ein gesamtes Menschengeschlecht zu seinem eignen Besten mit Überlegung wolle und mit Kraft ausführe, das sei ihm auch von der Natur vergönnet, die weder Despoten noch Traditionen, sondern die beste Form der Humanität ihnen zum Ziel setzte.«

Wunderbar schön versöhnt uns der Grundsatz dieses göttlichen Naturgesetzes nicht nur mit der Gestalt unsres Geschlechts auf der weiten Erde, sondern auch mit den Veränderungen desselben durch alle Zeiten hinunter. Allenthalben ist die Menschheit das, was sie aus sich machen konnte, was sie zu werden Lust und Kraft hatte. War sie mit ihrem Zustande zufrieden, oder waren in der großen Saat der Zeiten die Mittel zu ihrer Verbesserung noch nicht gereift, so blieb sie Jahrhunderte hin, was sie war und ward nichts anders. Gebrauchte sie sich aber der Waffen, die ihr Gott zum Gebrauch gegeben hatte, ihres Verstandes, ihrer Macht und aller der Gelegenheiten, die ihr ein günstiger Wind zuführte, so stieg sie künstlich höher, so bildete sie sich tapfer aus. Tat sie es nicht, so zeigt schon diese Trägheit, daß sie ihr Unglück minder fühlte; denn jedes lebhafte Gefühl des Unrechts, mit Verstande und Macht begleitet, muß eine rettende Macht werden. Mitnichten gründete sich z. B. der lange Gehorsam unter dem Despotismus auf die Übermacht des Despoten; die gutwillige, zutrauende Schwachheit der Unterjochten, späterhin ihre duldende Trägheit war seine einzige und größeste Stütze. Denn Dulden ist freilich leichter, als mit Nachdruck bessern; daher brauchten so viele Völker des Rechts nicht, das ihnen Gott durch die Göttergabe ihrer Vernunft gegeben.

Kein Zweifel aber, daß überhaupt, was auf der Erde noch nicht geschehen ist, künftig geschehen werde; denn unverjährbar sind die Rechte der Menschheit und die Kräfte, die Gott in sie legte, unaustilgbar. Wir erstaunen darüber, wie weit Griechen und Römer es in ihrem Kreise von Gegenständen in wenigen Jahrhunderten brachten; denn wenn auch der Zweck ihrer Wirkung nicht immer der reinste war, so beweisen sie doch, daß sie ihn zu erreichen vermochten. Ihr Vorbild glänzt in der Geschichte und muntert jeden ihresgleichen, unter gleichem und größerm Schutze des Schicksals, zu ähnlichen und bessern Bestrebungen auf. Die ganze Geschichte der Völker wird uns in diesem Betracht eine Schule des Wettlaufs zu Erreichung des schönsten Kranzes der Humanität und Menschenwürde. So viele glorreiche alte Nationen erreichten ein schlechteres Ziel; warum sollten wir nicht ein reineres, edleres erreichen? Sie waren Menschen, wie wir sind; ihr Beruf zur besten Gestalt der Humanität ist der unsrige, nach unsern Zeitumständen, nach unserm Gewissen, nach unsern Pflichten. Was jene ohne Wunder tun konnten, können und dürfen auch wir tun; die Gottheit hilft uns nur durch unsern Fleiß, durch unsern Verstand, durch unsre Kräfte. Als sie die Erde und alle vernunftlosen Geschöpfe derselben geschaffen hatte, formte sie den Menschen und sprach zu ihm: »Sei mein Bild, ein Gott auf Erden, herrsche und walte! Was du aus deiner Natur Edles und Vortreffliches zu schaffen vermagst, bringe hervor; ich darf dir nicht durch Wunder beistehn, da ich dein menschliches Schicksal in deine menschliche Hand legte; aber alle meine heiligen, ewigen Gesetze der Natur werden dir helfen.«

Friedrich Hölderlin

Brief an den Bruder

Homburg, den 4. Juni 1799

Mein Teurer!
Deine Teilnahme, Deine Treue wird meinem Herzen immer wohltätiger; auch was Du für Dich selber bist, Dein Fleiß, die glückliche Gewandtheit, womit Dein Geist und Deine Kraft sich in Berufsgeschäft und freiere Bildung teilt, Dein Mut, Deine Bescheidenheit gibt mir immer mehr Freude. Lieber Karl! mich erheitert nichts so sehr, als zu einer Menschenseele sagen zu können: ich glaub' an Dich! und wenn mich das Unreine, Dürf-

tige der Menschen oft mehr stört als notwendig wäre, so fühl' ich mich auch vielleicht glücklicher, als andre, wenn ich das Gute, Wahre, Reine im Leben finde, und ich darf deswegen die Natur nicht anklagen, die mir den Sinn fürs Mangelhafte schärfte, um mich das Treffliche umso inniger und freudiger erkennen zu lassen, und bin ich nur einmal so weit, daß ich zur Fertigkeit gebracht habe, im Mangelhaften weniger den unbestimmten Schmerz, den es oft mir macht, als genau seinen eigentümlichen augenblicklichen, besondern Mangel zu fühlen und zu sehen, und so auch im Bessern seine eigene Schönheit, sein charakteristisches Gute zu erkennen, und weniger bei einer allgemeinen Empfindung stehen zu bleiben, hab' ich dies einmal gewonnen, so wird mein Gemüt mehr Ruhe, und meine Tätigkeit einen *stetigeren Fortgang* finden. Denn wenn wir einen Mangel nur unendlich empfinden, so sind wir auch natürlicherweise geneigt, diesem Mangel nur unendlich abhelfen zu wollen, und so gerät oft die Kraft in vorkommenden Fällen in ein unbestimmtes fruchtlos ermüdendes Ringen, weil sie nicht bestimmt weiß, wo es mangelt, und wie dieser, und gerade dieser, Mangel zu berichtigen, zu ergänzen ist. So lang ich keinen Anstoß finde, in meinem Geschäft, so gehet es rüstig weg, aber ein kleiner Mißgriff, den ich gleich zu lebhaft empfinde, um ihn klar anzusehen, treibt mich manchmal in eine unnötige Überspannung hinein. Und wie bei meinem Geschäft, so gehet es mir alten Knaben auch noch im Leben, im Umgange mit den Menschen. Daß sich diese von Natur gewiß nicht ungünstige Empfindungsgabe bei mir noch nicht zu einer Fertigkeit des bestimmteren Gefühls gebildet hat, kommt wohl unter anderm auch da her, daß ich zu viel Mangelhaftes und zu wenig Treffliches in Verhältnissen und Charakteren empfunden habe. – Du wirst durchaus finden, daß jetzt die menschlicheren Organisationen, Gemüter, welche die Natur zur Humanität am bestimmtesten gebildet zu haben scheint, daß diese jetzt überall die unglücklicheren sind, eben weil sie seltener sind, als sonst in andern Zeiten und Gegenden. Die Barbaren um uns her zerreißen unsere besten Kräfte, ehe sie zur Bildung kommen können, und nur die feste tiefe Einsicht dieses Schicksals kann uns retten, daß wir wenigstens nicht in Unwürdigkeit vergehen. Wir müssen das Treffliche aufsuchen, zusammenhalten mit ihm, so viel wir können, uns im Gefühle desselben stärken und heilen und so Kraft gewinnen, das Rohe, Schiefe, Ungestalte nicht bloß im Schmerz, sondern als das was es ist, was seinen Charakter, seinen eigentümlichen Mangel ausmacht, zu erkennen. Übrigens, wenn uns die Menschen nur nicht unmittelbar antasten und stören, so ist es wohl nicht schwer, im Frieden mit ihnen zu leben. *Nicht so wohl, daß sie so sind, wie sie sind, sondern daß sie das, was sie sind, für das Einzige halten, und nichts anderes wollen gelten lassen*, das ist das Übel. Dem Egoismus, dem Despotismus, der Menschenfeindschaft bin ich feind, sonst werden mir die Menschen immer lieber, weil ich immer mehr im Kleinen und im Großen ihrer Tätigkeit und ihrer Charaktere gleichen Urcharakter, gleiches Schicksal sehe. In der Tat! dieses Weiterstreben, dieses Aufopfern einer gewissen Gegenwart für ein Ungewisses, ein Anderes, ein Besseres und immer Besseres seh' ich als den ursprünglichen Grund von allem, was die Menschen um mich her treiben und tun. Warum leben sie nicht, wie das Wild im Walde, genügsam, beschränkt auf den Boden, die Nahrung, die ihm zunächst liegt, und mit der es, das Wild, von Natur zusammenhängt, wie das Kind mit der Brust seiner Mutter? Da wäre kein Sorgen, keine Mühe, keine Klage, wenig Krankheit, wenig Zwist, da gäb' es keine schlummerlosen Nächte u.s.w. Aber *dies* wäre dem Menschen so unnatürlich, wie dem Tiere *die Künste*, die er es lehrt. Das Leben zu fördern, den ewigen Vollendungsgang der Natur zu beschleunigen, – zu vervollkommnen, was er vor sich findet, zu idealisieren, das ist überall der eigentümlichste unterscheidendste Trieb des Menschen, und alle seine Künste und Geschäfte, und Fehler und Leiden gehen aus jenem hervor. Warum haben wir Gärten und Felder? Weil der Mensch es besser haben wollte, als er es vorfand. Warum haben wir Handel, Schiffahrt, Städte, Staaten, mit allem ihrem Getümmel, und Gutem und Schlimmen? Weil der Mensch es besser haben wollte, als er es vorfand. Warum haben wir Wissenschaft, Kunst, Religion? weil der Mensch es besser haben wollte, als er es vorfand. Auch wenn sie sich untereinander mutwillig aufreiben, es ist, weil ihnen das Gegenwärtige nicht genügt, weil sie es anders haben wollen, und so werfen sie sich früher ins Grab der Natur, beschleunigen den Gang der Welt.

So gehet das Größte und Kleinste, das Beste und Schlimmste der Menschen aus *einer* Wurzel hervor, und im Ganzen und Großen ist alles gut und jeder erfüllt auf seine Art, der eine schöner, der andre wilder seine Menschenbestimmung, nämlich die, das Leben der Natur zu vervielfältigen, zu beschleunigen, zu sondern, zu mischen, zu trennen, zu binden. Man kann wohl sagen, jener ursprüngliche Trieb, der Trieb des Idealisierens oder Beförderns, Verarbeitens, Entwickelns, Vervollkommnens der Natur belebe jetzt die Menschen größtenteils in ihren Beschäftigungen nicht mehr, und was sie tun, das tun sie aus Gewohnheit, aus Nachahmung, aus Gehorsam gegen das Herkommen, aus der Not, in die sie ihre Vorväter hineingearbeitet und gekünstelt haben. Aber um so fortzumachen, wie die Vorväter es anfingen, auf dem Wege des Luxus, der Kunst, der

Wissenschaft u.s.w., müssen die Nachkömmlinge eben diesen Trieb in sich haben, der die Vorväter beseelte, sie müssen, um zu lernen, organisiert sein, wie die Meister, nur fühlen die Nachahmenden jenen Trieb schwächer, und er kömmt nur in den Gemütern der Originale, der Selbstdenker, der Erfinder lebendig zum Vorschein. Du siehest, Lieber, daß ich Dir das Paradoxon aufgestellt habe, daß der Kunst- und Bildungstrieb mit allen seinen Modifikationen und Abarten ein eigentlicher Dienst sei, den die Menschen der Natur erweisen. Aber wir sind schon lange darin einig, daß alle die irrenden Ströme der menschlichen Tätigkeit in den Ozean der Natur laufen, so wie sie von ihm ausgehen. Und eben diesen Weg, den die Menschen größtenteils blindlings, oft mit Unmut und Widerwillen, und nur zu oft auf gemeine unedle Art gehn, diesen Weg ihnen zu zeigen, daß sie ihn mit offenen Augen und mit Freudigkeit und Adel gehen, das ist das Geschäft der Philosophie, der schönen Kunst, der Religion, die selbst auch aus jenem Triebe hervorgehn. Die Philosophie bringt jenen Trieb zum Bewußtsein, zeigt ihm sein unendliches Objekt im Ideal, und stärkt und läutert ihn durch dieses. Die schöne Kunst stellt jenem Triebe sein unendliches Objekt in einem lebendigen Bilde, in einer dargestellten höheren Welt dar; und die Religion lehrt ihn jene höhere Welt gerade da, wo er sie sucht, und schaffen will, d. h. in der Natur, in seiner eigenen, und in der ringsumgebenden Welt, wie eine verborgene Anlage, wie einen Geist, der entfaltet sein will, ahnden und glauben.

Philosophie und schöne Kunst und Religion, diese Priesterinnen der Natur, wirken demnach zunächst auf den Menschen, sind zunächst für diesen da, und nur, indem sie seiner reellen Tätigkeit, die unmittelbar auf die Natur wirkt, die edle Richtung und Kraft und Freude geben, wirken auch jene auf die Natur und wirken mittelbar auf sie reell. Auch dieses wirken jene drei, besonders die Religion, daß sich der Mensch, dem die Natur zum Stoffe seiner Tätigkeit sich hingibt, den sie, als *ein mächtig Triebrad,* in ihrer unendlichen Organisation enthält, daß er sich nicht als Meister und Herr derselben dünke und sich in aller seiner Kunst und Tätigkeit bescheiden und fromm vor dem Geiste der Natur beuge, den er in sich trägt, den er um sich hat, und der ihm Stoff und Kräfte gibt; denn die Kunst und Tätigkeit der Menschen, so viel sie schon getan hat und tun kann, kann doch Lebendiges nicht hervorbringen, den Urstoff, den sie umwandelt, bearbeitet, nicht selbst erschaffen, sie kann die schaffende Kraft entwickeln, aber die Kraft selbst ist ewig und nicht der Menschenhände Werk.

So viel über menschliche Tätigkeit und Natur. Ich wollte, ich könnte es Dir so darstellen, wie es mir in der Seele und auch vor Augen liegt, wenn ich um mich herum die Menschen und jedes seine Welt ansehe, denn es gibt mir großen Trost und Frieden, versöhnt mich besonders mit der mannigfaltigen menschlichen Geschäftigkeit, und gibt mir ein tiefes Wohlgefallen an allem Fleiße und tiefere Teilnahme an dem Treiben und an den Leiden der Menschen. Du hast nichts Kleines vor, lieber Bruder! wenn Du die Organisation einer ästhetischen Kirche darstellen willst und Du darfst Dich nicht wundern, so viel ich einsehe, wenn Dir während der Ausführung Schwierigkeiten aufstoßen, die Dir fast unübersteiglich scheinen. Die Bestandteile des Ideals überhaupt und ihre Verhältnisse philosophisch darstellen, würde schon schwer genug sein, und die philosophische Darstellung des *Ideals aller menschlichen Gesellschaft*, der ästhetischen Kirche, dürfte vielleicht in der ganzen Ausführung noch schwerer sein. Mache Dich nur mutig daran; am Höchsten übt sich die Kraft am besten, und Du hast in jedem Falle den Gewinn davon, daß es Dir leichter werden wird, alle andre gesellschaftlichen Verhältnisse in dem, was sie sind und sein können, gründlich einzusehn.

Ich bin so in das Feld unserer Lieblingsgedanken hineingeraten, daß mir keine Zeit mehr übrig bleibt, um auch noch mehr von Dir und mir zu sprechen.

Ich muß ohnedies noch einige Zeit abwarten, um Dir etwas Bestimmteres von mir zu schreiben, und wie ich künftig zu leben gedenke, und wann ich vielleicht zu Euch kommen kann, Ihr Lieben! — O sind das gute Menschen, rief ich, vor Freude weinend, als ich Eure drei Briefe las.

Zum Schlusse will ich Dir noch eine Stelle aus meinem Trauerspiele, dem Tod des Empedokles, abschreiben, damit Du ungefähr sehen kannst, wes Geistes und Tones die Arbeit ist, an der ich gegenwärtig mit langsamer Liebe und Mühe hänge:

O jene Zeit!
Ihr Liebeswonnen, da die Seele mir
Von Göttern, wie Endymion, geweckt,
Die kindlich schlummernde, sich öffnete,
Lebendig sie, die Immerjungendlichen,
Des Lebens große Genien
Erkannte — schöne *Sonne*! Menschen hatten mich
Es nicht gelehrt, mich trieb mein eigen Herz
Unsterblichliebend zu Unsterblichen,
Zu dir, zu dir, ich konnte Göttlichers
Nicht finden, stilles Licht! und so wie du
Das Leben nicht an deinem Tage sparst
Und sorgenfrei der goldnen Fülle dich
Entledigest, so gönnt' auch ich, der Deine,

Den Sterblichen die beste Seele gern
Und furchtlos offen gab
Mein Herz, wie du, der ernsten Erde sich,
Der schicksalvollen, ihr in Jünglingsfreude
Das Leben so zu eignen bis zuletzt;
Ich sagt' ihrs oft in trauter Stunde zu,
Band so den teuern Todesbund mit ihr.
Da rauscht' es anders, denn zuvor, im Hain,
Und zärtlich tönten ihrer Berge Quellen —
All' deine Freuden, *Erde*! wahr, wie sie,
Und warm und voll, aus Müh' und Liebe reifen,
Sie alle gabst du mir. Und wenn ich oft
Auf stiller Bergeshöhe saß und staunend
Der Menschen wechselnd Irrsal übersann,
Zu tief von deinen Wandlungen ergriffen,
Und nah mein eignes Welken ahnete,
Dann atmete *der Äther*, so wie dir,
Mir heilend um die liebeswunde Brust,
Und, wie Gewölk der Flamme, löseten
Im hohen Blau die Sorgen mir sich auf.

Friedrich von Schiller

Die Macht des Gesanges

Ein Regenstrom aus Felsenrissen,
Er kommt mit Donners Ungestüm,
Bergtrümmer folgen seinen Güssen,
Und Eichen stürzen unter ihm;
Erstaunt, mit wollustvollem Grausen,
Hört ihn der Wanderer und lauscht,
Er hört die Flut vom Felsen brausen,
Doch weiß er nicht, woher sie rauscht:
So strömen des Gesanges Wellen
Hervor aus nie entdeckten Quellen.

Verbündet mit den furchtbarn Wesen,
Die still des Lebens Faden drehn,
Wer kann des Sängers Zauber lösen,
Wer seinen Tönen widerstehn?
Wie mit dem Stab des Götterboten
Beherrscht er das bewegte Herz:
Er taucht es in das Reich der Toten,

Er hebt es staunend himmelwärts
Und wiegt es zwischen Ernst und Spiele
Auf schwanker Leiter der Gefühle.

Wie wenn auf einmal in die Kreise
Der Freude, mit Gigantenschritt,
Geheimnisvoll nach Geisterweise
Ein ungeheures Schicksal tritt –
Da beugt sich jede Erdengröße
Dem Fremdling aus der andern Welt,
Des Jubels nichtiges Getöse
Verstummt, und jede Larve fällt,
Und vor der Wahrheit mächt'gem Siege
Verschwindet jedes Werk der Lüge.

So rafft von jeder eiteln Bürde,
Wenn des Gesanges Ruf erschallt,
Der Mensch sich auf zur Geisterwürde
Und tritt in heilige Gewalt;
Den hohen Göttern ist er eigen,
Ihm darf nichts Irdisches sich nahn,
Und jede andre Macht muß schweigen,
Und kein Verhängnis fällt ihn an;
Es schwinden jedes Kummers Falten,
So lang' des Liedes Zauber walten.

Und wie nach hoffnungslosem Sehnen,
Nach langer Trennung bitterm Schmerz,
Ein Kind mit heißen Reuetränen
Sich stürzt an seiner Mutter Herz,
So führt zu seiner Jugend Hütten,
Zu seiner Unschuld reinem Glück,
Vom fernen Ausland fremder Sitten
Den Flüchtling der Gesang zurück,
In der Natur getreuen Armen
Von kalten Regeln zu erwarmen.

Christian Gottfried Körner

Veredelung der Menschheit durch die Kunst

Die Kunst ist keinem fremdartigen Zwecke dienstbar. Sie ist selbst ihr eigner Zweck.

Die Wahrheit dieses Satzes kann freilich nicht eher einleuchten, als bis die jetzt herrschenden Begriffe über die Bestimmung der Kunst durch edlere verdrängt werden. Noch immer ist ein großer Teil des Publikums in Verlegenheit, wenn vom Verdienste des Künstlers die Frage ist. Unter den allgemein anerkannten Bedürfnissen ist keines, für dessen Befriedigung er arbeitet, und das *Vergnügen*, wofür er bezahlt wird, möchte man nicht gern für den Zweck seines Daseins erklären. Selbst unter denen, die die höhern Geisteskräfte des Virtuosen zu schätzen wissen, entsteht oft der Zweifel, ob es keine würdigere Anwendung dieser Kräfte gebe, als den Grillen des Luxus zu fröhnen. Daher die wohlgemeinten Versuche, das *Angenehme* mit dem *Nützlichen* zu vereinigen, und die Würde der Kunst dadurch zu erhöhen, daß man sie zur Predigerin der Wahrheit und Tugend bestimmte. Aber ist denn wirklich ihr Wert davon abhängig, daß ihr eine beschränktere Sphäre angewiesen wird? Ist es so ausgemacht, daß sie zu ihrer Empfehlung eines entlehnten Verdienstes bedarf?

Unter die weniger bekannten, aber desto dringendern Bedürfnisse der Menschheit im Ganzen gehört die Erhaltung der *Energie* bei einem hohen Grade der Verfeinerung. So lange der Trieb zur Tätigkeit bei einer Nation nicht erschlafft, hat sie bei ihrer vollkommensten Ausbildung nichts zu besorgen. Es ist Vorurteil, die Ausartung eines Volks für ein unvermeidliches Schicksal einer alternden Kultur anzusehen. Die Geschichte der ältern und neuern Zeiten belehrt uns, daß die erhabensten Verdienste neben den wildesten Ausschweifungen des Luxus bestehen konnten, und daß selbst eine sinkende Nation so lange aufrecht erhalten wurde, als der Keim der *Begeisterung* bei ihren edleren Bürgern noch nicht völlig erstickt war. Das untrüglichste Kennzeichen des Verfalls ist *Trägheit* – Mangel an Empfänglichkeit für die Freude, die eine gelingende Anstrengung durch sich selbst gewährt. *Diese* Trägheit ist mit einem gewissen Frohndienste sehr vereinbar, den die Furcht vor Mangel oder Schande auflegt, und für den man sich in Stunden der Ruhe durch untätiges Schwelgen zu entschädigen sucht. Der verzärtelte Mensch will seinen Genuß auf dem kürzesten Wege erlangen; er will ernten, wo er nicht gesäet hat. Höhere Freuden, die nur durch Aufopferung oder Arbeit erkauft werden können, reizen ihn nicht, und dies ist der Grund, warum er an innerm Gehalte, nicht in dem Verhältnisse gewinnt, wie sich der Reichtum seiner Ideen vermehrt. Es fehlt ihm an Kraft, diese Nahrung des Geistes zu verarbeiten. Der höchste Grad dieser Erschlaffung ist ein hektischer Zustand, ein allmähliches Absterben alles wahren Verdienstes. Aber nicht immer ist dies Übel unheilbar. Der Mensch ist oft schwach, weil er seine Kräfte nicht kennt. Er entbehrt oft die höheren Freuden, weil er sie niemals gekostet hat. Ihn zum Gefühl seines Werts zu erheben, und ihm durch würdigere Genüsse die niedrigen Befriedigungen der Eitelkeit und tierischen Sinnlichkeit zu verekeln, ist das wichtigste Geschäft der echten Ausbildung, ohne welches alle übrige Kultur nur Flitterstaat ist. Und hier zeigt sich das wahre Verdienst der *Kunst* in seiner Größe. Sie erscheint in einer ehrwürdigen Gesellschaft — an der Seite der *Religion* und des *Patriotismus*.

Was diese drei mit einander gemein haben, ist die Bestimmung, *Leidenschaft zu veredeln*, ein Ziel, dessen sie sich nicht schämen dürfen. Der Mensch ist zu abhängig von den Gegenständen, die ihn umgeben, um der erhabenen *Ruhe* fähig zu sein, die nur der Gottheit eigen ist. Leidenschaften waren von jeher ein Bedürfnis der Menschheit, und werden es auch in ihrem vollkommensten Zustande bleiben. Sie haben die schlummernden Keime der edelsten Tätigkeit entwickelt, und dies ist ein reichlicher Ersatz für alle unglücklichen Folgen ihrer Ausschweifungen. Sie waren die Stufe, auf der der sinnliche Mensch sich von der Sklaverei der tierischen Triebe zu einer höhern Vollkommenheit emporschwang, und noch jetzt rächen sie oft ihre Verachtung an dem, der sich *reiner* Geist genug zu sein dünkt, um ihrer entbehren zu können.

Die wohltätigen Wirkungen des religiösen und bürgerlichen Enthusiasmus sind einleuchtend, und daß beide zuweilen in Schwärmerei ausarten, benimmt ihrem Werte nichts. Licht und Wärme im glücklichsten Verhältnisse bleiben immer das Ideal der menschlichen Vollkommenheit. Weniger gefährlich von dieser Seite ist indessen der *ästhetische Enthusiasmus* oder das verfeinerte Kunstgefühl, weil man ihm gerade das kräftigste Gegenmittel wider dergleichen Ausschweifungen, die Bildung des Geschmacks, zu verdanken hat. Aber zugleich sind die Wirkungen der Kunst auch weniger glänzend. Ihr Einfluß äußert sich oft erst in den entferntesten Folgen, und dies ist der Grund, warum man so oft ihren Wert verkennt, und es beinahe zur Toleranz gegen den Künstler für nötig hält, ihm irgend ein anerkannt-nützliches Geschäft anzuweisen.

Nicht in der Würde des Stoffs, sondern in der Art seiner Behandlung zeigt sich das Verdienst des Künstlers. Die Begeisterung, welche in ihm durch sein Ideal sich entzündet, verbreitet ihren wohltätigen Strahl in seinem ganzen Wirkungskreise. Wer ihn zu genießen versteht, fühlt sich emporgehoben über das Prosaische des alltäglichen Lebens, in schönere Welten versetzt, und auf einer höhern Stufe der Wesen. Und daß dieser Zustand nicht immer bloß ein augenblicklicher Schwung ist, daß der Nachhall dieser Empfindungen noch oft in der wirklichen Welt fortdauert, ist der Grund, warum eine *Veredlung der Menschheit durch Kunst* möglich ist. Was sie zu leisten vermag, besteht nicht bloß in der Gewöhnung an höhern Lebensgenuß.

Die schönste Wirkung der Kunst ist die edle Scham, das Gefühl seiner Kleinheit, das einen Menschen von Kopf und Herz bei Betrachtung jedes Meisterstücks so lange verfolgt, bis es ihm selbst gelungen ist, in seiner Sphäre Schöpfer zu sein.

Begeisterung ist die erste Tugend des Künstlers und Plattheit seine größte Sünde, für die er auch um der besten Absichten willen keine Vergebung erwarten darf. Er verfehlt seine Bestimmung, wenn er, um irgend einen besondern moralischen Zweck zu befördern, eine höhere ästhetische Vollkommenheit aufopfert. Sein Geschäft ist Darstellung des Großen und Schönen der menschlichen Natur. Auch wo sein Stoff von einer andern Gattung zu sein scheint, sind es doch nicht die Gegenstände selbst, welche er schildert, sondern ihr Eindruck auf einen glücklich organisierten Kopf, die Art, wie sie in einer großen oder schönen Seele sich im Momente der Begeisterung spiegeln. Besonders ist es das eigentümliche Verdienst der Dichtkunst, die Anschauung menschlicher Vortrefflichkeit möglichst zu vervielfältigen. Es gibt aber interessante Seiten der menschlichen Natur auch außerhalb der Grenzen der Wahrheit und Moralität. Es gibt einen *ästhetischen Gehalt*, der von dem moralischen Werte unabhängig ist.

Betrachtet man den Menschen in Verbindung mit der ihn umgebenden Natur, seine Begriffe und Meinungen im Verhältnis mit der Beschaffenheit der Dinge selbst, seine Art zu handeln in Beziehung auf andere empfindende Wesen, so läßt sich kein anderer Maßstab seines Werts denken, als Weisheit und Tugend. Aber dieser Gesichtspunkt ist nicht der einzige. Die Summe von Ideen, Fertigkeiten, Anlagen und Talenten, die in jedem einzelnen Menschen vorhanden ist, hat einen für sich bestehenden Wert, auch wenn auf den Gebrauch derselben gar keine Rücksicht genommen wird. Bei dieser Schätzung wird der Mensch *isoliert*, und sein *innerer Gehalt*, wodurch er sich von andern einzelnen Wesen unterscheidet, von seinem *relativen Werte* abgesondert, auf den er als Glied eines größern oder kleineren Ganzen Anspruch machen kann. Aus der Verwechselung dieser Begriffe entsteht das Unbefriedigende in den gewöhnlichen Theorien vom *Verdienste*, und ebenso wichtig ist dieser Unterschied bei der Frage, in wie fern es dem Künstler erlaubt ist, die Grenzen der Wahrheit und Moralität zu überschreiten.

Irrtum und Laster sind an sich selbst kein Gegenstand der Kunst, wohl aber der eigentümliche *Gehalt*, der auch durch die Fehler und Ausschweifungen eines vorzüglichen Menschen hindurch schimmert. Es gibt Torheiten und Verbrechen, die eine Vereinigung von außerordentlichen und an sich sehr schätzenswerten Eigenschaften des Kopfes und Herzens voraussetzen. Durch diese Mischung von Licht und Schatten entsteht eine Gattung von Gegenständen, die sich besonders der tragische Künstler am ungernsten versagen würde, weil oft seine erschütterndste Wirkung gerade von einem solchen Kontraste abhängt. Auch hat man hierin vorzüglich den dramatischen und epischen Dichtern mehr Freiheit einräumen müssen, wenn sie nicht bloß abstrakte Begriffe personifizieren, sondern lebendige Menschen mit bestimmten Umrissen darstellen sollten. Strenger beurteilt man aber in dieser Rücksicht gewöhnlich den lyrischen Dichter, ohngeachtet er sich vom dramatischen eigentlich nur in der äußern Form unterscheidet, und die Ode nichts anders ist, als der Monolog eines idealischen Menschen in einer idealischen Stimmung. Indessen ist man größtenteils darüber einverstanden, daß der Dichter sich aller leidenschaftlichen Darstellung enthalten müßte, wenn ihm gar keine Äußerung erlaubt sein sollte, die nicht mit den besten Einsichten der Vernunft und den Gesetzen der Moralität völlig übereinstimmte. Nur über den *Grad* dieser Freiheit ist unter dem geschmackvollern Teile des Publikums eigentlich noch die Frage.

Kühnheit in der Auswahl des Stoffs ist bei Künstlern von vorzüglichen Talenten sehr oft die Folge eines gewissen republikanischen Stolzes. Sich bei dem Publikum durch gefällige Gegenstände einzuschmeicheln, halten sie für den Behelf der Schwäche. Die Wirkung, welche ihr Ziel ist, wollen sie ganz ihrer eigenen Kraft zu danken haben. Und wohl der Nation, wo dies Gefühl von Unabhängigkeit noch unter den Künstlern möglich ist, wo sich die Kunst nicht bloß mit bestellter Arbeit beschäftigt, sondern auch ihre freien Geschenke dankbar genossen werden. Durch zu viel Nachsicht des Publikums indessen artet jene Kühnheit nicht selten in Übermut aus, und daher die Mißgeburten einer wilden Phantasie, die oft auch den tolerantesten Kunstliebhaber empören. Diesem Übel zu steuern, ohne die rechtmäßige Freiheit des Künstlers einzuschränken, ist ein Geschäft der echten Kultur.

Es gibt nämlich eine Grenzlinie, die der Künstler eben so wohl aus ästhetischen, als aus moralischen Rücksichten nicht überschreiten darf. Er handelt wider sich selbst, wenn er das Interesse seines Kunstwerks zerstört. Und dies geschieht, wenn die widrigen Empfindungen, die er erweckt, den Genuß überwiegen, auf dem der Wert seines Produkts beruhte. Was an sich selbst ein unverdorbenes Gefühl für Wahrheit und Moralität beleidigt, darf nur insofern ein Gegenstand der Kunst werden, als es einer begeisternden Idee untergeordnet und zu ihrer lebendigen Darstellung notwendig ist. Zwei Extreme sind hier zu vermeiden, *Barbarei* und *Verzärtelung*; zwischen beiden ist der Geschmack in seiner höchsten Vollkommenheit.

Fünfter Teil

TRADITION UND BILDUNG

Und so heb' ich alte Schätze,
Wunderlichst in diesem Falle;
Wenn sie nicht zum Golde setze,
Sind's doch immerfort Metalle.
Man kann schmelzen, man kann scheiden,
Wird gediegen, läßt sich wägen;
Möge mancher Freund mit Freuden
Sich's nach seinem Bilde prägen!

Goethe

Wilhelm von Humboldt

Die Vorzüge des Antiken

Das Moderne, in irgend einer Gattung, sobald nicht von bloß positiver Kenntnis und mechanischer Geschicklichkeit die Rede ist, mit dem Antiken zu vergleichen, beweist eine eben so unrichtige Ansicht des Altertums, als es unrichtige Ansicht der Kunst anzeigt, wenn je ein bestimmter Gegenstand der Wirklichkeit der Schönheit eines Kunstwerks an die Seite gesetzt wird. Denn wie Kunst und Wirklichkeit, so liegen das Altertum und die neuere Zeit in zwei verschiedenen Sphären, die sich in der Erscheinung nirgends, in Wahrheit aber allein da berühren, wohin nur die Idee, nie die Anschauung reicht, in der Urkraft der Natur und der Menschheit, von der jene beiden verschiedene Bilder, diese beiden verschiedene Bemühungen sind, sich im Dasein Geltung zu verschaffen.

Die Wirklichkeit ist gewiß um nichts unedler, als die Kunst; sie, die Wahrheit und die Natur selbst, ist ja vielmehr das Muster derselben und ihr Wesen ist gerade so groß und erhaben, daß, um uns demselben nur einigermaßen zu nähern, uns nichts übrigbleibt, als, wie es die Kunst tut, einen uns selbst unbegreiflichen Weg einzuschlagen. Von diesem ihrem Wesen ist der kleinste Gegenstand in derselben durchdrungen, und es durchaus unrichtig, daß die Natur in ihrer Vollständigkeit nur in allen einzelnen Gegenständen zusammengenommen, die Totalität der Lebenskraft nur in der Summe der einzelnen Momente ihres Daseins angetroffen werde. Erscheinen mögen sie allerdings beide auf diese Weise, allein an sich kann man sich weder die eine dem Raum, noch die andre der Zeit nach getrennt und zerteilt denken. Alles im Universum ist Eins und Eins Alles, oder es gibt überhaupt keine Einheit in demselben; die Kraft, welche in der Pflanze pulsiert, ist nicht bloß ein Teil, sondern die ganze Kraft der Natur, oder es öffnet sich eine unüberspringbare Kluft zwischen ihr und der übrigen Welt, und die Harmonie der organischen Formen ist unwiederbringlich zerstört; jeder gegenwärtige Augenblick faßt alle vergangenen und zukünftigen in sich, da es nichts gibt, woran die Flüchtigkeit des Vergangenen haften kann, als die Fortdauer des Lebendigen.

Aber die Wirklichkeit ist nicht das Gefäß, in welchem ihr Wesen uns überliefert werden kann; oder vielmehr ihr Wesen offenbart sich in ihr nur in seiner ursprünglichen Wahrheit, und ist in dieser unzugänglich für uns. Da wir daher das Dasein der wirklichen Gegenstände nicht durch ihr inneres Leben begreifen, so suchen wir es durch den Einfluß äußerer Kräfte zu erklären, und daher geschieht es, daß wir zugleich ihre Vollständigkeit und ihre Unabhängigkeit verkennen, und statt ihre organische Form durch innere Fülle bestimmt zu glauben, sie durch äußere Grenzen beschränkt halten — Irrtümer, die bei der Kunst darum hinwegfallen, weil sie uns das Wesen der Natur nicht an sich, sondern auf eine unsern Organen faßliche, für sie harmonisch vorbereitete Weise darstellt.

Zwar ist unser Leben nicht so karg von dem Schicksal begabt, daß es nicht auch mitten in demselben, und gänzlich außer dem Gebiete der Kunst etwas geben sollte, wodurch man dem Wesen der Natur näher zu treten vermag, und dies Etwas ist die Leidenschaft. Denn keinesweges sollte man diesen Namen an die untergeordneten Affekte verschwenden, mit welchen man gewöhnlicherweise liebt und haßt, strebt und verabscheut; tiefe und reiche Gemüter kennen ein Begehren, für das der Name des Enthusiasmus zu kalt und der der Sehnsucht zu ruhig und milde ist, und bei welchem der Mensch doch in vollkommener Harmonie mit der ganzen Natur bleibt, in dem Trieb und Idee auf eine auf dem kalten und prosaischen Wege unbegreifliche Weise in einander verschmolzen sind, und welches dadurch die schönsten Geburten hervorbringt. In diesen Stimmungen wird die in der Wirklichkeit erscheinende Idee in der Tat richtiger erkannt, und man kann mit Wahrheit sagen, daß Freundschaft und Liebe in hoher und reiner Begeisterung ihren Gegenstand mit tieferen und gleichsam heiligeren Blicken, als die Kunst, betrachten. Aber so ist das Schicksal der Wirklichkeit, daß sie, bald zu tief, bald zu hoch gestellt, nie das volle und schöne Gleichgewicht zwischen der Erscheinungsart des Gegenstandes und dem Auffassungsvermögen des Beobachters erlaubt, aus dem der begeisterte und fruchtbare, und doch immer stille und ruhige Genuß der Kunst hervorgeht. Nicht daher die Schuld der Natur, sondern unsre eigene ist es, wenn sie dem Kunstwerke nachzustehen scheint, und wenn daher Achtung der Kunst Zeichen eines sich hebenden Zeitalters ist, so ist Achtung der Wirklichkeit Merkmal eines noch höher gestiegenen.

Jenes volle und schöne Gleichgewicht treffen wir nun eben so nur im Antiken, nie im Modernen, an. In der Sinnes- und Wirkungsart der Alten scheint die reine und ursprüngliche Naturkraft der Menschheit so glücklich alle Hüllen zersprengt zu haben, daß sie sich, in Klarheit und Einfachheit, dem Auge, leicht überschaubar, wie eine halb erschlossene Blüte, darstellt. Nicht mühvoll den Weg, den sie wählen will, ausspähend, nicht ängstlich besorgt um das, was sie etwa zurückläßt, gibt sie sich dem unbeschränkten Sehnen nach ungemessener Lebensfülle, sicher vertrauend, hin, und prägt sie in tausend, immer gleich glückliche Bilder aus; da wo die Neueren nur forschen, suchen, ringen und kämpfen, oft den blutigen Schweiß, selten die frohe Leichtigkeit des Sieges kennen, sich abmühen in einsam zerstreutem und vereinzeltem Dasein, und sich nie der wohltätigen Schwungkraft erfreuen, mit welcher ein gleichgestimmtes Volk, auf einem, mit Denkmälern seines Ruhmes und seiner Kunst übersäeten Boden, unter einem, ihm heiter zulächlenden Himmel, jeden seiner Mitbürger emporhebt.

Gerade dieselben Merkzeichen, welche, vor der Betrachtung, die Wirklichkeit – in ihrem einzelnen, beschränkten Erscheinen – von der Kunst unterscheiden, finden sich daher auch am Antiken und Modernen wieder. Wie die Kunst, ist alles Antike immer reiner und voller Ausdruck von etwas Geistigem, und führt auf Ideeneinheit; ladet ein, sich in jeden seiner Teile immer tiefer zu versenken, fesselt durch freiwilligen Zauber den Geist in bestimmte Grenzen, und erweitert sie zur Unendlichkeit. Das Neuere hingegen deutet, wie die Wirklichkeit, das Geistige mehr nur an, als es dasselbe wirklich und unmittelbar darstellt, kennt oft keine andere Einheit, als zu der sich das Gefühl, nur von ihr aus, und auf Veranlassung ihrer, selbst sammelt, und übt seine beste und höchste Wirkung oft nur dadurch, daß es über sich selbst und aus seinen Grenzen hinausführt; ja wenn es auch, von demselben Sinn, wie das Alte, durchdrungen, ihm auch in seinen Wirkungen nah bleibt, so fehlt ihm doch, wie die Beleuchtung an einem wolkigen Tage der Landschaft, jener durch seine eigenen Strahlen alles erst fest zusammenfassende, erst innig verschmelzende Glanz.

Denn der Mensch mag sinnen und wählen und mühen, wie er auch wolle, so dankt er das Zarteste, wie das Höchste in seinen Werken, dasjenige, das der Hand entströmt, ohne daß der Bildner es weiß, und in den Sinn übergeht, ohne daß der Betrachter davon Rechenschaft zu geben vermag, doch nur der glücklichen Anlage seiner Natur und der günstigen Stimmung des Augenblicks; und er mag ausgerüstet sein mit Genie und Tatkraft, wie es die Grenzen der menschlichen Natur nur verstatten, so ist doch dasjenige was am meisten an ihm hervorstrahlt, nur das, was nicht unmittelbar Er ist, die Kraft des Geschlechts, das ihn zeugte, der Boden, der ihn trägt, die Nation, deren Sprache ihn umtönt. Der Mensch gehört der Natur an, und ist nicht bestimmt, allein und vereinzelt da zu stehen; das Wort seines Mundes ist Element oder Nachklang des Schalls der Natur; das Bild, das er hinwirft, Umriß des Stempels, in den auch sie ihre Gestalten goß, sein Wollen unmittelbarer Anstoß ihrer Schöpfungskraft. Seine Selbständigkeit wird darum nicht geringer; denn in der Totalität der Wirklichkeit ist die Kraft der Natur seine eigene, und in der Erscheinung ist ihm alles, Nation, Boden, Himmel, Umgebung, Vorwelt und Mitwelt, verschlossen, sprachlos und tot, wenn er es nicht durch eigene, innere Kraft zu öffnen, zu vernehmen, zu beleben versteht. Darum ist es das sicherste Merkmal des Genies in jeder Kraftäußerung, und am meisten in der verwickeltesten, im Leben, überall, durch Bewunderung oder Verachtung, Liebe oder Haß, das Begeisternde, Mahnende, Treibende herauszuheben, und, wo die Wirklichkeit nichts gewährt, eine neue und schönere Welt aus der Vergangenheit um sich her zu rufen — Hülfsmittel, zu welchen die Neueren sich oft gezwungen fühlen, indes die Alten alles, dessen sie bedurften, in der nächsten Umgebung, und diese ihrem innersten Begehren durchaus entsprechend antrafen.

Immerhin also könnte ein neuerer Künstler, um gleich des Gebietes zu erwähnen, auf welchem es am schwierigsten ist, gegen das Altertum anzuringen, an Vortrefflichkeit mit den Werken des Altertums wetteifern. Das Genie kann noch jetzt, wie ehemals, erstehn, das Studium hat seitdem manchen mühevollen Weg zurückgelegt, und die Kunst, dadurch und durch Erfahrung bereichert, vielfache Fortschritte gemacht. Allein was nimmer zu erreichen steht, was das Antike und Moderne durch eine unüberspringbare Kluft von einander trennt, ist der Hauch des Altertums, der das geringste Bruchstück, wie das vollendetste Meisterwerk, mit unnachahmlichem Zauber bedeckt. Dieser gehört nicht dem einzelnen Bildner, nicht dem Studium, nicht einmal der Kunst selbst an; er ist der Abglanz, die Blüte der Nation und des Zeitalters, und da sie nicht wiederkehren, auch unwiederbringlich mit ihnen verloren. Denn es ist ein wehmütiges, aber auch edles Vorrecht des Lebendigen, daß es sich niemals auf gleiche Weise wiedererzeugt, und das Vergangne in ihm auch auf ewig vergangen ist.

Hierin nun zwar, daß aus dem Werke mehr spricht, als der Gegenstand, den es unmittelbar darstellt, kommt alles, was irgend einen Grad der Eigentümlichkeit besitzt, mit einander überein. Aber was das Altertum in diesem Punkt unterscheidet, ist zweierlei: einmal, daß in der augenblicklichen Stimmung und dem Charakter des Künstlers, und in diesem und seinen Umgebungen, seiner Zeit und seiner Nation, eine wundervolle und zauberische Übereinstimmung herrscht, und zweitens, daß alle diese Dinge wiederum so eins sind mit der auszusprechenden Idee, daß sie sich nicht, als Persönlichkeit ihr in dem Werke gegenüberstellen, sondern sich mit ihr zu höherer Wirkung in demselben vereinigen, es objektiver machen durch subjektive Kraft. Beides könnte nicht der Fall sein, wenn die Menschheit, die aus dem Altertum spricht, nicht reinerer, lauterer, oder wenigstens leichter erkennbarer Abdruck der Ideen wäre, nach denen jede echt menschliche Brust sich sehnt, oder wenn diese Ideen sie nicht lebendiger durchglühten, als man je sonst zu ahnden berechtigt ist. Jener Hauch des Altertums ist also Hauch einer hellen von Göttlichkeit – denn was, wenn nicht die Idee, ist göttlich? – durchstrahlten Menschheit, und eine solche ist es, die aus den Kunstwerken, Dichtungen, Bürgerverfassungen, Schlachten, Opfern und Festen der Alten gegen unsre Dumpfheit und Engherzigkeit, aber auch zugleich für das, was Menschen sein, und wonach wir auf anders vorgezeichneter Bahn ringen können, laut und lebendig zeugt. Denn es wäre unglücklich, wenn sich der Vorzug des Altertums nur in toten Marmorgebilden, und nicht auch, gleich erhebend und begeisternd, in Sitten, Gesinnungen und Taten ankündete.

Also noch einmal: nichts Modernes ist mit etwas Antikem vergleichbar;

mit Göttern
soll sich nicht messen
irgend ein Mensch;

und was das Altertum unterscheidet, ist nicht bloß Eigentümlichkeit, sondern allgemein geltender, Anerkennung erzwingender Vorzug; es war eine einzige, aber glückliche Erscheinung in der Bildungsgeschichte der Menschheit, daß den Zeitaltern, die durch Mühe reifen sollten, ein Geschlecht vorausging, das, mühelos und gleichsam in der schönsten Blüte, dem Boden entwuchs. Auf welchem Wege dies begreiflich scheinen muß, zeigt schon das bis jetzt Entwickelte an, allein die ganze Ansicht, besonders in ihren einzelnen Anwendungen, kann erst durch die Vollendung des gegenwärtigen Werkes gerechtfertigt werden. Indes werde hier, und für jetzt, auch ohne weitere Ausführung, ein Satz aufgestellt, der für den, welcher ihn als wahr annimmt, schon nicht wenig beweisen wird. Der Prüfstein der neueren Nationen ist ihr Gefühl des Altertums, und je mehr sie in diesem Griechen und Römer gleich, oder gar in umgekehrtem Verhältnisse schätzen, desto mehr verfehlen sie auch ihr eigentümliches, ihnen besonders gestecktes Ziel. Denn insofern antik idealisch heißt, nehmen die Römer nur in dem Maße daran Teil, als es unmöglich ist, sie von den Griechen zu sondern.

Nichts würde so zweckwidrig sein, als eine historische Arbeit von einer Ansicht zu beginnen, die mehr aus vielleicht verzeihlichem, aber immer übel verstandenem Enthusiasmus, als aus ruhiger Betrachtung entspränge. Diese Bemerkung konnten wir hier nicht übergehen, da hier gerade am meisten die Einwendung zu besorgen steht, daß das soeben von den Griechen Behauptete übertrieben und parteiisch sei.

Und gewiß wäre es beides, wenn unsre Meinung dahin ginge, die Alten in der Tat für ein höheres, edleres Menschengeschlecht, als uns, für ein solches gelten zu lassen, als einige, mehr bemüht, die Weltgeschichte zu erklären, als zu erforschen, in den ersten Bewohnern unsres Erdballs anzunehmen für nötig gefunden haben. Nicht sie selbst waren gleichsam überirdische Wesen, nur ihr Zeitalter war so glücklich, daß es jede schönere Eigentümlichkeit, die sie besaßen, voll und bestimmt aussprach; nicht in dem, was die Menschheit an sich, einzeln und zerstreut, und nach und nach, und vor dem Gedanken werden kann, stehen sie als unerreichte Muster da, sondern nur in dem, wie sie sich zeigen kann als lebendige und individuelle Erscheinung.

Denn wenn wir kurz zusammenfassen sollen, welcher eigentümliche Vorzug, unsrer Meinung nach, die Griechen vor allen andern Nationen auszeichnet, so ist es der, *daß sie, wie von einem herrschenden Triebe, von dem Drange beseelt schienen, das höchste Leben, als Nation, darzustellen, und diese Aufgabe auf der schmalen Grenzlinie auffaßten, unter welcher die Lösung minder gelungen, und über welcher sie minder möglich gewesen sein würde.* Außer der sinnlichen Lebendigkeit aller Kräfte und Begierden, außer dem schönen Hange, das Irdische immer mit dem Göttlichen zu vermählen, hatte ihr Charakter also auch noch in seiner Form das Eigentümliche, daß nichts in ihm lag, das sich nicht rein und glücklich aussprach, und alles, was sich äußerlich in ihm darstellte, seinen innern Gehalt mit klaren und bestimmten Umrissen umschrieb.

Johann Wolfgang von Goethe

Antikes

Der Mensch vermag gar manches durch zweckmäßigen Gebrauch einzelner Kräfte, er vermag das Außerordentliche durch Verbindung mehrerer Fähigkeiten; aber das Einzige, ganz Unerwartete leistet er nur, wenn sich die sämtlichen Eigenschaften gleichmäßig in ihm vereinigen. Das letzte war das glückliche Los der Alten, besonders der Griechen in ihrer besten Zeit; auf die beiden ersten sind wir Neuern vom Schicksal angewiesen.

Wenn die gesunde Natur des Menschen als ein Ganzes wirkt, wenn er sich in der Welt als in einem großen, schönen, würdigen und werten Ganzen fühlt, wenn das harmonische Behagen ihm ein reines, freies Entzücken gewährt – dann würde das Weltall, wenn es sich selbst empfinden könnte, als an sein Ziel gelangt aufjauchzen und den Gipfel des eigenen Werdens und Wesens bewundern. Denn wozu dient alle der Aufwand von Sonnen und Planeten und Monden, von Sternen und Milchstraßen, von Kometen und Nebelflecken, von gewordenen und werdenden Welten, wenn sich nicht zuletzt ein glücklicher Mensch unbewußt seines Daseins erfreut?

Wirft sich der Neuere, wie es uns eben jetzt ergangen, fast bei jeder Betrachtung ins Unendliche, um zuletzt, wenn es ihm glückt, auf einen beschränkten Punkt wieder zurückzukehren, so fühlten die Alten ohne weitern Umweg sogleich ihre einzige Behaglichkeit innerhalb der lieblichen Grenzen der schönen Welt. Hieher waren sie gesetzt, hiezu berufen, hier fand ihre Tätigkeit Raum, ihre Leidenschaft Gegenstand und Nahrung.

Warum sind ihre Dichter und Geschichtschreiber die Bewunderung des Einsichtigen, die Verzweiflung des Nacheifernden, als weil jene handelnden Personen, die aufgeführt werden, an ihrem eigenen Selbst, an dem engen Kreise ihres Vaterlandes, an der bezeichneten Bahn des eigenen sowohl als des mitbürgerlichen Lebens einen so tiefen Anteil nahmen, mit allem Sinn, aller Neigung, aller Kraft auf die Gegenwart wirkten; daher es einem gleichgesinnten Darsteller nicht schwer fallen konnte, eine solche Gegenwart zu verewigen.

Das, was geschah, hatte für sie den einzigen Wert, so wie für uns nur dasjenige, was gedacht oder empfunden worden, einigen Wert zu gewinnen scheint.

Nach einerlei Weise lebte der Dichter in seiner Einbildungskraft, der Geschichtschreiber in der politischen, der Forscher in der natürlichen Welt. Alle hielten sich am Nächsten, Wahren, Wirklichen fest, und selbst ihre Phantasiebilder haben Knochen und Mark. Der Mensch und das Menschliche wurden am wertesten geachtet, und alle seine innern, seine äußern Verhältnisse zur Welt mit so großem Sinne dargestellt als angeschaut. Noch fand sich das Gefühl, die Betrachtung nicht zerstückelt, noch war jene kaum heilbare Trennung in der gesunden Menschenkraft nicht vorgegangen.

Friedrich von Schiller

Griechische Natürlichkeit

Wenn man sich der schönen Natur erinnert, welche die alten Griechen umgab; wenn man nachdenkt, wie vertraut dieses Volk unter seinem glücklichen Himmel mit der freien Natur leben konnte, wie sehr viel näher seine Vorstellungsart, seine Empfindungsweise, seine Sitten der einfältigen Natur lagen, und welch ein treuer Abdruck derselben seine Dichterwerke sind, so muß die Bemerkung befremden, daß man so wenige Spuren von dem *sentimentalischen* Interesse, mit welchem wir Neuere an Naturszenen und an Naturcharakteren hangen können, bei demselben antrifft. Der Grieche ist zwar im höchsten Grade genau, treu, umständlich in Beschreibung derselben, aber doch gerade nicht mehr und mit keinem vorzüglicheren Herzensanteil, als er es auch in Beschreibung eines Anzuges, eines Schildes, einer Rüstung, eines Hausgerätes oder irgend eines mechanischen Produktes ist. Er scheint in seiner Liebe für das Objekt keinen Unterschied zwischen demjenigen zu machen, was durch sich selbst, und dem, was durch die Kunst und durch den menschlichen Willen ist. Die Natur scheint mehr seinen Verstand und seine Wißbegierde als sein moralisches Gefühl zu interessieren; er hängt nicht mit Innigkeit, mit Empfindsamkeit, mit süßer Wehmut an derselben wie wir Neuern. Ja, indem er sie in ihren einzelnen Erscheinungen personifiziert und vergöttert und ihre Wirkungen als Handlungen freier Wesen darstellt, hebt er die ruhige Notwendigkeit in ihr auf, durch welche sie für uns gerade so anziehend ist. Seine ungeduldige Phantasie führt ihn über sie hinweg zum Drama des menschlichen Lebens. Nur das Lebendige und Freie, nur Charaktere, Handlungen, Schicksale und Sitten befriedigen ihn, und wenn *wir* in gewissen moralischen Stimmungen des Gemüts wünschen können, den Vorzug unserer Willensfreiheit, der uns so vielem Streit mit uns selbst, so vielen Unruhen und Verirrungen aussetzt, gegen die wahllose, aber ruhige Notwendigkeit des Vernunftlosen hinzugeben, so ist, gerade umgekehrt, die Phantasie des Griechen geschäftig, die menschliche Natur schon in der unbeseelten Welt anzufangen und da, wo eine blinde Notwendigkeit herrscht, dem Willen Einfluß zu geben.

Woher wohl dieser verschiedene Geist? Wie kommt es, daß wir, die in allem, was Natur ist, von den Alten so unendlich wei[t] übertroffen werden, gerade hier der Natur in einem höhere[n] Grade huldigen, mit Innigkeit an ihr hangen und selbst die leblose Welt mit der wärmsten Empfindung umfassen können? *Daher* kommt es, weil die Natur bei uns aus der Menschheit verschwunden ist und wir sie nur außerhalb dieser, in der unbeseel[ten] Welt, in ihrer Wahrheit wieder antreffen. Nicht unsere größere *Naturmäßigkeit*, ganz im Gegenteil die *Naturwidrigkei[t]* unsrer Verhältnisse, Zustände und Sitten treibt uns an, dem erwachenden Triebe nach Wahrheit und Simplizität, der, wie di[e] moralische Anlage, aus welcher er fließet, unbestechlich und unaustilgbar in allen menschlichen Herzen liegt, in der physische[n] Welt eine Befriedigung zu verschaffen, die in der moralische[n] nicht zu hoffen ist. Deswegen ist das Gefühl, womit wir an de[r] Natur hangen, dem Gefühle so nahe verwandt, womit wir da[s] entflohene Alter der Kindheit und der kindlichen Unschuld beklagen. Unsre Kindheit ist die einzige unverstümmelte Natur, die wir in der kultivierten Menschheit noch antreffen, daher es kein Wunder ist, wenn uns jede Fußstapfe der Natur außer uns auf unsre Kindheit zurückführt.

Sehr viel anders war es mit den alten Griechen. Bei diesen artete die Kultur nicht so weit aus, daß die Natur darüber verlassen wurde. Der ganze Bau ihres gesellschaftlichen Lebens war auf Empfindungen, nicht auf einem Machwerk der Kunst errichtet; ihre Götterlehre selbst war die Eingebung eines naiven Gefühls, die Geburt einer fröhlichen Einbildungskraft, nicht der grübelnden Vernunft, wie der Kirchenglaube der neuern Nationen; da also der Grieche die Natur in der Menschheit nicht verloren hatte, so konnte er außerhalb dieser auch nicht von ihr überrascht werden und kein so dringendes Bedürfnis nach Gegenständen haben, in denen er sie wieder fand. Einig mit sich selbst und glücklich im Gefühl seiner Menschheit, mußte er bei dieser als seinem Maximum stillestehen und alles andre derselben zu nähern bemüht sein, wenn *wir*, uneinig mit uns selbst und unglücklich in unsern Erfahrungen von Menschheit, kein dringenderes Interesse haben, als aus derselben herauszufliehen und eine so mißlungene Form aus unsern Augen zu rücken.

Das Gefühl, von dem hier die Rede ist, ist also nicht das, was die Alten hatten; es ist vielmehr einerlei mit demjenigen, welches wir *für die Alten haben.* Sie empfanden natürlich; wir empfinden das Natürliche. Es war ohne Zweifel ein ganz anderes Gefühl, was Homers Seele füllte, als er seinen göttlichen Sauhirt den Ulysses bewirten ließ, als was die Seele des jungen Werthers bewegte, da er nach einer lästigen Gesellschaft diesen Gesang las. Unser Gefühl für Natur gleicht der Empfindung des Kranken für die Gesundheit.

So wie nach und nach die Natur anfing, aus dem menschlichen Leben als *Erfahrung* und als das (handelnde und empfindende) *Subjekt* zu verschwinden, so sehen wir sie in der Dichterwelt als *Idee* und als *Gegenstand* aufgehen. Diejenige Nation, welche es zugleich in der Unnatur und in der Reflexion darüber am weitesten gebracht hatte, mußte zuerst von dem Phänomen des *Naiven* am stärksten gerührt werden und demselben einen Namen geben. Diese Nation waren, soviel ich weiß, die Franzosen. Aber die Empfindung des Naiven und das Interesse an demselben ist natürlicherweise viel älter und datiert sich schon von dem Anfang der moralischen und ästhetischen Verderbnis. Diese Veränderung in der Empfindungsweise ist zum Beispiel schon äußerst auffallend im Euripides, wenn man diesen mit seinen Vorgängern, besonders dem Aeschylus, vergleicht, und doch war jener Dichter der Günstling seiner Zeit. Die nämliche

Revolution läßt sich auch unter den alten Historikern nachweisen. Horaz, der Dichter eines kultivierten und verdorbenen Weltalters, preist die ruhige Glückseligkeit in seinem Tibur, und ihn könnte man als den wahren Stifter dieser sentimentalischen Dichtungsart nennen, so wie er auch in derselben ein noch nicht übertroffenes Muster ist. Auch im Properz, Virgil u. a. findet man Spuren dieser Empfindungsweise, weniger beim Ovid, dem es dazu an Fülle des Herzens fehlte und der in seinem Exil zu Tomi die Glückseligkeit schmerzlich vermißt, die Horaz in seinem Tibur so gern entbehrte.

Die Dichter sind überall, schon ihrem Begriffe nach, die *Bewahrer* der Natur. Wo sie dieses nicht ganz mehr sein können und schon in sich selbst den zerstörenden Einfluß willkürlicher und künstlicher Formen erfahren oder doch mit demselben zu kämpfen gehabt haben, da werden sie als die *Zeugen* und als die *Rächer* der Natur auftreten. Sie werden entweder Natur *sein*, oder sie werden die verlorene *suchen*. Daraus entspringen zwei ganz verschiedene Dichtungsweisen, durch welche das ganze Gebiet der Poesie erschöpft und ausgemessen wird. Alle Dichter, die es wirklich sind, werden, je nachdem die Zeit beschaffen ist, in der sie blühen, oder zufällige Umstände auf ihre allgemeine Bildung und auf ihre vorübergehende Gemütsstimmung Einfluß haben, entweder zu den *naiven* oder zu den *sentimentalischen* gehören.

Friedrich Hölderlin

Lebensalter

Ihr Städte des Euphrats!
Ihr Gassen von Palmyra!
Ihr Säulenwälder in der Eb'ne der Wüste,
Was seid ihr?
Euch hat die Kronen,
Dieweil ihr über die Grenze
Der Othmenden seid gegangen,
Von Himmlischen der Rauchdampf und
Hinweg das Feuer genommen;
Jetzt aber sitz' ich unter Wolken (deren
Ein jedes eine Ruh' hat eigen) unter
Wohleingerichteten Eichen, auf
Der Heide des Rehs, und fremd
Erscheinen und gestorben mir
Der Seligen Geister.

Jean Paul

Die Nachahmer der Griechenkunst

Gegen die Ruhe der alten Künstler – auch im Leben – welche unmoralische Unruhe und Leidenschaftlichkeit der neuern, wie im Leben, so im Schreiben! Die alten Dichter, als Lehrer und Schüler der Weisheit, sind Paradiesvögel mit langem schimmernden Gefieder, in das kein aufblasender Sturm unter dem Fliegen zum Forttreiben wehen darf; die jungen neuern sind Taucher und Sumpfvögel, in zwei Elementen unruhig auf- und niederfahrend, und so leicht zum Schlamm hinab, als in das Blau hinauf – schöne Geister sind selten schöne Seelen.

Man hat nun zweierlei Nachahmungen der Griechen. Die erste glänzt in den Gedichten, welche die griechische Einfachheit und Schmucklosigkeit, ihre poetischen Blumen, ähnlich den grünen Blumen, als den seltensten, dadurch zu uns herüber zu pflanzen suchen, daß sie uns grünes Gras – immer die nämliche Farbe – schenken. So stempelt man denn einheimische Armut zu ausländischem Reichtum.

Eine zweite Nachahmung läßt sich in Versen und in Prose zustande bringen, wenn man ganze Stücke und Phrasen aus dem Altertum holt, und damit Stil und Vers behängt und ausschmückt, so wie etwan die Indier auf den Marquesas Inseln (nach Marchand) sich ganze europäische Werkzeuge als Putzwerk anziehen, und z. B. Barbierbecken als Ringkragen, und Ladstöcke als Ohrgehänge tragen.

Dann hat man noch die dritte und vierte Nachahmung, die ich aber die umgekehrte nennen kann, welche teils in der Form, teils im Stoffe, gleichsam Worten und Werken, besteht. Die umgekehrte in Form oder Worten wird dadurch vollendet, daß ein Rektor, ein Konrektor, ein Professor der alten Sprachen, kurz ein Humanist, in Hinsicht auf Sprachreinheit, Rundung und Zierde, gerade von der alten Sprachreinheit, die er täglich liest und lesen läßt, als Widerspiel nachahmt in seiner deutschen Prose, und so zu sagen schlecht Deutsch schreibt, so daß ein solcher Fisch, der Jahre lang in attischem Salz schwelgte, sich gleichwohl damit so wenig sättigt, als ein Hering, der, sein Leben im Meerwasser zubringend, doch ungesalzen ans Land gezogen wird.

Wider Erwarten schreiben die Sprachgelehrten Voß und Jacobs ein Muster-Deutsch; aber ihr eigner Dichtergeist gibt ihnen die Prose ein.

Die vierte, aber umgekehrte Nachahmung, betrifft den Stoff oder Geist der Alten, in so fern er sich in Werken ausspricht. Der umkehrende Nachahmer und Humanist handelt nun im gemeinen Leben, wenn von Amtbewerbungen und Amtertragen, und

Patronen, und gehaltvoller Selbererniedrigung die Rede ist, mehr wie es einem heutigen Deutschen zusteht, als wie einem alten Griechen oder Römer, dessen Lebensbeschreibung — obwohl nicht dessen Leben — er im Plutarch gern nachahmt.

Ich weiß nicht, was nach den zwei ersten Nachahmungen der Alten wichtiger ist, besonders für den Staat, als die beiden umkehrenden, durch welche erst jene den wahren, rechten Wert gewinnen. Denn es ist mit dem Geiste der Alten, mit ihrem Freiheitgeiste und sonstigem Geiste, wie mit dem Quecksilber, bei welchem der Arzt die erste große Mühe hat, es in den lustsiechen Körper zum Reinigen hinein zu bringen, und dann die zweite noch größere, dasselbe zur Nachkur wieder aus ihm hinauszutreiben. Ebenso ist es nicht genug, den Gelehrten und der Jugend die Alten gegen die Unwissenheit beigebracht zu haben, sondern nun muß noch die Nachkur des Staats dazu kommen, die das mit unserer Konstitution unverträgliche Glanzgift wieder herausnötigt. Und auf eine gewisse Weise mag wohl die Ähnlichkeit mit dem Quecksilber fortdauern, daß man, wie Ärzte tun, durch Auflegung von Goldblättchen und Eingebung von Goldpillen den Körper am glücklichsten von Merkurius befreiet.

Novalis

Die Folgen der Reformation

Die Reformation war ein Zeichen der Zeit gewesen. Sie war für ganz Europa bedeutend, wenn sie gleich nur im wahrhaft freien Deutschland öffentlich ausgebrochen war. Die guten Köpfe aller Nationen waren heimlich mündig geworden und lehnten sich im täuschenden Gefühl ihres Berufs um desto dreister gegen verjährten Zwang auf. Aus Instinkt ist der Gelehrte Feind der Geistlichkeit nach alter Verfassung; der gelehrte und der geistliche Stand müssen Vertilgungskriege führen, wenn sie getrennt sind; denn sie streiten um *eine* Stelle. Diese Trennung tat sich immer mehr hervor, und die Gelehrten gewannen desto mehr Feld, je mehr sich die Geschichte der europäischen Menschheit dem Zeitraum der triumphierenden Gelehrsamkeit näherte, und Wissen und Glauben in eine entschiedenere Opposition traten. Im Glauben suchte man den Grund der allgemeinen Stokkung, und durch das durchdringende Wissen hoffte man sie zu heben. Überall litt der heilige Sinn unter den mannigfachen Verfolgungen seiner bisherigen Art, seiner zeitigen Personalität. Das Resultat der modernen Denkungsart nannte man Philosophie und rechnete alles dazu, was dem Alten entgegen war, vorzüglich also jeden Einfall gegen die Religion. Der anfängliche Personalhaß gegen den katholischen Glauben ging allmählich in Haß gegen die Bibel, gegen den christlichen Glauben und endlich gar gegen die Religion über. Noch mehr — der Religionshaß dehnte sich sehr natürlich und folgerecht auf alle Gegenstände des Enthusiasmus aus, verketzerte Phantasie und Gefühl, Sittlichkeit und Kunstliebe, Zukunft und Vorzeit, setzte den Menschen in der Reihe der Naturwesen mit Not oben an, und machte die unendliche schöpferische Musik des Weltalls zum einförmigen Klappern einer ungeheuren Mühle, die vom Strom des Zufalls getrieben und auf ihm schwimmend, eine Mühle an sich, ohne Baumeister und Müller und eigentlich ein echtes Perpetuum mobile, eine sich selbst mahlende Mühle sei.

Ein Enthusiasmus ward großmütig dem armen Menschengeschlechte übrig gelassen und als Prüfstein der höchsten Bildung jedem Aktionär derselben unentbehrlich gemacht — der Enthusiasmus für diese herrliche, großartige Philosophie und insbesondere für ihre Priester und ihre Mystagogen. Frankreich war so glücklich der Schoß und der Sitz dieses neuen Glaubens zu werden, der aus lauter Wissen zusammengeklebt war. So verschrien die Poesie in dieser neuen Kirche war, so gab es doch einige Poeten darunter, die des Effekts wegen noch des alten Schmucks und der alten Lichter sich bedienten, aber dabei in Gefahr kamen, das neue Weltsystem mit altem Feuer zu entzünden. Klügere Mitglieder wußten jedoch die schon warm gewordenen Zuhörer sogleich wieder mit kaltem Wasser zu begießen. Die Mitglieder waren rastlos beschäftigt, die Natur, den Erdboden, die menschlichen Seelen und die Wissenschaften von der Poesie zu säubern, — jede Spur des Heiligen zu vertilgen, das Andenken an alle erhebende Vorfälle und Menschen durch Sarkasmen zu verleiden und die Welt alles bunten Schmucks zu entkleiden. Das Licht war wegen seines mathematischen Gehorsams und seiner Freiheit ihr Liebling geworden. Sie freuten sich, daß es sich eher zerbrechen ließ, als daß es mit Farben gespielt hätte, und so benannten sie nach ihm ihr großes Geschäft, Aufklärung. In Deutschland betrieb man dieses Geschäft gründlicher, man reformierte das Erziehungswesen, man suchte der alten Religion einen neuern vernünftigen, gemeinern Sinn zu geben, indem man alles Wunderbare und Geheimnisvolle sorgfältig von ihr abwusch; alle Gelehrsamkeit ward aufgeboten, um die Zuflucht zur Geschichte abzuschneiden, indem man die Geschichte zu einem häuslichen und bürgerlichen Sitten- und Familiengemälde zu veredeln sich bemühte. — Gott wurde zum müßigen Zuschauer des großen rührenden Schauspiels, das die Gelehrten aufführten, gemacht, welcher am Ende die Dichter und

Spieler feierlich bewirten und bewundern sollte. Das gemeine Volk wurde recht mit Vorliebe aufgeklärt, und zu jenem gebildeten Enthusiasmus erzogen, und so entstand eine neue europäische Zunft: die Philanthropen und Aufklärer. Schade, daß die Natur so wunderbar und unbegreiflich, so poetisch und unendlich blieb, allen Bemühungen sie zu modernisieren zum Trotz. Duckte sich ja irgendwo ein alter Aberglaube an eine höhere Welt und sonst auf, so wurde gleich von allen Seiten Lärm geblasen, und womöglich der gefährliche Funke durch Philosophie und Witz in der Asche erstickt; dennoch war Toleranz das Losungswort der Gebildeten, und besonders in Frankreich gleichbedeutend mit Philosophie. Höchst merkwürdig ist diese Geschichte des modernen Unglaubens und der Schlüssel zu allen ungeheuren Phänomenen der neuern Zeit. Erst in diesem Jahrhundert und besonders in seiner letzten Hälfte beginnt sie und wächst in kurzer Zeit zu einer unübersehlichen Größe und Mannigfaltigkeit; eine zweite Reformation, eine umfassendere und eigentümlichere war unvermeidlich, und mußte das Land zuerst treffen, das am meisten modernisiert war und am längsten aus Mangel an Freiheit in asthenischem Zustande gelegen hatte. Längst hätte sich das überirdische Feuer Luft gemacht und die klugen Aufklärungspläne vereitelt, wenn nicht weltlicher Druck und Einfluß denselben zustatten gekommen wären. In dem Augenblick aber, wo ein Zwiespalt unter den Gelehrten und Regierungen, unter den Feinden der Religion und ihrer ganzen Genossenschaft entstand, mußte sie wieder als drittes tonangebendes vermittelndes Glied hervortreten, und diesen Hervortritt muß nun jeder Freund derselben anerkennen und verkündigen, wenn er noch nicht merklich genug sein sollte. Daß die Zeit der Auferstehung gekommen ist, und gerade die Begebenheiten, die gegen ihre Belebung gerichtet zu sein schienen und ihren Untergang zu vollenden drohten, die günstigsten Zeichen ihrer Regeneration geworden sind, dieses kann einem historischen Gemüte gar nicht zweifelhaft bleiben. Wahrhafte Anarchie ist das Zeugungselement der Religion. Aus der Vernichtung alles Positiven hebt sie ihr glorreiches Haupt als neue Weltstifterin empor. Wie von selbst steigt der Mensch gen Himmel auf, wenn ihn nichts mehr bindet, die höhern Organe treten von selbst aus der allgemeinen gleichförmigen Mischung und vollständigen Auflösung aller menschlichen Anlagen und Kräfte als der Urkern der irdischen Gestaltung zuerst heraus. Der Geist Gottes schwebt über den Wassern, und ein himmlisches Eiland wird als Wohnstätte der neuen Menschen, als Stromgebiet des ewigen Lebens zuerst sichtbar über den zurückströmenden Wogen.

Ernst Moritz Arndt

Erziehung mit der Bibel

Die Eltern hielten den Herbst und Winter, wo sie am meisten Muße hatten, ordentlich Schule mit uns; Schreiben und Rechnen lehrte der Vater, und die Mutter hielt die Leseübungen, und machte unsre jungen flatternden Geister durch Erzählungen und Märchen lebendig, die sie mit großer Anmut vorzutragen verstand. Das Lesen ging aber in den ersten Jahren fast nicht über Bibel und Gesangbuch hinaus; ich mögte sagen, desto besser für uns. Sie war eine fromme Frau und eine gewaltige Bibelleserin, und ich denke, ich habe die Bibel wohl drei vier Mal mit ihr durchgelesen. Das Gesangbuch mußte auch fleißig zur Hand genommen werden, und den Samstag Nachmittag mußten die Jungen unerlaßlich entweder ein aufgegebenes Lied oder das Sonntagsevangelium auswendig lernen. Das geschah, weil sie eine sanfte und liebenswürdige Schulmeisterin war, mit großer Freude und also mit großem Nutzen. Muße aber hatte sie ungeachtet einer nicht starken Gesundheit, der vielen wilden Kinder und der großen Wirtschaft, die mit Sparsamkeit geführt werden mußte, mehr als die meisten andern Menschen. Wann alles längst vom Schlaf begraben lag, saß sie noch auf und las irgend ein frommes oder unterhaltendes Buch, ging selten vor Mitternacht zu Bette, und war im Sommer mit der Sonne wieder auf den Beinen. Weil ich nun auch ein solcher Kauz war, der selbst im Knabenalter wenig Schlaf bedurfte und deswegen Lerche (Lewark) zugenannt war, so habe ich in jenen Kindertagen und auch später noch manche Abende und Nächte bis über die Gespensterstunde hinaus mit ihr durchgesprochen und durchgelesen.

Weil ich diese Leserei der Vergangenheit hier im Gedächtnisse wieder überlese, so füge ich sogleich hinzu, was für diese Zeit dahin gehört. Es war wenigstens auf der Insel Rügen damals noch die Zeit des ungestörten christlichen Glaubens, und meine guten Eltern und die Base Sofie, meiner Mutter jüngste Schwester, welche mit uns lebte, waren treue fromme Menschen. Sie hatten in dem Magister Stenzler, dem Großvater des jetzigen Professors Stenzler in Breslau, Pastor in Garje einen vorzüglichen Prediger und Seelsorger. Keinen Sonntag ward die Kirche ohne den gültigsten Grund versäumt, bei schlechtem Wetter hingefahren, bei schönem und im Sommer hingegangen, wo der Vater denn seine älteren Buben neben sich herlaufen ließ. Diese durften aber auch bei keiner Katechismusprüfung in der Nachmittagskirche nicht fehlen, sondern mußten zum zweiten Mal über Feld laufen. Wann der Vater dann nicht mitging, so gab er uns seinen alten Großknecht zum Führer, einen christlichen biblischen Mann, Jakob Nimmo mit Namen, der mein besonderer Beschützer war. Weil ich kleiner zehnjähriger Junge mich nämlich damals eines sehr guten Gedächtnisses erfreute und großen Eifer und viel Belesenheit in der Heiligen Schrift hatte, so prangte ich durch die Stelle, die mir der Herr Magister eingab, bei der Kinderprüfung in der Kirche an der obersten Stelle, und hatte viel größere Jungen und Dirnen, unter andern auch meinen älteren Bruder Karl und ein paar große Fräulein mit mächtigen Lockengerüsten, eine von der Lanken und eine von Barnekow unter mir. Weil ich nun beim Aufsagen und Vorlesen große Zuversicht hatte und es da, wie blöd ich sonst auch war, wie aus einer Trompete aus mir herausklang, so rechnete der alte treue Jakob sich das gleichsam zu seiner Ehre an, und ging wie triumphierend mit mir zu Hause.

August Wilhelm Schlegel

Die Idee des Rittertums

Das Wort Tugend kommt von *taugen* her, es war in den ältesten Zeiten gleichbedeutend mit Tapferkeit als der Tüchtigkeit des Mannes. Zu diesem ersten Erfodernis gesellte sich dann das zweite: Treue und Redlichkeit, wenn der Mensch in dem Bunde freier Brüder seinen vollen Wert haben sollte. Ein Wort, ein Mann, ist wohl das älteste deutsche Sprichwort. Dies war die Grundlage der Ehre. Da aber, wie wir gesehen haben, dem Krieger, nach der alten Verfassung, selbst gesetzmäßig, das Recht zugestanden war, gegen jeden Beeinträchtiger sich der starken Hand zu bedienen: so wurde es nun auch von ihm erwartet, daß er keine Beleidigung ungeahndet lasse. Denn wie durfte man erwarten, daß der sein Leben für das Land, den Fürsten und die Gefährten tapfer daran wagen würde, der nicht einmal durch einen persönlichen Antrieb dazu aufgeregt werden konnte? Diese Denkart hat sich nun in den Begriffen vom außergerichtlichen Zweikampf, freilich im Widerspruch mit unsern bürgerlichen Verfassungen, aber doch zu Aufrechterhaltung einiger Energie, bis auf den heutigen Tag erhalten. Überhaupt sind manche Gesetze der Ehre eine unschätzbare Überlieferung der Vorzeit, die uns in weit mehr Stücken lenkt und bestimmt, als wir anzuerkennen geneigt sind. Auf die Entwicklung dieser großen Idee, welche damals die ganze Sittlichkeit umfaßte, hatte unstreitig das Christentum viel Einfluß, zum Teil aber hat sie ihre Unabhängigkeit neben der Religion behauptet. Ich habe schon anderswo den Gedanken geäußert, eben weil das Christentum nicht wie die alten Religionen sich mit äußerlichen Leistungen begnügte, sondern den ganzen innern Menschen in Anspruch nahm, so habe sich das Bewußtsein der Freiheit in ein neben der Frömmigkeit bestehendes, zuweilen mit ihr im Widerspruch begriffnes weltliches Sittengesetz hinübergerettet, und die Ehre gleichsam als eine ritterliche Religion gestiftet. Das Christentum lehrte, dem Menschen klebe eine ursprüngliche Verderbnis an, und vor Gott werde niemand rein erfunden; vor den Augen der Welt wurde aber allerdings vollkommne Reinheit, unverletzte Unschuld, sowohl von edlen Männern als Frauen, in dem was die natürliche Tugend jedes Geschlechtes ausmacht, behauptet. Man erzählt von dem Hermelin, daß er die Weiße seines Felles so sehr liebe, daß er, falls er den Jägern nicht ohne es zu beschmutzen entrinnen könne, sich lieber fangen und umbringen lasse. Dies ist das treffendste Sinnbild für jene heilige Scheu sich auf irgendeine Weise zu beflecken, wo der Tod auch der geringsten Einbuße an der Ehre vorgezogen wurde. Nächst der furchtlosen Unerschrockenheit, der kräftigen Ahndung angetaner Beleidigungen, der unverbrüchlichen Wahrheit und Treue in Worten und Taten, endlich in der Verzichtleistung auf alle hinterlistigen Vorteile beim offnen Kampf, wurde nun noch Gerechtigkeit, Milde und Höflichkeit von den Gesetzen der Ehre vorgeschrieben, und hier glaube ich eben den wohltätigen religiösen Einfluß zu erkennen. Stärke führt so leicht zum Übermut, ihr Mißbrauch in der Mißhandlung der Schwachen und Wehrlosen ist ein empörendes aber leider in der Geschichte der Kriege immer wiederholtes Schauspiel. Die ritterliche Gesinnung erklärte es für schimpflich sich mit dem Wehrlosen zu messen, und wer nicht die gleiche Bewaffnung und die gleiche Stärke besaß, galt für wehrlos. Die Unterwürfigen sollten geschont, die Unterdrückten beschützt werden. Die Tapferkeit sollte nur der Arm der Gerechtigkeit sein: in diesem würdigen Beruf konnte sie nie in unmenschliche Wut und Grausamkeit ausarten. Der Ritter sollte vor allen Dingen bereit stehn, Kränkungen von denen abzuwenden, die von Natur oder durch ihren Stand nicht geschickt waren, selbst ihre Sache zu führen, also Frauen, Geistliche usw. Weil ein rauhes Betragen an einem Mächtigen so leicht als Trotz und Drohung erscheint, gehörte Ehrerbietung gegen die Geistlichkeit, freiwillige Huldigung vor Höheren, Leutseligkeit gegen Geringere, besonders aber die sorgfältigste zarteste Höflichkeit gegen die Frauen zu den Pflichten der Ehre.

Wir wollen nicht verschweigen, daß es nicht durchgängig so beobachtet worden. Es ist ein bekannter Gemeinplatz: bei starkem Lichte finde sich auch tiefer Schatten. Von den Gewalttätigkeiten vieler Ritter zeugen noch die Ruinen der Raubschlösser, die Geschichte erzählt viele Greuel, und selbst in den Romanen geht der Gegensatz guter und böser Ritter durch. Aber eben bei der Möglichkeit und dem Beispiel der Ausschweifung war die Enthaltung davon um so verdienstlicher, und wir sehen, daß noch in Zeitaltern, wo aller Verdacht fabelhafter Ausschmückung wegfällt, Ritter lebten, welche wie z. B. Bayard, der aufgestellten Idee vollkommen entsprachen.

Nicht bloß äußerliche Ehrerbietung vor der Religion, sondern eine ungeschminkte innige Frömmigkeit gehörte zu den Tugenden der Ritter. Nur da fand die priesterliche Lehre kein Gehör, wo sie im Widerspruche mit den Neigungen und Grundsätzen des Rittertums stand, z. B. wenn sie gegen die Turniere und Zweikämpfe eiferte. Den Frieden Gottes, welcher die Fehden zu gewissen Zeiten unterbrach, ließ man sich jedoch gefallen. Sonst ist es rührend zu sehn, wie sich diese starken Gemüter so willig an dem Zügel des Unsichtbaren lenken ließen. Daß sie bereit waren, für den Glauben zu streiten, war wohl das wenigste, allein sie unterzogen sich andern Pflichten, die weit demütiger in ihrer äußern Gestalt und selbst nach den weltlichen Verhältnissen der ritterlichen Würde entgegen scheinen mußten: wie z. B. die persönliche Verpflegung der Kranken und Verwundeten, was doch anfangs die Hospitaliter bei den Kreuzzügen leisteten. Sie konnten ohne Heuchelei ihren Stolz und tapfern Mut mit der innerlichen Zerknirschung vertauschen, welche das Christentum als Zeichen echter Reue foderte. Es ist eine der erhabensten und rührendsten Schilderungen, und keinesweges durch den Schmuck der Worte, sondern durch die Sache selbst, wie in Tassos Befreitem Jerusalem nach Vollendung der blutigen Kämpfe das Heer der Kreuzfahrer auf Pilgrimsweise unter unendlichen Tränen auf den Berg Golgatha wallfahrtet. Überall lag kriegerische und Andachtsübung sich so nahe, wie der Ritter sein Schwert nur umwenden durfte nach sich zu, um es zum Kreuz zu machen, wovor er betete und bei dem er schwur.

Über den Charakter der ritterlichen Liebe habe ich schon bei Gelegenheit der Minnesinger etwas gesagt, und werde bei den Provenzalen noch Verschiednes beizubringen haben; ich will mich hier also kurz fassen. Manche haben es für eine ursprüngliche Eigenschaft der germanischen Nationen gehalten, die Frauen nicht als Sklavinnen zu unterjochen, sondern zu ehren und zu achten. Sie führen dabei Zeugnisse des Tacitus an, auch von den weisen und weissagenden Frauen: jedoch möchten diese Angaben wohl nicht so weit reichen, es scheint wenigstens daß die müßigen Krieger, wie andre Wilde, ihre Weiber das Feldbauen und harte Arbeit verrichten ließen. Etwas tat für ein freieres

Verhältnis der Ehe wohl die nordische Stammesart und das ruhigere Blut, indem von der einen Seite weit weniger Ursache zum Mißtrauen gegen weibliche Treue da war, von der andern die Eifersucht auf den sichern Alleinbesitz körperlicher Reize nicht bis zu einer so sinnreichen Leidenschaftlichkeit ging, wie im südlichen Orient, wo dies immer eine Hauptursache von der Knechtschaft der Frauen gewesen. Dann kam der Einfluß des Christentums dazu, in welchem eine ganz andre Sittenlehre über das Verhältnis der beiden Geschlechter vorgetragen ward, als die das Altertum kannte. Die Griechen schämten sich nicht eine Göttin der anmutigen Lüsternheit zu verehren, und zuweilen durch einen sehr ausschweifenden Dienst; ihre Sittenlehrer sahen darin hauptsächlich nur die Anordnung der Natur, für die Fortpflanzung der Gattung zu sorgen. Die Gesetze, als der Ausdruck der öffentlichen Moralität, begnügten sich damit, die Rechte der Ehen in dieser Hinsicht und die unverfälschte Abstammung der Kinder zu sichern: außerhalb der bürgerlichen Rücksichten schien fast alles erlaubt. Ganz andre Begriffe über den Wert strenger Zucht und Sittsamkeit machte eine durchaus geistige Religion zu den herrschenden, es wurde für verdienstlich erklärt, dem Triebe der Natur zu entsagen, und mystische Segnungen knüpften sich an diese Herrschaft über sie. In der ritterlichen Zeit versuchte die Liebe nun gleichsam, sich mit diesen Gesinnungen zu vereinigen. Wenn man die klassische Bildung mit einem Worte schildern will, so war sie vollendete Naturerziehung. Jetzt da aus den Trümmern jener und einem Chaos verschiedenartiger Elemente eine neue Welt hervorging, konnte Freiheit mehr das herrschende Prinzip werden, welche denn auch nicht unterließ, die Natur zu unterdrücken, und sich so als Barbarei kund zu geben. Die Natur machte aber ihre Rechte geltend, und dieser Zwist bestimmte den Charakter der modernen Bildung, in welcher die unauflöslichen Widersprüche unsers Daseins, des endlichen und unendlichen in uns, mehr hervortreten, aber wieder verschmolzen werden.

Da eine ausschließende persönliche Neigung unstreitig die freieste Huldigung des Gefühls ist, so empfand man eine Scheu, in derselben der Natur noch dienen zu müssen. Alle Sinnlichkeit ward verkleidet, und man bestrebte sich die Schönheit rein zu vergöttern. Ein unendlich reizender Widerspruch ist in diesem Geist der Liebe, aber zugleich die Anlage zur Ironie, welche aus dem Bewußtsein des Unerreichbaren, statt zu niederschlagendem Ernst überzugehn, einen leisen Scherz macht.

Dieses Bestreben nach Verbindung des Unvereinbaren offenbart sich schon in dem Ideal der Weiblichkeit, welches in so manchen Liebesgedichten der Neueren im Hintergrunde steht: dem Ideal der Madonna, das zugleich Jungfräulichkeit und Mütterlichkeit, und die höchste Liebe in himmlischer Verklärung ohne alle irdische Beimischung darstellen soll. Man vergleiche damit die antiken Ideale einer Diana, Pallas, Juno, Venus, wo die Charaktere jugendlicher Sprödigkeit, besonnener Jungfräulichkeit, ernster Matronenwürde, und verführerischer Reize getrennt, und aus Furcht sie sonst gegenseitig zu neutralisieren strenge aus einander gehalten sind. Ihre Bedeutung ist allerdings in den Darstellungen der alten Künstler vollkommen erschöpft; und dieses finden wir durchaus das Verhältnis der modernen Bildung zur antiken, daß in jener eine höhere Anfoderung liegt, die aber eben deswegen unvollkommner zur Darstellung gebracht ist.

Joseph Görres

Das Vermächtnis des Mittelalters

Der alte inländische Bardengesang war mit dem Eindringen des Christentums verhallt; es erwachte bald ein anderer Dichterkreis; am Rheine und in Schwaben, der Provence von Teutschland, wurden die ersten Stimmen laut, es zündete Stimme sich an Stimme an, durch Franken, Thüringen, Sachsen bis nach Österreich rauschte bald der Gesang dahin. Die Minnesänger waren aufgestanden, und es war die weiße Rose, die in ihnen blühte, während die Purpurrose sich in den Troubadours entfaltete. Schuldlos, einfach, herzlich, zart und innig war die Liebe, die sie sangen; würdig, ernst und brav und edel der Ton, in dem sie Taten priesen und Männerstreben; der Geist des Volkes redete aus ihnen. Es hatte die Nation, nachdem sie eifrig für ihre alten Götter und ihren alten Glauben gekämpft, die neue Religion in ihre gotischen Tempel aufgenommen, und der geheimnisvolle Geist, der unter den hochgewölbten Hallen webte, hatte sich herabgelassen auf die Betenden, und war eingedrungen in die stillen ruhigen Gemüter, und sie waren auch Tempel ihm geworden, und in die Dämmerung goß er seine Strahlen aus. Es war die Gemeinde fromm im Glauben, aber keck und frei im Leben, weil Sinn und Lebensmut sie trieb. Eine sonderbare Verfassung hatte sie sich zugebildet, verschränkter, durcheinandergewundner Arabeskengeist; ein seltsam, sprossend, rankend Geschlinge vielfach verschiedner Formen, jede fleißig bis ins Einzelne ausgeschnitzt, nirgend Monotonie und herrschende Übermacht, das Ganze in freier Willkür erfunden und kunstreich zusammengesetzt. Unabhängiger Sinn war herrschendes Prinzip in der ganzen Konstruktion; während die Ritter daher auf ihren Burgen hausten, und Ritterwerk und Kriegsspiel übten, hatte in den Reichsstädten auch ein Rittertum der Bürgerlichkeit sich gebildet, und es war ein schönes rasches Leben in diesen nordischen Republiken, ähnlich dem wie es früher in den griechischen bestanden hatte, und gleichzeitig in den italienischen Freistädten bestand. Mutiger Sinn für Recht und Ehre trieb diese Heldenbürger, wie Inseln waren ihre Städte reich und blühend über das stürmische Meer der Zeit hervorgetreten, und sie hatten ein Vaterland in ihnen zu bewahren; jede hatte daher eine Geschichte und ein Ahnenreich gewonnen; kühn kämpften sie jeder Übermacht entgegen, römischer Geist der bessern Zeit trat in Kriegesläuften, nichts seltenes, hervor, und in ruhiger Zeit pflegten sie gleich sorgsam alle Friedenskünste, und wie die Hansestädte mit echter, vielleicht ausgestorbner, Genialität den Handel trieben, und einen mächtigen Bundesstaat bildeten, so waren die Binnenstädte die unmittelbaren Organe des innern Verkehrs, des Kreislaufs und der Assimilation. Selbst der Bauernstand hatte später etwas in der Schweiz Ritterehre sich erkämpft; eine Hirtenrepublik hatte auf ihren Gebürgen sich gebildet, und wenn auch vielleicht ihr Streben für die Poesie unmittelbar verloren war, so war es das doch keineswegs für die Poesie des Lebens. Und auch die Fürsten blieben bei dem allgemeinen Wetteifer nicht zurück; man weiß, wie die Kunstgeschichte teutsche Kaiser und Fürsten jeder Art unter den Sängern dieser Zeit aufführt. Und so mußte denn in diesen Tagen, wo die Nation noch nicht unter fortdauernden Kriegsplünderungen und Friedensdruck verarmt, mit dem Wohlstand auch eine eigene selbständige Poesie erblühen: es war die Begeisterung der Natur in dem Lande noch nicht erloschen, sie konnte die teutschen Weine treiben; in der Begeisterung, die erwärmend die Kunst anregt, mogte nichts Schlechteres reifen. Während daher die Minnesänger in lyrischem Enthusiasm die Liebe sangen und des Gemütes Sehnen, und leicht wie den Federball das leichte Wort handhabten, und in zierlich schönen Bogen und reizend gefälligen Form hin und zurück, sinkend und steigend durch die Lüfte trieben, sangen der Aventüre Meister in größeren Gesängen die epische Kraft, die wie eine Gottheit verborgen in tiefer Menschenbrust wohnt, und Tat mit Tat, wie die Natur Welt mit Welt verkettet, bis um den Menschen her sich das Leben wie eine romantische Wildnis zugezogen hat. Und sie boten dem allgemeinen Verein zuerst, was unmittelbar auf ihrem Boden sich erzeugt, das Nibelungen Lied, jenes große Gedicht, wahrscheinlich in naher Berührung mit der nordischen Heldenmythe hervorgegangen, die der Normänner Züge bis nach Italien hinunter frühe schon verbreitet hatten, und die gerade um diese Zeit, im 12ten und 13ten Jahrhundert, Saemund und Snorre in der Voluspa, der Heimskringla, Edda, Rymbegla und so vielen andern Dämosagen sammelten. Ein großes Denkmal hat sich die große Zeit in diesem Werk gebaut, nicht in Marmor rein und in allen Umrissen plastisch vollendet, wie die Ilias, ist das Gedicht gedichtet, sondern eine Rune in festen Granit gedacht, als ob ein ganzes Gebürge, der Athos, zur Bildsäule gebildet wäre, und zum Male einer mächtigen riesenhaften Vergangenheit aufgerichtet, durch den ganzen Weltteil herrschte und durch die ewige unergründlich tiefe Zeit. Und es war das Heldenbuch hervorgegangen, die Gigantomachie der gotischen, vielleicht longobardischen Periode; es hatte in ihm die Poesie den Seidenfaden um ihren Zaubergarten hergezogen, und es freute sich die Nation der rüstigen Kämpfer, die kamen um ihr die Kränze abzugewinnen. Und viel waren deren, die um die Kränze rangen, was die Zeit nur von poetischem Stoffe aus den Tiefen des Gemüts heraufgeworfen hatte, das faßten diese auf und eigneten es dem Geiste ihres Volkes an, und sangen es in teutscher Zunge wieder. Die Engelländer boten ihren Artus mit der Tafelrunde, sie und die Franzosen hatten in ihm einen Dichterkreis geöffnet und die Teutschen schlossen in ihren Gebilden ihn wieder. So war der herrliche Titurell unter Albrechts von Halberstadt Pflege hervorgegangen; so der wundersam verschlungene, abenteuerreiche, tumbe Parcifal des Wolfram von Eschenbach; so der taten- und zaubervolle Löwenritter des Hartmann von der Aue, Lancelot vom See von Ulrich von Zezinchoven, der Wigolais des Wirich von Grauenberg, Daniel von Blumenthal und so manche andere, die untergegangen sind. Die Franzosen und die Italiener aber hatten den Kreis von Karl dem Großen und seinen Genossen gegründet, und die Teutschen nahmen davon Rolands Taten in ihrem Stricker, und Reinold und Malagis, und Ogier von Dänemark auf. Und während von andern Helden Rudolf von Montfort, und Ulrich von Thürheim, und Conrad von Würzburg und viele außer ihnen in kräftiger, derber, mannhafter Sprache sangen, dichtete Gottfried von Straßburg nach britunschen Mären den galanten, zierlichen Tristan, und es gestaltete sich die heroisch kindliche Idylle Flore und Blantschiflor, und Lothar und Maller, das schöne Bild treuer Ritterfreundschaft, und im Freydank und im Renner, und dem welschen Gaste, und dem Windsbeck und der Windsbeckin und vielen andern hatte die Nation ihre Gnomen und didaktische Poesie niedergelegt. So war mit kräftiger, nahrhafter Lebensprosa geistreiche und begeistigende Poesie verbunden, und wie Wetterleuchten schlug dann durch das alles der mutwillige, kecke Scherz hindurch. Zünftig war der Witz in den Hofnarren geworden, die Zeit hatte den Fürsten den erhaben geschliffnen Spiegel zugegeben, aus dem ihr verkleinertes und verschobenes Bild spöttisch sie anlachte, und was unter der Schellenkappe der freie Geist gestaltete, war als ein bewußtloses Naturprodukt anerkannt. Und dramatisch hatte dieser Geist in den vielen seltsamen, barocken Festen, den Narren- und Eselsfeiern sich offenbart, und es hatte darin die Zeit, die nichts was natürlich und menschlich zu unterdrücken wußte, auch dem Harlekin im Menschen freien Lauf gelassen, und er sprang mit raschen Sätzen vor, und trieb sein loses Spiel mit allem, was auf Ehrwürden Anspruch machen wollte. Er brachte zum Dank dafür die zahllosen Schwänke und komischen Erzählungen und in einer Anwandlung von Bitterkeit und Ernst auch selbst Reinecke Fuchs, jenes große Weltpanorama, mit, und alle sind als ein Vermächtnis dieser Jahrhunderte bis auf uns gekommen. Keine Menschenkraft war auf diese Weise stumm geblieben, alle sprachen, alle rangen im gemeinsamen Wetteifer, wie die Sänger auf der Wartburg, im Angesichte der Nationen; und es war ein großer kunstreich verschlungener Tanz, in dem sich die ganze Generation bewegte, und in eine schöne wundersame Arabeske war das Geschlecht verwachsen unten mit dem Blumenreich und oben mit dem Himmelreich, und es sangen alle Vögel in den Zweigen, und die Kinder spielten in den Blumen, und es rührten schöne Frauen die Laute in den Schirmen, und es hasteten geharnischte Ritter durch das Dickicht, und kämpften mit Serpenten, und Eremiten knieten betend, und auf bunten Libellen trieben die Scherze sich umher, es gingen Löwen stolz und freudig an der Minne Zügel, und das ganze Gewächs tränkte Himmelstau und der Erde Mark, in dem sich auch die Rebe nährt.

Ludwig Uhland

Bitte

Ich bitt' euch, teure Sänger,
Die ihr so geistlich singt,
Führt diesen Ton nicht länger,
So fromm er euch gelingt!
Will einer merken lassen,
Daß er mit Gott es hält,
So muß er keck erfassen
Die arge, böse Welt.

Joseph von Eichendorff

Im Lager der Poetischen

Promenade im Lager der Poetischen. Große Teegesellschaft, unter den Bäumen im Halbkreise sitzend. Bertha *als Wirtin, schenkt Tee ein etc.*

Fromme Gräfin: Nein, nein, nein! Goethe ist verloren. Dieser mangelnde Glaube an Tugend, hohe Weiblichkeit und schöne Seelen. – Hat er es doch nicht lassen können, mich selbst mit heidnischer Schadenfreude durch Wilhelm Meisters bekannte Mummerei vor aller Welt zu kompromittieren.

Altdeutscher Jüngling: Zu verzweideutigen, wollen Sie sagen.

Fromme Gräfin: Und hätt' ich nicht noch in Quedlinburg Gelegenheit gefunden, mich gegen Herrn Meister weitläufig zu expektorieren –

Altdeutscher Jüngling: Auszubrusten, meinen Sie.

Fromme Gräfin *zu Bertha leise:* C'est insupportable! Der junge Mann hat keine gehörige Education! *Laut:* Ich sage, ohne Quedlinburg könnte die Welt in der Tat denken –

Bertha: Beste Gräfin, die Welt wird immer denken, was ihr beliebt. Aber Goethe ist und bleibt unstreitig die potenzierte Vitalität, die in dem Umschwunge ihrer universellen Polarität den Reflex aller Zeiten und Religionen im Zentrum objektiviert, wobei es denn begreiflich auf einige schöne Seelen eben nicht ankommen kann!

Enthusiast: Göttlich! göttlich, hohe Frau! Erlauben Sie, daß ich Sie anbete!

Bertha: Sehr gern.

Anonymus: Dürfte es einem Fremden aus Quedlinburg vergönnt sein, bei Gelegenheit der christlichen Andeutungen der unvergleichlichen frommen Gräfin seine eigenen Grundansichten hier auseinanderzubreiten? Ich wollte nur bemerken, meine Verehrungswürdigen, daß Sie alle eigentlich keinen Charakter haben, daß ich die deutschen Dichter nach dem Maßstabe, den mir meine Idee von Poesie geliehen, noch bei weitem zu klein finde, daß es überhaupt noch keine Dichter, noch keine echte Poesie gebe, die ich soeben erst einzuführen mir die Ehre geben will, daß –

Bertha: Ich bitte – ein andermal – es dürfte uns hier zu weit führen.

Anonymus: Mit nichten, Verehrteste! *Er zieht ein dickes Tagebuch aus der Tasche.* Wenn Sie mir hier nur etwa sechs bis acht Stunden Gehör gönnen wollen, so –

Delitio: Nicht doch – hier im Würzgarten zarten Frauenflors!

Florismene: Wo heitere Genien an der Tassen Lippen nippen.

Alle *durcheinander sprechend:* Die sozialen Verhältnisse – die erforderliche wechselseitige Hochachtung und Bewunderung. – Es geht nicht an. – Ich weiß gar nicht, was der Mann sich denkt. – aus Quedlinburg? – ein obskurer Ort!

Bertha *zum Einsiedler:* Was werden wir morgen für Wetter haben?

Einsiedler: Als heut die ersten Morgenlichter begannen zu schimmern, zog ich das Glöcklein meiner Klause und blätterte dabei mit einfältigem Gemüt in Jakob Böhme, hatt' auch ein saubres Pergament bei mir liegen, auf dem ich die Gedanken, so mir beifielen, abzuschildern versuchte – da wurden die Nebel wie mit tanzenden Strahlen beseitigt und es schien eine dauernde Klarheit zu erstehen.

Bertha: Glückliche Seele! Ach, des wilden Welttreibens! Heute wie gestern und morgen wie heute – nichts Neues überall! – O, ich möchte mich auch einmal ganz in die Wogen der grünen Einsamkeit stürzen!

Enthusiast: O, ich fühle all' die kühnen Schauer dieses himmlischen Sturzes!

Einsiedler: Sie können das, Gnädigste, ganz bequem auf der nächsten Jagdpartie abmachen. O, Sie müssen meine grüne Klause durchaus sehen! Ich habe in der gottseligen Freudigkeit meines kindlichen Gemüts alles auf das beste ausgezieret. Die gemalten Fenster, die alten Gebetbücher mit bunter Mönchsschrift – und gestern erhielt ich noch von einem frommen Bruder die große sixtinische Madonna auf einer kleinen Glasscheibe, ich habe sie sogleich an dem Fenster gegen Orient befestigt. – Diese Glorie! Dieses tirilierende Musizieren der Farben!

Franziska: Ach, das muß ich sehen, ich liebe die Religion bis zur Leidenschaft!

Starker Mann: Nein, ich sitze hier auf meiner höhern Bildung wie auf Kohlen. Welche Rückschritte! Nun endlich gar – ich schäme mich fast das Wort auszusprechen, – nun gar wieder Möncherei! Ich beschwöre Sie, meine Herren und Damen, Ideen! nur Ideen!

Altdeutscher Jüngling: Ganz recht! ja, wir verlangen Ideen!

Anonymus: Sie entschuldigen, wenn wir die Geschichte überblicken, so finden wir doch –

Starker Mann: Geschichte! Sie machen mich lachen. – Wir können aus der Geschichte nur mit einigem Lächeln und großer Selbstgenügsamkeit ersehen: wie das Kind, Menschheit genannt, allmählich aufgepäppelt wird, bis es nach und nach sich aus den Windeln von Täuschung und Aberglauben endlich hervorarbeitet und wächst –

Bertha *mit einem Blick auf den Altdeutschen Jüngling:* So sind wir vielleicht eben bei den Flegeljahren angelangt?

STARKER MANN: Ja, die Zeit ist endlich mündig geworden. Die ganze Vergangenheit ist im Zuschnitt verdorben, wir streichen sie aus und fangen die Geschichte von vorn an — wir sind endlich Männer!

ALTDEUTSCHER JÜNGLING: Ja wir sind Männer.

ADELGUNDE: Das kann nur ein Frauenherz so ganz empfinden. Ihr kühnen Kämpfer, ihr! Ach, wir können euch nur mit Wünschen und Blicken folgen und fromme Eichenkränze winden — aber alles gilt dir, du starkmütige Jugend!

ALTDEUTSCHER JÜNGLING: Da habt ihr auch alle Ursache dazu. Es läßt sich nicht leugnen, wir sind ganz voll von Tugend und Mannheit! Weh! wo wir hinsehen, nichts als entdeutschtes Franztum! Auf uns kommt es nun doch an, seid nur ganz ruhig, wir wollen und werden euch retten!

DELITIO *leise und unbekümmert um der andern Gespräch zu Florismene:* Und die Echos Antwort geben.

FLORISMENE *ebenso:* Und durch Gras bläst linde Luft.

DELITIO: Fort will's da den Schäfer heben.

FLORISMENE: Und das Leben wird ein Schweben.

DELITIO: Und die Erde farb'ger Duft. *Das Wechselgespräch rieselt sacht' fort.*

ALTERTÜMLER: Aber wir können doch unmöglich gelassen zusehen, wenn Sie uns die ganze Geschichte wegrücken, in die wir uns eben mit unsäglicher Mühe zurückarbeiten, daß man von uns kaum noch die Rockschöße sieht — alle die unübertrefflichen Institutionen der Kirche, des Rittertums.

STARKER MANN: Das ist ja eben der Punkt. Die Kirche, die Kreuzzüge, das Mittelalter, alles ist ja nur erfunden von und für die Aristokratie. Karl der Große, Richard Löwenherz — alles heimliche Jesuiten! Oh, ich habe da eine feine Nase!

FROMME GRÄFIN: Aber die ritterliche Galanterie war doch gar zu schön!

FRANZISKA: Die zarten Minnehöfe!

EINSIEDLER: Die gottbegeisterte, sich selbst opfernde Andacht! *Zu Franziska:* Man kann ja immer weglassen, was einem unbequem ist. Sehn Sie, meine Kutte ist auch nur von Taft, und das Zölibat — nun, Sie wissen —

FRANZISKA *ihn mit dem Fächer schlagend:* Aimable roué.

ANONYMUS *zum Starken Mann:* Aber ein Herrschen durch Ideen müssen Sie doch zugeben, folglich eine Aristokratie der Idealen.

STARKER MANN: Ach, das versteht sich von selbst, da sind Sie auf dem rechten Punkt, wir, die wir Ideen haben — ja, das versteht sich von selbst!

ALTERTÜMLER: Nun, so wären wir in der Hauptsache ja ganz einig.

EINSIEDLER: Ganz ohne Zweifel. Das kann nicht fehlen. – Ein Strahl des Ewigen –

BERTHA: Nur am Prisma des Zeitlichen in verschiedene Farben gebrochen.

ANONYMUS: Es läßt sich allerdings gar nicht verkennen, daß in der letzten Zeit, ich meine seit 1821 –

STARKER MANN: Die Ideen –

DELITIO *zu Florismene:* Träumend bei der stillen Hürde.

ALTDEUTSCHER JÜNGLING: Das Turnen –

FLORISMENE *zu Delitio:* Mit der süßen Liebschaftsbürde.

FRANZISKA: Das wonneselige Magnetisieren –

STARKER MANN: Die Vernunftreligion –

EINSIEDLER: Und die unvernünftige –

ANONYMUS: Die Zeit beflügelt –

ENTHUSIAST: O, sagen Sie überflügelt!

ANONYMUS: Ja, wir dürfen es einander hier wohl eingestehen –

STARKER MANN: Daß eben wir geradezu berufen sind –

ALLE *durcheinander:* Als die Seltenen – Vortrefflichsten – Tugendhaftesten – Gottbegabten usw.

NARR *nähert sich mit* PASTINAK, *dem* BOTEN, FASEL *und* LINA.

FASEL: Was ist denn das für ein verwirrtes Gesumme?

NARR: Das sind die Stimmen der Zeit – Gott erbarm' sich, da sind wir schön angekommen! Es ist wahrhaftig soeben ästhetischer Tee. Nur die Ohren angedrückt, Liebwerteste, und geschwind vorüber, denn das sind lauter Schriftsteller!

PASTINAK: Nun, Sie denken wirklich sonderbar von mir – man hat auch seine Studien und braucht sein Licht eben nicht unter den Scheffel zu stellen.

EINIGE *aus der Teegesellschaft:* Wer sind die Fremden? Meine Herren, was haben Sie geschrieben?

PASTINAK: Ich? – ich habe bis jetzt noch kein Werkchen ediert.

DIE GANZE TEEGESELLSCHAFT: Nichts geschrieben?? – *Allgemeines Gezisch und Gehöhn. Die Philister nehmen ganz verblüfft Reißaus.* NARR *folgt ihnen mit Entrechats und Pirouetten.*

FRIEDRICH SCHLEGEL

Irrlichter

Ungeziefer mannigfaltig
Nagt der Geister Ruhm;
Viel Gesindel, allgestaltig
Nascht vom Heiligtum.

Ja und Nein, und Mehr und Minder
Würfeln sie herum
Drehn und kehren es geschwinder
Schnell im Kreise um.

Ihnen gibt es kein Geheimnis
Als das Einmal Eins,
Auch im Schwatzen kein Versäumnis
Alles Eins und Keins.

Wie das Böse Gott erschaffe,
Groß wie sie gesinnt,
Sich das All zusammenraffe,
Lehren sie geschwind.

Allem Tüchtigen abwendig
Ist ihr eitler Mut,
Nur im Nichtigen beständig
Diese neue Brut.

Sie verschmähn die starke Rede
Von dem Kampf des Lichts,
Lieben und vergöttern jede
Ausgeburt des Nichts.

Wie der Mücken Schwarm unzählig
Längst dem Strome zieht,
Summen andre, haschen selig
Nach Gesang und Lied.

Jedes neuen Scheins gewärtig
Mit des Seelchens Flug,
Sind sie schon von Anfang fertig
Schreiben Buch auf Buch.

Friedrich Wilhelm Schelling

Voraussetzungen des Studiums

Der Begriff des Studierens schließt an sich schon und besonders nach den Verhältnissen der neueren Kultur eine doppelte Seite in sich. Die erste ist die historische. In Ansehung derselben findet das bloße *Lernen* statt. Die unumgängliche Notwendigkeit der Gefangennehmung und Ergebung seines Willens unter den Gehorsam des Lernens in allen Wissenschaften folgt schon aus dem früher Bewiesenen. Was auch bessere Köpfe in Erfüllung dieser Bedingung mißleitet, ist eine sehr gewöhnliche Täuschung.

Sie fühlen sich nämlich bei dem Lernen mehr angestrengt als eigentlich tätig, und weil die Tätigkeit der natürlichere Zustand ist, halten sie jede Art derselben für eine höhere Äußerung des angeborenen Vermögens, wenn auch die Leichtigkeit, welche das eigne Denken und Entwerfen für sie hat, seinen Grund mehr in der Unkenntnis der wahren Gegenstände und eigentlichen Aufgaben des Wissens, als in einer echten Fülle des produktiven Triebes haben sollte. Im Lernen, selbst wo es durch lebendigen Vortrag geleitet wird, findet wenigstens keine Wahl statt: man muß durch alles, durch das Schwere wie das Leichte, durch das Anziehende wie das minder Anziehende hindurch; die Aufgaben werden hier nicht willkürlich, nach Ideenassoziation oder Neigung genommen, sondern mit Notwendigkeit. In dem Gedankenspiel, bei mittelmäßig reger Einbildungskraft, die mit geringer Kenntnis der wissenschaftlichen Forderungen verbunden ist, nimmt man heraus, was gefällt, und läßt liegen, was nicht gefällt, oder was auch im Erfinden und eignen Denken nicht ohne Anstrengung ergründet werden kann.

Selbst derjenige, der von Natur berufen ist, zuvor nicht bearbeitete Gegenstände in neuen Gebieten sich zu seiner Aufgabe zu nehmen, muß doch den Geist auf jene Weise geübt haben, um in diesen einst durchzudringen. Ohne dies wird ihm auch im Selbstkonstruieren immer nur ein desultorisches Verfahren und fragmentarisches Denken eigentümlich bleiben. Die Wissenschaft zu durchdringen, vermag nur, wer sie bis zur Totalität gestalten und bis zu der Gewißheit in sich ausbilden kann, kein wesentliches Mittelglied übersprungen, das Notwendige erschöpft zu haben.

Ein gewisser Ton der Popularität in den obersten Wissenschaften, kraft dessen sie geradezu jedermanns Ding und jeder Fassungskraft angemessen sein sollten, hat die Scheu vor Anstrengung so allgemein verbreitet, daß die Schlaffheit, die es mit den Begriffen nicht zu genau nimmt, die angenehme Oberflächlichkeit und wohlgefällige Seichtigkeit sogar zur sogenannten feineren Ausbildung gehörte, und man endlich auch den Zweck der akademischen Bildung darauf beschränkte, von dem Wein der höheren Wissenschaften eben nur so viel zu kosten, als man mit Anstand auch einer Dame anbieten könnte.

Man muß den Universitäten zum Teil die Ehre widerfahren lassen, daß sie vorzüglich den einbrechenden Strom der Ungründlichkeit, den die neuere Pädagogik noch vermehrte, aufgehalten haben, obgleich es andererseits auch der Überdruß an ihrer langweiligen, breiten und von keinem Geist belebten Gründlichkeit war, was jenem den meisten Eingang verschaffte.

Jede Wissenschaft hat außer ihrer eigentümlichen Seite eine andere noch, die ihr mit der Kunst gemein ist. Es ist die Seite der Form, welche in einigen derselben sogar vom Stoff ganz unzertrennlich ist. Alle Vortrefflichkeit in der Kunst, alle Bildung eines edeln Stoffs in angemessener Form, geht aus der Beschränkung hervor, die der Geist sich selbst setzt. Die Form wird nur durch Übung vollständig erlangt, und aller wahre Unterricht soll seiner Bestimmung nach mehr auf diese als auf den Stoff gehen.

Es gibt vergängliche und hinfällige Formen, und als besondere sind alle diejenigen, in die sich der Geist der Wissenschaft hüllt, auch nur verschiedene Erscheinungsweisen des sich in ewig neuen Gestalten verjüngenden und wiedergebärenden Genius. Aber in den besonderen Formen ist eine allgemeine und absolute Form, von der jene selbst nur wieder die Symbole sind: und ihr Kunstwert steigt in dem Maße, in welchem ihnen gelingt, jene zu offenbaren. Alle Kunst aber hat eine Seite, von der sie durch Lernen erworben wird. Die Scheu vor Formen und angeblichen Schranken derselben ist die Scheu vor der Kunst in der Wissenschaft.

Aber nicht in der gegebenen und besondern Form, die nur gelernt sein kann, sondern in eigentümlicher, selbstgebildeter, den gegebenen Stoff reproduzieren, vollendet auch erst das Aufnehmen selbst. Lernen ist nur negative Bedingung, wahre Intussuszeption nicht ohne innere Verwandlung in sich selbst möglich. Alle Regeln, die man dem Studieren vorschreiben könnte, fassen sich in der einen zusammen: Lerne nur, um selbst zu schaffen. Nur durch dieses göttliche Vermögen der Produktion ist man wahrer Mensch, ohne dasselbe nur eine leidlich klug eingerichtete Maschine. Wer nicht mit demselben höheren Antrieb, womit der Künstler aus einer rohen Masse das Bild seiner Seele und der eignen Erfindung hervorruft, es zur vollkommenen Herausarbeitung des Bildes seiner Wissenschaft in allen Zügen und Teilen bis zur vollkommenen Einheit mit dem Urbild gebracht hat, hat sie überhaupt nicht durchdrungen.

Alles Produzieren ruht auf einer Begegnung oder Wechseldurchdringung des Allgemeinen und Besonderen. Den Gegensatz jener Besonderheit gegen die Absolutheit scharf zu fassen, und zugleich in demselben unteilbaren Akt jene in dieser und diese in jener zu begreifen, ist das Geheimnis der Produktion. Hierdurch bilden sich jene höheren Einheitspunkte, wodurch das Getrennte zur Idee zusammenfließt, jene höheren Formeln, in die sich das Konkrete auflöst, die Gesetze, »aus dem himmlischen Äther geboren, die nicht die sterbliche Natur des Menschen gezeugt hat«.

August von Kotzebue

Der hyperboreeische Esel
oder
Die heutige Bildung

DIE SECHSTE SZENE

*Der Baron und Karl**

BARON: Nun Vetter! deine Mutter scheint nicht recht mit dir zufrieden.

KARL: Sie hat ihre Begriffe noch aus der Altertümlichkeit.

BARON: Das sind nicht immer die schlechtesten. Aber freilich, du bist ein Genie.

KARL: Was man gewöhnlich ein Genie nennt ist Genie des Genies.

BARON: So? das ist verzweifelt scharfsinnig.

KARL: Genialscher Scharfsinn ist scharfsinniger Gebrauch des Scharfsinnes.

BARON: Was man doch nicht alles erfährt! Aber sieh nur Vetter, du mußt dich ein wenig in deine Mutter fügen, wieder herzlich werden wie vormals. Du bist so kalt, so ernsthaft.

KARL: Der Mensch ist eine ernsthafte Bestie.

BARON: Eine Bestie? schäme dich. Ich merke schon, du hast zu viel studiert, bist zu einsam gewesen. Ich werde dich in gute Gesellschaften führen.

KARL: Die Gesellschaften der Deutschen sind ernsthaft, ihre Komödien und Satiren sind ernsthaft, ihre Kritik ist ernsthaft, ihre ganze schöne Literatur ist ernsthaft.

BARON: O es gibt auch Narren genug unter den Deutschen.

KARL: Narrheit ist absolute Verkehrtheit der Tendenz, gänzlicher Mangel an historischem Geist.

BARON: Hör' einmal, Vetter, bleib mir mit dem Krimskrams vom Halse, und laß uns vernünftig reden. Ich habe ein Projekt für dich.

KARL: Ein Projekt ist der subjektive Keim eines werdenden Objekts.

BARON: Gleichviel. Du mußt eine Existenz haben.

KARL: Es kann nichts anmaßender sein, als überhaupt zu existieren, oder gar auf eine bestimmte selbständige Art zu existieren.

BARON: Nun zum Teufel! wie existiere ich denn?

KARL: Sie? Sie existieren gar nicht.

BARON *prallt zurück*: Gar nicht?

* Die Rolle des KARL ist einzig und allein, und zwar wörtlich, aus den bekannten und berühmten Schriften der Herren Gebrüder Schlegel gezogen. Alle die goldenen Sprüchlein dieser Weisen sind sorgfältig unterstrichen worden, teils, damit man nicht glauben möge, ich wolle mich mit fremden Federn schmücken – teils – wie gleichfalls einer ihrer goldenen Sprüche behauptet – in der wahren Prosa Alles unterstrichen sein muß.

KARL: Die meisten Menschen sind nur gleich berechtigte Prätendenten der Existenz; es gibt wenig Existenten.

BARON: Mensch! du bist entweder närrisch oder toll.

KARL: Die Narrheit ist bloß dadurch von der Tollheit verschieden, daß sie willkürlich ist wie die Dummheit.

BARON: Also ist deine Narrheit willkürlich? Gut, so lasse ich dich einsperren. – O Karl! Karl! nicht wahr du verstellst dich nur? Du bist nicht so ein Erz-Genie? – rede, was hast du denn eigentlich studiert?

KARL: Goethes rein poetische Poesie, denn sie ist die vollständigste Poesie der Poesie.

BARON: Gott helfe mir! du bist der vollständigste Narr aller Narren! Höre Vetter! noch will ich mich moderieren. –

KARL: Moderantismus ist Geist der kastrierten Illiberalität.

BARON: Solche überschwengliche Dummheiten sollten in den Jahrbüchern des menschlichen Geistes aufbewahrt werden, man kann sie mit allem Verstande nicht so erfinden. Hast du weiter nichts gelernt, so ist es ewig schade um das schöne Geld und die kostbare Zeit. – Was soll nun aus dir werden?

KARL: Um zu sagen, was der Mensch soll, muß man einer sein, und es nebenbei auch wissen.

BARON: Ich habe immer gedacht, das wäre mein Fall. – Rede, kannst du dich in der Welt benehmen? verstehst du, mit aller deiner kritischen Weisheit dir in schwürigen Fällen zu helfen?

KARL: O das Talent aus einer Musterkarte von Mitteln die zweckmäßigsten auszuwählen, ist so geringfügig, daß auch der gemeinste Verstand dazu hinreicht.

BARON: Wollte Gott, du hättest diesen gemeinsten Verstand! – Da steht er nun, der Jammer-Mensch mit der hohen Anmaßung! Was ist aus ihm geworden!

KARL: Ich ist äqual ich.

BARON: Dein Ich ist äqual einem Narren. Ich meinte es so gut mit dir; ich hatte dir meine Tochter bestimmt, das liebe naive Mädchen. –

KARL: Naiv ist, was bis zur Ironie, oder bis zum steten Wechsel von Selbstschöpfung und Selbstvernichtung natürlich, individuell oder klassisch ist oder scheint.

BARON: Potz Unsinn und kein Ende! Vetter, ich rate dir Gutes. Lenke wieder ein, oder du wirst nimmer mein Schwiegersohn.

KARL: So bleib' ich mir selbst genug. Es ist schön, wenn ein schöner Geist sich selbst anlächelt.

BARON: Ei lächle du dich an so viel du willst. Ich ziehe meine Hand von dir ab. – Es bleibt mir nur noch eine Hoffnung übrig; ich will das Mädchen herschicken. Wenn es der Liebe nicht gelingt, diesen verrückten Kopf wieder an Ort und Stelle zu rücken, so ist alles verloren! *ab.*

Sechster Teil

GOETHE – SCHILLER

Doch lebendig, stets aufs neue,
Tut sich edles Wirken kund,
Freundesliebe, Männertreue
Und ein ewig sichrer Bund.

Goethe

Heinrich von Kleist

Klassische Leihbibliothek

»Wir wünschen ein paar gute Bücher zu haben« — *Hier steht die Sammlung zu Befehl* — »Etwa von Wieland« — *Ich zweifle fast* — »Oder von Schiller, Goethe« — *Die mögten hier schwerlich zu finden sein* — »Wie? Sind alle diese Bücher vergriffen? Wird hier so stark gelesen?« — *Das eben nicht* — »Wer liest denn hier eigentlich am meisten?« — *Juristen, Kaufleute und verheiratete Damen.* — »Und die unverheirateten?« — *Sie dürfen keine fordern.* — »Und die Studenten?« — *Wir haben Befehl ihnen keine zu geben.* — »Aber sagen Sie uns, wenn so wenig gelesen wird, wo in aller Welt sind denn die Schriften Wielands, Goethes, Schillers?« — *Halten zu Gnaden, diese Schriften werden hier gar nicht gelesen.* — »Also Sie haben sie gar nicht in der Bibliothek?« — *Wir dürfen nicht.* — »Was stehn denn also eigentlich für Bücher hier an diesen Wänden?« — *Rittergeschichten, lauter Rittergeschichten, rechts die Rittergeschichten mit Gespenstern, links ohne Gespenster, nach Belieben.* — »So, so.« — —

Friedrich von Schiller

Die deutsche Muse

Kein Augustisch Alter blühte,
Keines Mediceers Güte
  Lächelte der deutschen Kunst;
Sie ward nicht gepflegt vom Ruhme,
Sie entfaltete die Blume
  Nicht am Strahl der Fürstengunst.

Von dem größten deutschen Sohne,
Von des großen Friedrichs Throne
  Ging sie schutzlos, ungeehrt.
Rühmend darf's der Deutsche sagen,
Höher darf das Herz ihm schlagen:
  Selbst erschuf er sich den Wert.

Darum steigt in höherm Bogen,
Darum strömt in vollern Wogen
  Deutscher Barden Hochgesang;
Und in eigner Fülle schwellend
Und aus Herzens Tiefen quellend,
  Spottet er der Regeln Zwang.

Frau Rat Goethe

Brief nach Italien

Franckfurth den 17 November 1786

Lieber Sohn! Eine Erscheinung aus der Unterwelt hätte mich nicht mehr in Verwunderung setzen können als dein Brief aus Rom – Jubeliren hätte ich vor Freude mögen daß der Wunsch der von frühester Jugend an in deiner Seele lag, nun in Erfüllung gegangen ist – Einen Menschen wie du bist, mit deinen Kentnüßen, mit dem reinen großen Blick vor alles was gut, groß und schön ist, der so ein Adlerauge hat, muß so eine Reiße auf sein gantzes übriges Leben vergnügt und glücklich machen – und nicht allein dich sondern alle die das Glück haben in deinem Wirckungs kreiß zu Leben. Ewig werden mir die Worte der Seeligen Klettenbergern im Gedächtnüß bleiben. »Wenn dein Wolfgang nach Maintz reißet bringt Er mehr Kentnüße mit, als andere die von Paris und London zurück kommen« – Aber sehen hätte ich dich mögen beym ersten Anblick der Peters Kirche!!! Doch du versprichts ja mich in der Rückreiße zu besuchen, da mußt du mir alles Haarklein erzählen. Vor ohngefähr 4 Wochen schriebe Fritz von Stein er wäre deinetwegen in großer Verlegenheit – kein Mensch selbst der Herzog nicht, wüste wo du wärest – jedermann glaubte dich in Böhmen u. s. w. Dein mir so sehr lieber und Intresanter Brief vom 4ten November kam Mittwochs den 15 ditto Abens um 6 uhr bey mir an – Denen Bethmännern habe ihren Brief auf eine so drollige Weiße in die Hände gespielt, daß sie gewiß auf mich nicht rathen. Von meinem innern und äußern Befinden folgt hir ein genauer und getreuer Abdruck. Mein Leben fließt still dahin wie ein klahrer Bach – Unruhe und Getümmel war von jeher meine sache nicht, und ich dancke der Vorsehung vor meine Lage – Tausend würde so ein Leben zu einförmig vorkommen mir nicht, so ruhig mein Cörpper ist; so thätig ist das was in mir denckt – da kan ich so einen gantzen geschlagenen Tag gantz alleine zubringen, erstaune daß es Abend ist, und bin vergnügt wie eine Göttin – und mehr als vergnügt und zufrieden seyn, braucht mann doch wohl in dieser Welt nicht. Das neueste von deinen alten Bekandten ist, daß Papa la Roche nicht mehr in Speier ist, sondern sich ein Hauß in Offenbach gekauft hat, und sein Leben allda zu beschließen gedenckt. Deine übrigen Freunde sind alle noch die sie waren, keiner hat so Rießenschritte wie du gemacht /: wir waren aber auch imer die Lakqeien sagte einmahl der verstorbene Max Moors: / Wenn du herkomst so müßen diese Menschen Kinder alle eingeladen und herrlich Tracktiert werden – Willprets Braten Geflügel wie Sand am Meer – es soll eben pompos hergehen.

Lieber Sohn! Da fält mir nun ein Unthertäniger Zweifel ein, ob dieser Brief auch wohl in deine Hände kommen mögte, ich weiß nicht wo du in Rom wohnst – du bist halb in Conito / : wie du schreibst: / wollen das beste hoffen. Du wirst doch ehe du komst noch vorher etwas von dir hören laßen, sonst glaubte ich jede Postschäße brächte mir meinen *einzig geliebten* – und betrogne Hoffnung ist meine sache gar nicht. Lebe wohl Bester! Und gedencke öffters an

deine

treue Mutter

Elisabetha Goethe

Ludwig Tieck

Goethe, der wahrhafte deutsche Dichter

Eben darum, meine Freunde, weil der Poet zugleich Prophet ist, und mehr ist und weniger als der Philosoph und der praktische Mensch, weil er sein Bestes in sich selbst nicht verstehen kann, weil die Tat, und immerdar nur die Tat, ihn verkündiget, so hat der geborne, wahre Dichter gar keinen höhern Beruf, als eben diesen Geist des Verkündigens immerdar walten zu lassen, für diese Begeisterung, das Anschauen, die Visionen, die ihn besuchen, alle Kräfte zu sammeln und alle Zeit zu sparen. Erscheint ihm das Wissen selbst, das Eingreifen in die Begebenheiten der Welt und dergleichen, als das Höhere, Bessere, so wird er in solcher Verstimmung oder Zerstreutheit schon auf eine Zeit lang sich und seinem hohen Berufe ungetreu. Ihr werdet mich nicht so mißverstehen, ausgezeichnete Männer (denn ihr seid doch nicht einfältig), daß ich verlange, er solle nicht studieren, nichts lernen, nicht die Welt kennen, denn eben hier soll er ja Nahrung und Stoff suchen und finden, um die Welt, die sich ihm hier darbietet, durch seine Kunst zu verklären.

So war Goethe in seiner Jugend Anfang und Mittelpunkt einer echt deutschen Schule, die wenn sie sich fester begründet, vielseitiger ausgebildet, und nicht bald wieder Glauben und Vertrauen zu sich verloren hätte, wohl ebenso kräftige, mannigfaltige und glänzende Erscheinungen hervorgebracht hätte, wie früher in England durch jene Geister geschah, die sich unbewußt und bewußt um Shakespeare versammelten.

Ohne hier zu erörtern, welche Weihe oder Talent Klopstock und Wieland für die Dichtkunst empfangen hatten, so bleibt immer unbezweifelt, daß der mächtigere Geist sich einen Orientalismus gebildet, eine Darstellung und Sprache erfunden, die in allen seinen Gedichten, die unter sich von sehr verschiedenem Werte sind, nicht in unsere Sitte, Weise und Gesinnung hineinklingen. Der zierlichere, lebensfrohere war, in besserer Weise als seine Vorfahren, ein wohllautender Nachhall jener französischen Gesinnung, die sich als vornehmer Leichtsinn dem ernsten Deutschen einimpfen sollte, der unter der Last dieser Leichtfertigkeit sich noch schwerfälliger als unter seinen biderben Tugenden bewegte. So wie Klopstock eine fabelhafte Deutschheit in seinen späteren Werken erfunden hatte, so hatte Wieland eine märchenhafte Griechheit ersonnen, die ihm helfen mußte, seine leichten, sophistisierenden Gebilde auszuspinnen. Von den andern früheren Zeitgenossen, von so vielen Versuchen für Sprache und Versbildung in aller Art schweige ich hier. So viele ausgezeichnete Männer, so große Talente bemerkt und gerühmt werden müssen, wie in der Geschichte der Literatur dies und jenes wichtig und notwendig wird, Opitz bedeutend, Gryphius merkwürdig, Günther großartig und Wieland gebildet, zierlich und vielseitig, Klopstock mächtig, stark, und in den früheren Gesängen wahrhaft begeistert ist — so kann man doch, wenn man sich versteht und nicht vorsätzlich irre machen will — darin übereinkommen: daß *Goethe* der *wahrhafte deutsche Dichter* war, der sich nach langer Zeit, nach Jahrhunderten, wieder zeigte.

Kein Land in Europa hat darin ein so sonderbares und hartes Schicksal erlebt, daß nach dem glänzenden Zeitpunkt des dreizehnten und vierzehnten Jahrhunderts seine Dichtkunst so zerrissen, abgebrochen, wie vernichtet wurde, und sich schwach, ungenügend und später nur Fremdes nachahmend, wieder zum Leben und ihrer Bestimmung zurückfinden konnte. Bald lateinisch, holländisch, französisch, spanisch — immer ungewiß, immer ohne Bezug auf das Leben und die Gesinnungen, mehr Rarität (höchstens Luxus), als Kraft und Fülle des Daseins, die sich behaglich und freudig kund gibt, um das Leben wieder zu erhöhen. Vaterland, Geschichte, deutsche Sitte, Familien- wie Staatsleben war längst in unsern Gedichten erloschen.

Inwiefern Deutschland, seine Eigentümlichkeit und Tüchtigkeit verschwunden war, ist eine andere und hier abzuweisende Frage. So wie Goethe nur die Augen auftat und sie andern wieder öffnete, war Deutschland unmittelbar auch da, und so viel herrliche Anlagen, Trefflichkeit, Gesinnung und Gemüt, Herzlichkeit und Wahrheit, kurz, so viel eigentümliche Kennzeichen, die den Deutschen kund geben und von allen Völkern so sicher absondern, zeigten sich auf einmal, daß der Erweckte sich selbst anstaunte, in einem solchen Lande der Wunder, in einer solchen poetischen Gegenwart zu leben. Es ist kein Bild mehr, daß ein Frühling mit unzähligen Blüten und Blumen, aus allen

Zweigen, Wäldern und Fluren drang, — und der trockne, alltägliche Kleinstädter verdutzt dastand, und seinen Gesinnungen nur in Zweifel und Tadel, oder in Hoffnung, daß dieser törichte Blütensegen mit der Zeit abfallen würde, Luft machen konnte.

Denn nicht das Talent und die Vollendung ist es allein, die Goethe, mit dem also nach meiner Einsicht die neue deutsche Poesie anhebt, charakterisiert, sondern die deutsche Gesinnung, die Verklärung des Volks und Vaterlandes, das durch ihn gleichsam im Bewußtsein erst entstand und entdeckt wurde.

Wer hatte vor ihm auf diese deutsche, naive, zarte, sinnliche und wehmütige Weise von der Liebe gesprochen? Wer hatte sich nur träumen lassen, daß man alte Erinnerungen, erloschene Verhältnisse, so für die Phantasie beleben könne? Allenthalben, wo trockne Steine, dürre Heide, Langeweile und das traurige Altfränkische gewesen waren, kamen Geister, hold und freundlich, um den Menschen wieder zu dienen, so wie der Glaube an sie wieder bei den Sterblichen eingekehrt war. Über Lebensverhältnisse, Religion, die Herrlichkeit unserer deutschen Baukunst, über deutsche Natur ließen sich Lebensworte vernehmen.

Der warme Sommer ruft alles ins Leben. Mit der Nachtigall kommt auch der Kuckuck, mit der Frucht auch das Unkraut, und strenge Ordnung und Zweckmäßigkeit, Regel und Zwang sind der Entwickelung neuer, bis dahin ungekannter poetischer Kräfte völlig fremd. Ob der Sänger sich zu Zeiten im Übermut, im Gefühl seines Genies überhob? Wer mag es messen? Daß die Schule, die sich um ihn bildete, Törichtes trieb, Blößen gab, daß der trockne Verstand ihr gegenüber, mehr wie einmal Recht hatte, daß Goethe selbst wohl manches billigte, was er nachher anders sah und fühlte, und daß der schadenfrohe Haufe jubilierte, im Wahn, das Reich dieser Träume müsse an eigner Nichtigkeit wieder zerfallen — es wäre unnatürlich und dem Gange der menschlichen Dinge ganz entgegen gewesen, wenn es sich nicht so ereignet hätte.

Brief eines sechzehnjährigen Jünglings, als er Goethe zum ersten Male gesehen

Weimar, den 20. Februar 1822

Teuerster, vielgeliebter Freund!

Schon lange hätte ich Ihnen geschrieben; allein ich zögerte noch immer, weil ich nicht eher schreiben wollte, als bis ich Goethe gesehen hätte, auf dessen Anblick ich so begierig war. Ich ging zwei Monate alle Tage vor seinem Hause vorbei; allein vergebens. Zwar war es mir schon eine große Freude, oft seine Schwiegertochter mit ihren lieblichen Kindern an dem Fenster zu erblicken; aber ich wollte doch auch Goethe sehen. Eines Sonntags, als ich eben spazieren gewesen, führte mich mein Weg hinter Goethes Hause vorbei, wo sein Garten ist. Die Gartentüre stand gerade offen, und aus Neugierde lief ich herein. Goethe war nicht im Garten; aber eine Weile darauf sah ich, daß sein Bedienter kam. Da schlug ich die Gartentür wieder zu, weil der Bediente mich sonst gesehen hätte. Wie ich nun noch so ganz trübselig darüber nachdachte, daß mir doch auch alle Versuche, Goethe zu sehen, mißglückten, bemerkte ich plötzlich eine andere Gartentür, die auch offen war, und als ich hereintrat, sah ich bald, daß dieses des Nachbars Garten sei, dessen Mauer dicht an Goethes Garten stößt, so daß man von hier aus die Gänge in jenem ganz deutlich übersehen kann. Unter so günstigen Umständen faßte ich mir plötzlich Mut und fragte den Mann, dem dieses Haus gehörte: ob Goethe oft in seinem Garten spazieren ginge, und um welche Zeit? Er antwortete mir: alle Tage, wenn es schön Wetter ist. Die Zeit aber wäre nicht bestimmt, manchmal um zehn Uhr, wenn die Sonne irgend am Himmel hervorkäme, so sei der geheime Rat auch da; um zwölf Uhr aber liebe er ganz vorzüglich im Garten zu sein. Der alte Herr halte es, wie es scheine, mit den heißesten Sonnenstrahlen. Hierauf erforschte ich den Nachbar weiter, wie er es meinte, und ob er mir wohl die Erlaubnis geben wollte, daß ich seinen Garten täglich eine halbe Stunde besuchen könnte, um den großen und von mir so innig verehrten Dichter zu sehen und zu beobachten. Er antwortete mir ganz gleichgültig: warum nicht? da könne er nichts dawider haben. Es ist doch wunderbar, lieber Freund, daß man, um einen Tiger, einen Bären, eine wilde Katze zu sehen, einen halben Gulden bezahlen muß, und daß man dagegen den Anblick eines großen Mannes, der doch das Seltenste ist, was man in der Welt sehen kann, völlig umsonst haben mag! Ich ging voll Freude nach Hause, konnte aber diese Nacht kaum ein Auge zutun. Ich kleiner Zwerg kam mir vor, als wäre ich durch die Hoffnung, einen großen Mann zu sehen, plötzlich eine Spanne größer geworden. Der Morgen dauerte mir gar zu lang, bis er kam, ja er schien mir fast so lang, wo nicht länger als eine Woche. Der kommende Tag brach endlich an und brachte das schönste Frühlingswetter. Wie ich die Sonne scheinen sah, dachte ich: ha, heute ist gut Wetter für Goethe; und ich hatte mich nicht geirrt. Es war zehn Uhr vorbei, als ich von Hause aus nach dem Garten ging, wo Er schon auf- und abwandelte. Das Herz pochte mir gewaltig, als ich ihn sah. Ich glaubte Faust und Margaretchen in einer Person zu erblicken, so sanft und so prächtig zugleich, wie er aussieht! Ich hatte meine Augen beständig auf ihn gerichtet um seine Gesichtszüge recht in mein Herz zu prägen. So sah ich ihn eine ganze Seigerstunde mit scharfen, unverwandten Blicken an, ohne daß er mich seinerseits gewahr wurde, woran er denn auch nichts verloren hat. Als ich mich soeben recht in ihn vertieft hatte, spielte er mir den Possen und ging herein in das Haus und wieder durch die Stiegen herauf in seine Studierstube, die völlig abgeschieden mit ihren Fenstern in den Hinterhof sieht. Teuerster Freund, Sie können versichert sein, in Goethes ganzem Wesen zeigt sich seine Größe. Er ist noch so rüstig, wie ein Mann von vierzig Jahren. Sein majestätischer Gang, die gerade und aufrechtstehende Stirn, die herrliche Form seines Kopfes, das feurige Auge, die gebogene Nase, alles das ruft: Faust, Margarete, Götz, Iphigenie, Tasso, und was weiß ich, was alles noch sonst mehr? Nie habe ich in diesem vorgerückten Alter einen so rüstig schönen Mann gesehen. Ich sehe ihn jetzt, wenn es schönes Wetter ist, täglich in seinem Garten, und das gewährt mir ebenso viel Unterhaltung, als andere darin finden, wenn sie Büsten betrachten und schöne Bilder und Kupferstiche ansehen. Sie mögen es mir glauben oder nicht, aber wenn ich Ihnen sage, daß mir sein Anblick lieber ist, als der von allen Kupferstichen in der Welt, so sage ich Ihnen nur die reine und lautere Wahrheit. Er geht gewöhnlich mit langsamen Schritten auf und ab in den Gängen des Gartens, ohne sich hinzusetzen, stellt aber auch oft über einen Gegenstand des Pflanzenreiches, vor dem er alsdann still steht, in seinen Gedanken halbestundenlange Betrachtungen an. Könnte ich doch nur seinen Sinn und seine Gespräche mit sich selbst in solchen Augenblicken erraten. Mit seines Sohnes artigen Kindern wechselt dieses Spiel ab, wenn er von den Blumen und Pflanzen zurückkehrt. Ich spreche dort ordentlich mit Goethe durch die Augen, obwohl er mich nicht sieht, indem ich, durchs Gesträuch vor ihm verdeckt, hinter einem Zaune stehe. Das klingt alles wunderlich genug, aber es ist wirklich so. Im Grunde ist es auch gut so und besser, als ob ich ihn wirklich gesehen und gesprochen hätte; ich weiß wohl warum. Denn nehmt an, daß er sich wirklich auf eine Unterhaltung mit mir einließe; was in aller Welt könnte ein sechzehnjähriger Bube, wie ich, im Gespräche ihm sein? Er mir wohl! Aber da hat er schon was Besseres zu tun! O, mein innig geehrter Freund, wenn Sie nur doch auch einmal hier im Garten und zwar an meiner Seite wären! Ich freue mich schon ordentlich darauf, wenn es nun wirklich Frühling wird, wo die Knospen aufbrechen; da will ich Goethes Gespräche mit den Blumen und Vögeln und dem Lichte im nähern Umgange mit der Natur schon recht fleißig belauschen und Ihnen alles wiederschreiben, was ich davon weiß, oder auch nur irgend erraten kann.

Carl Gustav Carus

Besuch im Goethehaus

Weimar, den 21. Juli 1821

Unter all diesen Betrachtungen war indes 11 Uhr herangerückt, ja vorübergegangen, und ich eilte nun, Goethes Wohnung aufzufinden. Gleich beim Eintritt in das mäßig große, im einfach antiken Stil gebaute Haus deuteten die breiten, sehr allmählich sich hebenden Treppen, sowie die Verzierung der Treppenruhe mit dem Hunde der Diana und dem jungen Faun von Belvedere die Neigungen des Besitzers an. Weiter oben fiel die Gruppe der Dioskuren angenehm in die Augen, und am Fußboden empfing den in den Vorsaal Eintretenden, blau ausgelegt, ein einladendes Salve. Der Vorsaal selbst war mit Kupferstichen und Büsten auf das reichste verziert und öffnete sich gegen die Rückseite des Hauses durch eine zweite Büstenhalle auf den lustig umrankten Altan und auf die zum Garten hinabführende Treppe. In ein anderes Zimmer geführt, sah ich mich aufs neue von Kunstwerken und Altertümern umgeben: schön geschliffene Schalen von Calcedon standen auf Marmortischen umher, über dem Sofa verdeckten halb und halb grüne Vorhänge eine große Nachbildung des unter dem Namen der Aldobrandinischen Hochzeit bekannten alten Wandgemäldes, und außerdem forderte die Wahl der unter Glas und Rahmen bewahrten Kunstwerke, meistens Gegenstände alter Geschichte nachbildend, zu aufmerksamer Betrachtung auf. Endlich kündigte ein rüstiger Schritt durch die anstoßenden Zimmer den werten Mann selbst an. Einfach, im blauen Zeugoberrock gekleidet, gestiefelt, in kurzem, etwas gepudertem Haar, mit den bekannten, von Rauch herrlich aufgefaßten Gesichtszügen, in gerader, kräftiger Haltung schritt er auf mich zu und führte mich zum Sofa. Die zweiundsiebzig Jahre haben auf Goethe wenig Eindruck gemacht, der Arcus senilis in der Hornhaut beider Augen beginnt zwar sich zu bilden, aber ohne dem Feuer des Auges zu schaden. Überhaupt ist das Auge an ihm vorzüglich sprechend, und mir erschien darin zumeist die ganze Weichheit des Dichtergemüts, welche sein übriger ablehnender Anstand nur mit Mühe zurückzuhalten und gegen das Eindringen und Belästigen der Welt zu schützen scheint; doch auch das ganze Feuer des hochbegabten Sehers leuchtete in einzelnen Momenten des weitern, mehr erwärmten Gesprächs mit fast dämonischer Gewalt aus den schnell aufgeschlagenen Augen.

So saß ich denn nun ihm gegenüber! Die Erscheinung eines Menschen, welchem ich selbst einen so großen Einfluß auf meine Entwickelung zugestehen mußte, war mir plötzlich nahe gerückt, und ich war umso mehr bemüht, diese merkwürdige Gegenwart genau zu beachten und zu erfassen. Die gewöhnlichen einleitenden Gespräche waren bald beseitigt, ich erzählte von meinen neuen Arbeiten über die Ur-Teile des Knochengerüstes und konnte ihm die Bestätigung seiner frühern Vermutung über das Dasein von sechs Kopfwirbeln mitteilen. Zur schnellern Darlegung des Ganzen ersuchte ich um Bleistift und Papier; wir gingen in ein zweites Zimmer, und wie ich nun den Typus des Fischkopfes in seiner Gesetzmäßigkeit schematisch entwickelte, unterbrach er mich oft durch beifällige Ausrufungen und freudiges Kopfnicken. »Ja, ja! die Sache ist in guten Händen,« sagte er; »da haben uns der Spix und Bojanus so etwas hergedunkelt! nun, nun! ja, ja!«*

Der Diener brachte eine Kollation. Es war mir ein rührendes Verhältnis, Goethe zu sehen, wie er mir den Wein eingoß und ein Brot mit mir teilte, selbst von der einen Hälfte genießend und mir die andere reichend! – Dabei sprach er von meinen beiden Bildern, die ich ihm vor einem Jahre durch Frommann gesendet hatte, erzählte, wie ihm das eine (das Haus auf der Brockenspitze) längere Zeit seiner Bedeutung nach rätselhaft geblieben, wie nur später erst eine dritte Person** ihm den Aufschluß darüber gegeben, und wie diese Dinge überhaupt wohl in Ehren gehalten würden. Dann ließ er sein Portefeuille über vergleichende Anatomie bringen und zeigte seine frühern Arbeiten. Späterhin kamen wir auf das Bedeutungsvolle in der Form der Felsen und Gebirge für Bestimmung der Art des Gesteins, ja, für die gesamte Bildung der Erdoberfläche; und auch in diesen Ideen war er völlig einheimisch, ja er hatte dafür gesammelt, wie eine zweite wohlgefüllte Mappe mit Felsenzeichnungen vom Harz und andern Orten deutlich bewies.

Merkwürdig waren mir, als ich jetzt kurze Zeit im Zimmer allein blieb, die Anordnungen und Ausschmückungen desselben. Außer einem hohen Gestelle mit gewaltigen Mappen für Kupferstiche in ihrer geschichtlichen Folge, interessierte mich ein mit Schubkästen, behufs der Aufbewahrung einer Münzsammlung versehener Schrank. Der Aufsatz desselben trug nämlich unter Glas eine ansehnliche Menge antiker Götterbildchen, Laren, Faunen usw., unter welchen ein ganz kleiner goldener Napoleon, in das glockenförmig verschlossene Ende einer Barometerröhre gestellt, sich sonderbar genug ausnahm. Auch sonst aber wollte noch manches beachtet sein; so beschäftigte mich ein altertümliches wunderliches Schloß, welches mit seinem Schlüssel am Fenstergewände hing, so forderten auch hier man-

* Mit diesen, auf eigentümlich gutmütige Weise betonten Worten pflegte er überhaupt alle Pausen des Gesprächs zu beleben.
** Der Großherzog, wie Frommann mir sagte.

che Kupferstiche zur Betrachtung auf, ja selbst die Einrichtung der Zimmertür war bemerkenswert, da sie nicht in Angeln sich bewegte, sondern aus dem Türgewände hervor- und zurückgeschoben werden mußte. Zuletzt noch sprachen wir über entoptische Farben, und es brachte ihn dies darauf, Karlsbader Glasbecher mit gelber durchsichtiger Malerei herbeibringen zu lassen, an denen er mich die fast wunderbar scheinenden Verwandlungen von Gelb in Blau und Rot in Grün, je nachdem die Beleuchtung auf eine oder die andere Weise geleitet wurde, wahrnehmen ließ.* — Äußerungen über die ungünstige Aufnahme so mancher seiner wissenschaftlichen Arbeiten konnte er hierbei doch nicht ganz unterdrücken. — Gegen 1 Uhr entfernte ich mich endlich, in aller Hinsicht erfreut und erwärmt.

Spätere Nachschrift

Seit jenem Morgen des 21. Juli sind nun mehr als vier Dezennien vorübergegangen, und immer noch steht mir die einfach schöne Gestalt des werten Mannes, ganz in der Art, wie ich sie sah und wie der treffliche Rauch als Statuetten sie bald nachher ausgeführt hatte, vor der Seele. Ich hätte ihn damals länger sehen sollen! er wollte mich zu Tisch behalten, ein paar Tage in seiner Nähe, — welche vermehrte und liebe Erinnerungen würde ich mir bereitet haben! Aber so ist die Jugend! mit Hast treibt sie meist fernen Zielen zu, und vieles Große, zu spät Erkannte geht ihr darüber verloren.

Wilhelm von Humboldt

Goethes Charakter in Hermann und Dorothea

Kein andres der Goethischen Gedichte stellt den ganzen Inbegriff seines Dichtercharakters so sichtbar dar, obgleich einzelne Seiten desselben in andern natürlich und gerade darum, weil es die früheren waren, stärker und glänzender erscheinen. Allein wenn jenes Ganze selbst auftreten sollte, mußte es sich durch die Zeit und mannigfaltige Übung sammeln und reinigen und die Stimmung, welche dies Produkt hervorzubringen vermochte, mußte erst durch Erfahrung und Reife vorbereitet werden. Dies

* Ich hatte damals sehr den Wunsch, solchen Glasbecher zu erlangen, allein der verehrte Mann sagte mir, *der*gleichen wären jetzt nicht mehr zu haben, aber versprach mir einen Ersatz dafür. In Wahrheit sendete er mir später einen hübschen kleinen Apparat, in welchem sich über schwarz und weißem Felde schwachfarbige Glasplättchen hin- und herschieben lassen und das Phänomen vortrefflich zeigen.

fühlt man sehr deutlich, sobald man sich diese Stimmung auch nur einigermaßen vorzustellen versucht.

Denn wenn es je einen Mann gab, dem die Natur ein offnes Auge verliehen hatte, alles, was ihn umgibt, rein und klar und gleichsam mit dem Blick des Naturforschers aufzunehmen, der in allen Gegenständen des Nachdenkens und der Empfindung nur Wahrheit und gediegenen Gehalt schätzt und vor dem kein Kunstwerk, dem nicht verständige und regelmäßige Anordnung, kein Raisonnement, dem nicht geprüfte Beobachtung, keine Handlung besteht, der nicht konsequente Maximen zum Grunde liegen; wenn dieser Mann dann durch sein ganzes Wesen zum Dichter bestimmt und sein ganzer Charakter so durchaus mit dieser Bestimmung Eins geworden ist, daß seine Dichtung selbst überall das Gepräge jener Grundsätze und Gesinnungen an der Stirn trägt; wenn derselbe endlich eine Reihe von Jahren durchlebt hat, wenn er, mit dem klassischen Geiste der Alten vertraut und von dem besten der Neueren durchdrungen, zugleich so individuell gebildet ist, daß er nur unter seiner Nation und in seiner Zeit emporkommen konnte, daß alles Fremde, was er sich aneignet, danach sich umgestaltet und er sich nur in seiner vaterländischen Sprache darzustellen vermag, in jeder andern aber und zwar gerade für seine Eigentümlichkeit schlechterdings unübersetzbar bleibt; wenn es ihm nun so gelingt, die Resultate seiner Erfahrungen über Menschenleben und Menschenglück in eine dichterische Idee zusammenzufassen und diese Idee vollkommen auszuführen – dann mußte und nur so konnte ein Gedicht, wie das gegenwärtige ist, entstehen. Denn so unzertrennbar vereint ist der soeben geschilderte Charakter darin ausgedrückt, daß es nicht möglich ist, einen einzelnen Zug davon allein herauszuheben: so innig verknüpft es den einfachen Sinn des Altertums mit der fortschreitenden Kultur neuerer Zeit, und so durchaus scheint es aus einem Geiste geflossen, der in der ganzen Individualität der wirklichen Verhältnisse, die ihn umgeben, alle Hauptformen menschlichen Daseins rein und wahr in sich aufgenommen hat und aus dem sich wiederum alle, wie aus einem Mittelpunkt, ableiten lassen.

Auch konnte ein solches Produkt nur aus der Reife eines erfahrungsreichen Lebens hervorgehn; was so geschildert ist, muß mit eignen Augen gesehn sein, und was hierbei vorzüglich Bewunderung erregt, ist mit dieser Reife zugleich diese jugendliche Frische der Phantasie, dies Leben in der Darstellung, diese Zartheit und Lieblichkeit in der Schilderung von Empfindungen gepaart anzutreffen.

Friedrich von Schiller

An Goethe / Über das 8. Buch des Wilhelm Meister

Jena, den 8. Jul. 96

Da Sie mir das 8te Buch noch eine Woche lassen können, so will ich mich in meinen Bemerkungen vor der Hand besonders auf dieses Buch einschränken; ist dann das Ganze einmal aus Ihren Händen in die weite Welt, so können wir uns mehr über die Form des Ganzen unterhalten, und Sie erweisen mir dann den Gegendienst, mein Urteil zu rektifizieren.

Vorzüglich sind es zwei Punkte, die ich Ihnen, vor der gänzlichen Abschließung des Buches, noch empfehlen möchte.

Der Roman, so wie er da ist, nähert sich in mehrern Stücken der Epopöe, unter andern auch darin, daß er Maschinen hat, die in gewissem Sinne die Götter oder das regierende Schicksal darin vorstellen. Der Gegenstand foderte dieses. Meisters Lehrjahre sind keine bloß blinde Wirkung der Natur, sie sind eine Art von Experiment. Ein verborgen wirkender höherer Verstand, die Mächte des Turms, begleiten ihn mit ihrer Aufmerksamkeit, und ohne die Natur in ihrem freien Gange zu stören, beobachten, leiten sie ihn von ferne und zu einem Zwecke, davon er selbst keine Ahnung hat, noch haben darf. So leise und locker auch dieser Einfluß von außen ist, so ist er doch wirklich da, und zu Erreichung des poetischen Zwecks war er unentbehrlich. *Lehrjahre* sind ein Verhältnisbegriff, sie fodern ihr Correlatum, die *Meisterschaft*, und zwar muß die Idee von dieser letzten jene erst erklären und begründen. Nun kann aber diese Idee der Meisterschaft, die nur das Werk der gereiften und vollendeten Erfahrung ist, den Helden des Romans nicht selbst leiten; sie kann und darf nicht, als sein Zweck und sein Ziel *vor* ihm stehen, denn sobald er das Ziel sich dächte, so hätte er es eo ipso auch erreicht; sie muß also als Führerin *hinter* ihm stehen. Auf diese Art erhält das Ganze eine schöne Zweckmäßigkeit, ohne daß der Held einen Zweck hätte; der Verstand findet also ein Geschäft ausgeführt, indes die Einbildungskraft völlig ihre Freiheit behauptet.

Daß Sie aber auch selbst bei diesem Geschäfte, diesem Zweck – dem einzigen in dem ganzen Roman, der wirklich ausgesprochen wird, selbst bei dieser geheimen Führung Wilhelms durch Jarno und den Abbé, alles Schwere und Strenge vermieden, und die Motive dazu eher aus einer Grille, einer Menschlichkeit, als aus moralischen Quellen hergenommen haben, ist eine von den Ihnen eigensten Schönheiten. Der *Begriff* einer Maschinerie wird dadurch wieder aufgehoben, indem doch die *Wirkung* davon bleibt, und alles bleibt, was die Form betrifft, in den Grenzen der

Natur; nur das Resultat ist mehr, als die bloße sich selbst überlassene Natur hätte leisten können.

Bei dem allen aber hätte ich doch gewünscht, daß Sie das Bedeutende dieser Maschinerie, die notwendige Beziehung derselben auf das innere Wesen, dem Leser ein wenig näher gelegt hätten. Dieser sollte doch immer klar in die Ökonomie des Ganzen blicken, wenn diese gleich den handelnden Personen verborgen bleiben muß. Viele Leser, fürchte ich, werden in jenem geheimen Einfluß bloß ein theatralisches Spiel und einen Kunstgriff zu finden glauben, um die Verwicklung zu vermehren, Überraschungen zu erregen u. dgl. Das achte Buch gibt nun zwar einen *historischen* Aufschluß über alle einzelnen Ereignisse, die durch jene Maschinerie gewirkt wurden, aber den *ästhetischen* Aufschluß über den innern Geist, über die poetische Notwendigkeit jener Anstalten gibt es nicht befriedigend genug: auch ich selbst habe mich erst bei dem zweiten und dritten Lesen davon überzeugen können.

Wenn ich überhaupt an dem Ganzen noch etwas auszustellen hätte, so wäre es dieses, »daß bei dem großen und tiefen Ernste, der in allem Einzelnen herrscht und durch den es so mächtig wirkt, die Einbildungskraft zu frei mit dem Ganzen zu spielen scheint« – Mir deucht, daß Sie hier die freie Grazie der Bewegung etwas weiter getrieben haben, als sich mit dem poetischen Ernste verträgt, daß Sie über dem gerechten Abscheu vor allem Schwerfälligen, Methodischen und Steifen sich dem andern Extrem genähert haben. Ich glaube zu bemerken, daß eine gewiße Kondeszendenz gegen die schwache Seite des Publikums Sie verleitet hat, einen mehr theatralischen Zweck und durch mehr theatralische Mittel als bei einem Roman nötig und billig ist, zu verfolgen.

Wenn je eine poetische Erzählung der Hülfe des Wunderbaren und Überraschenden entbehren konnte, so ist es Ihr Roman; und gar leicht kann einem solchen Werke schaden, was ihm nicht nützt. Es kann geschehen, daß die Aufmerksamkeit mehr auf das Zufällige geheftet wird, und daß das Interesse des Lesers sich konsumiert, Rätsel aufzulösen, da es auf den innern Geist konzentriert bleiben sollte. Es kann geschehen, sage ich, und wissen wir nicht beide, daß es wirklich schon geschehen ist?

Es wäre also die Frage, ob jenem Fehler, wenn es einer ist, nicht noch im 8ten Buche zu begegnen wäre. Ohnehin träfe er nur die Darstellung der Idee; an der Idee selbst bleibt gar nichts zu wünschen übrig. Es wäre also bloß nötig, dem Leser dasjenige etwas bedeutender zu machen, was er bis jetzt zu frivol behandelte, und jene theatralischen Vorfälle, die er nur als ein Spiel der Imagination ansehen mochte, durch eine deutlicher ausgesprochene Beziehung auf den höchsten Ernst des Gedichtes, auch vor der Vernunft zu legitimieren, wie es wohl implicite, aber nicht explicite geschehen ist. Der Abbé scheint mir diesen Auftrag recht gut besorgen zu können, und er wird dadurch auch sich selbst mehr zu empfehlen Gelegenheit haben. Vielleicht wäre es auch nicht überflüssig, wenn noch im achten Buch der nähern Veranlassung erwähnt würde, die Wilhelmen zu einem Gegenstand von des Abbé pädagogischen Planen machte. Diese Plane bekämen dadurch eine speziellere Beziehung, und Wilhelms Individuum würde für die Gesellschaft auch bedeutender erscheinen.

Sie haben in dem 8ten Buch verschiedene Winke hingeworfen, was Sie unter den Lehrjahren und der Meisterschaft gedacht wissen wollen. Da der Ideen-Inhalt eines Dichterwerks, vollends bei einem Publikum wie das unsrige, so vorzüglich in Betrachtung kommt und oft das einzige ist, dessen man sich nachher noch erinnert, so ist es von Bedeutung, daß Sie hier völlig begriffen werden. Die Winke sind sehr schön, nur nicht hinreichend scheinen sie mir. Sie wollten freilich den Leser mehr selbst finden lassen, als ihn geradezu belehren; aber eben weil Sie doch etwas heraus sagen, so glaubt man, dieses sei nun auch alles, und so haben Sie Ihre Idee enger beschränkt, als wenn Sie es dem Leser ganz und gar überlassen hätten, sie heraus zu suchen.

Wenn ich das Ziel, bei welchem Wilhelm nach einer langen Reihe von Verirrungen endlich anlangt, mit dürren Worten auszusprechen hätte, so würde ich sagen: »er tritt von einem leeren und unbestimmten Ideal in ein bestimmtes tätiges Leben, aber ohne die idealisierende Kraft dabei einzubüßen.« Die zwei entgegengesetzten Abwege von diesem glücklichen Zustand sind in dem Roman dargestellt, und zwar in allen möglichen Nüancen und Stufen. Von jener unglücklichen Expedition an, wo er ein Schauspiel aufführen will, ohne an den Inhalt gedacht zu haben, bis auf den Augenblick, wo er – Theresen zu seiner Gattin wählt, hat er gleichsam den ganzen Kreis der Menschheit *einseitig* durchlaufen; jene zwei Extreme sind die beiden höchsten Gegensätze, deren ein Charakter wie der seinige nur fähig ist, und daraus muß nun die Harmonie entspringen. Daß er nun, unter der schönen und heitern Führung der Natur (durch Felix) von dem Idealischen zum Reellen, von einem vagen Streben zum Handeln und zur Erkenntnis des Wirklichen übergeht, ohne doch dasjenige dabei einzubüßen, was in jenem ersten strebenden Zustand Reales war, daß er Bestimmtheit erlangt, ohne die schöne Bestimmbarkeit zu verlieren, daß er sich begrenzen lernt, aber in dieser Begrenzung selbst, durch die Form, wieder den Durchgang zum Unendlichen findet u. s. f. – dieses nenne ich die Krise seines Lebens, das Ende seiner Lehrjahre, und dazu scheinen sich mir alle Anstalten in dem Werk auf das Vollkommenste zu vereinigen. Das schöne Naturverhältnis zu seinem Kinde und die Verbindung mit Nataliens edler Weiblichkeit garantieren diesen Zustand der geistigen Gesundheit und wir sehen ihn, wir scheiden von ihm auf einem Wege, der zu einer endlosen Vollkommenheit führet.

Die Art nun, wie *Sie* sich über den Begriff der *Lehrjahre* und der *Meisterschaft* erklären, scheint beiden eine engere Grenze zu setzen. Sie verstehen unter den ersten bloß den Irrtum, dasjenige außer sich zu suchen, was der innere Mensch selbst hervorbringen muß; unter der zweiten die Überzeugung von der Irrigkeit jenes Suchens, von der Notwendigkeit des eignen Hervorbringens u. s. w. Aber läßt sich das ganze Leben Wilhelms, so wie es in dem Romane vor uns liegt, wirklich auch vollkommen unter diesem Begriffe fassen und erschöpfen? Wird durch diese Formel alles verständlich? Und kann er nun bloß dadurch, daß sich das Vaterherz bei ihm erklärt, wie am Schluß des VIIten Buchs geschieht, losgesprochen werden? Was ich also hier wünschte, wäre dieses, daß die Beziehung aller einzelnen Glieder des Romans auf jenen philosophischen Begriff noch etwas klarer gemacht würde. Ich möchte sagen, die Fabel ist vollkommen wahr, auch die Moral der Fabel ist vollkommen wahr, aber das Verhältnis der einen zu der andern springt noch nicht deutlich genug in die Augen.

Ich weiß nicht, ob ich mich bei diesen beiden Erinnerungen recht habe verständlich machen können; die Frage greift ins Ganze, und so ist es schwer, sie am einzelnen gehörig darzulegen. Ein Wink ist aber hier auch schon genug.

Ehe Sie mir das Exemplar der Xenien senden, so haben Sie doch die Güte, darin gerade auszustreichen, was Sie heraus wünschen, und zu unterstreichen, was Sie geändert wünschen. Ich kann dann eher meine Maßregeln nehmen, was noch zu tun ist.

Möchte doch für die kleinen lieblichen Gedichte, die Sie noch zum Almanach geben wollten, und zu dem in petto habenden Gedicht von Mignon noch Stimmung und Zeit sich finden! Der Glanz des Almanachs beruht eigentlich ganz auf Ihren Beiträgen. Ich lebe und webe jetzt wieder in der Kritik, um mir den Meister recht klar zu machen, und kann nicht viel mehr für den Almanach tun. Dann kommen die Wochen meiner Frau, die der poetischen Stimmung nicht günstig sein werden.

Sie empfiehlt sich Ihnen herzlich.

Leben Sie recht wohl. Sonntag Abends hoffe ich Ihnen wieder etwas zu sagen. Sch.

Novalis

Über »Wilhelm Meister«

Gespräch, Beschreibung und Reflexion wechseln im »Meister« miteinander ab. Das Gespräch ist der vorwaltende Bestandteil. Am wenigsten kommt die bloße Reflexion vor. Oft ist die Erzählung und Reflexion verwebt – oft die Beschreibung und das Gespräch. Das Gespräch bereitet die Erzählung vor – meistens aber die Erzählung das Gespräch. *Schilderung* der Charaktere oder Räsonnement über die Charaktere wechselt mit Tatsachen ab. So ist das ganze Räsonnement von Tatsachen begleitet – die dasselbe bestätigen, widerlegen oder beides nur zum Schein tun.

Der Text ist nie übereilt – Tatsachen und Meinungen werden beide genau bestimmt in der gehörigen Folge vorgetragen. Die retardierende Natur des Romans zeigt sich vorzüglich im Stil. Die Philosophie und Moral des Romans sind *romantisch.* Das Gemeinste wird wie das Wichtigste mit romantischer Ironie angesehen und dargestellt. Die *Verweilung* ist überall dieselbe. Die Akzente sind nicht logisch, sondern (metrisch und) melodisch – wodurch eben jene wunderbare romantische Ordnung entsteht – die keinen Bedacht auf Rang und Wert, Erstheit und Letztheit – Größe und Kleinheit nimmt. Die Beiwörter gehören zur Umständlichkeit – in ihrer geschickten Auswahl und ihrer ökonomischen Verteilung zeigt sich der poetische Takt. Ihre Auswahl wird durch die Idee des Dichterwerks bestimmt.

Das erste Buch im »Meister« zeigt, wie angenehm sich auch gemeine, alltägliche Begebenheiten hören lassen, wenn sie gefällig moduliert vorgetragen werden, wenn sie in eine gebildete, geläufige Sprache einfach gekleidet, mäßigen Schritts vorübergehn. Ein ähnliches Vergnügen gewährt ein Nachmittag unterwegs im Schoß einer Familie zugebracht, die ohne ausgezeichnete Menschen in sich zu schließen, ohne eine ausgesucht reizende Umgebung zu haben – doch durch die Nettigkeit und Ordnung ihres Hauswesens, durch die zusammenstimmende Tätigkeit ihrer mäßigen Talente und Einsichten und die zweckmäßige Benutzung und Ausfüllung ihrer Sphäre und Zeit ein gern zurückgerufenes Angedenken hinterläßt.

Friedrich von Schiller

An Goethe / Über die Bühnenfassung der Iphigenie

Weimar 22. Jan. 1802

Ich habe, wie Sie finden werden, weniger Verheerungen in dem Manuskript angerichtet, als ich selbst erwartet hatte, vornehmen zu müssen; ich fand es von der einen Seite nicht nötig und von einer andern nicht wohl tunlich. Das Stück ist an sich gar nicht zu lang, da es wenig über zweitausend Verse enthält, und jetzt werden die zweitausend nicht einmal voll sein, wenn Sie es zufrieden sind, daß die bemerkten Stellen wegbleiben. Aber es war auch nicht gut tunlich, weil dasjenige was den Gang des Stücks verzögern könnte, weniger in einzelnen Stellen, als in der Haltung des Ganzen liegt, die für die dramatische Foderung zu reflektierend ist. Öfters sind auch diejenigen Partien, die das Los der Ausschließung vor andern getroffen haben würde, notwendige Bindungsglieder, die sich durch andre nicht ersetzen ließen, ohne den ganzen Gang der Szene zu verändern. Ich habe da, wo ich zweifelte, einen Strich am Rande gemacht; wo meine Gründe für das Weglassen überwiegend waren, habe ich ausgestrichen, und bei dem Unterstrichenen wünschte ich den Ausdruck verändert.

Da überhaupt in der Handlung selbst zu viel moralische Kasuistik herrscht, so wird es wohl getan sein, die sittlichen Sprüche selbst und dergleichen Wechselreden etwas einzuschränken.

Das Historische und Mythische muß unangetastet bleiben, es ist ein unentbehrliches Gegengewicht des Moralischen, und was zur Phantasie spricht, darf am wenigsten vermindert werden.

Orest selbst ist das Bedenklichste im Ganzen; ohne Furien ist kein Orest, und jetzt da die Ursache seines Zustands nicht in die Sinne fällt, da sie bloß im Gemüt ist, so ist sein Zustand eine zu lange und zu einförmige Qual, ohne Gegenstand; hier ist eine von den Grenzen des alten und neuen Trauerspiels. Möchte Ihnen etwas einfallen, diesem Mangel zu begegnen, was mir freilich bei der jetzigen Ökonomie des Stücks kaum möglich scheint; denn was ohne Götter und Geister daraus zu machen war, das ist schon geschehen. Auf jeden Fall aber empfehl' ich Ihnen die Orestischen Szenen zu verkürzen.

Ferner gebe ich Ihnen zu bedenken, ob es nicht ratsam sein möchte, zur Belebung des dramatischen Interesse, sich des Thoas und seiner Taurier, die sich zwei ganze Akte durch nicht rühren, etwas früher zu erinnern und beide Aktionen, davon die eine jetzt zu lange ruht, in gleichem Feuer zu erhalten. Man hört zwar im 2ten und 3ten Akt von der Gefahr des Orest und Pylades, aber man *sieht* nichts davon, es ist nichts Sinnliches vorhanden, wodurch die drangvolle Situation zur Erscheinung käme. Nach meinem Gefühle müßte in den 2 Akten, die sich jetzt nur mit Iphigenien und dem Bruder beschäftigen, noch ein Motiv ad extra eingemischt werden, damit auch die äußere Handlung stetig bliebe und die nachherige Erscheinung des Arkas mehr vorbereitet würde. Denn so wie er jetzt kommt, hat man ihn fast ganz aus den Gedanken verloren.

Es gehört nun freilich zu dem eigenen Charakter dieses Stücks, daß dasjenige, was man eigentlich Handlung nennt, hinter den Kulissen vorgeht, und das Sittliche, was im Herzen vorgeht, die Gesinnung, darin zur Handlung gemacht ist und gleichsam vor die Augen gebracht wird. Dieser Geist des Stücks muß erhalten werden, und das Sinnliche muß immer dem Sittlichen nachstehen; aber ich verlange auch nur soviel von jenem, als nötig ist, um dieses ganz darzustellen.

Iphigenia hat mich übrigens, da ich sie jetzt wieder las, tief gerührt, wiewohl ich nicht leugnen will, daß etwas Stoffartiges dabei mit unterlaufen mochte. *Seele* möchte ich es nennen, was den eigentlichen Vorzug davon ausmacht.

Die Wirkung auf das Publikum wird das Stück nicht verfehlen, alles Vorhergegangene hat zu diesem Erfolge zusammen gewirkt. Bei unsrer Kennerwelt möchte gerade das, was wir gegen dasselbe einzuwenden haben, ihm zum Verdienste gerechnet werden, und das kann man sich gefallen lassen, da man so oft wegen des wahrhaft Lobenswürdigen gescholten wird.

Leben Sie recht wohl und lassen mich bald hören, daß das verfestete Produkt anfängt sich unter Ihren Händen wieder zu erweichen. Sch.

Johann Wolfgang von Goethe

An Georg Wilhelm Krüger

Was der Dichter diesem Bande
Glaubend, hoffend anvertraut,
Werd' im Kreise deutscher Lande
Durch des Künstlers Wirken laut.
So im Handeln, so im Sprechen
Liebevoll verkünd' es weit:
Alle menschliche Gebrechen
Sühnet reine Menschlichkeit.

Heinrich Luden

Gespräch mit Goethe / Über das Faust-Fragment

Hätte ich ahnen können, daß mir die Ehre zuteil werden würde, mit Ew. Exzellenz diesen Morgen ein solches Gespräch zu führen: so würde ich den Faust einmal wieder durchgelesen haben, um alles frisch und lebendig aufzufassen. Denn es ist mir in der letzten Zeit so mancherlei durch den Kopf gegangen, daß eins und das andere im Faust doch zurückgetreten ist. Und deswegen, und weil ich ohnehin doch nur wenig werde vorbringen können, will ich den ganzen wunderlichen Hexenspuk übergehen, obwohl derselbe, als dem Glauben einer früheren Zeit angehörend, mit der Welt, in welcher wir leben, in einem schneidenden Widerspruch steht. Und auch die Geister-Erscheinungen will ich übergehen, die nicht minder jenes Geheimnisvolle an sich haben, das die Seele stachelt. Selbst den prächtigen Gesellen Mephistopheles will ich nicht anführen, obwohl er wohl Stoff zu mancher Bemerkung darböte. Dieser Teufel ist so stark von der Kultur beleckt worden, daß er ein recht behaglicher Gesellschafter zu sein scheint, sehr verschieden von dem alten Teufel, der wie ein brüllender Löwe herum lief und die Menschen zu verschlingen suchte. Nur die Atmosphäre wird durch ihn, nach Gretchens Bemerkung, etwas schwül gemacht, trotz seines freiherrlichen Benehmens. Da er aber nicht ein Teufel aus vielen ist, sondern da er sich selbst den Teufel nennt und den Gruß der Seinigen als Junker Satan annimmt, so muß man erstaunen, daß der Fürst der Finsternis sich soweit herabläßt, den Diener eines so unholden Herrn zu machen; man muß sich wundern, daß er sein großes Reich so lange verlassen kann, um sich um die Seele eines pedantischen Magisters zu bewerben, und man kommt zu dem Schlusse, daß, wenn der Teufel sich so viele Mühe um jede Seele geben muß, die Hölle unmöglich stark bevölkert sein kann. Doch dieses sind nur Einfälle des Augenblickes; ich komme auf den Helden, auf Faust selbst.

Faust ist, wie mir scheint, am besten von dem Dichter selbst bezeichnet worden. Mephistopheles nennt ihn einen »übersinnlichen, sinnlichen Freier,« allerdings nur in Beziehung auf Gretchen; aber es ist wahr in Beziehung auf alles, um das er sich bewirbt, wornach er strebt. In ihm sind unverkennbar zwei Seelen –

»Hm!« –

Diese beiden Seelen, zusammengewachsene Zwillinge, befinden sich mit einander in einem unausgleichbaren Kampfe. Die eine, der göttlichen Natur im Menschen entsprechend, strebt dahin, woher sie stammt, nach dem Göttlichen, nach Wahrheit, Erkenntnis, Licht; die andere, die tierische Natur im Menschen, treibt zu jeglichem sinnlichen Genuß. Das ist nun, meine ich, nichts Unerhörtes; derselbe Kampf findet sich mehr oder minder, verschieden gestaltet und geführt, in dem Leben eines jeden Menschen. Das Abweichende und Widersprechende ist aber, daß sonst die tierische Natur wohl in der Jugend von Zeit zu Zeit den Sieg gewinnt, in späteren Jahren aber von der göttlichen überwunden wird, daß in Faust hingegen die göttliche Natur ein halbes Jahrhundert vorherrschend gewesen ist, und daß alsdann die tierische alle Gewalt dergestalt ausübt, daß er, der alternde Mann mit erkünstelter Jugend, oder vielmehr mit einer Hexen-Jugend, daß

Er taumelt von Begierde zu Genuß,
Und im Genuß verschmachtet vor Begierde.

Und nur von Zeit zu Zeit erinnern seine Worte, im Widerspruche mit seinen Handlungen, daran, daß einst ein höherer Geist in ihm gelebt und gewirkt hat. Im wirklichen Leben ist das üppige Alter widerwärtig, und ein lockerer Greis eine häßliche Erscheinung. Den Faust macht nur die Poesie erträglich. Das ist der erste Widerspruch. Und andere drängen sich hervor.

Faust tritt auf, nachdem er schon Philosophie, Juristerei, Medizin und Theologie mit heißem Bemühen studiert hat. Nun macht er die Entdeckung, daß wir nichts wissen können; aber zugleich auch die Entdeckung, daß er weder Gut noch Geld, noch Ehr' und Herrlichkeit der Welt hat. Darum mag er so nicht länger leben. Aber er weiß auch recht gut,

warum sein Herz
Sich bang in seinem Busen klemmt,
Warum ein unerklärter Schmerz
Ihm alle Lebensregung hemmt.

Denn er antwortet selbst:

Statt der lebendigen Natur,
Da Gott die Menschen schuf hinein,
Umgibt in Rauch und Moder nur
Mich Tiergeripp und Totenbein.

Auch verschreibt er sich sogleich ein Recipe:

Flieh! Auf! Hinaus ins weite Land! —
Denn wenn Natur dich unterweist,
Dann geht die Seelenkraft dir auf.

Anstatt aber der eigenen Vorschrift zu folgen, anstatt sich von allem Wissensqualm zu entladen und in die Natur hinaus zu gehen, ergreift er »das Buch von Nostradamus eigner Hand« und fängt an die Geister zu beschwören. Die Erscheinung bringt ihm nur Schauer, Demütigung, Verwirrung. In der Fülle der Gesichte aber wird er gestört durch den ehrlichen Wagner, den trocknen Schleicher. Und wie schön und menschlich weiß er, der Mann der Verzweifelung, »des unerklärten Schmerzes,« der unendlichen Sehnsucht, wie schön und menschlich weiß er den redlichen Forscher an die einzige Quelle zu verweisen, aus welcher allein der Mensch sein heiligstes Bedürfnis befriedigen kann.

> Das Pergament ist das der heil'ge Bronnen,
> Woraus ein Trunk den Durst auf ewig stillt?
> Erquickung hast du nicht gewonnen,
> Wenn sie dir nicht aus eigner Seele quillt.

Er aber verläßt diese Quelle und ergibt sich dem Teufel.

Bei seiner ersten Erscheinung mit Mephistopheles spricht er noch eine Sprache, die seines früheren Strebens würdig ist. Er stellt seine Forderungen so hoch, daß man, wenn er auf die Erfüllung bestände, selbst die Ergebung an den Teufel verzeihen, daß man begreiflich finden würde, wie er geglaubt habe, um einen solchen Preis dürfe und müsse er selbst seine Seele verkaufen.

> Und was der ganzen Menschheit zugeteilt ist,
> Will ich in meinem innern Selbst genießen,
> Mit meinem Geist das Höchst' und Tiefste greifen,
> Ihr Wohl und Weh auf meinen Busen häufen.

Diese Worte erregen hohe Erwartung. Sie eröffnen die Aussicht auf Großes, Gewaltiges, Erhabenes. Mephistopheles aber hat den Mann schon durchschauet: das beweiset die schnöde und höhnische Weisheit, welche er dem Manne zu predigen wagt, der alle Wissenschaften studiert hat. Und wenn Faust ihm auch noch einmal mit einem scheinbar-entschiedenen: »ich will!« entgegentritt, so läßt er sich nicht irre machen. Und bald hat er die Freude zu sehen, daß der Held Vernunft und Wissenschaft vergißt oder verrät, daß er mit der feigen Frage:

> Wie fangen wir das an?

allem Willen entsagt, daß derselbe sich mit der Antwort begnügt:

> Wir gehen eben fort.

Deswegen höhnt ihn Mephistopheles denn auch noch:

> Denn schlepp' ich durch das wilde Leben.
> Durch flache Unbedeutenheit,
> Er soll mir zappeln, starren, kleben.

Er setzt hinzu, als hätte er die Entdeckung gemacht, daß es kaum der Mühe wert gewesen, sich um diese arme Seele zu bewerben, weil sie ihm doch nicht entgangen sein würde:

> Und hätt' er sich auch nicht dem Teufel übergeben,
> Er müßte doch zugrunde gehn.

Und in der Tat: welchen Gewinn hat denn Faust, der so Großes erstrebte, so Großes wollte, aus dem Bunde mit dem Teufel gezogen? Er hat mit Hülfe desselben ein junges, liebes, unschuldiges Mädchen verführt; das ist alles. Und für diesen Zweck sind die aufgewandten Mittel etwas groß. Denn ein solches Bubenstück ist schon manchem gelungen, ohne daß er einen Bund mit dem Teufel geschlossen, einen Hexentrank verschlungen oder Geschenke der Hölle angewendet hätte, um dem armen Kinde die Augen zu verblenden. Ist es daher zu verwundern, daß so viele, unbefriedigt von einem solchen Resultate, sich gleichsam von der Handlung losreißen, eine hohe Idee hinter derselben suchen, jede Szene, ja jedes Wort symbolisch nehmen, und es nach der Idee des Ganzen erklären oder deuten?

»Alles, was Sie da vorbringen, kann nichts gelten. In der Poesie gibt es keine Widersprüche. Diese sind nur in der wirklichen Welt, nicht in der Welt der Poesie. Was der Dichter schafft, das muß genommen werden, wie er es geschaffen hat. So wie er seine Welt gemacht hat, so ist sie. Was der poetische Geist erzeugt, muß von einem poetischen Gemüt empfangen werden. Ein kaltes Analysieren zerstört die Poesie und bringt keine Wirklichkeit hervor. Es bleiben nur Scherben übrig, die zu nichts dienen und nur inkommodieren.«

Eben deswegen habe ich alles Räsonnieren verworfen, und nehme die Handlung rein und lauter, wie sie dargestellt, und jedes Wort, wie es gesprochen worden ist.

»Aber Sie nehmen nur immer die einzelnen Szenen, Sprüche, Wörter, und wollen von dem Ganzen nichts wissen.«

Weil es dem Dichter nicht gefallen hat, uns ein Ganzes zu geben. Wir haben ja nur Bruchstücke.

»Aber eben weil es Bruchstücke sind, müssen sie ja zu einem Ganzen gehören, und im Ganzen poetisch aufgefaßt werden.«

Ich gestehe, daß dazu eine größere poetische Empfänglichkeit gehören würde, als deren ich mich rühmen kann. Sollte es dem Dichter gefallen, einmal das Ganze vorzulegen, so werde ich gewiß versuchen, dieses Ganze in mich aufzunehmen, und die Idee zu erkennen, von welcher er bei seiner Schöpfung ausgegangen ist. Nur würde es mir sehr wehe tun, wenn irgend etwas von diesem Fragment, das mir so wohl bekannt und so lieb geworden ist, in dem Ganzen verloren ginge.

»Wie könnten aber diese Bruchstücke in einem Ganzen verloren gehen, aus welchem sie herausgenommen sind? Sie werden in demselben als organische Teile erscheinen und erst ihre wahre Bedeutung erhalten.«

Diese Äußerung Ew. Exzellenz scheint zu beweisen, daß das Ganze schon wirklich vorhanden ist. Alsdann würde ich mich unendlich freuen, wenn es bald erschiene, und durch die Erscheinung würde auch allem Streit ein Ende gemacht werden.

»Es ist vorhanden, noch nicht alles geschrieben, aber gedichtet. — Nun? Sie schweigen? Sie sehen mich ungläubig an?«

Wie könnte ich wagen, den Worten Ew. Exzellenz meinen Glauben zu versagen? Ich bin nur überrascht, und muß beschämt meinen Irrtum und meine Schwäche bekennen.

»Wieso? — Beichten Sie einmal.«

Da Ew. Exzellenz die Gnade gehabt haben, mir so lange geneigtest zuzuhören, daß ich selbst betreten bin über alles, was ich zu sagen mir erlaubt habe, so will ich denn auch ehrlich bekennen, daß ich wirklich oft, weil ich es glaubte, auch behauptet habe: dieses sogenannte Fragment gehöre keinesweges einem Ganzen an, aus welchem es als Bruchstücke, gleichsam zur Probe mitgeteilt wäre, und sei auch nicht im Geist eines Ganzen gedichtet; ja es sei kein dramatisches Werk, möge man es eine Tragödie nennen oder anders, das irgend eine Idee, irgend einen Gedanken, abgerundet und vollendet darstellen und zur Anschauung bringen solle, — es sei kein solches dramatisches Werk möglich, in welches diese Bruchstücke dergestalt eingefugt werden könnten, daß sie als organische Teile des Ganzen, ergänzend und ergänzt, erscheinen könnten. Allerdings könnten noch viele Szenen hinzugefügt werden, im Anfang, am Ende, in der Mitte; diese Szenen würden ohne Zweifel von demselben hohen Dichtergeiste Zeugnis geben, der uns aus dem gegenwärtigen Faust so gewaltig anspräche; auch möchten sie durch die Namen Faust, Mephistopheles, Gretchen, Wagner mit dem vorliegenden Fragment in Verbindung gebracht werden können und uns bekannte Gestalten zeigen; aber sie würden immer nur an die Handlungen des Fragmentes und an einander gereihet sein, und niemals würde ein Ganzes entstehen, das sich, wie von innen heraus, wie organisch gebildet, darstellte. Die Gründe, auf welche ich diese Behauptung stützte, liegen in dem, was ich früher gesagt habe, und mir schien die Behauptung auf diesen Gründen allerdings ziemlich festzustehen. Nach dem aber, was Ew. Exzellenz soeben zu versichern die Gnade gehabt haben, muß ich allerdings einräumen, daß ich im Irrtume gewesen bin; aber Sie werden mir auch gewiß verzeihen, wenn ich bekenne, daß ich nur durch die Erscheinung des ganzen Faust selbst von meinem Irrtum völlig geheilt werden kann.

»Es ist Ihnen nicht zu verargen, daß Sie sehen und nicht glauben wollen. Wie aber haben Sie sich denn die Entstehung des Faust gedacht? Habe ich Sie recht verstanden, so sind Sie der Meinung gewesen, und sind noch der Meinung, daß der Dichter gar nicht gewußt hat, was er wollte, als er die Dichtung begann, sondern daß er auf das Geratewohl, daß er in das Blaue hinein gedichtet und sich nur des Namens Faust wie einer Schnur bedient habe, um die einzelnen Perlen aufzuziehen und vor der Zerstreuung zu bewahren.«

Es bleibt mir nur übrig, Ew. Exzellenz einfach und kurz zu erzählen, wie mir durch häufiges Lesen des Faust die Sache erschienen ist. Der Dichter kannte die Sage vom Faust; wohl auch ein Puppenspiel. Zugleich ward er, vielleicht sehr früh, veranlaßt, sich in Schriften, die Magie, Alchymie und andere geheime Wissenschaft betreffend, umzusehen. Hierauf kam er als Student nach Leipzig und sah in Auerbachs Keller das alte Bild, auf welchem, wie mir erzählt worden ist, Faust auf einem Fasse reitend den Keller verläßt. Dieses Bild ergötzte ihn bei seinen Kenntnissen des Faust. Nun mag ein wildes Studentengelag in Auerbachs Keller hinzu gekommen sein, von welchem der Dichter Zeuge war, von welchem er jedes Falles unterrichtet wurde. So ward er veranlaßt, einen Scherz zu machen, das Gelag und Fausts Erscheinung im Keller zu verbinden und teils wahr und teils ergötzlich darzustellen. Die Szene in Auerbachs Keller schien mir zu allererst geschrieben zu sein. Sie ist so frisch, so lebendig, so jugendlich, so burschikos, daß ich geschworen haben würde, sie sei in Leipzig von dem Dichter-Studiosus geschrieben oder gedichtet worden. Die zweite Szene, die nach dem Auftritte im Keller gedichtet worden, schien mir der Auftritt zwischen dem Schüler und Mephistopheles. Diese Szene ist gleichfalls so frisch, so lebendig und wahr, daß sie nur aus der unmittelbaren Anschauung des Lebens und Treibens auf der Universität, wie es gewesen, wie es wohl hier und dort auch noch ist, hervorgegangen sein muß. Hat man die Universität nur einige Jahre verlassen, so denkt man kaum noch an das Collegium logicum und an die rastlose Heftschreiberei des Trosses der Studierenden. Das Gespräch mit dem Schüler aber konnte Faust nicht führen; nur Mephistopeles durfte solche höhnende Bezeichnungen der Wissenschaften aussprechen. Um daher den Schüler mit dem Mephistopheles zusammen zu bringen, war die Szene zwischen diesem und Faust notwendig, welche jenem Gespräche vorausgeht. Diese schien mir daher als die dritte der Dichtung, nach der Zeit berechnet. Und nun sind die übrigen nach und nach entstanden, so wie irgend ein Vorgang im Leben den Dichter reizte oder beschäftigte. So mag die Verführung eines Mädchens Veranlassung zu der Schöpfung der lieben, unschuldigen und unglücklichen Margarethe gegeben haben, die ich, trotz ihrer garstigen und rauhen Hände, von welchen sie selbst spricht, schön nennen würde, wenn man sich auf des Doctors Geschmack verlassen könnte; in diesem Doctor aber regt sich, seit er den Hexentrank verschlungen hat, Cupido und springt hin und wieder, und des Mephistopheles schnödes Wort:

> Du siehst mit diesem Trank im Leibe
> Bald Helenen in jedem Weibe,

schreckt zurück. Und um aus dem alten Pedanten einen Galan zu machen, der um Margaretha mit Glück freien durfte, war die Hexenküche notwendig; und um Margaretha ins Garn zu locken, mußte die Nachbarin Martha herein gezogen werden. Zuletzt von allem schien mir der Monolog gedichtet zu sein, mit welchem Faust das Fragment eröffnet. Der Hans Lüderlich sollte zu Ehren gebracht; es sollte ihm ein Empfehlungsschreiben an die Welt mitgegeben werden, damit man ihn zuließe, auch in honnete Gesellschaft.

»Nun, nun, das ist auch eine Meinung, und eine Meinung, die schon bestritten, vielleicht schon widerlegt ist. Sie gebe Stoff zu neuen Gesprächen oder zur Fortsetzung des gegenwärtigen. Wir wollen indes für dieses Mal abbrechen, und den Gegenstand nicht wieder aufnehmen, bis die ganze Tragödie vorliegt.« —

Johann Wolfgang von Goethe

> In goldnen Frühlingssonnenstunden
> Lag ich gebunden
> An dies Gesicht.
> In holder Dunkelheit der Sinnen
> Konnt' ich wohl diesen Traum beginnen,
> Vollenden nicht.

Karl Solger

Die Wahlverwandtschaften

Ich möchte die Hoffnung fassen, daß aus diesem Werke, dergleichen ich lange eins gewünscht habe, den Menschen einmal ein Licht aufgehen werde über das Schicksal überhaupt, und besonders in der antiken Kunst, worüber alle neueren Kunstrichter unaufhörlich sprechen, und das keiner so verstanden hat, wie ich. Was ich aber darüber denke, ziehe ich nicht bloß aus der Gestalt der Kunstwerke ab, sondern ich sehe es in seinen innersten Gründen ein, welche ich hier nicht entwickeln kann.

Die ganze alte Welt ist die Welt der Gattung als eins und aus einem Stücke. Das Ebenbild Gottes in ihr ist als die Idee der gesamten Menschheit erschienen und es gab nur Menschen innerhalb der Nationen. Es gab also auch nur ein Geschick der Menschheit: denn diese war die erste Erzeugung Gottes, die zweite erst setzte einzelne Menschen ab. Diese einzelnen konnten daher nur bestehen, so lange sie das Geschick der Menschheit zu dem ihrigen machten: wollten sie ihr eigenes für sich haben, so wurden sie von jenem allgemeinen ergriffen und zertrümmert. Dies beweist nicht allein die Kunst, welche es in seinen tiefsten Keimen darstellt, sondern auch die Geschichte in den höchsten Resultaten mit ihren Verbannungen, Ostrazismen u.s.w. Kein großer Mann Griechenlands, der es durch seine Individualität war, ist anders als im Elende gestorben.

Was ist nun aber jenes allgemeine Geschick der Menschheit? Äußerlich, was das Geschlecht begrenzt, die physischen Gebrechen, denen jeder unterworfen ist; innerlich die notwendige Art zu denken, die unwillkürliche Verknüpfung der Gedanken, die in dem Großen und Kleinen, dem Edlen und Schlechten dieselbe ist. Und daß er diesen allgemeinen Gesetzen nicht entweichen kann, das stürzt eben den Einzelnen. Das Drama ist die wahrste Darstellung der Gattung als des Erstgebornen und des Individuums als des Zweiten. Die alte Kunst ist also in ihren innersten Gründen dramatisch; selbst in der Erzählung, wie bekannt, im Homer.

Ich übergehe die sogenannte romantische Welt, welches mich zu weit führen würde, und komme auf die moderne. Hier ist das Erstgeborne das Individuum, welches das Ebenbild Gottes in sich trägt. Und zwar trägt es dasselbe in sich nicht als das Allgemeine oder als den absoluten Gott, sondern als das, welches gerade diesen bestimmten Punkt endlicher Erscheinung (welchen wir eben Individuum nennen) mit seinem eigenen, durchaus nur ihm gehörigen Wesen beseelt. Es kann also heutzutage jeder seinen Gott nur in sich selbst finden und auch seine Philosophie und seine Kunst, oder wie ihr es nennen wollt. Das Zweite ist die Gattung, und um kurz zu sein, sage ich nur, der Mensch lebt in der Gattung durch Anschauung aller übrigen Individualitäten, welches das System der Ehre und der zweckmäßigen Staatseinrichtungen bildet. Sein Geschick aber ist seine Individualität, oder (recht verstanden) sein Charakter, und der Ausdruck dieses Geschicks die Liebe und Freundschaft. Nur dadurch kann ihm das Ebenbild Gottes in ihm zugleich wirklich werden. Der Mensch hat jetzt kein anderes Geschick als die Liebe. Wer seiner Individualität sein Verhältnis zu der Gattung unterwirft, oder dies mit ihr vereinigt, der kommt durch. Und das stellt die Kunst im Roman dar. Alle heutige Kunst beruht auf dem Roman, selbst das Drama (Iphigenia, Tasso). Wer seine Individualität falsch versteht und meistert, oder (wie Krause so wahr sagt) die Stimme des Gewissens überhört und dem klügelnden Verstande folgt, der geht unter. Und das ist der Gipfel der heutigen Kunst, der tragische Roman. Bei den Alten gibt es dagegen eine (so zu sagen) romantische Tragödie, wo der Charakter gerechtfertigt und im Sturze selbst verklärt wird (Ödipus in Kolonos).

Alles dies ist von mir sehr roh hingestellt. Ihr werdet euch das Wahre herausfühlen. Die πρώταρχος ἄτη liegt hier nicht bloß in dem Entschlusse den Hauptmann und Ottilien kommen zu lassen, sondern schon in dem schwankenden Zustande, in dem die weislich von Gott getrennte Verbindung Eduards und seiner ehemaligen Geliebten, die ihm noch dazu selbst Ottilien bestimmte, doch geschlossen wird. Aber hier sind eben die Motive gerade ineinander gewirrt, wie es sein muß, wo Unheil entstehen soll. Ich denke, niemand wird hier verkennen, wie im Verlaufe der Handlung selbst alles von den Individualitäten ausgeht, und diese immer einseitiger werden (besonders Eduard), je mehr sie gegen die Umgebungen zu kämpfen haben. Diese Betrachtung, daß sie dadurch einseitiger werden, rechtfertigt mir auch den Eduard, der mir sonst zu wenig seiner selbst mächtig ist. Und doch bin ich nicht ganz mit ihm zufrieden. Ich glaube, alles würde gewonnen haben, wenn er innerlich größer wäre, und doch fallen müßte. Aber das Größte und Heiligste darin ist wahrlich die so tief innerliche Ottilie, die ihr keusches Inneres herausgeben muß an den Tag des Schicksals, der dieser Sturm ihre Knospe aufweht und ihren heiligen Blütenstaub verstreut. Und göttlich ist es, daß auch ihr erhabener Vorsatz und ihr Gelübde nichts mehr hilft. Sie kann ihre eigene innere Macht nur noch dazu anwenden, sich durch sich selbst zu vernichten. So ist es gründlich durchgeführt.

Die vielen Reflexionen und Beobachtungen sind recht charakteristisch. Sie gehen immer auf Beobachtung und Untersuchung menschlicher Individualität, selbst wenn sie von der Natur ausgehen. Seht, wohin selbst das Studium der Natur diesen wahrhaften Dichter des Zeitalters geführt hat! In der Natur selbst erkennt er die Liebe, das sind die Wahlverwandtschaften.

Eben dazu gehören die Details der Umgebungen, wovon ich mir auch nicht ein Jota rauben lasse. Gerade diese sind das sichtbare Kleid der Persönlichkeiten. Und sie haben noch eine andere hohe Bedeutung. Sie sind das tägliche Leben, worin sich die Persönlichkeit ausdrückt, sofern sie mit andern in äußere Berührung kommt und sich von ihnen unterscheidet. Diese bleiben immer der eigentümliche gleichartige Ausdruck desselben, während das Innere sich gewaltsam umkehrt. Diese Umkehrung ist eben schrecklich einleuchtend, wenn einmal der Blick zugleich auf die eigentümlichen Umgebungen fällt, die immer dieselben blieben oder gleichartig fortschritten.

Es könnte vielleicht scheinen, als wenn manches von dem, was ich zuerst gesagt habe, einen Widerspruch erlitte durch die Art, wie hier die Natur behandelt ist, ja wie sich dieses ganze Buch auf die Natur gründet. Der geheime innere Zusammenhang zwischen Eduard und Ottilien, »die sich sogar in den Kopfschmerz geteilt haben,« der zuletzt, wo sie so still neben einander zu sitzen pflegen, zur wahren Anziehungskraft wird, Ottiliens Auffinden des Steinkohlenlagers durch bloße hohe Sensibilität, die Tätigkeit des Pendels in ihrer Hand, endlich überhaupt die Wahlverwandtschaften selbst zeigen deutlich, daß hier die allgemeine Verwandtschaft der Natur mit sich selbst das Schicksal ist, welches alles hervorbringt. Nun könnte man sagen: also geht es nicht von den Individuen aus, sondern von jener allgemeinen Macht.

Aber bei tieferer Ansicht wird jeder entdecken, daß dieser Macht in der Hervorbringung der einzelnen Begebenheiten, Handlungen, Verhältnisse auch nicht der geringste Spielraum verstattet ist, sondern sie nur im Hintergrunde liegt, nicht als wirkliche Erscheinung hervortritt, sondern als das Wesen, welches innerhalb der Erscheinung ist. Und wie das durchgeführt ist, das ist wieder eine der alleraußerordentlichsten Vollendungen der Kunst, der fast nichts aus irgend einer Zeit vorgezogen werden darf. Jede einzelne Regung oder Bewegung in dem ganzen Verlaufe ist unmittelbar in dem Charakter der Personen gegründet, und wo jenes Naturverhältnis ausdrücklich erwähnt wird, erscheint es entweder als zufällig bemerkt, oder gar als Folge der persönlichen Verhältnisse, wie eben jene gegenseitige Anziehung der beiden Liebenden. Ich muß noch einmal zurückgehn auf die Vergleichung mit den Alten. Bei ihnen beruht das Geschick nicht auf Gesetzen der sogenannten physischen Natur, sondern der sittlichen, und diese sondert sich auch schon ganz als Prinzip des Schicksals von jener ab. Bei ihnen werden auch die Handlungen der einzelnen Personen gänzlich vom Geschick selbst hervorgebracht, und der Charakter der Menschen suppliert jenes erst; hier ist es gerade umgekehrt.

Die Größe des Gegenstandes und die erhabene und reine Ansicht desselben hat eine solche Einfachheit der äußeren Hülfsmittel der Darstellung hervorgebracht, daß sich auch hierin das Werk der alten Tragödie sehr nähert, und daß man nach gemeiner Ansicht die Geschichte selbst fast nur das Gerippe eines Romans nennen könnte. Daher rührt auch die große Kürze der Erzählung gegen die langen und häufigen Reflexionen, und auch dieses, daß die Erzählung oft in das Präsens übergeht und mit kurzen, auf den ersten Anblick hart scheinenden Zügen Zustände der Personen umreißt.

Über die Details der Umgebungen habe ich mich schon geäußert. So wie diese das ganz tägliche Leben der Personen immer in gleicher Schwebung erhalten und gleichsam als Folie dienen, so verhält sich die Einflechtung von allem, was jetzt Mode ist, als Gartenkunst, Liebhaberei an der Kunst des Mittelalters, Darstellung von Gemälden durch lebende Personen und was sonst dahin gehört, zu dem Leben der Leser und des gesamten Zeitalters. In der Behandlung dieser Dinge liegt ebenfalls eine Kunst, die ich nicht genug bewundern kann. Sie sind als vollkommen gültig, wahr und in der Zeit lebendig aufgefaßt und von dem höchsten und reinsten Standpunkt aus dargestellt. Sie sind sogar in die Handlung selbst als bedeutend verflochten: wenn z. B. der Architekt am Ende beim Sarge Ottiliens dieselbe Stellung annimmt, die er einst als Hirte in dem Gemälde halten mußte. So sind wir ganz auf einheimischem und frischem Boden der Zeit. In diesem Roman ist, wie im alten Epos, alles was die Zeit Bedeutendes und Besonderes hat, enthalten, und nach einigen Jahrhunderten würde man sich hieraus ein vollkommenes Bild von unserm jetzigen täglichen Leben entwerfen können.

Friedrich von Schiller

An Goethe / Über sich selbst

Jena, den 31. Aug. 94

Bei meiner Zurückkunft aus Weißenfels, wo ich mit meinem Freunde Körner aus Dresden eine Zusammenkunft gehabt, erhielt ich Ihren vorletzten Brief, dessen Inhalt mir doppelt erfreulich war. Denn ich ersehe daraus, daß ich in meiner Ansicht Ihres Wesens Ihrem eigenen Gefühl begegnete, und daß Ihnen die Aufrichtigkeit, mit der ich mein Herz darin sprechen ließ, nicht mißfiel. Unsre späte, aber mir manche schöne Hoffnung erweckende Bekanntschaft, ist mir abermals ein Beweis, wie viel besser man oft tut, den Zufall machen zu lassen, als ihm durch zu viele Geschäftigkeit vorzugreifen. Wie lebhaft auch immer mein Verlangen war, in ein näheres Verhältnis zu Ihnen zu treten, als zwischen dem Geist des Schriftstellers und seinem aufmerksamsten Leser möglich ist, so begreife ich doch nunmehr vollkommen, daß die so sehr verschiedenen Bahnen, auf denen Sie und ich wandelten, uns nicht wohl früher, als gerade jetzt, mit Nutzen zusammen führen konnten. Nun kann ich aber hoffen, daß wir, soviel von dem Wege noch übrig sein mag, in Gemeinschaft durchwandeln werden, und mit umso größerm Gewinn, da die letzten Gefährten auf einer langen Reise sich immer am meisten zu sagen haben.

Erwarten Sie bei mir keinen großen materialen Reichtum von Ideen; dies ist es was ich bei Ihnen finden werde. Mein Bedürfnis und Streben ist, aus Wenigem Viel zu machen, und wenn Sie meine Armut an allem was man erworbene Erkenntnis nennt, einmal näher kennen sollten, so finden Sie vielleicht, daß es mir in manchen Stücken damit mag gelungen sein. Weil mein Gedankenkreis kleiner ist, so durchlaufe ich ihn eben darum schneller und öfter, und kann eben darum meine kleine Barschaft besser nutzen, und eine Mannigfaltigkeit, die dem Inhalte fehlt, durch die Form erzeugen. Sie bestreben sich Ihre große Ideenwelt zu simplifizieren, ich suche Varietät für meine kleinen Besitzungen. Sie haben ein Königreich zu regieren, ich nur eine etwas zahlreiche Familie von Begriffen, die ich herzlich gern zu einer kleinen Welt erweitern möchte.

Ihr Geist wirkt in einem außerordentlichen Grade intuitiv, und alle Ihre denkenden Kräfte scheinen auf die Imagination, als ihre gemeinschaftliche Repräsentantin, gleichsam kompromittiert zu haben. Im Grund ist dies das Höchste, was der Mensch aus sich machen kann, sobald es ihm gelingt, seine Anschauung zu generalisieren und seine Empfindung gesetzgebend zu machen. Darnach streben Sie, und in wie hohem Grade haben Sie es schon erreicht! *Mein* Verstand wirkt eigentlich mehr symbolisierend, und so schwebe ich, als eine Zwitterart, zwischen dem Begriff und der Anschauung, zwischen der Regel und der Empfindung, zwischen dem technischen Kopf und dem Genie. Dies ist es, was mir, besonders in frühern Jahren, sowohl auf dem Felde der Spekulation als der Dichtkunst ein ziemlich linkisches Ansehen gegeben; denn gewöhnlich übereilte mich der Poet, wo ich philosophieren sollte, und der philosophische Geist, wo ich dichten wollte. Noch jetzt begegnet es mir häufig genug, daß die Einbildungskraft meine Abstraktionen, und der kalte Verstand meine Dichtung stört. Kann ich dieser beiden Kräfte insoweit Meister werden, daß ich einer jeden durch meine Freiheit ihre Grenzen bestimmen kann, so erwartet mich noch ein schönes Los; leider aber, nachdem ich meine moralischen Kräfte recht zu kennen und zu gebrauchen angefangen, droht eine Krankheit, meine physischen zu untergraben. Eine große und allgemeine Geistesrevolution werde ich schwerlich Zeit haben in mir zu vollenden aber ich werde tun was ich kann, und wenn endlich das Gebäude zusammenfällt, so habe ich doch vielleicht das Erhaltungswerte aus dem Brande geflüchtet.

Sie wollten, daß ich von mir selbst reden sollte, und ich machte von dieser Erlaubnis Gebrauch. Mit Vertrauen lege ich Ihnen diese Geständnisse hin, und ich darf hoffen, daß Sie sie mit Liebe aufnehmen.

Ich enthalte mich heute ins Detail Ihres Aufsatzes zu gehen, der unsre Unterhaltungen über diesen Gegenstand gleich auf die fruchtbarste Spur einleitet. Meine eigenen, auf einem verschiedenen Wege angestellten Recherchen haben mich auf ein ziemlich damit übereinstimmendes Resultat geführt, und in beifolgenden Papieren finden Sie vielleicht Ideen, die den Ihrigen begegnen. Sie sind vor anderthalb Jahren hingeworfen worden, und sowohl in dieser Rücksicht, als ihrer lokalen Veranlassung wegen (denn sie waren für einen nachsichtigen Freund bestimmt) kann ihre rohe Gestalt auf Entschuldigung Anspruch machen. Seitdem haben sie allerdings ein besseres Fundament und eine größere Bestimmtheit in mir erhalten, die sie den Ihrigen ungleich näher bringen dürfte.

Daß Wilh. Meister für unser Journal verloren sein soll, kann ich nicht genug beklagen. Indessen hoffe ich von Ihrem fruchtbaren Geiste und Ihrem freundschaftlichen Eifer für unsre Unternehmung einen Ersatz dieses Verlustes, wobei die Freunde Ihres Genius alsdann doppelt gewinnen. In dem Stück der Thalia, die ich hier beilege, finden Sie einige Ideen von Körner über Deklamation, die Ihnen nicht mißfallen werden. Alles bei uns empfiehlt sich Ihrem freundschaftlichen Andenken, und ich bin mit der herzlichsten Verehrung

der Ihrige

Schiller.

Wilhelm von Humboldt

An Körner / Über Schiller

Wien, 26. Jan. 1811

Ihr Anerbieten, liebster Freund, Ihnen wenigstens, wenn auch nur in Form eines Briefes, einige Gedanken über Schiller mitzuteilen, schlage ich nicht aus und nehme es nicht an. Der Gedanke spricht mich sehr freundlich an, aber je kürzer etwas der Art ist, desto mehr muß es von der Stimmung des Augenblicks abhängen. Warten Sie also nicht und erlauben Sie mir, nichts zu versprechen. Man hält alsdann manchmal weit eher. Auch ohne die herzliche und tiefe Liebe, die ich zu Schiller hegte, kann ich nie ohne große Erschütterung an die Zeit meines Lebens mit ihm denken. Ja, ich gestehe es offenherzig, nicht ohne Scham. Mein ganzes Leben seitdem kommt mir leerer, unbedeutender und weniger befriedigend vor und doch habe ich nicht umhin gekonnt, in dieser langen Zeit Entwickelungen in mir selbst zu erfahren, die mich minder deutlich fühlen lassen, daß ich auch jene Zeit hätte anders aufnehmen und anders bearbeiten können. Ich habe mir überhaupt oft gedacht, daß es sehr gut wäre, wenn man seinen Tod drei, vier Jahre vorher wüßte. So lange man das Leben als eine unbestimmte Größe ansieht, kann man nicht anders, selbst im höchsten Alter, als es wie ein Kontinuum zu behandeln, sehr vieles zu tun was nur auf das Leben selbst, nicht auf seine höheren Zwecke Bezug hat, auch für dieses vieles zu beginnen, oft zu wechseln, wie der Strom, der dem Meere zugeht, immer fortzufließen, und natürlich da oft, sehr oft, sich etwas zu verlaufen. Ganz anders aber wäre es, wenn man das Leben als eine geschlossene Größe betrachtete. Alles Unnütze würde weggeschnitten, die Spannung wäre größer, weil sie kürzer wäre, die Welle strömte in sich zurück und man wüßte, was man gewesen wäre und werden könnte. Sie wundern sich vielleicht, wie ich diese Betrachtung gerade an Schiller anknüpfe. Aber es geschieht nur, weil es gerade Schillers Eigentümlichkeit mehr als jedes andern Menschen war, sein Streben und sein Leben als etwas Unendliches zu betrachten, in dem es ihm genug war, wenn jedes seiner einzelnen Werke einen bedeutenden Moment bezeichnete, ohne daß er je, das erste innere täuschende Feuer zur Arbeit ausgenommen, nur dachte, daß irgend eins das höchste Resultat dessen wäre, was er der Kunst gegenüber hervorbringen konnte. Es lag dies unmittelbar in der höheren Ansicht, die Schiller von allem geistigen Wirken hatte. Jedes erschien ihm immer in seiner ganzen Unermeßlichkeit, alle in ihren vielfachen Verbindungen oder vielmehr in ihrer unzertrennlichen Einheit. Nie hat jemand die Menschheit höher und nie immer so ganz in der Flüchtigkeit ihrer ewig wechselnden Erscheinung aufgenommen. Dies rastlose geistige Fortbewegen eignete ihn auch so vorzugsweise der Poesie und in ihr der dramatischen. Es war eigentlich seine Eigentümlichkeit. In Gang, Miene, Gespräch, in allem drückte es sich aus. Selbst die Kenntnis der Wirklichkeit und der Natur schöpfte er nicht aus der Anschauung, sondern schuf sie mehr durch seine eigene Phantasie. Sie hatte daher auch oft eine andere Farbe, schien minder treu als sie es war. Bewunderungswürdig war dann zugleich an ihm die Ruhe und Milde. Niemand kann weniger zerstreut, weniger unstet, mit mehr Liebe bei einem

Gegenstande bis zur Erschöpfung verweilen, mehr frei von der abgebrochenen Heftigkeit sein, welche andere Nationen, da nur die Deutschen die eigentliche Leidenschaft kennen, Leidenschaften zu nennen pflegen. Darin lag seine unendliche, sich immer gleiche Liebenswürdigkeit, die, wenn sie mit der Größe zusammenschmolz, ihn, da kein Mensch sich immer gleich sein kann, manchmal im Gespräch so werden ließ, wie ich nie einen andern gesehen habe und mir keinen andern, wenigstens nicht höher, denken kann. Es ist wirklich unbegreiflich, wie unendlich kleiner immer alle andern, die man sonst noch so sehr liebt und ehrt, mir hierin gegen ihn vorkommen, wie beschäftiget mit ihrem Ich, wie beschränkt auf eine einzelne Sphäre, wie befangen an irgend einer Seite, wie wenig begeistert durch das augenblickliche Gespräch und dadurch fruchtbar an neuem Stoff, wie nur immer mit dem Herumdrehen des alten beschäftiget. Alles das läßt sich vor dem Publikum nicht sagen, und darum verdrösse es mich, von ihm zu reden. Schiller hatte eine Superiorität die, obgleich niemand so billig und gerecht war als er, obgleich vor keinem Richterstuhl niemand so sehr sein volles Recht empfing, doch eigentlich alle, die eine Empfindlichkeit dieser Art haben, aufregen mußte. Er konnte alle und richtig und allseitig beurteilen, ihn eigentlich keiner ganz, weil er auf einer ungleich weniger niedrigen Bahn wandelte, weil man ihn aus jedem einzelnen Kreise hätte verdrängen können, und er noch immer im Durchschauen aller gleich groß geblieben wäre, weil sein gewöhnliches Leben vom Moment seines Erwachens bis zum Abend so war, daß er alles Gewöhnliche, womit sich doch auch die Besten viel und gern und angelegentlich beschäftigen, wie Staub unter sich ließ, und zwar nicht so, daß er irgend eine Beschäftigung, ein Vergnügen, wenn es sich darbot, abgewiesen hätte, immer nur dadurch, daß er jedes anders behandelte. Was andern, auch den Hervorstechendsten, begegnet, daß sie zwischen den bessern Momenten Lücken haben und sie auf heterogene oder mechanische Beschäftigungen verfallen, war ihm immer fremd. Es ging, in buchstäblichem Verstande, kein Moment für seine geistige Tätigkeit verloren. Auch hat dies natürlich ihn früher aufreiben müssen. Auf diese Weise wird Schiller mir immer die merkwürdigste Erscheinung im Leben bleiben, und seine eigenen Briefe an mich geben mir in vielen Stellen das kaum erfreuliche Zeugnis, daß ich mich nicht leicht in Enthusiasmus über die einfache Gestalt der Dinge hinaus, hinreißen lasse. Aber wie will, wie kann man ihn so darstellen? Und wie man es anders tut, gibt man der Kritik Blößen. Man kann ihn nur retten, wenn man ihn in seiner ganzen, durchaus nicht abzuleugnenden Größe zeigt. Die Wolzogen und ich haben oft gesagt, man müßte Schilderungen der Menschen, mit denen man gelebt hat, für sich machen und hinterlassen. Und nur so kann man wirklich über Personen reden, die man tief gefühlt hat. Der selbsterlittene Tod muß erst alles versöhnt haben, um Wahrheit als Wahrheit gelten zu lassen. Wenn die Zerstreutheit des Lebens Zeit und Stimmung dazu vergönnte, wäre nichts so hübsch als solche Erfahrungen niederzulegen und immer wieder umzuschreiben, bis der letzte Moment, in dem alles erstarrt, auch das zuletzt Geschriebene fixierte und andern zu weiterm Gebrauch übergäbe.

Johann Wolfgang von Goethe

Maskenzug / Musterbilder von Schillers Werken

Braut von Messina

Bedrängtes Herz! umstürmt von Hindernissen,
Wo käme Rat und Hilfe mir heran!
Gedankenlos, im Innersten zerrissen,
Von allen Seiten greift die Welt mich an.
Nur augenblicks möcht' ich den Jammer dämpfen,
Der stechend schwer mir auf dem Busen liegt.
Ich soll mit mir, ich soll mit andern kämpfen;
Besieg' ich diesen Feind, der andre siegt.

So aus der Tiefe dieser Schlucht der Peinen
Blick' ich hinauf zum schmalen Himmelsklar!
Schon wird es besser! ach, ich durfte weinen!
Ein Sonnenabglanz heilt und hebt mich gar.
Und schon begegn' ich reiner Friedenstaube,
Die holde Zweige der Entsühnung bringt.
Ich irre noch, allein der Flug gelingt,
Ich sehe nicht wohin, ich hoff' und glaube.

Doch wenn von dort, woher wir Heil erflehen,
Ein Blitz, ein Donnerschlag erschreckt,
Sich Fels und Wald und Umblick von den Höhen
Mit schwergesenkter Nebelschichte deckt,
Uns Nacht am Tag umgibt, der Himmel flammet,
Seltsam geregelt, Strahl am Strahle strahlt,
In Schreckenszügen Feuerworte malt:
Das Schicksal sei's, das ohne Schuld verdammet!

So sprech' ich's aus im Namen dieser beiden;
Sie schauen starr, sie finden sich verwaist,
Von unverhofften, unverdienten Leiden
Wie scheues Wild vom Jägergarn umkreist.
Vergebens willst du dir's vernünftig deuten;
Was soll man sagen, wo es bitter heißt:
Ganz gleich ergeht's dem Guten wie dem Bösen!
Ein schwierig Rätsel, rätselhaft zu lösen.

Uns zum Erstaunen wollte *Schiller* drängen,
Der Sinnende, der alles durchgeprobt;
Gleich unsern Geist gebietet's anzustrengen,
Das Werk, das herrlich seinen Meister lobt. –
Wenn Felsenriffe Bahn und Fahrt verengen,
Um den Geängsteten die Welle tobt,
Alsdann vernimmt ein so bedrängtes Flehen
Religion allein von ewigen Höhen.

Tell

Wie herrlich rasch tritt dieser Zug hervor!
Sie bringen von Elysiums Gestaden
Das Nachgefühl erhabner Taten,
Es lebt in ewigem Jugendflor.
Doch immer ernst! – Was sie gewonnen,
Im Dunkeln war es ausgesonnen,
Mit Grausamkeit ward es getan.
Verwirrung folgt! An innern Kämpfen
Hat stille Weisheit jahrelang zu dämpfen,
Stets mühevoll ist ihre Bahn.

Nun kommen sie zu heitern Stunden:
Am Schluß der Zeiten wird gefunden
Der Freiheit aufgeklärter Blick.
Was sie entrissen, wird gegeben,
Und jeder wirkt im freien Leben
Zu seinem und der andern Glück.

Die mit dem Fürsten sich beraten,
Sie fühlen sich zu großen Taten,
Zu jedem Opfer sich bereit.
Je einiger sie sich verbündet,
Je sichrer ist das Glück gegründet
Für jetzt und alle Folgezeit.

Wallenstein

Ein Mann tritt vor, im Glanz der höchsten Taten,
Auf ihn gerichtet jeder Blick,
Dem Schwieriges, Unmögliches geraten,
Er dankt sich selbst das eigene Geschick.
Gewalt'ge Kraft, die Menschen aufzurufen,
Sie zu befeuern kühnster Tat,
Im Plane sicher, mit sich selbst zu Rat,
Des Kaisers Günstling, nächst an Thron und Stufen.
Die zarte Gattin gern an seiner Seite,
Der Terzky Hochsinn, Theklas Jugendlicht,
Max treugesinnt, so wie er tut und spricht:
Welch ehrenvoll, welch liebevoll Geleite!
Doch wir empfinden heimlich Angst und Grauen,
Solch äußres Glück im hellsten Licht zu schauen.

Woher denn aber dieses innre Zagen,
Das ahnungsvoll in enger Brust erbebt?
Wir wittern Wankelmut und Mißbehagen
Des Manns, der hoch und immer höher strebt.
Und was kann gräßlicher dem Edlen heißen
Als ein Entschluß, der Pflicht sich zu entreißen!

Da soll nun Stern zum Sterne deutend winken,
Ob dieses oder jenes wohlgetan;
Dem Irrtum leuchten zur verworrnen Bahn
Gestirne falsch, die noch so herrlich blinken.

Der Zug bewegt sich, schwebt vorbei.
Es war ein Bild. Das Herz ist wieder frei.

GEORG WILHELM FRIEDRICH HEGEL

Über Wallenstein

Der unmittelbare Eindruck nach der Lesung *Wallenstein's* ist trauriges Verstummen über den Fall eines mächtigen Menschen, unter einem schweigenden und tauben Schicksal. Wenn das Stück endigt, so ist alles aus, das Reich des Nichts, des Todes hat den Sieg behalten; es endigt nicht als eine Theodicee.

Das Stück enthält zweierlei Schicksale Wallenstein's; — das eine, das Schicksal des Bestimmtwerdens eines Entschlusses, das zweite, das Schicksal dieses Entschlusses und der Gegenwirkung auf ihn. Jedes kann für sich als ein tragisches Ganzes angesehen werden. Das erste, — Wallenstein, ein großer Mensch, — denn er hat als er selbst, als Individuum, über viele Menschen geboten, — tritt auf als dieses gebietende Wesen, geheimnisvoll, weil er kein Geheimnis hat, im Glanz und Genuß dieser Herrschaft. Die Bestimmtheit teilt sich gegen seine Unbestimmtheit notwendig in zwei Zweige, der eine in ihm, der andere außer ihm; der in ihm ist nicht sowohl ein Ringen nach derselben, als ein Gären derselben; er besitzt persönliche Größe, Ruhm als Feldherr, als Retter eines Kaisertums durch Individualität, Herrschaft über viele, die ihm gehorchen, Furcht bei Freunden und Feinden; er ist selbst über die Bestimmtheit erhaben, dem von ihm geretteten Kaiser oder gar dem Fanatismus anzugehören; welche Bestimmtheit wird ihn erfüllen? er bereitet sich die Mittel zu dem größten Zwecke seiner Zeit, dem, für das allgemeine Deutschland Frieden zu gebieten; ebenso dazu, sich selbst ein Königreich und seinen Freunden verhältnismäßige Belohnung zu verschaffen; — aber seine erhabene, sich selbst genügende, mit den größten Zwecken spielende und darum charakterlose Seele kann keinen Zweck ergreifen, sie sucht ein Höheres, von dem sie gestoßen werde; der unabhängige Mensch, der doch lebendig und kein Mönch ist, will die Schuld der Bestimmtheit von sich abwälzen, und wenn nichts für ihn ist, das ihm gebieten kann, — es darf nichts für ihn sein — so erschafft er sich, was ihm gebiete; Wallenstein sucht seinen Entschluß, sein Handeln und sein Schicksal in den Sternen; (Max Piccolomini spricht davon nur wie ein Verliebter). Eben die Einseitigkeit des Unbestimmtseins mitten unter lauter Bestimmtheiten, der Unabhängigkeit unter lauter Abhängigkeit, bringt ihn in Beziehung mit tausend Bestimmtheiten, seine Freunde bilden diese zu Zwecken aus, die zu den seinigen werden, seine Feinde ebenso, gegen die sie aber kämpfen müssen; und diese Bestimmtheit, die sich in dem gärenden Stoff, — denn es sind Menschen — selbst gebildet hat, ergreift ihn, da er damit zusammen- und also davon abhängt, mehr, als daß er sie machte. Dieses Erliegen der Unbestimmtheit unter die Bestimmtheit ist ein höchst tragisches Wesen und groß, konsequent dargestellt; — die Reflexion wird darin das Genie nicht rechtfertigen, sondern aufzeigen. Der Eindruck von diesem Inhalt als einem tragischen Ganzen, steht mir sehr lebhaft vor. Wenn dies Ganze ein Roman wäre, so könnte man fordern, das Bestimmte erklärt zu sehen, — nämlich dasjenige, was Wallenstein zu dieser Herrschaft über die Menschen gebracht hat. Das Große, Bestimmungslose, für sie Kühne, fesselt sie; es ist aber im Stück, und konnte nicht handelnd dramatisch, d. h. bestimmend und zugleich bestimmt auftreten; es tritt nur, als Schattenbild, wie es im Prolog, vielleicht in anderm Sinne, heißt, auf;

aber das Lager ist dieses Herrschen, als ein Gewordenes, als ein Produkt.

Das Ende dieser Tragödie wäre demnach das Ergreifen des Entschlusses; die andere Tragödie das Zerschellen dieses Entschlusses an seinem Entgegengesetzten; und so groß die erste ist, so wenig ist mir die zweite Tragödie befriedigend. Leben gegen Leben; aber es steht nur Tod gegen Leben auf, und unglaublich! abscheulich! der Tod siegt über das Leben! Dies ist nicht tragisch, sondern entsetzlich! Dies zerreißt das Gemüt, daraus kann man nicht mit erleichterter Brust springen!

Johann Wolfgang von Goethe

Bei Betrachtung von Schillers Schädel

Im ernsten Beinhaus war's, wo ich beschaute,
Wie Schädel Schädeln angeordnet paßten;
Die alte Zeit gedacht' ich, die ergraute.

Sie stehn in Reih' geklemmt, die sonst sich haßten,
Und derbe Knochen, die sich tödlich schlugen,
Sie liegen kreuzweis, zahm allhier zu rasten.

Entrenkte Schulterblätter! was sie trugen
Fragt niemand mehr, und zierlich tät'ge Glieder,
Die Hand, der Fuß, zerstreut aus Lebensfugen.

Ihr Müden also lagt vergebens nieder,
Nicht Ruh im Grabe ließ man euch, vertrieben
Seid ihr herauf zum lichten Tage wieder,

Und niemand kann die dürre Schale lieben,
Welch herrlich edlen Kern sie auch bewahrte.
Doch mir Adepten war die Schrift geschrieben,

Die heil'gen Sinn nicht jedem offenbarte,
Als ich inmitten solcher starren Menge
Unschätzbar herrlich ein Gebild gewahrte,

Daß in des Raumes Moderkält' und Enge
Ich frei und wärmefühlend mich erquickte,
Als ob ein Lebensquell dem Tod entspränge.

Wie mich geheimnisvoll die Form entzückte!
Die gottgedachte Spur, die sich erhalten!
Ein Blick, der mich an jenes Meer entrückte,

Das flutend strömt gesteigerte Gestalten.
  Geheim Gefäß, Orakelsprüche spendend!
  Wie bin ich wert, dich in der Hand zu halten,

Dich höchsten Schatz aus Moder fromm entwendend
  Und in die freie Luft, zu freiem Sinnen,
  Zum Sonnenlicht andächtig hin mich wendend?

Was kann der Mensch im Leben mehr gewinnen,
  Als daß sich Gott-Natur ihm offenbare:
  Wie sie das Feste läßt zu Geist verrinnen,
  Wie sie das Geisterzeugte fest bewahre.

Siebenter Teil

NATUR UND KUNST

Wie Natur im Vielgebilde
Einen Gott nur offenbart,
So im weiten Kunstgefilde
Webt *ein* Sinn der ew'gen Art;
Dieses ist der Sinn der Wahrheit,
Der sich nur mit Schönem schmückt
Und getrost der höchsten Klarheit
Hellsten Tags entgegenblickt.

Goethe

Johann Wolfgang von Goethe

Natur und Kunst, sie scheinen sich zu fliehen
Und haben sich, eh' man es denkt, gefunden;
Der Widerwille ist auch mir verschwunden,
Und beide scheinen gleich mich anzuziehen.

Es gilt wohl nur ein redliches Bemühen!
Und wenn wir erst, in abgemeßnen Stunden,
Mit Geist und Fleiß uns an die Kunst gebunden,
Mag frei Natur im Herzen wieder glühen.

So ist's mit aller Bildung auch beschaffen.
Vergebens werden ungebundne Geister
Nach der Vollendung reiner Höhe streben.

Wer Großes will, muß sich zusammenraffen.
In der Beschränkung zeigt sich erst der Meister,
Und das Gesetz nur kann uns Freiheit geben.

Johann Wolfgang von Goethe

Eins und Zwei

Treue Beobachter der Natur, wenn sie auch sonst noch so verschieden denken, werden doch darin mit einander übereinkommen, daß alles, was erscheinen, was uns als ein Phänomen begegnen solle, müsse entweder eine ursprüngliche Entzweiung, die einer Vereinigung fähig ist, oder eine ursprüngliche Einheit, die zur Entzweiung gelangen könne, andeuten und sich auf eine solche Weise darstellen. Das Geeinte zu entzweien, das Entzweite zu einigen, ist das Leben der Natur; dies ist die ewige Systole und Diastole, die ewige Synkrisis und Diakrisis, das Ein- und Ausatmen der Welt, in der wir leben, weben und sind.

Daß dasjenige, was wir hier als Zahl, als Eins und Zwei aussprechen, ein höheres Geschäft sei, versteht sich von selbst; so wie die Erscheinung eines Dritten, Vierten, sich ferner Entwikkelnden immer in einem höhern Sinne zu nehmen, besonders aber allen diesen Ausdrücken eine echte Anschauung unterzulegen ist.

Das Eisen kennen wir als einen besondern, von andern unterschiedenen Körper; aber es ist ein gleichgültiges, uns nur in manchem Bezug und zu manchem Gebrauch merkwürdiges

Wesen. Wie wenig aber bedarf es, und die Gleichgültigkeit dieses Körpers ist aufgehoben. Eine Entzweiung geht vor, die, indem sie sich wieder zu vereinigen strebt und sich selbst aufsucht, einen gleichsam magischen Bezug auf ihresgleichen gewinnt und diese Entzweiung, die doch nur wieder eine Vereinigung ist, durch ihr ganzes Geschlecht fortsetzt. Hier kennen wir das gleichgültige Wesen, das Eisen; wir sehen die Entzweiung an ihm entstehen, sich fortpflanzen und verschwinden und sich leicht wieder aufs neue erregen – nach unserer Meinung ein Urphänomen, das unmittelbar an der Idee steht und nichts Irdisches über sich erkennt.

Johann Wolfgang von Goethe

Teilen kann ich nicht das Leben,
Nicht das Innen noch das Außen,
Allen muß das Ganze geben,
Um mit euch und mir zu hausen.
Immer hab ich nur geschrieben,
Wie ich fühle, wie ich's meine,
Und so spalt' ich mich, ihr Lieben,
Und bin immerfort der Eine.

Johann Wolfgang von Goethe

Bedeutende Fördernis durch ein einziges geistreiches Wort

Herr Dr. *Heinroth* in seiner *Anthropologie*, einem Werke, zu dem wir mehrmals zurückkommen werden, spricht von meinem Wesen und Wirken günstig, ja er bezeichnet meine Verfahrungsart als eine eigentümliche: daß nämlich mein Denkvermögen *gegenständlich* tätig sei; womit er aussprechen will: daß mein Denken sich von den Gegenständen nicht sondere, daß die Elemente der Gegenstände, die Anschauungen in dasselbe eingehen und von ihm auf das innigste durchdrungen werden, daß mein Anschauen selbst ein Denken, mein Denken ein Anschauen sei; welchem Verfahren genannter Freund seinen Beifall nicht versagen will.

Zu was für Betrachtungen jenes einzige Wort, begleitet von solcher Billigung, mich angeregt, mögen folgende wenige Blätter aussprechen, die ich dem teilnehmenden Leser empfehle, wenn er vorher, Seite 387 genannten Buches, mit dem Ausführlichern sich bekannt gemacht hat.

In dem gegenwärtigen wie in den früheren Heften habe ich die Absicht verfolgt: auszusprechen, wie ich die Natur anschaue, zugleich aber gewissermaßen mich selbst, mein Inneres, meine Art zu sein, insofern es möglich wäre, zu offenbaren. Hiezu wird besonders ein älterer Aufsatz, *Der Versuch als Vermittler zwischen Subjekt und Objekt*, dienlich gefunden werden.

Hiebei bekenn' ich, daß mir von jeher die große und so bedeutend klingende Aufgabe: *erkenne dich selbst!* immer verdächtig vorkam, als eine List geheim verbündeter Priester, die den Menschen durch unerreichbare Forderungen verwirren und von der Tätigkeit gegen die Außenwelt zu einer innern falschen Beschaulichkeit verleiten wollten. Der Mensch kennt nur sich selbst, insofern er die Welt kennt, die er nur in sich und sich nur in ihr gewahr wird. Jeder neue Gegenstand, wohl beschaut, schließt ein neues Organ in uns auf.

Am allerfördersamsten aber sind unsere Nebenmenschen, welche den Vorteil haben, uns mit der Welt aus ihrem Standpunkt zu vergleichen und daher nähere Kenntnis von uns zu erlangen, als wir selbst gewinnen mögen.

Ich habe daher in reiferen Jahren große Aufmerksamkeit gehegt, inwiefern andere mich wohl erkennen möchten, damit ich in und an ihnen, wie an so viel Spiegeln, über mich selbst und über mein Inneres deutlicher werden könnte.

Widersacher kommen nicht in Betracht, denn mein Dasein ist ihnen verhaßt; sie verwerfen die Zwecke, nach welchen mein Tun gerichtet ist, und die Mittel dazu achten sie für eben so viel falsches Bestreben. Ich weise sie daher ab und ignoriere sie; denn sie können mich nicht fördern, und das ist's, worauf im Leben alles ankommt. Von Freunden aber lass' ich mich eben so gern bedingen als ins Unendliche hinweisen, stets merk' ich auf sie mit reinem Zutrauen zu wahrhafter Erbauung.

Was nun von meinem *gegenständlichen Denken* gesagt ist, mag ich wohl auch ebenmäßig auf eine *gegenständliche Dichtung* beziehen. Mir drückten sich gewisse große Motive, Legenden, uraltgeschichtlich Überliefertes so tief in den Sinn, daß ich sie vierzig bis funfzig Jahre lebendig und wirksam im Innern erhielt; mir schien der schönste Besitz, solche werte Bilder oft in der Einbildungskraft erneut zu sehen, da sie sich denn zwar immer umgestalteten, doch ohne sich zu verändern, einer reineren Form, einer entschiednern Darstellung entgegen reiften. Ich will hievon nur *die Braut von Korinth, den Gott und die Bajadere, den Grafen und die Zwerge, den Sänger und die Kinder* und zuletzt noch den baldigst mitzuteilenden *Paria* nennen.

Aus obigem erklärt sich auch meine Neigung zu Gelegenheitsgedichten, wozu jedes Besondere irgend eines Zustandes mich unwiderstehlich aufregte. Und so bemerkt man denn auch an meinen Liedern, daß jedem etwas Eigenes zum Grunde liegt, daß ein gewisser Kern einer mehr oder weniger bedeutenden Frucht einwohne; deswegen sie auch mehrere Jahre nicht gesungen wurden, besonders die von entschiedenem Charakter, weil sie an den Vortragenden die Anforderung machen, er solle sich aus seinem allgemein gleichgültigen Zustande in eine besondere, fremde Anschauung und Stimmung versetzen, die Worte deutlich artikulieren, damit man auch wisse, wovon die Rede sei. Strophen sehnsüchtigen Inhalts dagegen fanden eher Gnade, und sie sind auch mit andern deutschen Erzeugnissen ihrer Art in einigen Umlauf gekommen.

An eben diese Betrachtung schließt sich die vieljährige Richtung meines Geistes gegen die französische Revolution unmittelbar an, und es erklärt sich die grenzenlose Bemühung, dieses schrecklichste aller Ereignisse in seinen Ursachen und Folgen dichterisch zu gewältigen. Schau' ich in die vielen Jahre zurück, so seh' ich klar, wie die Anhänglichkeit an diesen unübersehlichen Gegenstand so lange Zeit her mein poetisches Vermögen fast unnützerweise aufgezehrt; und doch hat jener Eindruck so tief bei mir gewurzelt, daß ich nicht leugnen kann, wie ich noch immer an die Fortsetzung der *Natürlichen Tochter* denke, dieses wunderbare Erzeugnis in Gedanken ausbilde, ohne den Mut, mich im einzelnen der Ausführung zu widmen.

Wend' ich mich nun zu dem *gegenständlichen Denken,* das man mir zugesteht, so find' ich, daß ich eben dasselbe Verfahren auch bei naturhistorischen Gegenständen zu beobachten genötigt war. Welche Reihe von Anschauung und Nachdenken verfolgt' ich nicht, bis die Idee der Pflanzenmetamorphose in mir aufging, wie solches meine *Italienische Reise* den Freunden vertraute.

Eben so war es mit dem Begriff, daß der Schädel aus Wirbelknochen bestehe. Die drei hintersten erkannt' ich bald, aber erst im Jahr 1790, als ich aus dem Sande des dünenhaften Judenkirchhofs von Venedig einen zerschlagenen Schöpsenkopf aufhob, gewahrt' ich augenblicklich, daß die Gesichtsknochen gleichfalls aus Wirbeln abzuleiten seien, indem ich den Übergang vom ersten Flügelbeine zum Siebbeine und den Muscheln ganz deutlich vor Augen sah; da hatt' ich denn das Ganze im allgemeinsten beisammen. So viel möge diesmal das früher Geleistete aufzuklären hinreichen. Wie aber jener Ausdruck des wohlwollenden, einsichtigen Mannes mich auch in der Gegenwart fördert, davon noch kurze vorläufige Worte.

Schon einige Jahre such' ich meine geognostischen Studien zu revidieren, besonders in der Rücksicht, inwiefern ich sie und die daraus gewonnene Überzeugung der neuen, sich überall verbreitenden Feuerlehre nur einigermaßen annähern könnte, welches mir bisher unmöglich fallen wollte. Nun aber durch das Wort *gegenständlich* ward ich auf einmal aufgeklärt, indem ich deutlich vor Augen sah, daß alle Gegenstände, die ich seit funfzig Jahren betrachtet und untersucht hatte, gerade die Vorstellung und Überzeugung in mir erregen mußten, von denen ich jetzt nicht ablassen kann. Zwar vermag ich für kurze Zeit mich auf jenen Standpunkt zu versetzen, aber ich muß doch immer, wenn es mir einigermaßen behaglich werden soll, zu meiner alten Denkweise wieder zurückkehren.

Aufgeregt nun durch eben diese Betrachtungen, fuhr ich fort, mich zu prüfen, und fand, daß mein ganzes Verfahren auf dem *Ableiten* beruhe; ich raste nicht, bis ich einen prägnanten Punkt finde, von dem sich vieles ableiten läßt, oder vielmehr, der vieles freiwillig aus sich hervorbringt und mir entgegenträgt, da ich denn im Bemühen und Empfangen vorsichtig und treu zu Werke gehe. Findet sich in der Erfahrung irgend eine Erscheinung, die ich nicht abzuleiten weiß, so lass' ich sie als Problem liegen, und ich habe diese Verfahrungsart in einem langen Leben sehr vorteilhaft gefunden: denn wenn ich auch die Herkunft und Verknüpfung irgend eines Phänomens lange nicht enträtseln konnte, sondern es beiseite lassen mußte, so fand sich nach Jahren auf einmal alles aufgeklärt in dem schönsten Zusammenhange. Ich werde mir daher die Freiheit nehmen, meine bisherigen Erfahrungen und Bemerkungen und die daraus entspringende Sinnesweise fernerhin in diesen Blättern geschichtlich darzulegen; wenigstens ist dabei ein charakteristisches Glaubensbekenntnis zu erzwecken, Gegnern zur Einsicht, Gleichdenkenden zur Fördernis, der Nachwelt zur Kenntnis und, wenn es glückt, zu einiger Ausgleichung.

JOHANN WOLFGANG VON GOETHE

Der Rheinfall zu Schaffhausen

Den 18. September, früh

Um 6½ Uhr ausgefahren. Grüne Wasserfarbe, Ursache derselben.

Nebel, der die Höhen einnahm. Die Tiefe war klar, man sah das Schloß *Laufen* halb im Nebel. Der Dampf des Rheinfalls, den man recht gut unterscheiden konnte, vermischte sich mit dem Nebel und stieg mit ihm auf.

Gedanke an Ossian. Liebe zum Nebel bei heftiginnern Empfindungen.

Uwiesen, ein Dorf. Weinberge, unten Feld.

Oben klärte sich der Himmel langsam auf, die Nebel lagen noch auf den Höhen.

Laufen. Man steigt hinab und steht auf Kalkfelsen.

Teile der sinnlichen Erscheinung des Rheinfalls, vom hölzernen Vorbau gesehen. Felsen, in der Mitte stehende, von dem höhern Wasser ausgeschliffne, gegen die das Wasser herabschießt. Ihr Widerstand, einer oben und der andere unten, werden völlig überströmt. Schnelle Wellen-Locken, Gischt im Sturz, Gischt unten im Kessel, siedende Strudel im Kessel.

Der Vers legitimiert sich:

Es wallet und siedet und brauset und zischt pp.

Wenn die strömenden Stellen grün aussehen, so erscheint der nächste Gischt leise purpur gefärbt.

Unten strömen die Wellen schäumend ab, schlagen hüben und drüben ans Ufer, die Bewegung verklingt weiter hinab, und das Wasser zeigt im Fortfließen seine grüne Farbe wieder.

Erregte Ideen.

Gewalt des Sturzes. Unerschöpfbarkeit als wie ein Unnachlassen der Kraft. Zerstörung, Bleiben, Dauern, Bewegung, unmittelbare Ruhe nach dem Fall.

Beschränkung durch Mühlen drüben, durch einen Vorbau hüben. Ja es war möglich, die schönste Ansicht dieses herrlichen Naturphänomens wirklich zu verschließen.

Umgebung. Weinberge, Feld, Wäldchen.

Bisher war Nebel, zu besonderm Glücke und Bemerkung des Details; die Sonne trat hervor und beleuchtete auf das schönste schief von der Hinterseite das Ganze. Das Sonnenlicht teilte nun die Massen ab, bezeichnete alles Vor- und Zurückstehende, verkörperte die ungeheure Bewegung. Das Streben der Ströme gegen einander schien gewaltsam zu werden, weil man ihre Richtungen und Abteilungen deutlicher sah. Stark spritzende Massen aus der Tiefe zeichneten sich beleuchtet nun vor dem feinern Dunst aus, ein halber Regenbogen erschien im Dunste.

Bei längerer Betrachtung scheint die Bewegung zuzunehmen. Das dauernde Ungeheuer muß uns immer wachsend erscheinen; das Vollkommne muß uns erst stimmen und uns nach und nach zu sich hinaufheben. So erscheinen uns schöne Personen immer schöner, verständige verständiger.

Das Meer gebiert ein Meer. Wenn man sich die Quellen des Ozeans dichten wollte, so müßte man sie so darstellen.

Nach einiger Beruhigung verfolgt man den Strom in Gedanken bis zu seinem Ursprung und begleitet ihn wieder hinab.

Beim Hinabsteigen nach dem flächern Ufer Gedanken an die neumodische Parksucht.

Der Natur nachzuhelfen, wenn man schöne Motive hat, ist in jeder Gegend lobenswürdig; aber wie bedenklich es sei, gewisse Imaginationen realisieren zu wollen, da die größten Phänomene der Natur selbst hinter der Idee zurückbleiben.

Graf Stolberg

Der Rheinfall zu Schaffhausen

Am Nachmittag besuchten wir den Rheinfall. Wie könnte ich dir den beschreiben! Er läßt jede Beschreibung weit hinter sich, jede Vorstellung, selbst die Erinnerung. Ich sah ihn zum drittenmal, aber mit eben dem Staunen, mit welchem ich ihn das erstemal gesehen hatte. Er überraschte den Mann, wie er den Jüngling überrascht hatte.

Ich scheine dir etwas zu sagen, und ich sage dir nichts, wenn ich dir erzähle, wie der breite Strom zwischen hohen Felsen, die mit Laubholz bewachsen sind, in einer ungeheuren Schaummasse, durch welche hie und da die grüne Farbe der gewölbten Fluten schimmert, mit betäubendem Getös' und fliegendem Ungestüm, tief herunterstürze, wie drei in ungleicher Entfernung mitten aus seinem Wasserfall vorragende, mit immer erschüttertem Gebüsch belaubte Felsen, ihm, nicht ungestraft, sondern ausgehöhlet und durchlöchert, entgegen starren, seinen Sturz teilend und verherrlichend. Auf dem minder hohen Felsenufer, zur rechten Seite des Wasserfalls steht im Schaffhausner Gebiet eine Drahtmühle; gegenüber, im Gebiet des Kantons Zürich, steht das Schloß Laufen auf einem viel höhern Felsen. Zuerst zeigt man Fremden den Rheinfall von der Seite der Drahtmühle, wo die Erwartung schon sehr überrascht, wo schon der Hinstaunende freudig geschreckt wird. Dann führt man ihn einen schmalen krummen Pfad, unter Bergen am geründeten Becken des Stromes hin, bis er, gerade dem Rheinfall gegenüber stehend, gewahr wird, daß die Katarakte, welche er eben anstaunte, nur zwischen dem Ufer und einem Felsen, der mitten aus dem Strom sich emportürmt, gebildet werde, und etwa den fünften Teil des Wasserfalls ausmache.

Hier sieht er den ganzen Strom, zwischen den Felsenufern und drei verinselten Klippen gedränget, herunterstürzen. In einem schmalen Nachen wird man dann unten, der Katarakte vorbei, auf tanzenden Wogen, hinüber gebracht nach der Zürcher Seite.

Hier ist unter dem Schlosse Laufen ein Gerüst bis in den Wasserfall hinein gebaut. Vor einem Türchen, dessen Schlüssel im Laufner Schloß verwahrt wird, stehst du ein Weilchen und hörst mit Ungeduld den Donner des Stroms bis das Türchen geöffnet wird, und du nun unmittelbar an dem stürzenden Strom stehst. Hier ergreift dich das mächtigste Staunen, es ist dir, als müßtest du hinunter gewirbelt werden in die Tiefe. Von der Eile, von der Kraft der stürzenden Wogen kannst du dir keinen Begriff machen. Als der Dichter Lenz hier stand, fiel er auf die Kniee, und rief aus: Hier ist eine Wasserhölle!

Die mit Eile des Blitzes herunter geschmetterten Fluten sprützen hoch auf. Ein Nebel, dick und weiß wie der Rauch aus Schmelzhütten, verhüllet die Gegend; weit umher beben und träufeln alle Büsche der felsigen Ufer. Bei Sonnenschein spielen Farben des Regenbogens im Schaum und im aufsteigenden Nebel.

Kein Schauspiel der Natur hat mich je so ergriffen. Meiner Sophie wankten die Kniee, und sie erblaßte. Mein achtjähriger Knabe schaute still und unverwandt hin nach dem Strom, welcher auch dadurch, daß er die andern Gegenstände in aufsprützende Nebel hüllet, der einzige Gegenstand des Auges wird. Graunvolles, doch seliges Staunen, hielt uns wie bezaubert. Es war mir, als fühlte ich unmittelbar das praesens numen (gegenwärtig wirkende Gottheit). Mit dem Gedanken an die geoffenbarte Macht und Herrlichkeit Gottes, wandelte mich die Empfindung seiner Allbarmherzigkeit und Liebe an. Es war mir als ginge die Herrlichkeit des Herrn vor mir vorüber, als müßte ich hinsinken auf's Angesicht, und ausrufen: Herr Herr Gott, barmherzig und gnädig!

Wir waren schon ziemlich weit auf dem Rückwege, ehe wir unser Stillschweigen unterbrachen. Und nur als wir uns abgekühlt fühlten von der Empfindung Glut, warfen wir im Geist einen flüchtigen Seitenblick auf den Weltweisen, welcher den Rheinfall sehen, und mit kalter Bedächtlichkeit fragen konnte: wozu er nütze? Ein Weltweiser beantwortet so vieles, was ein Weiser nicht beantwortet; mag er denn auch fragen wie ein Weiser nicht fragen würde.

Gotthilf Heinrich von Schubert

Das ursprüngliche Verhältnis zur Natur

Von dem ursprünglichen Verhältnis des Menschen zur Natur, von welchem wir, damit das eigentliche Wesen der Naturwissenschaft, und das der Natur selber, in seiner ganzen Tiefe ergriffen werde, ausgehen, sagt uns die älteste Geschichte nur dunkle Worte. In den Mysterien und der heiligen Weihe jener Völker, welche dem Urvolk der Welt noch am nächsten verwandt gewesen, vernimmt die Seele einige halbverständliche Töne, welche tief aus der Natur unsers Wesens gekommen, dieses tief erschüttern, und wir fühlen bald von den Klagetönen des ersten Menschengeschlechts und der Natur, unser Herz zerschnitten, bald den Geist von einer hohen Naturandacht bewegt, und von dem Wehen einer ewigen Begeisterung durchdrungen. Aus dem Tempel der Isis, von den redenden Säulen des Thot, in den Gesängen der ägyptischen Priester, werden wir jenen dunklen Laut vernehmen. An einsamer Küste, unter den schwarzen Gebirgen Islands, wird uns die Edda jene Stimme aus den Gräbern deuten, und die Phantasie wird noch einmal jene Priester heraufführen, welche die heilige Kunst ihres Gottesdienstes durch strenges Schweigen der künftigen Zeit verborgen. Ja an den Altären Mexikos, unter jenen Säulen, welche das Blut und die Tränen von tausend Menschenopfern gesehen, wird das Auge noch die letzten Züge der hohen Vergangenheit erkennen.

Hierauf möge die Seele, auf dem vielbesungenen Felsen zu Delphi, im einsamen Wald, sich Stille zu einer neuen Betrachtung sammlen. Aus der Ferne grauer Jahrtausende, wird in der Tiefe der Grotte, die Stimme der Orakel, und die Begeisterung der Pythia vernommen. Dann, nicht ohne Beruf, dringen wir tiefer in den heiligen Hain zu Dodona, als den Fragenden vergönnt war. Auf einsamem Berg, von weißen Felsenmassen umgeben, sehen wir bei stiller Nacht, noch von der heiligen Quelle berauscht, den Eingeweihten in die Höhle des Trophonius hinabsteigen, wo ihn, fern von dem letzten Schimmer der Sterne, eine ungesehene Gewalt in das innre Heiligtum der Visionen und dumpfen Stimmen hinabreißt. Von ähnlicher Natur, als diese ältesten Orakel, wird uns in den Wäldern Virginiens, und in der geweihten Versammlung nordischer Barden, prophetischer Wahnsinn, und eine wilde Weissagung begegnen.

So führen wir die Geschichte jener Zeit, wo der Mensch noch eins mit der Natur gewesen, und wo sich die ewigen Harmonien und Gesetze derselben, deutlicher als sonst je in seinem eignen Wesen ausgesprochen, dem Geist vorüber, damit nachher an diesem großen Beispiel auch in der untergeordneten

Natur die Einheit aller Einzelnen mit dem Ganzen verstanden werde.

Wir nennen noch jetzt jene Augenblicke, wo sich unser Wesen im innigsten Einklange mit der ganzen äußern Natur befindet, die der höchsten Lust, des höchsten Wohlseins. Auch jene erste Zeit, welche unser Geschlecht in tiefer Harmonie mit der ganzen Natur verlebt, wird uns von allen Völkern der darauf folgenden Vorwelt, als eine Zeit des seligen Friedens, und paradiesischer Freuden beschrieben. Sie ist es, welche die Griechen und einige noch viel ältere Völker, unter dem Namen des goldenen Zeitalters preisen. Eine Zeit der Kindheit ist es gewesen, höher aber als diese hülflose Kindheit, welche wir jetzt kennen. Sterbliche Mütter sind es, welche jetzt gebären, jener Kindheit hat eine unsterbliche Mutter gepflegt, und der Mensch ist von jener unmittelbaren Anschauung eines ewigen Ideals ausgegangen, ist unbewußt in der Mitte jener höchsten Erkenntnisse und Kräfte gewesen, welche nun das spätere Geschlecht in hohen aber mühe-seligen Kämpfen wieder erringen muß.

Friedrich Hölderlin

Heimat

Und niemand weiß

Indessen laß mich wandeln
Und wilde Beeren pflücken
Zu löschen die Liebe zu dir
An deinen Pfaden, o Erd'

Hier wo – – –
und Rosendornen
Und süße Linden duften neben
Den Buchen, des Mittags, wenn im falben Kornfeld
Das Wachstum rauscht, an geradem Halm,
Und den Nacken die Ähre seitwärts beugt
Dem Herbste gleich, jezt aber unter hohem
Gewölbe der Eichen, da ich sinn
Und aufwärts frage, der Glockenschlag
Mir wohlbekannt
Fernher tönt, goldenklingend, um die Stunde, wenn
Der Vogel wieder wacht. So gehet es wohl.

Johann Wilhelm Ritter

Die Physik als Kunst

Ist Wiedervereinigung mit einer getrennten Natur, Zurückgang in die vorige Harmonie mit ihr, das, was den Menschen überall zunächst beschäftigte, nach welchem all sein Sinnen und Trachten, von jeher jeden Morgen neu sich richtete, – und diese Wiedervereinigung mit ihr, die Folge einer Einsicht und Gewalt in die Natur, die aus allem Willen gleichsam *einen* nur, aus allem Leben nur *ein* Leben, aus aller Sorge um dasselbe nur *eine einzige* macht, deren Lenker und Führer der Mensch allein, die Zahl des mit ihm zugleich Beglückten aber unendlich, ist –: so wird daraus eine Vollkommenheit des Lebens und seines Genießers entstehen, die ebenso, und in aller Hinsicht, unendlich sein muß, als die dem Menschen früher einst wirklich schon eigne es in einiger erst war. In diesem Zustand aber wird sein Leben und seine Tat ohnfehlbar die höchste Wahrheit und Schönheit selbst darstellen müssen. Er selbst in seinem Leben wird das Kunstwerk sein, des Künstler mit demselben eins und gleich ist, statt daß in aller früherer Kunst, die ebenfalls nie etwas anderes, als auch den Menschen nur, zu ihrem letzten Ideal gehabt hat, sie immer noch, und sehr, getrennt, gewesen sind. Wie aber man von einer Kunst schon dann zu sprechen pflegt, wenn sie die letzte Höhe auch noch nicht erreicht hat, die Physik in ihrer Gesamtheit aber nie etwas anderes bezweckt, als die Realisierung jenes höchsten Lebens und Tuns: so wage ich es ohne Anstand, ihr selbst den Namen einer Kunst zu geben, und einer höhern, als alle übrige. Denn alle sind sie selbst nur dieses Namens würdig, in so fern sie sich auf jene höchste aller möglichen bezogen; und was sie noch Entzückendes gewährten, es ist nur die geheime Rückerinnerung an das, was einst der Mensch in frühern Zeiten schon gewesen, und die daraus erfolgende Hinerinnerung an das, was eins weit schöner es wieder zu werden, mit Hoffnung er auf dem Wege sich befindet, der er alles zu danken hatte. So sieht man in der Baukunst höchster Periode nur des Menschen eiliges Bemühen, die Kraftgewalt seines ersten Geschlechts durch Häufung ungeheurer Massen des Dauerhaftesten auf Erden, für alle folgende Zeit der Vergessenheit zu entreißen, und noch erscheint ihr Ordner selbst an ihnen, nur im als Hieroglyphe veräußerten Ebenmaße seiner eigenen Gestaltung. Erst in der Plastik wird der Täter selbst verewigt, und steht im selben Vorgewichte über die Tat, als in der Baukunst diese über jenen, da. Nach einer langen Pause dann, binnen der der Mensch beinahe müßig stand, und zwischen Erinnerung und Hoffnung fast gleich unentschieden, dem bloßen Strom der Zeit allein gehorchte, worauf dann aber doch die Hoffnung siegte, die seitdem fast die Erinnerung verdrängt, und allen Blick der Zukunft zugelenkt, erschien auch – in der Malerei – nunmehr die Tat allmählig wieder, indem ihr Werk der Fläche, ob es gleich, wo sie das Höchste leistete, mehr auf den Täter, als die Tat gesehn (ja nur sehn konnte), doch durch den Betrachter erst zu einem vollen Körperlichen wird; wodurch sie gleichsam, in der Aufforderung an ihn, es zu ergänzen, ihm das Beginnen neuer eigner Tat verkünden will. Noch inniger zieht die Tonkunst dann den Menschen in den Kreis der Tat hinein, und ist selbst solche: so daß sie für die neue, oder für die Zeit der Zukunft, ganz zu sein scheint, was einst die Baukunst für die ältre oder für die der Vergangenheit; indem, wenn jene die Tat veräußernd, diese sie immer verinnernder, aufführt, und auch übrigens jener noch darin gleicht, den Täter selbst als bloßen Ordner oder Gliederer der Tat, durch ganz den nämlichen bloß hieroglyphischen Gebrauch des Ebenmaßes seiner eignen Glieder, in sich aufzunehmen. Ich wüßte nicht, was nach dieser Kunst der letzten Zeit, – von der, ob sie den höchsten Gipfel schon erreicht, oder ihn erst noch erreichen solle, hier unentschieden bleiben muß, – wohl noch für eine zu erwarten sei, die mit den vier genannten *eine* Reihe bildete, allein diejenige ausgenommen, die höher als sie alle sein wird, und deren Wesen ich bereits hinlänglich angedeutet habe. Daß aber diese höchste aller Künste bis jetzt noch immer mehr den Namen einer bloßen Wissenschaft getragen, ja daß die Vorbereitung ihrer, beinahe, was von Wissenschaft nur überhaupt zugegen, in sich faßt, hilft bloß die Ahnung dessen, was sie, einst am Ziele angekommen, sein muß, ganz vollenden. Was ist ein Wissen, welches nicht der Übung fähig ist, und was ist diese Übung sofort selbst? – Und ist, was Wissen schafft, unendlich, so wird nach diesem Wissen auch das Können, wofür es einzig da ist, ebenso unendlich sein.

Wilhelm Heinrich Wackenroder

Von zwei wunderbaren Sprachen, und deren geheimnisvoller Kraft

Die Sprache der Worte ist eine große Gabe des Himmels, und es war eine ewige Wohltat des Schöpfers, daß er die Zunge des ersten Menschen löste, damit er alle Dinge, die der Höchste um ihn her in die Welt gesetzt, und alle geistigen Bilder, die er in seine Seele gelegt hatte, nennen, und seinen Geist in dem mannigfaltigen Spiele mit diesem Reichtum von Namen üben konnte. Durch Worte herrschen wir über den ganzen Erdkreis; durch Worte erhandeln wir uns mit leichter Mühe alle Schätze der Erde. *Nur das Unsichtbare, das über uns schwebt*, ziehen Worte nicht in unser Gemüt herab.

Die irdischen Dinge haben wir in unsrer Hand, wenn wir ihre Namen aussprechen; – aber wenn wir die Allgüte Gottes, oder die Tugend der Heiligen nennen hören, welches doch Gegenstände sind, die unser ganzes Wesen ergreifen sollten, so wird allein unser Ohr mit leeren Schallen gefüllt, und unser Geist nicht, wie es sollte, erhoben.

Ich kenne aber *zwei wunderbare Sprachen*, durch welche der Schöpfer den Menschen vergönnt hat, die himmlischen Dinge in ganzer Macht, so viel es nämlich, (um nicht verwegen zu sprechen,) sterblichen Geschöpfen möglich ist, zu fassen und zu begreifen. Sie kommen durch ganz andere Wege zu unserm Inneren, als durch die Hülfe der Worte; sie bewegen auf *einmal*, auf eine wunderbare Weise, unser ganzes Wesen, und drängen sich in jede Nerve und jeden Blutstropfen, der uns angehört. Die eine dieser wundervollen Sprachen redet nur *Gott*; die andere reden nur wenige Auserwählte unter den Menschen, die er zu seinen Lieblingen gesalbt hat. Ich meine: *die Natur* und *die Kunst*. –

Seit meiner frühen Jugend her, da ich den Gott der Menschen zuerst aus den uralten heiligen Büchern unserer Religion kennen lernte, war mir die *Natur* immer das gründlichste und deutlichste Erklärungsbuch über sein Wesen und seine Eigenschaften. Das Säuseln in den Wipfeln des Waldes, und das Rollen des Donners, haben mir geheimnisvolle Dinge von ihm erzählet, die ich in Worten nicht aufsetzen kann. Ein schönes Tal, von abenteuerlichen Felsengestalten umschlossen, oder ein glatter Fluß, worin gebeugte Bäume sich spiegeln, oder eine heitere grüne Wiese von dem blauen Himmel beschienen, – ach diese Dinge haben in meinem inneren Gemüte mehr wunderbare Regungen zuwege gebracht, haben meinen Geist von der Allmacht und Allgüte Gottes inniger erfüllt, und meine ganze Seele weit mehr gereinigt und erhoben, als es je die Sprache der Worte vermag. Sie ist, dünkt mich, ein allzu irdisches und grobes Werkzeug, um das Unkörperliche, wie das Körperliche, damit zu handhaben.

Ich finde hier einen großen Anlaß, die Macht und Güte des Schöpfers zu preisen. Er hat um uns Menschen eine unendliche Menge von Dingen umhergestellt, wovon jedes ein anderes Wesen hat, und wovon wir keines verstehen und begreifen. Wir wissen nicht, was ein Baum ist; nicht, was eine Wiese, nicht, was ein Felsen ist; wir können nicht in unserer Sprache mit ihnen reden; wir verstehen nur *uns* untereinander. Und dennoch hat der Schöpfer in das Menschenherz eine solche wunderbare Sympathie zu diesen Dingen gelegt, daß sie demselben, auf unbekannten Wegen, Gefühle, oder Gesinnungen, oder wie man es nennen mag, zuführen, welche wir nie durch die abgemessensten Worte erlangen.

Die Weltweisen sind, aus einem an sich löblichen Eifer für die Wahrheit, irre gegangen; sie haben die Geheimnisse des Himmels aufdecken, und unter die irdischen Dinge, in irdische Beleuchtung stellen wollen, und die *dunkeln Gefühle* von denselben, mit kühner Verfechtung ihres Rechtes, aus ihrer Brust verstoßen. – Vermag der schwache Mensch die Geheimnisse des Himmels aufzuhellen? Glaubt er verwegen ans Licht ziehen zu können, was Gott mit seiner Hand bedeckt? Darf er wohl die *dunkeln Gefühle*, welche wie verhüllte Engel zu uns herniedersteigen, hochmütig von sich weisen? – Ich ehre sie in tiefer Demut; denn es ist große Gnade von Gott, daß er uns diese echten Zeugen der Wahrheit herabsendet. Ich falte die Hände, und bete an. –

Die *Kunst* ist eine Sprache ganz anderer Art, als die Natur; aber auch ihr ist, durch ähnliche dunkle und geheime Wege, eine wunderbare Kraft auf das Herz des Menschen eigen. Sie redet durch Bilder der Menschen, und bedienet sich also einer Hieroglyphenschrift, deren Zeichen wir dem Äußern nach, kennen und verstehen. Aber sie schmelzt das Geistige und Unsinnliche, auf eine so rührende und bewundernswürdige Weise, in die sichtbaren Gestalten hinein, daß wiederum unser ganzes Wesen, und alles, was an uns ist, von Grund auf bewegt und erschüttert wird. Manche Gemälde aus der Leidensgeschichte Christi, oder von unsrer heiligen Jungfrau, oder aus der Geschichte der Heiligen, haben, ich darf es wohl sagen, mein Gemüt mehr gesäubert, und meinem inneren Sinne tugendseligere Gesinnungen eingeflößet, als Systeme der Moral und geistliche Betrachtungen. Ich denke unter andern noch mit Inbrunst an ein über alles herrlich gemaltes Bild unsers heiligen Sebastian, wie er nackt an einen Baum gebunden steht, ein Engel ihm die Pfeile aus der Brust zieht, und ein anderer Engel vom Himmel einen Blumenkranz für sein Haupt bringt. Diesem Gemälde verdanke ich sehr eindringliche und haftende christliche Gesinnungen, und ich kann mir jetzt kaum dasselbe lebhaft vorstellen, ohne daß mir die Tränen in die Augen kommen.

Die Lehren der Weisen setzen nur unser Gehirn, nur die eine Hälfte unseres Selbst, in Bewegung; aber die zwei wunderbaren Sprachen, deren Kraft ich hier verkündige, rühren unsre Sinne sowohl als unsern Geist; oder vielmehr scheinen dabei, (wie ich es nicht anders ausdrücken kann,) alle Teile unsers (uns unbegreiflichen) Wesens zu einem einzigen, neuen Organ zusammenzuschmelzen, welches die himmlischen Wunder, auf diesem zwiefachen Wege, faßt und begreift.

Die eine der Sprachen, welche der Höchste selber von Ewigkeit zu Ewigkeit fortredet, die ewig lebendige, unendliche *Natur,* ziehet uns durch die weiten Räume der Lüfte unmittelbar zu der Gottheit hinauf. Die *Kunst* aber, die, durch sinnreiche Zusammensetzungen von gefärbter Erde und etwas Feuchtigkeit, die menschliche Gestalt in einem engen, begrenzten Raume, nach innerer Vollendung strebend, nachahmt, (eine Art von Schöpfung, wie sie sterblichen Wesen hervorzubringen vergönnt ward,) – sie schließt uns die Schätze in der menschlichen Brust auf, richtet unsern Blick in unser Inneres, und zeigt uns das Unsichtbare, ich meine alles was edel, groß und göttlich ist, in menschlicher Gestalt. –

Wenn ich aus dem Gottgeweiheten Tempel unsers Klosters von der Betrachtung Christi am Kreuz, ins Freie hinaustrete, und der Sonnenschein vom blauen Himmel mich warm und lebendig umfängt, und die schöne Landschaft mit Bergen, Gewässer und Bäumen mein Auge rührt; so sehe ich eine eigene Welt Gottes vor mir hervorgehen, und fühle auf eigene Weise große Dinge in meinem Inneren sich erheben. – Und wenn ich aus dem Freien wieder in den Tempel trete, und das Gemälde von Christo am Kreuze mit Ernst und Innigkeit betrachte; so sehe ich wiederum eine andere ganz eigene Welt Gottes vor mir hervorgehen, und fühle auf andre, eigene Weise sich große Dinge in meinem Innern erheben. –

Die Kunst stellet uns die höchste menschliche Vollendung dar. Die Natur, so viel davon ein sterbliches Auge sieht, gleichet abgebrochenen Orakelsprüchen aus dem Munde der Gottheit. Ist es aber erlaubt, also von dergleichen Dingen zu reden, so möchte man vielleicht sagen, daß Gott wohl die ganze Natur oder die ganze Welt auf ähnliche Art, wie wir ein Kunstwerk, ansehen möge.

Achim von Arnim

Ahnungen

Propheten sprechen oft zu uns aus unserm eigenen Munde, an das Unbedeutende heften sie den Blick mit Ahnungen und wir fühlen ein gemeinsames Leben mit aller Welt. O ihr Ahnungen, wunderbare Seher der Zukunft, eure Sternzeichen leuchten in der unerschöpflichen Tiefe unsres Herzens, ihr seid das Licht, ihr seid das Auge zugleich und darum seid ihr nicht zu erkennen und zu begreifen mit der Vernunft. Mit wechselnder Schnelligkeit hebt überfließend der Eimer des neuen Lebens, daß sein herabfallender Überfluß im Brunnen uns erst hörbar wird, wenn der geleerte Eimer schon in leerer Gegenwart schwankend niedersinkt. Das Herrlichste erkennt sich erst, wenn es vorbei und darum begrüße ich euch dankbar und locke euch liebevoll ihr viel verschmähten Ahnungen; aus euch atme ich hoffend und leicht in die Welt, durch euch schlägt jede Ader mächtiger und freut sich ihrer unendlichen Verflechtungen, die ein Vorbild sind, wie die unendlichen Geschlechter der Erde aus einem Blute stammend, auch an ein Blut glauben sollen, das für alle vergossen, alle zur Seligkeit führen wird. Wie sehen wir ahnend so anders in die Welt und in dem Himmel sehen wir wie ein allumfassendes Blau die verbrennenden Gestirne ernährt und herstellt, woraus wird uns in Ahnungen so wohl? — O könnten wir doch auch rückwärts unsern Blick in eurer Kraft wenden und die Welt verstehen lernen, die unsere Erinnerung belastet, könntet ihr das Vergessene und Verborgene uns wiederbringen, erst dann wäre unsre Welt unendlich und dazu möchte ich euch zur Stunde meiner Geburt hinwenden, das Gefühl zu wissen mit dem der Mensch sein Auge zum erstenmal öffnete, zu wissen, wie er dann in der Wiederkehr des Jahres, nachdem er den großen Kreis das erstemal durchwandert, den Jahrestag seiner Geburt feierte, ja dann wüßte ich, wie die Erde fühlt mit ihren Saaten und Wäldern in jeder Jahreszeit, ob die Tiere ihr Leben rühmen, das auf einen Jahreslauf beschränkt ist, oder ob sie neidend den überlebenden Geschlechtern, sich vor der Luft verkriechen, die sie erweckt hatte und entschlummern. Dann wüßte ich wie jedem Geschlechte der Tiere zumute ist, wenn der Tod des Jahres, der Winter, alle Blätter abstreift; — was die Vögel singen wenn diese gleich ihnen durch die Luft fliegen, was das Gewild schreit, wenn sie ihnen das Gras bedecken und die Fische, wenn sie wie unzählige kleine Nachen auf der Wasserfläche umhergaukeln bis sie versinken. Eine schwerere Decke überzieht aber bald mit gleichem Weiß die vielfarbige Erde, wie mögen die Ameisen erschrecken auf ihren weiten Wanderungen, wie mögen die Bienen trauern, wenn sie ihren Vorrat, die goldene Erinnerung unzähliger Blumenküsse in der Not angreifen, was mögen die Fische träumen, wenn eine harte trübe Eiswölbung sie in härterer Gefangenschaft hält als die Netze, denen sie so oft entschlüpft sind und sie von der Oberfläche bannt, an der sich das Wasser erneut, in der sie so oft fröhlich des Sonnenscheins rauschten, wie sie erschrecken nun der Hirsch, den der Teich so lange tränkte verwundert über ihr Haupt hintobt und mit hartem Hufe anklopft bis er die Eisdecke eingeschlagen und dann selbst erschreckt den Kopf zurückzieht, wenn ihm die scheuen Bewohner des so spiegelnden Elements ungeduldig entgegentreten, weil sie schon erstickt sind in der kalten Nacht und verkehrt oben aufsteigend, kaum noch die Flossen zu regen vermögen. Wie sich in der Liebeszeit des Jahres die Tiere übereinander fröhlich verwunderten über alles, was jedem besonders verliehen, wie die Krähen da sich Flöckchen Wolle zu ihrem Neste von der Fülle des Schafs abrissen und der treue Hund, der es nicht leiden wollte, ihnen kaum eine Feder ausreißen konnte und den sichern Fang erstaunt in die Luft emporsteigen sah und vergebens danach emporsprang, wie der ergrimmte Hahn die Enten auf dem Wasser nicht weiter verfolgen konnte, die seinen Hühnern das Futter weggefressen, so beneiden einander alle in der Schreckenszeit, die Krähe sieht von ihrem dürren Ast den dichten Pelz des Schafes mit Neid und möchte sich darin kleiden, Enten und Hühner sehen mit Neid die fröhlichen Zugvögel fortziehen, alle Tiere macht der Winter ernst und boshaft und der Mensch, der alle beherrschen sollte, verkriecht sich furchtsam vor ihnen und liest in dem Fluge, in dem Geschrei der Tiere abergläubische Zeichen einer höhern Gewalt.

Du armer Mensch, wärst du doch wie jene Murmeltiere einem Winterschlafe wenigstens unterworfen, wenn du nicht mit den Zugvögeln dich in die Gegenden ewigen Frühlings flüchten kannst oder wie die Wasserlilien nur zum Blühen an die Oberfläche kommst, o daß du ihnen nicht gleichtun kannst und schlafend, oder wandernd, oder versinkend dem Winter entkommen magst; keiner von uns mag so schnell ziehen und versinken um der Kälte zu entkommen, die in einer Nacht halbe Weltteile überfliegt und wer schliefe so fest, daß ihn der Frost und der Sturm nicht weckten, so schlafen nur die Toten. Die Lebenden aber wie das Grün, das noch aus dem Schnee wunderbar hervorblickt, strecken ihre Arme von ihrem Lager in die Welt der Sonne entgegen, aber sie wärmt nicht mehr, sie erschrecken vor ihr wie vor einer alten Freundin, die in einem Augenblicke ihnen fremd geworden ist. Aber die Trompeten schmettern in allen Straßen, gedämpft von den Schneelagen, doch hörbar, der Feind ist nahe, der Freund ist in der Not, Not und Ehre rufen ihn, der doch die ganze Welt vergessen möchte, die Schüsse fallen immer näher, das Laufen der Flüchtenden hallt immer schneller, er fühlt keinen Frost mehr, ihm ist heiß wie in Frühlingsluft, die Ahnung, hier müsse er kämpfen, durchlebt ihn, ob der Himmel hell oder dunkel, nur eine Tätigkeit in ihm und um ihn her, nur ein Bestreben, denen, die ihn vom traurigen Tode des Erfrierens erweckt haben, sich anzuschließen, ihre Feinde sind seine Feinde und wäre es die ganze Welt.

Achim von Arnim

Grün im Grünen glänzen Stellen,
Wo die Engel nachts getanzet;
Wo sie küssend sich gesellen,
Sind uns Blumen eingepflanzet,
Die zum jüngsten Tag bewahren,
Wenn die Nacht in Lust entschwunden;
Scheue Lieb' in jungen Jahren
Hat zur Wallfahrt sie gefunden.

Weg und Aussicht ist erschlossen
An des Abhangs steilstem Pfade,
Nun die Sonne hat ergossen
Ihre Tränen, ihre Gnade;
Und so sind wir Mitgenossen,
Die hier liebend sich begegnen,
Aller Liebe, die verflossen,
Und empfinden neu ihr Segnen.

Seht, nun steht der Iris-Bogen
Fest auf diesen steilen Höhen;
Wo die Liebenden geflogen,
Können wir nur schwindelnd gehen.
Außer Atem füllt mit Tönen
Sich der Mund und süßem Bangen,
Raphael, dich hier zu krönen,
Möchten wir uns unterfangen.

Johann Wolfgang von Goethe

Auf Sizilien

Hier noch einiges zusammenfassend, nachträglich und vertraulich.

Wir fuhren Donnerstag den 29. März mit Sonnenuntergang von Neapel und landeten erst nach vier Tagen um drei Uhr im Hafen von Palermo. Ein kleines Diarium, das ich beilege, erzählt überhaupt unsere Schicksale. Ich habe nie eine Reise so ruhig angetreten als diese, habe nie eine ruhigere Zeit gehabt als auf der durch beständigen Gegenwind sehr verlängerten Fahrt, selbst auf dem Bette im engen Kämmerchen, wo ich mich die ersten Tage halten mußte, weil mich die Seekrankheit stark angriff.

Nun denke ich ruhig zu euch hinüber; denn wenn irgend etwas für mich entscheidend war, so ist es diese Reise.

Hat man sich nicht ringsum vom Meere umgeben gesehen, so hat man keinen Begriff von Welt und von seinem Verhältnis zur Welt. Als Landschaftszeichner hat mir diese große simple Linie ganz neue Gedanken gegeben.

Wir haben, wie das Diarium ausweist, auf dieser kurzen Fahrt mancherlei Abwechslungen und gleichsam die Schicksale der Seefahrer im kleinen gehabt. Übrigens ist die Sicherheit und Bequemlichkeit des Paketboots nicht genug zu loben. Der Kapitän ist ein sehr braver und recht artiger Mann. Die Gesellschaft war ein ganzes Theater, gut gesittet, leidlich und angenehm. Mein Künstler, den ich bei mir habe, ist ein munterer, treuer, guter Mensch, der mit der größten Akkuratesse zeichnet; er hat alle Inseln und Küsten, wie sie sich zeigten, umrissen; es wird euch große Freude machen, wenn ich alles mitbringe. Übrigens hat er mir, die langen Stunden der Überfahrt zu verkürzen, das Mechanische der Wasserfarbenmalerei (Aquarell), die man in Italien jetzt sehr hoch getrieben hat, aufgeschrieben; versteht sich den Gebrauch gewisser Farben, um gewisse Töne hervorzubringen, an denen man sich, ohne das Geheimnis zu wissen, zu Tode mischen würde. Ich hatte wohl in Rom manches davon erfahren, aber niemals im Zusammenhange. Die Künstler haben es in einem Lande ausstudiert, wie Italien, wie dieses ist. Mit keinen Worten ist die dunstige Klarheit auszudrükken, die um die Küsten schwebte, als wir am schönsten Nachmittage gegen Palermo anfuhren. Die Reinheit der Konture, die Weichheit des Ganzen, das Auseinanderweichen der Töne, die Harmonie von Himmel, Meer und Erde. Wer es gesehen hat, der hat es auf sein ganzes Leben. Nun versteh' ich erst die Claude Lorrains und habe Hoffnung, auch dereinst in Norden aus meiner Seele Schattenbilder dieser glücklichen Wohnung hervorzubringen. Wäre nur alles Kleinliche so rein daraus weggewaschen als die Kleinheit der Strohdächer aus meinen Zeichenbegriffen. Wir wollen sehen, was diese Königin der Inseln tun kann.

Wie sie uns empfangen hat, habe ich keine Worte auszudrücken: mit frisch grünenden Maulbeerbäumen, immer grünendem Oleander, Zitronenhecken etc. In einem öffentlichen Garten stehn weite Beete von Ranunkeln und Anemonen. Die Luft ist mild, warm und wohlriechend, der Wind lau. Der Mond ging dazu voll hinter einem Vorgebirge herauf und schien ins Meer; und diesen Genuß, nachdem man vier Tage und Nächte auf den Wellen geschwebt! Verzeiht, wenn ich mit einer stumpfen Feder aus einer Tuschmuschel, aus der mein Gefährte die Umrisse nachzieht, dieses hinkritzle. Es kommt doch wie ein Lispeln zu euch hinüber, indes ich allen, die mich lieben, ein ander Denkmal dieser meiner glücklichen Stunden bereite. Was es wird, sag' ich nicht; wann ihr es erhaltet, kann ich auch nicht sagen.

Johann Wolfgang von Goethe

Nausikaa-Fragmente

In meines Vaters Garten soll die Erde
Dich umgetriebnen vielgeplagten Mann
Zum freundlichsten empfangen . . .
Das schönste Feld hat er sein ganzes Leben
Bepflanzt, gepflügt und erntet nun im Alter
Des Fleißes Lohn, ein tägliches Vergnügen.
Dort dringen neben Früchten wieder Blüten,
Und Frucht auf Früchte wechseln durch das Jahr.
Die Pomeranze, die Zitrone steht
Im dunklen Laube, und die Feige folgt
Der Feige . . . beschützt ist rings umher
Mit Aloe und Stachelfeigen . . . ,
Daß die verwegne Ziege nicht genäschig

Dort wirst du in den schönen Lauben wandeln,
An weiten Teppichen von Blumen dich erfreun.
Es rieselt neben dir der Bach, geleitet
Von Stamm zu Stamm. Der Gärtner tränket sie
Nach seinem Willen . . .

Ein weißer Glanz ruht über Land und Meer,
Und duftend schwebt der Äther ohne Wolken.

Friedrich Hölderlin

Fragment

Narzissen Ranunklen und
Syringen aus Persien
Blumen Nelken, gezogen perlenfarb
Und schwarz und Hyazinthen,
Wie wenn es riechet, statt Musik
Des Eingangs, dort, wo böse Gedanken,

Liebende mein Sohn vergessen sollen einzugehen
Verhältnisse und dies Leben
Christophori der Drache vergleicht der Natur
Gang und Geist und Gestalt.

Johann Wolfgang von Goethe

Tischbeins Idyllen

In dem ernst-lieblichen Fels- und Waldgebüsch liegt, den Rükken gegen uns gekehrt, ausgestreckt auf Moos und Kräutern, über der Urne gelehnt, die schlankste Gestalt, nackende Reize dem Auge darbietend. Des mit leichtem Schilfkranze gezierten Hauptes geringe Wendung läßt uns ein unbefangenes jugendliches Gesicht sehen, völlig zu der untadeligen Gestalt passend; sie scheint auf einen Vogel zu achten, der aus dem Rohr, auf dem Rohr sein Nest verteidigend, mit leidenschaftlichem Geschrei gegen sie anstrebt; es scheint, als habe das zarte Tierchen die Halbgöttin jetzt erst gewahrt und die Störung seines stillen sichern Ansiedelns furchtsam-lebhaft empfunden. Aber so ganz einsam ist unsere Schöne nicht hier oben: nur etwas höher und rückwärts, im Dunkel einer Felsgrotte, ruht in der Dämmerung des Widerscheines eine ältere, obgleich nicht weniger anmutige Gespielin. So dürfen wir sie nennen: denn die beiden überfließenden Urnen senden ihre spielenden Wellen *einem* Bett zu, vereint fließen sie hin und scheinen das mädchenhafte Gespräch in ihrem Laufe fortzuführen.

Wie aber zwei vertraute Freundinnen sich wohl einmal entzweien und eben auch so zusammengeflossene Bäche nach Umständen wieder sich trennen, das haben wir in wenigen Reimen doppelsinnig auszudrücken gesucht:

Jetzo wallen sie zusammen,
Kühle kühlt und birgt die Flammen;
Tiefer unten werden Hirten
Sich zum Wonnebad entgürten;
Um den Schönsten von den dreien
Werden beide sich entzweien.
Diese fließt in offner Schwüle,
Jene zu gewohnter Kühle,
Sucht den Liebsten in der Mühle.

Sehen wir doch in der Wirklichkeit auf unmerklichem Draht, auf schwankem Seil wandelbare Bewegungen, kühnen Sprung auf Sprung, Blick verwirrenden Körperwechsel; über solcher

Kraftäußerung und Anmutserscheinung vergessen wir die geringen Hilfsmittel, welche diese wundersame Welt flüchtig begründen; nur auf das Bild schauen wir, das uns entzückt, den Begriff eines neuen Handwerks mitteilt und eine liebliche Kunstwelt eröffnet.

Und so haben auch die antiken Maler beim anschaulichen Nachbilden Tanzender, die des Bodens nicht zu bedürfen scheinen, da sie ihn kaum berühren, diesen Boden sowohl als jedes irdische Hilfsmittel, Sprung- und Flugwerk beseitigt, ihre Gestalten in der Luft schwebend auf einfachem Grunde gehalten, wie sie der Einbildungskraft, die sich ihrer, von allem Nebenwerk abgesondert, am liebsten erinnern mag, frei und unbedingt vorschweben. Auf solche Weise steigert auch Tischbein sein idyllisches Bestreben; auf leichtem Rohrgezweige hebt er seine Muse empor, wie wir begleitend auszudrücken suchten:

Was sich nach der Erde senkte,
Was sich an den Boden hielt,
Was den Äther nicht erreicht,
Seht, wie es empor sich schwenkte,
Wie's auf Rohr und Ranken spielt!
Künstlerwille macht es leicht.

Durch diesen Übergang jedoch werden wir in die Lufthöhe geführt und in ätherischer Weite uns zu bewegen eingeladen. Hoch im finstern Luftraume schwebt im weiten Mantel, der sich um und über sie wolkenartig faltet, eine schlanke Gestalt; im Fortschweben sieht sie sich um nach dem sanften Lichte, das von unten zu ihr hinaufblickt, ihr holdes Angesicht so wie die nackten Sohlen erleuchtet.

Nicht lange bleiben wir über die Bedeutung der Schwebenden unaufgeklärt; um ihr Haupt winden sich Rosen an Rosen in unbegrenzten Zirkeln; Auroren erkennen wir da. Der Gedanke, sie so vorzustellen, ist freundlich genug. Denn wie wir sonst, auf heiligen Bildern, um das Haupt der verklärten Mutter Gottes Kreise von Engelsköpfchen sehen, die sich nach und nach in glänzende Wölkchen auflösen, eben so ist es hier mit den Rosen gemeint, zu welchen die rot gesäumten Wölkchen der Morgendämmerung bedeutungsvoll gestaltet sind. Wir begrüßten sie mit folgendem Reim:

Wenn um das Götterkind Auroren
In Finsternis werden Rosen geboren,
Sie fleucht, so leicht, so hoch gemeint,
Die Sonne ihr auf die Fersen scheint.
Das ist denn doch das wahre Leben,
Wo in der Nacht auch Blüten schweben.

Eine noch lieblichere Gestalt schwebt näher an uns heran, obgleich verschleiert, doch so gut wie nackt. Die Art ihres Erscheinens drückten wir folgendermaßen aus:

Ohne menschliche Gebrechen,
Göttergleich mit heiterm Sinn,
Tauig Moos und Wasserflächen
Überschreitend schwebt sie hin.

Wir mochten bei ihr gern der Morgenstunde gedenken; denn auf diese scheint sie uns zu deuten, wo sich leichte Nebel von feuchter Stelle augenblicklich hervorhoben, um als Tau die benachbarten Hügelflächen sonnenscheu zu erquicken und zu verschwinden. Ebenso wenig dürfen wir hoffen, diese liebenswürdige Gestalt anzuhalten, uns ihrer zu bemächtigen. Sie zieht vorüber und läßt uns traurig zurück, so wie die Morgenstunde, wenn wir sie auch treulich genützt, immer zu früh enteilt, um uns der Mühe des Tages zu überlassen. Deshalb fügten wir hinzu:

Heute floh sie, floh wie gestern,
Riß der Muse sich vom Schoß;
Ach! sie hat so lästige Schwestern,
Peinlich werden wir sie los.

Die leichte Bewegung eines zierlichen Gestaltenpaars erinnert uns an die heitersten gesellig-festlichen Stunden. Zwei leicht bekleidete Feenmädchen scheinen sich im Fluge zu begegnen; so eben vor einander vorbeischwebend, sehen beide sich um, als wollten sie die liebliche Gespielin so schnell nicht aus den Augen verlieren. Zierlichste Biegung der Körper, anmutigste Bewegung der äußersten Glieder, augenblickliche Verschlungenheit zweier gleich lieblicher Wesen erinnerten uns an unschätzbare Zeiten, wo die frohe Hora weichend uns der froheren übergibt und das Leben, einem Tanzreihen gleich, sich auf das anmutigste wiederholend, dahinschwebt.

Alles, was uns bewegsam beglückte, Musik, Tanz, und was sonst noch aus mannigfaltigen, lebendig-beweglichen Elementen sich entwickelt, im Kontraste sich trennt, harmonisch wieder zusammenfließt, mag uns wohl beim Anblick dieses Bildes in Erinnerung treten. Dies sind gerade die schönsten Symbole, die eine vielfache Deutung zulassen, indes das dargestellte Bildliche immer dasselbe bleibt.

Diesmal entließen wir sie mit dem einfachen Ausruf:

Wirket Stunden leichten Webens,
Lieblich lieblichen begegnend,
Zettel, Einschlag längsten Lebens,
Scheidend, kommend, grüßend, segnend.

Und wie denn der kluge Feuerwerker seine blendenden Darstellungen gewöhnlich mit einer Raketengarbe zu enden pflegt, so hat auch unser Freund, was bisher einzeln oder paarweis, an der Erde, in der Mittelhöhe erschien, nun zur Dreiheit erhoben und in die höchste Atmosphäre gelüftet. Ein überhängender Felsgipfel tritt zur rechten Seite ins Bild hinein, ohne Rechenschaft von dem Fuße zu geben, worauf die Masse ruhen könnte; er hangt, von Rosen und wildem Wein bekränzt, über dem weiten Meer, welches, bis vorn an den Rahmen herantretend, aus seinem erleuchteten Horizonte die Sonne hervorläßt, die sich in den Wellen bespiegelt und den Himmel aufklärt. Da schweben denn um jenes Felshaupt drei frische leichte Sylphiden, die unterste flach wie eine Streifwolke einherziehend, die zweite sich hinter ihr erhebend, die dritte noch weiter hinter- und aufwärts sich in den Äther verlierend. Es ist, als wenn der Künstler die Howardische Terminologie anthropomorphisch auszudrücken den Vorsatz gehabt, und es bedürfte nur noch weniges, so wäre die Zeichensprache vollkommen. Sehr anmutig schwebt die unterste, mit Schale und Krug, an die Rosen heran und spürt, ob durch linde Befeuchtung der Morgenduft sich möchte entwickelt haben. Die zweite erhebt sich in diagonaler Richtung, die dritte senkrecht steigt empor. Mit wenigen Pinselzügen wäre hier die Streifwolke, die geballte, die zerstiebende vorgestellt. Wir werden den wackern Freund ersuchen, in diesem Sinne ein Gegenbild zu erfinden, und bringen deshalb kein Gedicht hier bei, weil solches nur als Wiederholung von »Howards Ehrengedächtnis« erscheinen dürfte.

Wir schlagen um und wenden uns zu XVI, wo der Künstler auf einmal den Vorhang fallen und uns vor einer Szene stehen läßt, welche Bezug auf das erste Bild zu haben scheint, mit welchem sie jedoch einen auffallenden Gegensatz bildet. Dort sahen wir mächtige, ernstlich-gründliche Kunst, durch Natur und Zeit überwältigt, ihre Eigentümlichkeit aufgehoben und mit Fruchtfeld und Ackerboden ausgeglichen, der Vegetation anheim gegeben; hier aber finden wir Natur, wie sie gebirgisch auf sich selbst ruht, ohne der Pflanzenwelt irgend einen Anteil einzuräumen. Wir bezeichneten den Gegenstand mit folgenden Worten:

Ruhig Wasser, grause Höhle,
Bergeshöh' und ernstes Licht,
Seltsam, wie es unserer Seele
Schauderhafte Laute spricht.
So erweist sich wohl Natur,
Künstlerblick vernimmt es nur.

Friedrich von Schiller

Schönheit und Freiheit

Solange der Mensch, in seinem ersten physischen Zustande, die Sinnenwelt bloß leidend in sich aufnimmt, bloß empfindet, ist er auch noch völlig eins mit derselben, und eben weil er selbst bloß Welt ist, so ist für ihn noch keine Welt. Erst wenn er in seinem ästhetischen Stande sie außer sich stellt oder *betrachtet*, sondert sich seine Persönlichkeit von ihr ab, und es erscheint ihm eine Welt, weil er aufgehört hat, mit derselben eins auszumachen.

Die Betrachtung (Reflexion) ist das erste liberale Verhältnis des Menschen zu dem Weltall, das ihn umgibt. Wenn die Begierde ihren Gegenstand unmittelbar ergreift, so rückt die Betrachtung den ihrigen in die Ferne und macht ihn eben dadurch zu ihrem wahren und unverlierbaren Eigentum, daß sie ihn vor der Leidenschaft flüchtet. Die Notwendigkeit der Natur, die ihn im Zustand der bloßen Empfindung mit ungeteilter Gewalt beherrschte, läßt bei der Reflexion von ihm ab, in den Sinnen erfolgt ein augenblicklicher Friede, die Zeit selbst, das ewig Wandelnde, steht still, indem des Bewußtseins zerstreute Strahlen sich sammeln, und ein Nachbild des Unendlichen, die *Form*, reflektiert sich auf dem vergänglichen Grunde. Sobald es Licht wird in dem Menschen, ist auch außer ihm keine Nacht mehr; sobald es stille wird in ihm, legt sich auch der Sturm in dem Weltall, und die streitenden Kräfte der Natur finden Ruhe zwischen bleibenden Grenzen. Daher kein Wunder, wenn die uralten Dichtungen von dieser großen Begebenheit im Innern des Menschen als von einer Revolution in der Außenwelt reden und den Gedanken, der über die Zeitgesetze siegt, unter dem Bilde des Zeus versinnlichen, der das Reich das Saturnus endigt.

Aus einem Sklaven der Natur, solang' er sie bloß empfindet, wird der Mensch ihr Gesetzgeber, sobald er sie denkt. Die ihn vordem nur als *Macht* beherrschte, steht jetzt als *Objekt* vor seinem richtenden Blick. Was ihm Objekt ist, hat keine Gewalt über ihn, denn um Objekt zu sein, muß es die seinige erfahren. Soweit er der Materie Form gibt, und solange er sie gibt, ist er ihren Wirkungen unverletzlich; denn einen Geist kann nichts verletzen, als was ihm die Freiheit raubt, und er beweist ja die seinige, indem er das Formlose bildet. Nur wo die Masse schwer und gestaltlos herrscht und zwischen unsichern Grenzen die trüben Umrisse wanken, hat die Furcht ihren Sitz; jedem Schrecknis der Natur ist der Mensch überlegen, sobald er ihm Form zu geben und es in sein Objekt zu verwandeln weiß. So wie er anfängt, seine Selbständigkeit gegen die Natur als Erscheinung zu behaupten, so behauptet er auch gegen die Natur als Macht seine Würde, und mit edler Freiheit richtet er sich auf gegen seine Götter. Sie werfen die Gespensterlarven ab, womit sie seine Kindheit geängstigt hatten, und überraschen ihn mit seinem eigenen Bild, indem sie seine Vorstellung werden. Das göttliche Monstrum des Morgenländers, das mit der blinden Stärke des Raubtiers die Welt verwaltet, zieht sich in der griechischen Phantasie in den freundlichen Kontur der Menschheit zusammen, das Reich der Titanen fällt, und die unendliche Kraft ist durch die unendliche Form gebändigt.

Aber indem ich bloß einen Ausgang aus der materiellen Welt und einen Übergang in die Geisterwelt suchte, hat mich der freie Lauf meiner Einbildungskraft schon mitten in die letztere hineingeführt. Die Schönheit, die wir suchen, liegt bereits hinter uns, und wir haben sie übersprungen, indem wir von dem bloßen Leben unmittelbar zu der reinen Gestalt und zu dem reinen Objekt übergingen. Ein solcher Sprung ist nicht in der menschlichen Natur, und um gleichen Schritt mit dieser zu halten, werden wir zu der Sinnenwelt wieder umkehren müssen.

Die Schönheit ist allerdings das Werk der freien Betrachtung, und wir treten mit ihr in die Welt der Ideen – aber was wohl zu bemerken ist, ohne darum die sinnliche Welt zu verlassen, wie bei Erkenntnis der Wahrheit geschieht. Diese ist das reine Produkt der Absonderung von allem, was materiell und zufällig ist, reines Objekt, in welchem keine Schranke des Subjekts zurückbleiben darf, reine Selbsttätigkeit ohne Beimischung eines Leidens. Zwar gibt es auch von der höchsten Abstraktion einen Rückweg zur Sinnlichkeit, denn der Gedanke rührt die innre Empfindung, und die Vorstellung logischer und moralischer Einheit geht in ein Gefühl sinnlicher Übereinstimmung über. Aber wenn wir uns an Erkenntnissen ergötzen, so unterscheiden wir sehr genau unsere Vorstellung von unserer Empfindung und sehen diese letztere als etwas Zufälliges an, was gar wohl wegbleiben könnte, ohne daß deswegen die Erkenntnis aufhörte und Wahrheit nicht Wahrheit wäre. Aber ein ganz vergebliches Unternehmen würde es sein, diese Beziehung auf das Empfindungsvermögen von der Vorstellung der Schönheit absondern zu wollen; daher wir nicht damit ausreichen, uns die eine als den Effekt der andern zu denken, sondern beide zugleich und wechselseitig als Effekt und als Ursache ansehen müssen. In unserm Vergnügen an Erkenntnissen unterscheiden wir ohne Mühe den Übergang von der Tätigkeit zum Leiden und bemerken deutlich, daß das erste vorüber ist, wenn das letztere eintritt. In unserm Wohlgefallen an der Schönheit hingegen läßt sich keine solche Sukzession zwischen der Tätigkeit und dem Leiden unterscheiden, und die Reflexion zerfließt hier so vollkommen mit dem Gefühle, daß wir die Form unmittelbar zu empfinden glauben. Die Schönheit ist also zwar *Gegenstand* für uns, weil die Reflexion die Bedingung ist, unter der wir eine Empfindung von ihr haben; zugleich aber ist sie ein *Zustand unsers Subjekts*, weil das Gefühl die Bedingung ist, unter der wir eine Vorstellung von ihr haben. Sie ist also zwar Form, weil wir sie betrachten; zugleich aber ist sie Leben, weil wir sie fühlen. Mit einem Wort: sie ist zugleich unser Zustand und unsre Tat.

Und eben weil sie dieses beides zugleich ist, so dient sie uns also zu einem siegenden Beweis, daß das Leiden die Tätigkeit, daß die Materie die Form, daß die Beschränkung die Unendlichkeit keineswegs ausschließe – daß mithin durch die notwendige physische Abhängigkeit des Menschen seine moralische Freiheit keineswegs aufgehoben werde. Sie beweist dieses, und, ich muß hinzusetzen, sie *allein* kann es uns beweisen. Denn da beim Genuß der Wahrheit oder der logischen Einheit die Empfindung mit dem Gedanken nicht notwendig eins ist, sondern auf denselben zufällig folgt, so kann uns dieselbe bloß beweisen, daß auf eine vernünftige Natur eine sinnliche folgen könne und umgekehrt; nicht, daß beide zusammen bestehen, nicht, daß sie wechselseitig auf einander wirken, nicht, daß sie absolut und notwendig zu vereinigen sind. Vielmehr müßte sich gerade umgekehrt aus dieser Ausschließung des Gefühls, solange gedacht wird, und des Gedankens, solange empfunden wird, auf eine *Unvereinbarkeit* beider Naturen schließen lassen, wie denn auch wirklich die Analysten keinen bessern Beweis für die Ausführbarkeit reiner Vernunft in der Menschheit anzuführen wissen als den, daß sie geboten ist. Da nun aber bei dem Genuß der Schönheit oder der ästhetischen Einheit eine wirkliche Vereinigung und Auswechslung der Materie mit der Form und des Leidens mit der Tätigkeit vor sich geht, so ist eben dadurch die *Vereinbarkeit* beider Naturen, die Ausführbarkeit des Unendlichen in der Endlichkeit, mithin die Möglichkeit der erhabensten Menschheit bewiesen.

Wir dürfen also nicht mehr verlegen sein, einen Übergang von der sinnlichen Abhängigkeit zu der moralischen Freiheit zu finden, nachdem durch die Schönheit der Fall gegeben ist, daß die letztere mit der erstern vollkommen zusammen bestehen könne, und daß der Mensch, um sich als Geist zu erweisen, der Materie nicht zu entfliehen brauche. Ist er aber schon in Gemeinschaft mit der Sinnlichkeit frei, wie das Faktum der Schönheit lehrt, und ist Freiheit etwas Absolutes und Übersinnliches, wie ihr Begriff notwendig mit sich bringt, so kann nicht mehr die Frage sein, wie er dazu gelange, sich von den Schranken zum Absoluten zu erheben, sich in seinem Denken und Wollen der Sinnlichkeit entgegenzusetzen, da dieses schon in der Schönheit geschehen ist. Es kann, mit einem Wort, nicht mehr die Frage sein, wie er von der Schönheit zur Wahrheit übergehe, die dem Vermögen nach schon in der ersten liegt, sondern wie er von einer gemeinen Wirklichkeit zu einer ästhetischen, wie er von bloßen Lebensgefühlen zu Schönheitsgefühlen den Weg sich bahne.

Philipp Otto Runge

Die eigentliche Kunst

Ich habe mich immer von Jugend auf darnach gesehnt, Worte zu finden, oder Zeichen, oder irgend etwas, womit ich mein inneres Gefühl, das eigentlich, was sich in meinen schönsten Stunden so ruhig und lebendig in mir auf und ab bewegt, andern deutlich machen könnte, und habe immer bei mir gedacht: wenn sich auch niemand für dein Gefühl sonderlich interessiert, *das* muß der Andre doch auch haben, in sich, und wenn einer das den Andern einmal gesagt hätte, so müßte man es sich so anfühlen können, wenn man sich die Hand gibt und in die Augen sieht, wie sich das nun in unserm Gemüt bewegt, und der Gedanke war mir immer mehr wert als viel mühsame Wissenschaften, weil es mir so vorkam: dies wäre so recht das, warum alle Wissenschaft und Kunst doch eigentlich nur da sind. Ich habe aber recht wenig Menschen gefunden, die mich verstanden haben; anfangs dacht' ich, es verständen mich alle Menschen, und täten nur zum Schein anders, weil sie keine Kinder mehr wären, hernach aber fand ich es würklich so, daß sie keine Kinder sein mochten und das für albern hielten; ich tat da so, als wollte ich es auch nicht sein und da habe ich recht gut die herausfinden können, die mich eigentlich was angingen und sich bloß anders stellten; ich habe viel recht gute Menschen gefunden, bei den meisten war's aber mit viel Gelehrsamkeit versetzt, in manchen war die gute Natur recht stark und schämten sich derselbigen und sprachen ganz anders wie sie's meinten, damit man ihnen ihr Kleinod nicht nehmen sollte; das ist eine recht vorsichtige Art und kam mir vor, wie das einmütige Beisammensein bei verschlossenen Türen, wo der Herr mitten durch feste Mauern und trotz Schloß und Riegel zu den Jüngern trat und sagte: Friede sei mit euch! – Das Wort hab' ich mir immer gesagt, wenn es an den Wänden pochte und polterte, und mich recht still gehalten. – Nun habe ich seit mehr Jahren schon die Bemerkung gemacht, daß es würklich solche Worte gebe, wodurch man sich recht bis in's Innerste verstehen könnte, daß aber auch der eigentliche Gebrauch dieser

Worte fast ganz aufgehört hat und man die Schriftzüge bloß als etwas ganz Wunderliches und als rare Sachen aufhebt und nachmacht, auch wohl verschiedentlich zusammensetzt, weil man doch gehört hat, daß vor Zeiten was damit geschrieben sei; ob die Dinger nicht noch sollten einen Laut von sich geben? Das Zusammenstellen muß es aber wohl nicht ausmachen. Man klagt recht darüber, da man nun alle die ägyptischen Gräber aufgemacht, worin so viele Hieroglyphen sich befinden, daß man nichts davon versteht; ich kann mir das denken, wozu wären es wohl auch Gräber, wenn nicht der Geist und alles, selbst die lebendige Gestalt der Hieroglyphe mit darin begraben wäre? Und sollten wohl die Bilder aus allen italienischen Schulen verstanden werden? Mich dünkt immer, sie wollen nur die Schrift verstehen, nicht die Worte, die damit geschrieben sind; es sind zu ihrer Zeit selbst schon viele Leute auf's Schreiben verfallen, die bloß so an der Schrift Vergnügen gefunden haben, und das ist nicht viel besser, als wenn ein Kopist Minister sein könnte, weil er die Verordnungen in's Reine schreiben kann: wenn man aber das, was jene rechten Leute schreiben wollten, auch in sich hat, so versteht man auch ihre Schriften, denn man muß doch auch Verstand haben, wenn man verstehen will, sonst wäre es ja gleichviel, ob Leuten oder Bänken gepredigt wäre.

So habe ich fast meine besten Freunde, ja gewiß die allerbesten, unter den Menschen gefunden, die nicht mehr leben, und es kann mich recht in die Seele freuen, wenn ich mich selbst ebenso wieder da antreffe; es muß, dünkt mich, für *die* Leute auch eine recht schöne Freude gewesen sein, wenn sie jemand nun so verstanden hat, und haben sich mit andern einverstanden über die tiefen Wunder in ihrem Gemüt so recht freuen können. — Ich bin auch ohne viel Umstände darauf gekommen, daß das wohl die eigentliche Kunst sei, *so* sich auszudrücken; wenn man das aber recht will, so muß auch was auszudrücken da sein, und die lebendige Kraft, wodurch Himmel und Erde geschaffen sind, und deren Abbild unsere lebendige Seele ist, muß sich auch recht in uns regen und bewegen, und muß recht gedeihen in uns, daß wir alles recht erkennen, wieviel Liebe in uns und um uns allenthalben herum liegt, und, wenn wir es recht einsehen und glauben, uns aus jeder Blume und jeder Farbe und hinter allen Zäunen und Büschen und hinter den Wolken und bis zu den fernsten Sternen versteckt immer freundlich in die Augen sehen will. So dünkt mich, es müßte eine rechte herzinnigliche Freude sein, wenn wir zu diesem Gefühl in uns würklich Sprache hätten, und sollte es auch bloß ein Familiengespräch geben; so eine Familie, darin man so mit einander sprechen könnte, da wäre gewiß gut, darin zu wohnen, und man müßte ein rechter Narr sein, wenn man sich nicht damit begnügen wollte, selig zu sein. Nun dünkt mich, als hätten die Apostel, die frommen Musici, die großen schönen Dichter und Maler, würklich im Sinne gehabt, solch einen Familienzirkel zu bilden, – den Aposteln ist es gelungen, den andern aber nur teilweise; was ihnen teilweise gelungen ist, verstehen wir nicht recht mehr, da viel Provinzialismen mit unterlaufen, daran sollten wir uns aber nicht kehren, sondern nur suchen, erst das eine was not tut in uns zu haben, und dann es auszusprechen mit dem treuesten Gewissen und Fleiß, so würde doch unsre rechte Glückseligkeit gewiß befördert. Man sollte für diese Kunst, die ich meine, und die doch wohl die eigentliche ist, für's erste nicht so sehr darauf sehen, *wie* einer etwas sagte, sondern daß er auch würklich etwas sagte und zu sagen hätte, sonst wird die Suppe besser als der Fisch und die soll denn doch die Sache nicht sein, man hält aber zur Zeit viel auf Saucen.

Heinrich von Kleist

Empfindungen vor Friedrichs Seelandschaft

Herrlich ist es, in einer unendlichen Einsamkeit am Meeresufer, unter trübem Himmel, auf eine unbegrenzte Wasserwüste hinauszuschauen. Dazu gehört gleichwohl, daß man dahin gegangen sei, daß man zurück muß, daß man hinüber möchte, daß man es nicht kann, daß man alles zum Leben vermißt und die Stimme des Lebens dennoch im Rauschen der Flut, im Wehen der Luft, im Ziehen der Wolken, dem einsamen Geschrei der Vögel, vernimmt. Dazu gehört ein Anspruch, den das Herz macht, und ein Abbruch, um mich so auszudrücken, den einem die Natur tut. Dies aber ist vor dem Bilde unmöglich, und das, was ich in dem Bilde selbst finden sollte, fand ich erst zwischen mir und dem Bilde, nämlich einen Anspruch, den mein Herz an das Bild machte, und einen Abbruch, den mir das Bild tat; und so ward ich selbst der Kapuziner, das Bild ward die Düne, das aber, wohinaus ich mit Sehnsucht blicken sollte, die See, fehlte ganz. Nichts kann trauriger und unbehaglicher sein, als diese Stellung in der Welt: der einzige Lebensfunke im weiten Reiche des Todes, der einsame Mittelpunkt im einsamen Kreis. Das Bild liegt, mit seinen zwei oder drei geheimnisvollen Gegenständen, wie die Apokalypse da, als ob es Youngs Nachtgedanken hätte, und da es, in seiner Einförmigkeit und Uferlosigkeit, nichts als den Rahm zum Vordergrund hat, so ist es, wenn man es betrachtet, als ob einem die Augenlider weggeschnitten wären. Gleichwohl hat der Maler zweifelsohne eine ganz neue Bahn im Felde seiner Kunst gebrochen; und ich bin überzeugt, daß sich, mit seinem Geiste, eine Quadratmeile märkischen Sandes darstellen ließe, mit einem Berberitzenstrauch, worauf sich eine Krähe einsam plustert, und daß dies Bild eine wahrhaft Ossiansche oder Kosegartensche Wirkung tun müßte. Ja, wenn man diese Landschaft mit ihrer eignen Kreide und mit ihrem eigenen Wasser malte; so, glaube ich, man könnte die Füchse und Wölfe damit zum Heulen bringen: das Stärkste, was man, ohne allen Zweifel, zum Lobe für diese Art von Landschaftsmalerei beibringen kann. — Doch meine eigenen Empfindungen, über dies wunderbare Gemälde, sind zu verworren; daher habe ich mir, ehe ich sie ganz auszusprechen wage, vorgenommen, mich durch die Äußerungen derer, die paarweise, von Morgen bis Abend, daran vorübergehen, zu belehren.

Johann Wolfgang von Goethe

Über Dichtung

Verwahrung: Wenn jemand Wort und Ausdruck als heilige Zeugnisse betrachtet und sie nicht etwa, wie Scheidemünze oder Papiergeld, nur zu schnellem, augenblicklichem Verkehr bringen, sondern im geistigen Handel und Wandel als wahres Äquivalent ausgetauscht wissen will, so kann man ihm nicht verübeln, daß er aufmerksam macht, wie herkömmliche Ausdrücke, woran niemand mehr Arges hat, doch einen schädlichen Einfluß verüben, Ansichten verdüstern, den Begriff entstellen und ganzen Fächern eine falsche Richtung geben.

Von der Art möchte wohl der eingeführte Gebrauch sein, daß man den Titel *schöne Redekünste* als allgemeine Rubrik behandelt, unter welcher man Poesie und Prosa begreifen und eine neben der andern, ihren verschiedenen Teilen nach, aufstellen will.

Poesie ist, rein und echt betrachtet, weder Rede noch Kunst: keine *Rede*, weil sie zu ihrer Vollendung Takt, Gesang, Körperbewegung und Mimik bedarf; sie ist keine *Kunst*, weil alles auf dem Naturell beruht, welches zwar geregelt, aber nicht künstlerisch geängstiget werden darf; auch bleibt sie immer wahrhafter Ausdruck eines aufgeregten, erhöhten Geistes, ohne Ziel und Zweck.

Die Redekunst aber, im eigentlichen Sinne, ist eine Rede und eine Kunst; sie beruht auf einer deutlichen, mäßig leidenschaftlichen *Rede* und ist *Kunst* in jedem Sinne. Sie verfolgt ihre Zwecke und ist Verstellung vom Anfang bis zu Ende. Durch jene von uns gerügte Rubrik ist nun die Poesie entwürdigt, indem sie der Redekunst bei-, wo nicht untergeordnet wird, Namen und Ehre von ihr ableitet.

Diese Benennung und Einteilung hat freilich Beifall und Platz gewonnen, weil höchst schätzenswerte Bücher sie an der Stirne tragen, und schwer möchte man sich derselben so bald entwöhnen. Ein solches Verfahren kommt aber daher, weil man, bei Klassifikation der Künste, den Künstler nicht zu Rate zieht. Dem Literator kommen die poetischen Werke zuerst als Buchstaben in die Hand, sie liegen als Bücher vor ihm, die er aufzustellen und zu ordnen berufen ist.

Dichtarten: Allegorie, Ballade, Cantate, Drama, Elegie, Epigramm, Epistel, Epopöe, Erzählung, Fabel, Heroide, Idylle, Lehrgedicht, Ode, Parodie, Roman, Romanze, Satire.

Wenn man vorgemeldete Dichtarten, die wir alphabetisch zusammengestellt, und noch mehrere dergleichen methodisch zu ordnen versuchen wollte, so würde man auf große, nicht leicht zu beseitigende Schwierigkeiten stoßen. Betrachtet man obige Rubriken genauer, so findet man, daß sie bald nach äußeren Kennzeichen, bald nach dem Inhalt, wenige aber einer wesentlichen Form nach benamst sind. Man bemerkt schnell, daß einige sich nebeneinander stellen, andere sich ander unterordnen lassen. Zu Vergnügen und Genuß möchte jede wohl für sich bestehen und wirken; wenn man aber zu didaktischen oder historischen Zwecken einer rationelleren Anordnung bedürfte, so ist es wohl der Mühe wert, sich nach einer solchen umzusehen. Wir bringen daher folgendes der Prüfung dar.

Naturformen der Dichtung: Es gibt nur drei echte Naturformen der Poesie: die klar erzählende, die enthusiastisch aufgeregte und die persönlich handelnde: *Epos, Lyrik* und *Drama.* Diese drei Dichtweisen können zusammen oder abgesondert wirken. In dem kleinsten Gedicht findet man sie oft beisammen, und sie bringen eben durch diese Vereinigung im engsten Raume das herrlichste Gebild hervor, wie wir an den schätzenswerten Balladen aller Völker deutlich gewahr werden. Im älteren griechischen Trauerspiel sehen wir sie gleichfalls alle drei verbunden, und erst in einer gewissen Zeitfolge sondern sie sich. So lange der Chor die Hauptperson spielt, zeigt sich Lyrik obenan; wie der Chor mehr Zuschauer wird, treten die andern hervor, und zuletzt, wo die Handlung sich persönlich und häuslich zusammenzieht, findet man den Chor unbequem und lästig. Im französischen Trauerspiel ist die Exposition episch, die Mitte dramatisch, und den fünften Akt, der leidenschaftlich und enthusiastisch ausläuft, kann man lyrisch nennen.

Das Homerische Heldengedicht ist rein episch; der Rhapsode waltet immer vor, was sich ereignet, erzählt er; niemand darf den Mund auftun, dem er nicht vorher das Wort verliehen, dessen Rede und Antwort er nicht angekündigt. Abgebrochene Wechselreden, die schönste Zierde des Dramas, sind nicht zulässig.

Höre man aber nun den modernen Improvisator auf öffentlichem Markte, der einen geschichtlichen Gegenstand behandelt; er wird, um deutlich zu sein, erst erzählen, dann, um Interesse zu erregen, als handelnde Person sprechen, zuletzt enthusiastisch auflodern und die Gemüter hinreißen. So wunderlich sind diese Elemente zu verschlingen, die Dichtarten bis ins Unendliche mannigfaltig; und deshalb auch so schwer eine Ordnung zu finden, wonach man sie neben oder nach einander aufstellen könnte. Man wird sich aber einigermaßen dadurch helfen, daß man die drei Hauptelemente in einem Kreis gegen einander über stellt und sich Musterstücke sucht, wo jedes Element einzeln obwaltet. Alsdann sammle man Beispiele, die sich nach der einen oder nach der andern Seite hinneigen, bis endlich die Vereinigung von allen dreien erscheint und somit der ganze Kreis in sich geschlossen ist.

Auf diesem Wege gelangt man zu schönen Ansichten, sowohl der Dichtarten, als des Charakters der Nationen und ihres Geschmacks in einer Zeitfolge. Und obgleich diese Verfahrungsart mehr zu eigner Belehrung, Unterhaltung und Maßregel als zum Unterricht anderer geeignet sein mag, so wäre doch vielleicht ein Schema aufzustellen, welches zugleich die äußeren zufälligen Formen und diese inneren notwendigen Uranfänge in faßlicher Ordnung darbrächte. Der Versuch jedoch wird immer so schwierig sein als in der Naturkunde das Bestreben, den Bezug auszufinden der äußeren Kennzeichen von Mineralien und Pflanzen zu ihren inneren Bestandteilen, um eine naturgemäße Ordnung dem Geiste darzustellen.

Heinrich von Kleist

Brief eines Dichters an einen anderen

Mein teurer Freund!
Jüngsthin, als ich Dich bei der Lektüre meiner Gedichte fand, verbreitetest Du Dich, mit außerordentlicher Beredsamkeit, über die Form und, unter beifälligen Rückblicken, über die Schule, nach der ich mich, wie Du vorauszusetzen beliebst, gebildet

habe; rühmtest Du mir auf eine Art, die mich zu beschämen geschickt war, bald die Zweckmäßigkeit des dabei zum Grunde liegenden Metrums, bald den Rhythmus, bald den Reiz des Wohlklangs und bald die Reinheit und Richtigkeit des Ausdrucks und der Sprache überhaupt. Erlaube mir, Dir zu sagen, daß Dein Gemüt hier auf Vorzügen verweilt, die ihren größesten Wert dadurch bewiesen haben würden, daß Du sie gar nicht bemerkt hättest. Wenn ich beim Dichten in meinen Busen fassen, meinen Gedanken ergreifen und mit Händen, ohne weitere Zutat, in den Deinigen legen könnte: so wäre, die Wahrheit zu gestehn, die ganze innere Forderung meiner Seele erfüllt. Und auch Dir, Freund, dünkt mich, bliebe nichts zu wünschen übrig: dem Durstigen kommt es, als solchem, auf die Schale nicht an, sondern auf die Früchte, die man ihm darin bringt. Nur weil der Gedanke, um zu erscheinen, wie jene flüchtigen, undarstellbaren, chemischen Stoffe, mit etwas Gröberem, Körperlichen, verbunden sein muß: nur darum bediene ich mich, wenn ich mich Dir mitteilen will, und nur darum bedarfst Du, um mich zu verstehen, der Rede. Sprache, Rhythmus, Wohlklang usw., so reizend diese Dinge auch, insofern sie den Geist einhüllen, sein mögen, sind sie doch an und für sich, aus diesem höheren Gesichtspunkt betrachtet, nichts als ein wahrer, obschon natürlicher und notwendiger Übelstand; und die Kunst kann, in bezug auf sie, auf nichts gehen, als sie möglichst *verschwinden* zu machen. Ich bemühe mich aus meinen besten Kräften, dem Ausdruck Klarheit, dem Versbau Bedeutung, dem Klang der Worte Anmut und Leben zu geben: aber bloß, damit diese Dinge gar nicht, vielmehr einzig und allein der Gedanke, den sie einschließen, erscheine. Denn das ist die Eigenschaft aller echten Form, daß der Geist augenblicklich und unmittelbar daraus hervortritt, während die mangelhafte ihn, wie ein schlechter Spiegel, gebunden hält und uns an nichts erinnert, als an sich selbst. Wenn Du mir daher, in dem Moment der ersten Empfängnis, die Form meiner kleinen, anspruchlosen Dichterwerke lobst: so erweckst Du in mir, auf natürlichem Wege, die Besorgnis, daß darin ganz falsche rhythmische und prosodische Reize enthalten sind und daß Dein Gemüt, durch den Wohlklang oder den Versbau, ganz und gar von dem, worauf es mir eigentlich ankam, abgezogen worden ist. Denn warum solltest Du sonst dem Geist, den ich in die Schranken zu rufen bemüht war, nicht Rede stehen und grade wie im Gespräch, ohne auf das Kleid meines Gedankens zu achten, ihm selbst, mit Deinem Geiste, entgegentreten? Aber diese Unempfindlichkeit gegen das Wesen und den Kern der Poesie, bei der bis zur Krankheit ausgebildeten Reizbarkeit für das Zufällige und die Form, klebt Deinem Gemüt überhaupt, meine ich, von der Schule an, aus welcher Du stammst; ohne Zweifel gegen die Absicht dieser Schule, welche selbst geistreicher war als irgendeine, die je unter uns auftrat, obschon nicht ganz, bei dem paradoxen Mutwillen ihrer Lehrart, ohne ihre Schuld. Auch bei der Lektüre von ganz andern Dichterwerken als der meinigen bemerke ich, daß Dein Auge (um es Dir mit einem Sprichwort zu sagen) den Wald vor seinen Bäumen nicht sieht. Wie nichtig oft, wenn wir den Shakespeare zur Hand nehmen, sind die Interessen, auf welchen Du mit Deinem Gefühl verweilst, in Vergleich mit den großen, erhabenen, weltbürgerlichen, die vielleicht nach der Absicht dieses herrlichen Dichters in Deinem Herzen anklingen sollten! Was kümmert mich, auf den Schlachtfeldern von Agincourt, der Witz der Wortspiele, die darauf gewechselt werden; und wenn Ophelia vom Hamlet sagt: »Welch ein edler Geist ward hier zerstört!« – oder Macduf von Macbeth: »Er hat keine Kinder.« – Was liegt an Jamben, Reimen, Assonanzen und dergleichen Vorzügen, für welche Dein Ohr stets, als gäbe es gar keine andere, gespitzt ist? – Lebe wohl!

Novalis

Fragment über absolute Poesie

Erzählungen, ohne Zusammenhang, jedoch mit Assoziation, wie *Träume*. Gedichte – bloß *wohlklingend* und voll schöner Worte – aber auch ohne allen Sinn und Zusammenhang – höchstens einzelne Strophen verständlich – sie müssen wie lauter Bruchstücke aus den verschiedenartigsten Dingen sein. Höchstens kann wahre Poesie einen *allegorischen* Sinn im großen haben und eine indirekte Wirkung wie Musik usw. tun – Die Natur ist daher rein poetisch – und so die Stube eines Zauberers – eines Physikers – eine Kinderstube – eine Polter- und Vorratskammer.

Clemens Brentano

Nachklänge Beethovenscher Musik

Einsamkeit, du stummer Bronnen
Heil'ge Mutter tiefer Quellen
Zauberspiegel innrer Sonnen,
Die in Tönen überschwellen:

Seit ich durft in deine Wonnen
Das betörte Leben stellen,
Seit du ganz mich überronnen
Mit den dunklen Wunderwellen,
Hab zu funkeln ich begonnen.
Und nun klingen all die hellen
Sternensphären meiner Seele,
Deren Takt ein Gott mir zähle.
Alle Sonnen meines Herzens,
Die Planeten meiner Lust,
Die Kometen meines Schmerzens
Tönen laut in meiner Brust.
In dem Monde meiner Wehmut
Alles Glanzes unbewußt
Muß ich singen und in Demut
Vor den Schätzen meines Innern
Vor der Armut meines Lebens
Vor den Gipfeln meines Strebens,
Ewger Gott! mich dein erinnern.
Alles andre ist vergebens.

Novalis

Fragment über romantische Poesie

Die Kunst, auf eine *angenehme* Art zu *befremden,* einen Gegenstand fremd zu machen und doch bekannt und anziehend, das ist die romantische Poetik.

Es gibt einen speziellen Sinn für Poesie — eine poetische Stimmung in uns. Die Poesie ist durchaus personell und darum unbeschreiblich und indefinissabel. Wer es nicht unmittelbar weiß und fühlt, was Poesie ist, dem läßt sich kein Begriff davon beibringen. Poesie ist Poesie. Von *Rede- (Sprach) Kunst* himmelweit verschieden.

Clemens Brentano

Frühes Liedchen

Lieb und Leid im leichten Leben
Sich erheben, abwärts schweben;
Alles will das Herz umfangen,
Nur verlangen, nie erlangen.

In dem Spiegel all ihr Bilder
Blicket milder, blicket wilder,
Kann doch Jugend nichts versäumen,
Fort zu träumen, fort zu schäumen.

Frühling soll mit süßen Blicken
Mich entzücken und berücken,
Sommer mich mit Frucht und Myrten
Reich bewirten, froh umgürten.

Herbst, du sollst mich Haushalt lehren,
Zu entbehren, zu begehren,
Und du Winter lehr mich sterben,
Mich verderben, Frühling erben.

Wasser fallen um zu springen;
Um zu klingen, um zu singen
Schweig ich stille, wie und wo?
Trüb und froh, nur so, so.

Friedrich Schlegel

Universalpoesie

Die romantische Poesie ist eine progressive Universalpoesie. Ihre Bestimmung ist nicht bloß, alle getrennten Gattungen der Poesie wieder zu vereinigen und die Poesie mit der Philosophie und Rhetorik in Berührung zu setzen. Sie will und soll auch Poesie und Prosa, Genialität und Kritik, Kunstpoesie und Naturpoesie bald mischen, bald verschmelzen, die Poesie lebendig und gesellig und das Leben und die Gesellschaft poetisch machen, den Witz poetisieren und die Formen der Kunst mit gediegnem Bildungsstoff jeder Art anfüllen und sättigen und durch die Schwingungen des Humors beseelen. Sie umfaßt alles, was nur poetisch ist, vom größten wieder mehrere Systeme in sich enthaltenden Systeme der Kunst bis zu dem Seufzer, dem Kuß, den das dichtende Kind aushaucht in kunstlosen Gesang. Sie kann sich so in das Dargestellte verlieren, daß man glauben möchte, poetische Individuen jeder Art zu charakterisieren, sei ihr ein und alles; und doch gibt es noch keine Form, die so dazu gemacht wäre, den Geist des Autors vollständig auszudrücken: so daß manche Künstler, die nur auch einen Roman schreiben wollten, von ungefähr sich selbst dargestellt haben. Nur sie kann gleich dem Epos ein Spiegel der ganzen umgebenden Welt, ein Bild des Zeitalters werden. Und doch kann auch sie am meisten zwischen dem Dargestellten und dem Darstellenden, frei von allem realen und idealen Interesse, auf den Flügeln der poetischen Reflexion in der Mitte schweben, diese Reflexion immer wieder potenzieren und wie in einer endlosen Reihe von Spiegeln vervielfachen. Sie ist der höchsten und der allseitigsten Bildung fähig; nicht bloß von innen heraus, sondern auch von außen hinein; indem sie jedem, was ein Ganzes in ihren Produkten sein soll, alle Teile ähnlich organisiert, wodurch ihr die Aussicht auf eine grenzenlos wachsende Klassizität eröffnet wird. Die romantische Poesie ist unter den Künsten, was der Witz der Philosophie, und die Gesellschaft, Umgang, Freundschaft und Liebe im Leben ist. Andre Dichtarten sind fertig und können nun vollständig zergliedert werden. Die romantische Dichtart ist noch im Werden; ja das ist ihr eigentliches Wesen, daß sie ewig nur werden, nie vollendet sein kann. Sie kann durch keine Theorie erschöpft werden, und nur eine divinatorische Kritik dürfte es wagen, ihr Ideal charakterisieren zu wollen. Sie allein ist unendlich, wie sie allein frei ist und das als ihr erstes Gesetz anerkennt, daß die Willkür des Dichters kein Gesetz über sich leide. Die romantische Dichtart ist die einzige, die mehr als Art und gleichsam die Dichtkunst selbst ist: denn in einem gewissen Sinn ist oder soll alle Poesie romantisch sein.

Bettina von Arnim

Gespräche mit Hölderlins Freund

St. Clair war heute hier, zwischen zehn und ein Uhr, ich lag noch zu Bett, ich hatte die Großmama um Erlaubnis fragen lassen auszuschlafen, weil mich am Abend der Duft der Orangerie ganz betäubt hatte, er wartete auf mich hinter der Pappelwand. – Es gibt Weh, darüber muß man verstummen; die Seele möchte sich mit begraben, um es nicht mehr empfinden zu müssen, daß solcher Jammer sich über einem Haupte sammeln könne, und wie konnte es auch? – O ich frage! und da ist die Antwort: weil keine heilende Liebe mehr da ist, die Erlösung könnte gewähren. Oh, werden wir's endlich inne werden, daß alle Jammergeschicke unser eignes Geschick sind? – Daß alle von der Liebe geheilt müssen werden, um uns selber zu heilen. Aber wir sind uns der eignen Krankheit nicht mehr bewußt, nicht der erstarrten Sinne; daß das Krankheit ist, das fühlen wir nicht – und daß wir so wahnsinnig sind und mehr noch als jener, dessen Geistesflamme seinem Vaterland aufleuchten sollte — daß die erlöschen muß im trüben Regenbach zusammengelaufner Alltäglichkeit, der langweilig dahinsickert. — Hat doch die Natur allem den Geist der Heilung eingeboren, aber wir sind so verstandlos, daß selbst der harte Stein für uns ihn in sich entbinden lässet, aber wir nicht — nein, wir können nicht heilen, wir lassen den Geist der Heilung nicht in uns entbinden, und das ist unser Wahnsinn. Gewiß ist mir doch bei diesem Hölderlin, als müsse eine göttliche Gewalt wie mit Fluten ihn überströmt haben, und zwar die Sprache, in übergewaltigem raschen Sturz seine Sinne überflutend und diese darin ertränkend; und als die Strömungen verlaufen sich hatten, da waren die Sinne geschwächt und die Gewalt des Geistes überwältigt und ertötet. — Und St. Clair sagt: ja, so ist's — und er sagt noch: aber ihm zuhören, sei grade, als wenn man es dem Tosen des Windes vergleiche; denn er brause immer in Hymnen dahin, die abbrechen, wie wenn der Wind sich dreht — und dann ergreife ihn wie ein tieferes Wissen, wobei einem die Idee, daß er wahnsinnig sei, ganz verschwinde, und daß sich anhöre, was er über die Verse und über die Sprache sage, wie wenn er nah' dran sei, das göttliche Geheimnis der Sprache zu erleuchten, und dann verschwinde ihm wieder alles im Dunkel, und dann ermatte er in der Verwirrung und meine, es werde ihm nicht gelingen, begreiflich sich zu machen; und die Sprache bilde alles Denken; denn sie sei größer wie der Menschengeist, der sei ein Sklave nur der Sprache, und so lange sei der Geist im Menschen noch nicht der vollkommne, als die Sprache ihn nicht alleinig hervorrufe. Die Gesetze des Geistes aber seien metrisch, das fühle sich in der Sprache, sie werfe das Netz über den Geist, in dem gefangen er das Göttliche aussprechen müsse, und solange der Dichter noch den Versakzent suche und nicht vom Rhythmus fortgerissen werde, so lange habe seine Poesie noch keine Wahrheit; denn Poesie sei nicht das alberne sinnlose Reimen, an dem kein tieferer Geist Gefallen haben könne, sondern *das* sei Poesie: daß eben der Geist nur sich rhythmisch ausdrücken könne, daß nur im Rhythmus seine Sprache liege, während das Poesielose auch geistlos, mithin unrhythmisch sei — und ob es denn der Mühe lohne, mit so sprachgeistarmen Worten Gefühle in Reime zwingen zu wollen, wo nichts mehr übrigbleibe als das mühselig gesuchte Kunststück zu reimen, das dem Geist die Kehle zuschnüre. Nur *der* Geist sei Poesie, der das Geheimnis eines ihm eingebornen Rhythmus in sich trage, und nur mit diesem Rhythmus könne er lebendig und sichtbar werden; denn dieser sei seine Seele, aber die Gedichte seien lauter Schemen, keine Geister mit Seelen. —

Es gebe höhere Gesetze für die Poesie, jede Gefühlsregung entwickle sich nach neuen Gesetzen, die sich nicht anwenden lassen auf andre; denn alles Wahre sei prophetisch und überströme seine Zeit mit Licht, und der Poesie allein sei anheimgegeben, dies Licht zu verbreiten, drum müsse der Geist und könne nur durch sie hervorgehen. Geist gehe nur durch Begeisterung hervor. – Nur allein *dem* füge sich der Rhythmus, in dem der Geist lebendig werde! –

Friedrich Hölderlin

An die jungen Dichter

Lieben Brüder! es reift unsere Kunst vielleicht,
Da, dem Jünglinge gleich, lange sie schon gegärt,
Bald zur Stille der Schönheit;
Seid nur fromm, wie der Grieche war!

Liebt die Götter und denkt freundlich der Sterblichen!
Haßt den Rausch, wie den Frost! lehrt und beschreibet nicht!
Wenn der Meister euch ängstigt,
Fragt die große Natur um Rat.

Ludwig Tieck

Epilog zum Gestiefelten Kater

DER KÖNIG *tritt hinter dem Vorhang hervor:* Morgen werden wir die Ehre haben, die heutige Vorstellung zu wiederholen. –

FISCHER: Welche Unverschämtheit! *Alles pocht.*

DER KÖNIG *gerät in Konfusion, geht zurück und kömmt dann wieder:* Morgen – Allzu scharf macht schartig.

ALLE: Jawohl! jawohl! – *Applaudieren, der König geht ab. Man schreit jetzt:* Die letzte Dekoration! die letzte Dekoration!

HINTER DEM VORHANGE: Wahrhaftig! – Da wird die Dekoration hervorgerufen! *Der Vorhang geht auf, das Theater ist leer, man sieht nur die Dekoration.*

HANSWURST *tritt mit Verbeugungen hervor:* Verzeihen Sie, daß ich so frei bin, mich im Namen der Dekoration zu bedanken, es ist nicht mehr als Schuldigkeit, wenn die Dekoration nur halbweg höflich ist. Sie wird sich bemühen, auch künftig den Beifall eines erleuchteten Publikums zu verdienen, sie wird es daher gewiß weder an Lampen noch an den nötigen Verzierungen fehlen lassen, der Beifall einer solchen Versammlung wird sie so anfeuren — Sie sehen, sie ist von Tränen so gerührt, daß sie nicht weitersprechen kann. — *Er geht schnell ab und trocknet sich die Augen, einige im Parterre weinen, die Dekoration wird weggenommen, man sieht die kahlen Wände des Theaters, die Leute fangen an fortzugehen, der Souffleur steigt aus seinem Kasten.*

DER DICHTER *erscheint demütig auf der Bühne:* Ich bin noch einmal so frei —

FISCHER: Sind Sie auch noch da?

MÜLLER: Sie sollten doch ja nach Hause gegangen sein.

DICHTER: Nur noch ein paar Worte, mit Ihrer Erlaubnis; — mein Stück ist durchgefallen, —

FISCHER: Wem sagen Sie denn das?

MÜLLER: Wir haben's bemerkt.

DICHTER: Die Schuld liegt vielleicht nicht ganz an mir —

SCHLOSSER: An wem denn sonst? — Wer ist denn schuld daran, daß ich noch immer etwas verrückt bin?

DICHTER: Ich hatte den Versuch gemacht, Sie alle in die entfernten Empfindungen Ihrer Kinderjahre zurückzuversetzen, daß so Sie das dargestellte Märchen empfunden hätten, ohne es doch für etwas Wichtigers zu halten, als es sein sollte.

LEUTNER: Das geht nicht so leicht, mein guter Mann.

DICHTER: Sie hätten dann freilich Ihre ganze Ausbildung auf zwei Stunden beiseit legen müssen, —

FISCHER: Wie ist denn das möglich?

DICHTER: Ihre Kenntnisse vergessen —

SCHLOSSER: Warum nicht gar!

DICHTER: Ebenso alles, was Sie von Rezensionen gelesen haben.

MÜLLER: Seht nur die Foderungen!

DICHTER: Kurz, Sie hätten wieder zu Kindern werden müssen.

FISCHER: Aber wir danken Gott, daß wir es nicht mehr sind.

LEUTNER: Unsere Ausbildung hat uns Mühe und Angstschweiß genug gekostet.

Man trommelt von neuem.

SOUFFLEUR: Versuchen Sie ein paar Verse zu machen, Herr Dichter, vielleicht bekommen sie dann mehr Respekt vor Ihnen.

DICHTER: Vielleicht fällt mir eine Xenie ein.

SOUFFLEUR: Was ist das?

DICHTER: Eine neuerfundene Dichtungsart, die sich besser fühlen als beschreiben läßt. *Gegen das Parterre:*
Publikum, soll mich dein Urteil nur einigermaßen belehren,
Zeige, daß du mich nur einigermaßen verstehst.

Es wird aus dem Parterre mit verdorbenen Birnen und Äpfeln und zusammengerolltem Papier nach ihm geworfen.

DICHTER: Nein, die Herren da unten sind mir in dieser Dichtungsart zu stark; ich ziehe mich zurück. *Er geht ab, die übrigen gehn nach Hause.*
Völliger Schluß

Friedrich Schlegel

Das System der Ironie

Um die Übersicht vom ganzen System der Ironie zu erleichtern, wollen wir einige der vorzüglichsten Arten anführen. Die erste und vornehmste von allen ist die grobe Ironie; findet sich am meisten in der wirklichen Natur der Dinge und ist einer ihrer allgemein verbreitetsten Stoffe; in der Geschichte der Menschheit ist sie recht eigentlich zu Hause. Dann kommt die feine oder die delikate Ironie; dann die extrafeine; in dieser Manier arbeitet Skaramuz, wenn er sich freundlich und ernsthaft mit jemand zu besprechen scheint, indem er nur den Augenblick erwartet, wo er wird mit einer guten Art einen Tritt in den Hintern geben können. Diese Sorte wird auch wohl bei Dichtern gefunden, wie ebenfalls die redliche Ironie, welche am reinsten und ursprünglichsten in alten Gärten angebracht ist, wo wunderbar liebliche Grotten den gefühlvollen Freund der Natur in ihren kühlen Schoß locken, um ihn dann von allen Seiten mit Wasser reichlich zu bespritzen und ihm so die Zartheit zu vertreiben. Ferner die dramatische Ironie, wenn der Dichter drei Akte geschrieben hat, dann wider Vermuten ein andrer Mensch wird, und nun die beiden letzten Akte schreiben muß. Die doppelte Ironie, wenn zwei Linien von Ironie parallel nebeneinander laufen, ohne sich zu stören, eine fürs Parterre, die andre für die Logen, wobei noch kleine Funken in die Kulissen fahren können. Endlich die Ironie der Ironie. Im allgemeinen ist das wohl die gründlichste Ironie der Ironie, daß man sie doch eben auch überdrüssig wird, wenn sie uns überall und immer wieder geboten wird. Was wir aber hier zunächst unter Ironie der Ironie verstanden wissen wollen, das entsteht auf mehr als einem Wege. Wenn man ohne Ironie von der Ironie redet, wie es soeben der Fall war; wenn man mit Ironie von einer Ironie redet, ohne zu merken, daß man sich zu eben der Zeit in einer andren viel auffallenderen Ironie befindet; wenn man nicht wieder aus der Ironie herauskommen kann, wie es in diesem Versuch über die Unverständlichkeit zu sein scheint; wenn die Ironie Manier wird, und so den Dichter gleichsam wieder ironiert; wenn man Ironie zu einem überflüssigen Taschenbuche versprochen hat, ohne seinen Vorrat vorher zu überschlagen und nun wider Willen Ironie machen muß, wie ein Schauspielkünstler, der Leibschmerzen hat; wenn die Ironie wild wird, und sich gar nicht mehr regieren läßt.

Welche Götter werden uns von allen diesen Ironien erretten können? Das einzige wäre, wenn sich eine Ironie fände, welche die Eigenschaft hätte, alle jene großen und kleinen Ironien zu verschlucken und zu verschlingen, daß nichts mehr davon zu sehen wäre, und ich muß gestehen, daß ich eben dazu in der meinigen eine merkliche Disposition fühle. Aber auch das würde nur auf kurze Zeit helfen können. Ich fürchte, wenn ich anders, was das Schicksal in Winken zu sagen scheint, richtig verstehe, es würde bald eine neue Generation von kleinen Ironien entstehn: denn wahrlich die Gestirne deuten auf phantastisch. Und gesetzt es blieb auch während eines langen Zeitraums alles ruhig, so wäre doch nicht zu trauen. Mit der Ironie ist durchaus nicht zu scherzen. Sie kann unglaublich lange nachwirken. Einige der absichtlichsten Künstler der vorigen Zeit habe ich in Verdacht, daß sie noch Jahrhunderte nach ihrem Tode mit ihren gläubigsten Verehrern und Anhängern Ironie treiben. Shakespeare hat so unendlich viele Tiefen, Tücken, und Absichten; sollte er nicht auch die Absicht gehabt haben, verfängliche Schlingen in seine Werke für die geistreichsten Künstler der Nachwelt zu verbergen, um sie zu täuschen, daß sie ehe sie sichs versehen, glauben müssen, sie seien auch ungefähr so wie Shakespeare? Gewiß, er dürfte auch wohl in dieser Rücksicht weit absichtlicher sein als man vermutet.

Achter Teil

MYTHOS UND SPRACHE

Wisset nur, daß Dichterworte
Um des Paradieses Pforte
Immer leise klopfend schweben,
Sich erbittend ew'ges Leben.

Goethe

Novalis

Fragment über Philologie

Begriff von Philologie: Sinn für das Leben und die Individualität einer Buchstabenmessung. Wahrsager aus Chiffern; Letternaugur. Ein Ergänzer. Seine Wissenschaft entlehnt viel von der materialen Tropik. Der Physiker, der Historiker, der Artist, der Kritiker usw. gehören alle in dieselbe Klasse. (Weg vom Einzelnen aufs Ganze – vom Schein auf die Wahrheit et sic porro. Alles befaßt die Kunst und Wissenschaft, von einem aufs andere, und so von einem auf alles, rhapsodisch oder systematisch zu gelangen; die geistige Weisekunst, die Divinationskunst.)

Johann Gottlieb Fichte

Sprache als Lebenskraft

Die Sprache überhaupt und besonders die Bezeichnung der Gegenstände in derselben durch das Lautwerden der Sprachwerkzeuge hängt keinesweges von willkürlichen Beschlüssen und Verabredungen ab, sondern es gibt zuvörderst ein Grundgesetz, nach welchem jedweder Begriff in den menschlichen Sprachwerkzeugen zu diesem und keinem andern Laute wird. Sowie die Gegenstände sich in den Sinnenwerkzeugen des Einzelnen mit dieser bestimmten Figur, Farbe usw. abbilden, so bilden sie sich im Werkzeuge des gesellschaftlichen Menschen, in der Sprache, mit diesem bestimmten Laute ab. Nicht eigentlich redet der Mensch, sondern in ihm redet die menschliche Natur und verkündiget sich andern seinesgleichen. Und so müßte man sagen: die Sprache ist eine einzige und durchaus notwendige.

Nun mag zwar, welches das zweite ist, die Sprache in dieser ihrer Einheit für den Menschen schlechtweg als solchen niemals und nirgends hervorgebrochen sein, sondern allenthalben weiter geändert und gebildet durch die Wirkungen, welche der Himmelstrich und häufigerer oder seltenerer Gebrauch auf die Sprachwerkzeuge, und die Aufeinanderfolge der beobachteten und bezeichneten Gegenstände auf die Aufeinanderfolge der Bezeichnung hatten. Jedoch findet auch hierin nicht Willkür oder Ohngefähr, sondern strenges Gesetz statt; und es ist notwendig, daß in einem durch die erwähnten Bedingungen also bestimmten

Sprachwerkzeuge nicht die eine und reine Menschensprache, sondern daß eine Abweichung davon, und zwar, daß gerade diese bestimmte Abweichung davon hervorbreche.

Nenne man die unter denselben äußern Einflüssen auf das Sprachwerkzeug stehenden, zusammenlebenden und in fortgesetzter Mitteilung ihre Sprache fortbildenden Menschen ein Volk, so muß man sagen: die Sprache dieses Volks ist notwendig so, wie sie ist, und nicht eigentlich dieses Volk spricht seine Erkenntnis aus, sondern seine Erkenntnis selbst spricht sich aus aus demselben.

Bei allen im Fortgange der Sprache durch dieselben oben erwähnten Umstände erfolgten Veränderungen bleibt ununterbrochen diese Gesetzmäßigkeit, und zwar für alle, die in ununterbrochner Mitteilung bleiben, und wo das von jedem Einzelnen ausgesprochene Neue an das Gehör aller gelangt, dieselbe eine Gesetzmäßigkeit. Nach Jahrtausenden und nach allen den Veränderungen, welche in ihnen die äußere Erscheinung der Sprache dieses Volks erfahren hat, bleibt es immer dieselbe eine, ursprünglich also ausbrechen müssende lebendige Sprachkraft der Natur, die ununterbrochen durch alle Bedingungen herabgeflossen ist und in jeder so werden mußte, wie sie ward, am Ende derselben so sein mußte, wie sie jetzt ist, und in einiger Zeit also sein wird, wie sie sodann müssen wird. Die rein menschliche Sprache, zusammengenommen zuvörderst mit dem Organe des Volks, als sein erster Laut ertönte, was hieraus sich ergibt, ferner zusammengenommen mit allen Entwicklungen, die dieser erste Laut unter den gegebnen Umständen gewinnen mußte, gibt als letzte Folge die gegenwärtige Sprache des Volks. Darum bleibt auch die Sprache immer dieselbe Sprache. Lasset immer nach einigen Jahrhunderten die Nachkommen die damalige Sprache ihrer Vorfahren nicht verstehen, weil für sie die Übergänge verloren gegangen sind; dennoch gibt es vom Anbeginn an einen stetigen Übergang ohne Sprung, immer unmerklich in der Gegenwart und nur durch Hinzufügung neuer Übergänge bemerklich gemacht und als Sprung erscheinend. Niemals ist ein Zeitpunkt eingetreten, da die Zeitgenossen aufgehört hätten, sich zu verstehen, indem ihr ewiger Vermittler und Dolmetscher die aus ihnen allen sprechende gemeinsame Naturkraft immerfort war und blieb. So verhält es sich mit der Sprache als Bezeichnung der Gegenstände unmittelbar sinnlicher Wahrnehmung, und dieses ist alle menschliche Sprache anfangs. Erhebt von dieser das Volk sich zu Erfassung des Übersinnlichen, so vermag dieses Übersinnliche zur beliebigen Wiederholung und zur Vermeidung der Verwirrung mit dem Sinnlichen für den ersten Einzelnen und zur Mitteilung und zweckmäßigen Leitung für andere zuvörderst nicht anders festgehalten zu werden denn also, daß ein Selbst als Werkzeug einer übersinnlichen Welt bezeichnet und von demselben Selbst als Werkzeug der sinnlichen Welt genau unterschieden werde — eine Seele, Gemüt und dergleichen einem körperlichen Leibe entgegengesetzt werde. Ferner könnten die verschiedenen Gegenstände dieser übersinnlichen Welt, da sie insgesamt nur in jenem übersinnlichen Werkzeuge erscheinen und für dasselbe da sind, in der Sprache nur dadurch bezeichnet werden, daß gesagt werde, ihr besonderes Verhältnis zu ihrem Werkzeuge sei also wie das Verhältnis der und der bestimmten sinnlichen Gegenstände zum sinnlichen Werkzeuge, und daß in diesem Verhältnis ein besonderes Übersinnliches einem besondern Sinnlichen gleichgesetzt und durch diese Gleichsetzung sein Ort im übersinnlichen Werkzeuge durch die Sprache angedeutet werde. Weiter vermag in diesem Umkreise die Sprache nichts; sie gibt ein sinnliches Bild des Übersinnlichen, bloß mit der Bemerkung, daß es ein solches Bild sei; wer zur Sache selbst kommen will, muß nach der durch das Bild ihm angegebenen Regel sein eigenes geistiges Werkzeug in Bewegung setzen. — Im allgemeinen erhellet daß diese sinnbildliche Bezeichnung des Übersinnlichen jedesmal nach der Stufe der Entwicklung des sinnlichen Erkenntnisvermögens unter dem gegebenen Volke sich richten müsse, daß daher der Anfang und Fortgang dieser sinnbildlichen Bezeichnung in verschiedenen Sprachen sehr verschieden ausfallen werde nach der Verschiedenheit des Verhältnisses, das zwischen der sinnlichen und geistigen Ausbildung des Volkes, das eine Sprache redet, stattgefunden und fortwährend stattfindet.

Wir beleben zuvörderst diese in sich klare Bemerkung durch ein Beispiel. Etwas, das zufolge der in der vorigen Rede erklärten Erfassung des Grundtriebes nicht erst durch das dunkle Gefühl, sondern sogleich durch klare Erkenntnis entsteht, dergleichen jedesmal ein übersinnlicher Gegenstand ist, heißt mit einem griechischen, auch in der deutschen Sprache häufig gebrauchten Worte eine Idee, und dieses Wort gibt genau dasselbe Sinnbild, was in der deutschen das Wort Gesicht, wie dieses in folgenden Wendungen der Lutherischen Bibelübersetzung: ihr werdet Gesichte sehen, ihr werdet Träume haben, vorkommt. Idee oder Gesicht in sinnlicher Bedeutung wäre etwas, das nur durch das Auge des Leibes, keinesweges aber durch einen andern Sinn, etwa der Betastung, des Gehörs usw. erfaßt werden könnte, so wie etwa ein Regenbogen oder die Gestalten, welche im Traume vor uns vorübergehen. Dasselbe in übersinnlicher Bedeutung hieße zuvörderst zufolge des Umkreises, in dem das Wort gelten soll, etwas, das gar nicht durch den Leib, sondern nur durch den Geist erfaßt wird, sodann, das auch nicht durch das dunkle Gefühl des Geistes, wie manches andere, sondern allein durch das Auge desselben, die klare Erkenntnis, erfaßt werden kann. Wollte man nun etwa ferner annehmen, daß den Griechen bei dieser sinnbildlichen Bezeichnung allerdings der Regenbogen und die Erscheinungen der Art zum Grunde gelegen, so müßte man gestehen, daß ihre sinnliche Erkenntnis schon vorher sich zur Bemerkung des Unterschiedes zwischen den Dingen, daß einige sich allen oder mehrern Sinnen, einige sich bloß dem Auge offenbaren, erhoben haben müsse und daß außerdem sie den entwickelten Begriff, wenn er ihnen klar geworden wäre, nicht also, sondern anders hätten bezeichnen müssen. Es würde sodann auch ihr Vorzug in geistiger Klarheit erhellen etwa vor einem andern Volke, das den Unterschied zwischen Sinnlichem und Übersinnlichem nicht durch ein aus dem besonnenen Zustande des Wachens hergenommenes Sinnbild habe bezeichnen können, sondern zum Traume seine Zuflucht genommen, um ein Bild für eine andere Welt zu finden; zugleich würde einleuchten, daß dieser Unterschied nicht etwa durch die größere oder geringere Stärke des Sinns fürs Übersinnliche in den beiden Völkern, sondern daß er lediglich durch die Verschiedenheit ihrer sinnlichen Klarheit, damals, als sie Übersinnliches bezeichnen wollten, begründet sei.

So richtet alle Bezeichnung des Übersinnlichen sich nach dem Umfange und der Klarheit der sinnlichen Erkenntnis desjenigen, der da bezeichnet. Das Sinnbild ist ihm klar und drückt ihm das Verhältnis des Begriffenen zum geistigen Werkzeuge vollkommen verständlich aus; denn dieses Verhältnis wird ihm erklärt durch ein anderes unmittelbar lebendiges Verhältnis zu seinem sinnlichen Werkzeuge. Diese also entstandene neue Bezeichnung mit aller der neuen Klarheit, die durch diesen erweiterten Gebrauch des Zeichens die sinnliche Erkenntnis selber bekommt, wird nun niedergelegt in der Sprache; und die mögliche künftige übersinnliche Erkenntnis wird nun nach ihrem Verhältnisse zu der ganzen in der gesamten Sprache niedergelegten übersinnlichen und sinnlichen Erkenntnis bezeichnet; und so geht es ununterbrochen fort; und so wird denn die unmittelbare Klarheit und Verständlichkeit der Sinnbilder niemals abgebrochen, sondern sie bleibt ein stetiger Fluß. – Ferner, da die Sprache nicht durch Willkür vermittelt, sondern als unmittelbare Naturkraft aus dem verständigen Leben ausbricht, so hat eine ohne Abbruch nach diesem Gesetze fortentwickelte Sprache auch die Kraft, unmittelbar einzugreifen in das Leben und dasselbe anzuregen. Wie die unmittelbar gegenwärtigen Dinge den Menschen bewegen, so müssen auch die Worte einer solchen Sprache den bewegen, der sie versteht; denn auch sie sind Dinge, keineswegs willkürliches Machwerk. So zunächst im Sinnlichen. Nicht anders jedoch auch im Übersinnlichen. Denn obwohl in Beziehung auf das letztere der stetige Fortgang der Naturbeobachtung durch freie Besinnung und Nachdenken unterbrochen wird und hier gleichsam der unbildliche Gott eintritt, so versetzt dennoch die Bezeichnung durch die Sprache das Unbildliche auf der Stelle in den stetigen Zusammenhang des Bildlichen zurück; und so bleibt auch in dieser Rücksicht der stetige Fortgang der zuerst als Naturkraft ausgebrochenen Sprache ununterbrochen, und es tritt in den Fluß der Bezeichnung keine Willkür ein. Es kann darum auch dem übersinnlichen Teile einer also stetig fortentwickelten Sprache seine Leben anregende Kraft auf den, der nur sein geistiges Werkzeug in Bewegung setzt, nicht entgehen. Die Worte einer solchen Sprache in allen ihren Teilen sind Leben und schaffen Leben. – Machen wir auch in Rücksicht der Entwicklung der Sprache für das Übersinnliche die Voraussetzung, daß das Volk dieser Sprache in ununterbrochener Mitteilung geblieben und daß, was einer gedacht und ausgesprochen, bald an alle gekommen, so gilt, was bisher im allgemeinen gesagt worden, für alle, die diese Sprache reden. Allen, die nur denken wollen, ist das in der Sprache niedergelegte Sinnbild klar; allen, die da wirklich denken, ist es lebendig und anregend ihr Leben.

Johann Wolfgang von Goethe

Worte sind der Seele Bild –
Nicht ein Bild! sie sind ein Schatten!
Sagen herbe, deuten mild,
Was wir haben, was wir hatten. –
Was wir hatten, wo ist's hin?
Und was ist's denn, was wir haben?
Nun, wir sprechen! Rasch im Fliehn
Haschen wir des Lebens Gaben.

Joseph von Eichendorff

Schläft ein Lied in allen Dingen,
Die da träumen fort und fort,
Und die Welt hebt an zu singen,
Triffst du nur das Zauberwort.

Gotthilf Heinrich von Schubert

Traumbildersprache

Ohne daß wir deshalb in Versuchung kommen könnten, dem Traume vor dem Wachen, dem Närrischsein vor der Besonnenheit, der Trunkenheit vor der Nüchternheit irgend einen Vorzug einzuräumen, ja indem wir uns sogar daran erinnern, daß der Mensch jenes innere Organ, was dem Geiste die Traumbilder reflektiert, mit dem Tiere gemeinschaftlich besitze, dürfen wir uns doch nicht leugnen, daß jene Abbreviaturen und Hieroglyphensprache der Natur der Seele in mancher Hinsicht angeeigneter erscheine, als unsere gewöhnliche Wortsprache. Jene ist zum Teil ausdrucksvoller, schnell und viel umfassender, der Ausgedehntheit in die Zeit viel minder unterworfen, als diese. Die letztere müssen wir erst erlernen, dagegen ist uns jene angeboren, und die Seele versucht diese ihr eigentümliche Sprache zu reden, sobald sie im Schlafe oder Delirium aus der gewöhnlichen (wachen) Unterwürfigkeit unter ihren Geist und aus der Verkettung mit ihrem gröbern Körper etwas los und frei geworden, obgleich es ihr damit ungefähr nur ebenso gelingt, als es einem nachherigen guten Fußgänger gelungen, wenn er als Fötus im Mutterleibe die künftigen Bewegungen versuchte. Denn, beiläufig: wir würden es, falls wir es auch vermöchten, jene disjecta membra eines ursprünglichen und künftigen Lebens schon jetzt an Licht und Luft hervorzuziehen, doch vor der Hand in der Geistersprache kaum zum Lallen bringen, oder höchstens zu einem Grade von Bauchrednerei.

Jene Sprache hat übrigens, außerdem daß sie (aus der Region des Gefühls hervorgehend und auf diese zunächst sich richtend) über die Kräfte unserer innern Natur ebenso viel vermag, als die orpheische Liedersprache über die der äußern, noch eine andere, sehr bedeutende Eigenschaft vor der gewöhnlichen Sprache voraus. Die Reihe unserer Lebensbegegnisse scheint sich nämlich ungefähr nach einer ähnlichen Ideenassoziation des Schicksals zusammenzufügen, als die Bilder im Traume; mit andern Worten: die Aufeinanderfolge des Geschehenen und Geschehenden, in und außer uns, deren innere Gesetzmäßigkeit uns so vielfältig unbemerkbar und dunkel bleibt, redet dieselbe Sprache, wie unsere Seele im Traume. Dieser gelingt es deshalb, sobald sie ihre Traumbildersprache redet, Kombinationen in derselben zu machen, auf die wir im Wachen freilich nicht kämen; sie knüpft das Morgen geschickt ans Gestern, das Schicksal ganzer künftiger Jahre an die Vergangenheit an, und die Rechnung trifft ein, der Erfolg zeigt, daß sie uns das, was künftig ist, oft ganz richtig vorhersagt. Eine Art zu rechnen und zu kombinieren, die ich und du nicht verstehen; eine höhere Art von Algebra, noch kürzer und bequemer als die unserige, die aber nur der versteckte Poet in unserm Innern zu handhaben weiß.

Jean Paul

Traum

Ich fuhr in einem weißen Kahn auf einem finstern Strom, der zwischen glatten, hohen Marmorwänden schoß. An meine einsame Welle gekettet flog ich bange im Felsen-Gewinde, in das zuweilen tief ein Donnerkeil einfuhr. Plötzlich drehte sich der Strom immer breiter und wilder um eine Wendeltreppe herum und hinab. – Da lag ein weites, plattes, graues Land um mich, das die Sonnen-Sichel mit einem eklen, erdfahlen Licht begoß. – Weit von mir stand ein untereinander gekrümmter Lethe-Fluß und kroch um sich selber herum. – Auf einem unübersehbaren Stoppelfelde schossen unzählige Walküren auf Spinnenfäden pfeilschnell hin und her und sangen: »des Lebens Schlacht, die weben wir«; dann ließen sie einen fliegenden Sommer nach dem andern unsichtbar gen Himmel wallen.

Oben zogen große Weltkugeln; auf jeder wohnte ein Mensch, er streckte bittend die Arme nach einem andern aus, der auch auf einer stand und hinüberblickte; aber die Kugeln liefen mit den Einsiedlern um die Sonnensichel und die Gebete waren umsonst. – Auch ich sehnte mich. Unendlich weit vor mir ruhte ein ausgestrecktes Gebürge, dessen ganzer aus den Wolken ragender Rücken golden und blumig schimmerte. Quälend watete der Kahn in der flachen, trägen Wüste des abgeplatteten Stroms. – Da kam Sandland und der Strom drückte sich durch eine enge Rinne mit meinem zusammengequetschten Kahne durch. Und neben mir ackerte ein Pflug etwas Langes aus, aber als es aufstieg, verdeckt' es ein Bahrtuch – und das dunkle Tuch zerfloß wieder in eine schwarze See.

Das Gebürge stand viel näher, aber länger und höher vor mir und durchschnitt die hohen Sterne mit seinen Purpurblumen, über welche ein grünes Lauffeuer hin und her flog. Die Weltkugeln mit den einzelen Menschen zogen über das Gebürge hinüber und kamen nicht wieder; und das Herz sehnte sich hinauf und hinüber. »Ich muß, ich will«, rief ich rudernd. Mir schritt ein zorniger Riese nach, der die Wellen mit einer scharfen Mondsichel abmähte; über mir lief ein kleines festes Gewitter aus der zusammengepreßten Dunstkugel der Erde gemacht, es hieß die Giftkugel des Himmels und schmetterte unaufhörlich nieder.

Auf dem hohen Gebürge rief eine Blume mich freundlich hinauf; das Gebürge watete der See dämmend entgegen; aber es rührte nun beinahe an die herüberfliegenden Welten und seine großen Feuerblumen waren nur als rote Knospen in den tiefen Äther gesäet. Das Wasser kochte – der Riese und die Giftkugel wurden grimmiger – zwei lange Wolken standen wie aufgezogne Fallbrücken nieder und auf ihnen rauschte der Regen in Wellensprüngen herab – das Wasser und mein Schiffchen stieg, aber nicht genug. »Es geht hier (sagte der Riese lachend,) kein Wasserfall herauf!«

Da dacht' ich an meinen Tod und nannte leise einen frommen Namen. – – Plötzlich schwamm hoch im Himmel eine weiße Welt unter einem Schleier her, eine einzige glänzende Träne sank vom Himmel in das Meer und es brauste hoch auf – alle Wellen flatterten mit Floßfedern, meinem Schifflein wuchsen breite Flügel, die weiße Welt ging über mich, und der lange Strom riß sich donnernd mit dem Schiffe auf dem Haupte aus seinem trocknen Bette auf und stand auf der Quelle und im Himmel, und das blumige Gebürge neben ihm – und wehend glitt mein Flügelschiff durch grünen Rosenschein und durch weiches Tönen eines langen Blumenduftes in ein glänzendes, unabsehliches Morgenland. –

Welch ein entzücktes, leichtes, weites Eden! Eine helle, freudige Morgensonne ohne Tränen der Nacht sah von einem Rosenkranz umschwollen mir entgegen und stieg nicht höher. Hinauf und hinab glänzten die Auen hell von Morgentau: »die Freudentränen der Liebe liegen drunten, (sangen oben die Einsiedler auf den langsam ziehenden Welten,) und wir werden sie auch vergießen.« Ich flog an das Ufer, wo der Honig blühte, am andern blühte der Wein; und wie ich ging, folgte mir auf den Wellen hüpfend mein geschmücktes Schiffchen mit breiten als Segel aufgeblähten Blumen nach – ich ging in hohe Blütenwälder, wo der Mittag und die Nacht nebeneinander wohnten, und in grüne Täler voll Blumendämmerungen und auf helle Höhen, wo blaue Tage wohnten, und flog wieder hinab ins blühende Schiff und es floß tief in Wellen-Blitzen über Edelsteine weiter in den Frühling hinein, der Rosensonne zu. Alles zog nach Osten, die Lüfte, und die Wellen und die Schmetterlinge und die Blumen, welche Flügel hatten, und die Welten oben; und ihre Riesen sangen herab: »wir schauen hinunter, wir ziehen hinunter, ins Land der Liebe, ins goldne Land.«

Da erblickt' ich in den Wellen mein Angesicht und es war ein jungfräuliches voll hoher Entzückung und Liebe. Und der Bach floß mit mir bald durch Weizen-Wälder – bald durch eine kleine duftige Nacht, wodurch man die Sonne hinter leuchtenden Johanniswürmchen sah — bald durch eine Dämmerung, worin eine goldne Nachtigall schlug — bald wölbte die Sonne die Freudentränen als Regenbogen auf, und ich schiffte durch, und hinter mir legten sie sich wieder als Tau brennend nieder. Ich kam der Sonne näher und sie stand schon im Ährenkranz; »es ist schon Mittag,« sangen die Einsiedler über mir.

Träge, wie Bienen über Honigfluren, schwammen im finstern Blau die Welten gedrängt über dem göttlichen Lande — vom Gebürge bog sich eine Milchstraße herüber, die sich in die Sonne senkte — helle Länder rollten sich auf — Lichtharfen, mit Strahlen bezogen, klangen im Feuer — Ein Dreiklang aus drei Donnern erschütterte das Land, ein klingender Gewitterregen aus Glanz und Tau füllte dämmernd das weite Eden — Er vertropfte wie eine weinende Entzückung — Hirtenlieder flogen durch die reine, blaue Luft und noch einige Rosenwölkchen aus dem Gewitter tanzten nach den Tönen. — Da blickte weich die nahe Morgensonne aus einem blassen Lilienkranze und die Einsiedler sangen oben: »o Seligkeit, o Seligkeit, der Abend blüht.« Es wurde still und dämmernd. An der Sonne hielten die Welten umher still, und umrangen sie mit ihren schönen Riesen, der menschlichen Gestalt ähnlich, aber höher und heiliger; wie auf der Erde die edle Menschengestalt in der finstern Spiegel-Kette der Tiere hinabkriecht: so flog sie droben hinauf an reinen, hellen, freien Göttern von Gott gesandt — Die Welten berührten die Sonne und zerflossen auf ihr — auch die Sonne zerging, um in das Land der Liebe herabzufließen und wurde ein wehender Glanz — Da streckten die schönen Götter und die schönen Göttinnen gegeneinander die Arme aus und berührten sich, vor Liebe bebend; aber wie wogende Saiten vergingen sie freudezitternd dem Auge und ihr Dasein wurde nur eine unsichtbare Melodie und es sangen sich die Töne: »ich bin bei Dir und bin bei Gott.« — Und andere sangen: »Die Sonne war Gott!«

Da schimmerte das goldne Gefilde von unzähligen Freudentränen, die unter der unsichtbaren Umarmung niedergefallen waren; die Ewigkeit wurde still und die Lüfte ruhten und nur das fortwehende Rosenlicht der aufgelösten Sonne bewegte sanft die Blumen.

Ich war allein, blickte umher und das einsame Herz sehnte sich sterbend nach einem Sterben. Da zog an der Milchstraße die weiße Welt mit dem Schleier langsam herauf — wie ein sanfter Mond schimmerte sie noch ein wenig, dann ließ sie sich vom Himmel nieder auf das heilige Land und zerrann am Boden hin; nur der hohe Schleier blieb — Dann zog sich der Schleier in den Äther zurück und eine erhabene, göttliche Jungfrau, groß wie die andern Göttinnen, stand auf der Erde und im Himmel;

aller Rosenglanz der wehenden Sonne sammelte sich an ihr und sie brannte, in Abendrot gekleidet. Alle unsichtbaren Stimmen redeten sie an und fragten: »wer ist der Vater der Menschen und ihre Mutter und ihr Bruder und ihre Schwester und ihr Geliebter und ihre Geliebte und ihr Freund?« — Die Jungfrau hob fest das blaue Auge auf und sagte: »Gott ists!« — Und darauf blickte sie mich aus dem hohen Glanze zärtlich an und sagte: »Du kennst mich nicht, Albano, denn Du lebst noch.« — »Unbekannte Jungfrau, (sagt' ich,) ich schaue mit den Schmerzen einer Liebe ohne Maß in Dein erhabenes Angesicht, ich habe Dich gewiß gekannt — nenne Deinen Namen.« — »Wenn ich ihn nenne, so erwachst Du,« sagte sie. »Nenn' ihn,« rief ich. — Sie antwortete und ich erwachte.

Ludwig Tieck

Erkennen

Keiner, der nicht schon zum Weihe-Fest gelassen,
Kann den Sinn der dunkeln Kunst erfassen,
Keinem sprechen diese Geistertöne,
Keiner sieht den Glanz der schönsten Schöne,
Dem im innern Herzen nicht das Siegel brennt,
Welches ihn als Eingeweihten nennt,
Jene Flamme, die der Töne Geist erkennt.

Jean Paul

Poesie des Aberglaubens

Der sogenannte Aberglaube verdient als Frucht und Nahrung des romantischen Geistes eine eigne Heraushebung. Wenn man lieset, daß die Auguren zu Ciceros Zeiten die zwölf Geier, welche Romulus gesehen, für das Zeichen erklärten, daß sein Werk und Reich zwölf Jahrhunderte dauern werde, und wenn man damit den wirklichen Sturz des abendländischen Reichs im 12ten vergleicht: so ist der erste Gedanke dabei etwas Höheres als der spätere, der die Kombinationen des Zufalls ausrechnet. Jeder erinnere sich aus seiner Kindheit — wenn die seinige anders so poetisch war — des Geheimnisses, womit man die zwölf heiligen

Nächte nannte, besonders die Christnacht, wo Erde und Himmel, wie Kinder und Erwachsene, einander ihre Türen zu öffnen schienen zur gemeinschaftlichen Feier der größten Geburt, indes die bösen Geister in der Ferne zogen und schreckten. Oder er denke an den Schauder, womit er von dem Kometen hörte, dessen nacktes glühendes Schwert jede Nacht am Himmel über die untere bange Welt herauf und hinüber gezogen wurde, um wie von einem Todesengel ausgestreckt auf den Morgen der blutigen Zukunft zu zeigen und zu zielen. Oder er denke ans Sterbebette eines Menschen, wo man am meisten hinter dem schwarzen langen Vorhang der Geisterwelt geschäftige Gestalten mit Lichtern laufen sah; wo man für den Sünder offne Tatzen und heißhungrige Geisteraugen und das unruhige Umhergehen erblickte, für den Frommen aber blumige Zeichen, eine Lilie oder Rose in seinem Kirchenstand, eine fremde Musik oder seine doppelte Gestalt u.s.w. fand. Sogar die Zeichen des Glücks behielten ihren Schauder; wie eben die letztbenannten, das Vorüberschweben eines seligen weißen Schatten und die Sage, daß Engel mit dem Kinde spielen, wenn es im Schlummer lächelt. O wie lieblich! Verfasser dieses ist für seine Person froh, daß er schon mehrere Jahrzehende alt und auf einem Dorfe jung gewesen und also in einigem Aberglauben erzogen worden, mit dessen Erinnerung er sich jetzt, da man ihm statt der gedachten spielenden Engel Säuere im Magen untergeschoben,*) zu behelfen sucht. Wäre er in einer gallischen Erziehungsanstalt und in diesem Säkul sehr gut ausgebildet und verfeinert worden, so müßt' er manche romantische Gefühle, die er dem Dichter gleich zubringt, erst ihm ab-fühlen. In Frankreich gab es von jeher am wenigsten Aberglauben und Poesie; der Spanier hatte beides mehr; der heitere Italiener glich Römern und Griechen, bei welchen der Aberglaube nichts von unserm Geisterreiche an sich hatte, sondern sich auf ein Erdenglück, meist von bestimmten Wesen verkündigt, bezog; denn z. B. an deutsche Särge hätte man nie die lustigen, grausamen, mutwilligen Gruppen der alten Urnen und Sarkopharge gemalt, wie die Griechen und sogar die düstern Hetrurier taten.

Der nordische Aberglaube, welcher im Gefechte der Krähen oder im Kriegspielen der Kinder den blutigen Zeigefinger erblickte, welcher auf das schlachtende Stürmen der Völker wieß, dieser war desto romantisch erhabner, je kleiner und unbedeutender die weissagenden Bilder waren. So erschienen die Hexen in Shakespeares Macbeth desto fürchterlicher, je mehr sie in ihre Häßlichkeit einkriechen und verschrumpfen; aber in Schillers Macbeth sind die Kothurne, die er ihnen zur Erhöhung

* Bekanntlich entsteht das Lächeln schlafender Kinder aus Säure im Magen, welche aber bei Erwachsenen sich nicht sonderlich durch Lächeln oder Engel verrät.

angeschuht, gerade die sogenannten Hexenpantoffeln des P. Fulgentius, welche ihre Zauberei bezwingen. Das Mißverhältnis zwischen Gestalt und Überkraft öffnet der Phantasie ein unermeßbares Feld des Schreckens; daher unsere unverhältnismäßige Furcht vor kleinen Tieren, und es muß ein kühner General sein, welcher vor dem nahen suchenden Summen einer erbosten Hornisse so ruhig und ungeregt fest sitzen kann, als vor dem Summen einer Kanone. – In Träumen schaudert man mehr vor mystischen Zwergen, als vor einer steilen offnen Riesengestalt.

Was ist nun am After- oder Aberglauben wahrer Glaube? – Nicht der partielle Gegenstand und dessen persönliche Deutung – denn beide wechseln an Zeiten und Völkern, – sondern sein Prinzip, das Gefühl, das früher der Lehrer der Erziehung sein mußte, eh' es ihr Schüler werden konnte, und welches der romantische Dichter nur verklärter aufweckt, nämlich das ungeheure, fast hülflose Gefühl, womit der stille Geist gleichsam in der wilden Riesenmühle des Weltalls betäubt steht und einsam. Unzählige unüberwindliche Welträder sieht er in der seltsamen Mühle hinter einander kreisen – und hört das Brausen eines ewigen treibenden Stroms – um ihn her donnert es und der Boden zittert – bald hie, bald da fällt ein kurzes Klingeln ein in den Sturm – hier wird zerknirscht, dort vorgetrieben und aufgesammelt – und so steht er verlassen in der allgewaltigen blinden einsamen Maschine, welche um ihn mechanisch rauschet und doch ihn mit keinem geistigen Ton anredet; aber sein Geist sieht sich furchtsam nach den Riesen um, welche die wunderbare Maschine eingerichtet und zu Zwecken bestimmt haben und welche er als die Geister eines solchen zusammengebaueten Körpers noch weit größer setzen muß als ihr Werk ist. So wird die Furcht nicht sowohl der Schöpfer als das Geschöpf der Götter; aber da in unserm Ich sich eigentlich das anfängt, was sich von der Welt-Maschine unterscheidet und was sich um und über diese mächtig herumzieht, so ist die innere Nacht zwar die Mutter der Götter, aber selber eine Göttin. Jedes Körper- oder Welten-Reich wird endlich und enge und nichts, sobald ein Geisterreich gesetzt ist als dessen Träger und Meer. Daß aber ein Wille – folglich etwas Unendliches oder Unbestimmtes – durch die mechanische Bestimmtheit greift, sagen uns außer unserm Willen noch die Inschriften der beiden Pforten, welche uns *in* das und *aus* dem Leben führen; denn *vor* und *nach* dem irdischen Leben gilt es kein irdisches, aber doch ein Leben. Ferner sagt es der Traum, welchen wir als eine besondere *freiere* willkürliche Vereinigung der geistigen Welt mit der schweren, als einen Zustand, wo die Tore um den ganzen Horizont der Wirklichkeit die ganze Nacht offen stehen, ohne daß man weiß, welche fremde Gestalten dadurch einfliegen, niemals ohne einen gewissen Schauder bei *andern* kennen lernen.

Ja es wird, kann man sagen, sobald man nur einmal einen Menschengeist mit einem Menschenkörper annimmt, dadurch das ganze Geisterreich, der Hintergrund der Natur mit allen Berührkräften gesetzt; ein fremder Äther weht alsdann, vor welchem die Darmsaiten der Erde zittern und harmonieren. Ist eine Harmonie zwischen Leib und Seele, Erden und Geistern zugelassen: dann muß, ungeachtet oder mittelst der körperlichen Gesetze, der geistige Gesetzgeber ebenso am Weltall sich offenbaren, als der Leib die Seele und sich zugleich ausspricht; und das abergläubige Irren besteht nur darin, daß wir diese geistige Mimik des Universums, wie ein Kind die elterliche, erstlich ganz zu verstehen wähnen und zweitens ganz auf uns allein beziehen wollen. Eigentlich ist jede Begebenheit eine Weissagung und eine Geister-Erscheinung, aber nicht für uns allein, sondern für das All; und wir können sie dann nicht deuten. — —

FRIEDRICH SCHLEGEL

Reden über die Religion

Es sieht der Musen Freund die offne Pforte
Des großen Tempels sich auf Säulen heben,
Und wo Pilaster ruhn und Kuppeln streben,
Naht er getrost dem kunstgeweihten Orte.

Drin tönt Musik dem Frager Zauberworte,
Daß er geheiligt fühlt unendlich Leben,
Und muß im schönen Kreise ewig schweben,
Vergißt der Fragen leicht und armer Worte.

Doch plötzlich scheints, als wollten Geister gerne
Den schon Geweihten höh're Weihe zeigen,
Getäuscht die Fremden lassen in der Blöße;

Der Vorhang reißt und die Musik muß schweigen,
Der Tempel auch verschwand und in der Ferne
Zeigt sich die alte Sphinx in Riesengröße.

Friedrich Schlegel

Rede über die Mythologie

Bei dem Ernst, mit dem ihr die Kunst verehrt, meine Freunde, will ich euch auffordern, euch selbst zu fragen: Soll die Kraft der Begeisterung auch in der Poesie sich immerfort einzeln versplittern, und wenn sie sich müde gekämpft hat gegen das widrige Element, endlich einsam verstummen? Soll das höchste Heilige immer namenlos und formlos bleiben, im Dunkel dem Zufall überlassen? Ist die Liebe wirklich unüberwindlich, und gibt es wohl eine Kunst, die den Namen verdiente, wenn diese nicht die Gewalt hat, den Geist der Liebe durch ihr Zauberwort zu fesseln, daß er ihr folge und auf ihr Geheiß und nach ihrer notwendigen Willkür die schönen Bildungen beseelen muß? –

Ihr vor allen müßt wissen, was ich meine. Ihr habt selbst gedichtet, und ihr müßt es oft im Dichten gefühlt haben, daß es euch an einem festen Halt für euer Wirken gebrach, an einem mütterlichen Boden, einem Himmel, einer lebendigen Luft.

Aus dem Innern herausarbeiten, das alles muß der moderne Dichter, und viele haben es herrlich getan, aber bis jetzt nur jeder allein, jedes Werk wie eine neue Schöpfung von vorn an aus Nichts.

Ich gehe gleich zum Ziel. Es fehlt, behaupte ich, unserer Poesie an einem Mittelpunkt, wie es die Mythologie für die der Alten war, und alles Wesentliche, worin die moderne Dichtkunst der antiken nachsteht, läßt sich in die Worte zusammenfassen: Wir haben keine Mythologie. Aber, setze ich hinzu, wir sind nahe daran, eine zu erhalten, oder vielmehr es wird Zeit, daß wir ernsthaft dazu mitwirken sollen, eine hervorzubringen.

Denn auf dem ganz entgegengesetzten Wege wird sie uns kommen wie die alte ehemalige, überall die erste Blüte der jugendlichen Phantasie, sich unmittelbar anschließend und anbildend an das Nächste, Lebendigste der sinnlichen Welt. Die neue Mythologie muß im Gegenteil aus der tiefsten Tiefe des Geistes herausgebildet werden; es muß das künstlichste aller Kunstwerke sein, denn es soll alle andern umfassen, ein neues Bette und Gefäß für den alten ewigen Urquell der Poesie und selbst das unendliche Gedicht, welches die Keime aller andern Gedichte verhüllt.

Ihr mögt wohl lächeln über dieses mystische Gedicht und über die Unordnung, die etwa aus dem Gedränge und der Fülle von Dichtungen entstehen dürfte. Aber die höchste Schönheit, ja die höchste Ordnung ist denn doch nur die des Chaos, nämlich eines solchen, welches nur auf die Berührung der Liebe wartet, um sich zu einer harmonischen Welt zu entfalten, eines solchen wie es auch die alte Mythologie und Poesie war. Denn Mythologie und Poesie, beide sind eins und unzertrennlich. Alle Gedichte des Altertums schließen sich eines an das andere, bis sich aus immer größeren Maßen und Gliedern das Ganze bildet; alles greift ineinander, und überall ist ein und derselbe Geist nur anders ausgedrückt. Und so ist es wahrlich kein leeres Bild, zu sagen: die alte Poesie sei ein einziges, unteilbares, vollendetes Gedicht. Warum sollte nicht wieder von neuem werden, was schon gewesen ist? Auf eine andere Weise versteht sich. Und warum nicht auf eine schönere, größere? –

Ich bitte euch, nur dem Unglauben an die Möglichkeit einer neuen Mythologie nicht Raum zu geben. Die Zweifel von allen Seiten und nach allen Richtungen sollen mir willkommen sein, damit die Untersuchung desto freier und reicher werde. Und nun schenkt meinen Vermutungen ein aufmerksames Gehör! Mehr als Vermutungen kann ich euch nach der Lage der Sache nicht geben wollen. Aber ich hoffe, diese Vermutungen sollen durch euch selbst zu Wahrheiten werden. Denn es sind, wenn ihr sie dazu machen wollt, gewissermaßen Vorschläge zu Versuchen.

Kann eine neue Mythologie sich nur aus der innersten Tiefe des Geistes wie durch sich selbst herausarbeiten, so finden wir einen sehr bedeutenden Wink und eine merkwürdige Bestätigung für das, was wir suchen in dem großen Phänomen des Zeitalters, im Idealismus! Dieser ist auf eben die Weise gleichsam wie aus Nichts entstanden, und es ist nun auch in der Geisterwelt ein fester Punkt konstituiert, von wo aus die Kraft des Menschen sich nach allen Seiten mit steigender Entwicklung ausbreiten kann, sicher, sich selbst und die Rückkehr nie zu verlieren. Alle Wissenschaften und alle Künste wird die große Revolution ergreifen. Schon seht ihr sie in der Physik wirken, in welcher der Idealismus eigentlich schon früher für sich ausbrach, ehe sie noch vom Zauberstabe der Philosophie berührt war. Und dieses wunderbare große Faktum kann euch zugleich ein Wink sein über den geheimen Zusammenhang und die innere Einheit des Zeitalters. Der Idealismus, in praktischer Ansicht nichts anderes als der Geist jener Revolution, die großen Maximen derselben, die wir aus eigener Kraft und Freiheit ausüben und ausbreiten sollen, ist in theoretischer Ansicht, so groß er sich auch hier zeigt, doch nur ein Teil, ein Zweig, eine Äußerungsart von dem Phänomen aller Phänomene, daß die Menschheit aus allen Kräften ringt, ihr Zentrum zu finden. Sie muß, wie die Sachen stehen, untergehen oder sich verjüngen. Was ist wahrscheinlicher, und was läßt sich nicht von einem solchen Zeitalter der Verjüngung hoffen? – Das graue Altertum wird wieder lebendig werden, und die fernste Zukunft der Bildung sich schon in Vorbedeutungen melden. Doch das ist nicht das, worauf es mir zunächst hier ankommt: denn ich möchte gern nichts überspringen und euch Schritt vor Schritt bis zur Gewißheit der allerheiligsten Mysterien führen. Wie es das Wesen des Geistes ist, sich selbst zu bestimmen und im ewigen Wechsel aus sich herauszugehen und in sich zurückzukehren, wie jeder Gedanke nichts anderes ist, als das Resultat einer solchen Tätigkeit: so ist der derselbe Prozeß auch im ganzen und großen jeder Form des Idealismus sichtbar, der ja selbst nur die Anerkennung jenes Selbstgesetzes ist, und das neue, durch die Anerkennung verdoppelte Leben, welches die geheime Kraft desselben durch die unbeschränkte Fülle neuer Erfindung, durch die allgemeine Mitteilbarkeit und durch die lebendige Wirksamkeit aufs herrlichste offenbart. Natürlich nimmt das Phänomen in jedem Individuum eine andere Gestalt an, wo denn oft der Erfolg hinter unserer Erwartung zurückbleiben muß. Aber was notwendige Gesetze für den Gang des Ganzen erwarten lassen, darin kann unsere Erwartung nicht getäuscht werden. Der Idealismus in jeder Form muß auf eine oder die andere Art aus sich herausgehen, um in sich zurückkehren zu können und zu bleiben, was er ist. Deswegen muß und wird sich aus seinem Schoße ein neuer, ebenso grenzenloser Realismus erheben, und der Idealismus also nicht bloß in seiner Entstehungsart ein Beispiel für die neue Mythologie, sondern selbst auf indirekte Art Quelle derselben werden. Die Spuren einer ähnlichen Tendenz könnt ihr schon jetzt fast überall wahrnehmen; besonders in der Physik, der es an nichts mehr zu fehlen scheint, als an einer mythologischen Ansicht der Natur.

Auch ich trage schon lange das Ideal eines solchen Realismus in mir, und wenn es bisher nicht zur Mitteilung gekommen ist, so war es nur, weil ich das Organ dazu noch suche. Doch weiß ich, daß ichs nur in der Poesie finden kann, denn in Gestalt der Philosophie oder gar eines Systems wird der Realismus nie wieder auftreten können. Und selbst nach einer allgemeinen Tradition ist es zu erwarten, daß dieser neue Realismus, weil er doch idealischen Ursprungs sein und gleichsam auf idealischem Grund und Boden schweben muß, als Poesie erscheinen wird, die ja auf der Harmonie des Ideellen und Reellen beruhen soll.

FRIEDRICH HÖLDERLIN

Notizen über die Mythe

Unterschied religiöser Verhältnisse von intellektualen, moralischen, rechtlichen Verhältnissen einesteils, und von physischen, mechanischen, historischen Verhältnissen anderenteils, so daß die religiösen Verhältnisse einesteils in ihren Teilen die Persönlichkeit, die gegenseitige Beschränkung, das negative gleiche Nebeneinandersein der intellektualen Verhältnisse, andernteils den innigen Zusammenhang, das Gegebensein des einen zum andern, die Unzertrennlichkeit in ihren Teilen haben, welche die Teile eines physischen Verhältnisses charakterisiert, so daß die religiösen Verhältnisse in ihrer *Vorstellung* weder intellektuell noch historisch, sondern intellektuell historisch, d. h. *mythisch* sind, sowohl was ihren Stoff, als was ihren Vortrag betrifft. Sie werden also in Rücksicht des Stoffes weder bloß Ideen oder Begriffe oder Charaktere, noch auch bloße Begebenheiten, Tatsachen enthalten, auch nicht beedes getrennt, sondern beedes in einem (und zwar so, daß, wo die persönlichen Teile mehr Gewicht haben, Hauptpartie, der innere Gehalt sind, der äußere Gehalt geschichtlicher sein wird (epische Mythe), und wo die Begebenheit Hauptpartie ist, innerer Gehalt, der äußere Gehalt persönlicher sein wird (dramatische Mythe), nur muß nicht vergessen werden, daß so wohl die persönlichen Teile als die geschichtlichen immer nur Nebenteile sind, im Verhältnis zur eigentlichen Hauptpartie, zu dem *Gott der Mythe.* Das Lyrischmythische ist noch zu bestimmen.

So auch der Vortrag der Mythe. Ihre Teile werden einerseits so zusammengestellt, daß durch ihre durchgängig gegenseitige schickliche Beschränkung keiner zu sehr hervorspringt und jeder einen gewissen Grad von Selbständigkeit eben dadurch erhält, und in so fern wird der Vortrag einen intellektualen Charakter tragen; anderseits werden sie, indem jeder Teil etwas weiter gehet, als nötig ist, eben dadurch jene Unzertrennlichkeit erhalten, die sonst nur den Teilen eines physischen, mechanischen Verhältnisses eigen ist.

So wäre alle Religion ihrem Wesen nach poetisch.

Novalis

Fragment über Religion

Noch ist keine Religion. – Man muß eine Bildungsloge echter Religion erst stiften. Glaubt ihr – daß es Religion gebe – Religion muß gemacht und hervorgebracht werden durch die Vereinigung mehrerer Menschen.

Friedrich Hölderlin

Sonnenuntergang

Wo bist du? trunken dämmert die Seele mir
Von aller deiner Wonne; denn eben ist's,
Daß ich gelauscht, wie, goldner Töne
Voll, der entzückende Sonnenjüngling

Sein Abendlied auf himmlischer Leier spielt';
Es tönten rings die Wälder und Hügel nach.
Doch fern ist er zu frommen Völkern,
Die ihn noch ehren, hinweggegangen.

Friedrich Wilhelm Schelling

Die Mythologie

Die Mythologie kann weder das Werk des einzelnen Menschen noch des Geschlechts oder der Gattung sein (sofern diese nur eine Zusammensetzung der Individuen), *sondern allein des Geschlechts, sofern es selbst Individuum und einem einzelnen Menschen gleich ist.* Nicht des Einzelnen, weil die Mythologie absolute Objektivität haben, eine zweite *Welt* sein soll, die nicht die des Einzelnen sein kann. Nicht eines Geschlechts oder der Gattung, sofern sie nur eine Zusammensetzung der Individuen, denn alsdann wäre sie ohne harmonische Zusammenstimmung. Sie fordert also zu ihrer Möglichkeit notwendig ein Geschlecht, das Individuum wie *ein* Mensch ist. Die Unbegreiflichkeit, die diese Idee für unsere Zeit haben mag, kann ihrer Wahrheit nichts nehmen. Sie ist die höchste Idee für die *ganze* Geschichte überhaupt. Analogien, ferne Anspielungen auf ein solches Verhältnis enthält schon die Natur in der Art, wie sich die Kunsttriebe der Tiere äußern, indem bei mehreren Gattungen ein ganzes Geschlecht zusammen wirkt, jedes Individuum als das Ganze, und das Ganze selbst wieder als Individuum handelt. Ein solches Verhältnis kann uns in der Kunst umso weniger befremden, da wir eben hier — auf der höchsten Stufe der Produktion — den Gegensatz der *Natur* und *Freiheit* noch einmal eintreten sehen, und die griechische Mythologie z. B. uns in der *Kunst* selbst die *Natur* wieder bringt, wie ich noch bestimmt beweisen werde. Aber eben auch nur in der Kunst kann die Natur eine solche Eintracht des Individuums und der Gattung bewirken (im Handeln behauptet sie auch ihr Recht, aber weniger auffallend, mehr im Ganzen als im Einzelnen, und im Einzelnen nur für Momente). In der griechischen Mythologie hat die Natur ein solches Werk eines auf ein ganzes Geschlecht ausgedehnten gemeinschaftlichen Kunsttriebs aufgestellt, und die entgegengesetzte Bildung der griechischen, die moderne, hat nichts Ähnliches aufzuweisen, obgleich sie in der Bildung einer universellen Kirche gleichsam instinktmäßig etwas Ähnliches beabsichtigte.

Vollkommen deutlich kann dieses Verhältnis, durch welches wir uns die griechische Mythologie als entstanden denken müssen — diese in ihrer Art einzige Besitznahme eines ganzen Geschlechts durch einen gemeinschaftlichen Kunstgeist — nur in der Entgegenstellung gegen den Ursprung der modernen Poesie gemacht werden, zu der ich jetzt nicht fort gehen kann. Ich erinnere an die Wolfsche Hypothese vom Homer, daß er auch in seiner ursprünglichen Gestalt nicht das Werk eines Einzigen, sondern mehrerer von dem gleichen Geist getriebener Menschen gewesen. Wolf hat als Kritiker die Sache nur zu empirisch, zu beschränkt auf das schriftliche Werk, das wir Homer nennen, mit einem Wort zu untergeordnet angefaßt, um die Idee der Sache selbst, das Allgemeine vielleicht seiner eignen Vorstellung deutlich und anschaulich machen zu können. Ich lasse die unbeschränkte Richtigkeit der Wolfschen Ansicht des Homer hier gänzlich dahingestellt, aber ich will durch den aufgestellten Satz von der Mythologie dasselbe, was Wolf vom Homer, behaupten. Die Mythologie und Homer sind eins und Homer lag in der ersten Dichtung der Mythologie schon fertig involviert, gleichsam potentialiter vorhanden. Da Homer, wenn ich so sagen darf, geistig — im Urbild — schon prädeterminiert, und das Gewebe seiner Dichtungen mit dem der Mythologie schon gewoben war, so ist begreiflich, wie Dichter, aus deren Gesängen Homer zusammengesetzt wäre, unabhängig voneinander jeder in das Ganze eingreifen konnten, ohne seine Harmonie aufzuheben, oder aus der ersten Identität herauszugehen. Es war wirklich ein schon — wenn gleich nicht empirisch — vorhandenes Gedicht, was sie rezitierten. Der Ursprung der Mythologie und der des Homer fallen also zusammen, daher es begreiflich ist, wie der Ursprung beider schon den frühesten hellenischen Historikern gleich verborgen ist, und schon Herodotos die Sache einseitig vorstellt, nämlich Homeros habe den Hellenen zuerst die Göttergeschichte gemacht.

Die Alten selbst bezeichnen die Mythologie und, da diese ihnen mit dem Homer in eins zusammenfällt, die homerischen Dichtungen als die gemeinsame Wurzel der Poesie, der Geschichte und Philosophie. Für die Poesie ist sie der Urstoff, aus dem alles hervorging, der Ozean, um ein Bild der Alten zu gebrauchen, aus dem alle Ströme ausfließen, wie sie alle in ihn zurückkehren. Erst allmählich verliert sich der mythische Stoff in den historischen; man könnte sagen, erst wie die Idee des Unendlichen hervortritt und die Beziehung auf das *Schicksal* entstehen kann (Herodot). In der Zwischenperiode muß, weil das Unendliche, noch ganz dem Stoff verbunden, selbst stoffartig wirkt, jener in der Mythologie ausgestreute göttliche Same noch lange in wunderbaren großen Ereignissen wuchern, wie die des heroischen Zeitalters sind. Die Gesetze gemeiner Erfahrung sind noch nicht eingetreten, noch immer konzentrieren sich ganze volle Massen von Erscheinungen auf einzelne große Gestalten, wie auch in der Ilias geschieht.

Da die Mythologie nichts anderes als die urbildliche Welt selbst ist, die erste allgemeine Anschauung des Universums, so war sie Grundlage der Philosophie, und es ist leicht zu zeigen, daß sie die ganze Richtung auch der griechischen Philosophie bestimmt hat. Das Erste, was sich aus ihr loswand, war die älteste Naturphilosophie der Griechen, die noch rein realistisch war, bis zuerst Anaxagoras (νοῦς) und vollendeter nach ihm Sokrates das idealistische Element darein brachte. Aber auch von dem sittlichen Teil der Philosophie war sie die erste Quelle. Die ersten Ansichten sittlicher Verhältnisse, aber vorzüglich jenes allen Griechen bis zur höchsten Bildung im Sophokles gemeinschaftliche, allen ihren Werken tief eingeprägte Gefühl des untergeordneten Verhältnisses der Menschen zu den Göttern, der Sinn für Begrenzung und Maß auch im Sittlichen, die Verabscheuung des Übermuts, der frevelnden Gewalttätigkeit u.s.w., die schönsten sittlichen Seiten der Sophokleischen Werke stammen noch von der Mythologie her.

So ist also die griechische Mythologie nicht nur für sich von unendlichem Sinn, sondern, weil sie auch ihrem *Ursprung* nach Werk einer Gattung ist, die zugleich Individuum ist, selbst das Werk eines Gottes, wie in der griechischen Anthologie selbst das Sinngedicht auf Homer enthalten ist:

War Homeros ein Gott, so werden ihm Tempel errichtet,
War er ein Sterblicher, sei *dennoch* er göttlich verehrt.

Noch eine Reflexion. – Wir haben die Mythologie von den ersten Kunstforderungen aus ganz rational konstruiert, und von selbst stellte sich als die Auflösung aller jener Forderungen die griechische Mythologie dar. Hier drängt sich uns das erste Mal die durchgängige Rationalität der griechischen Kunst und Poesie auf, so daß man immer sicher sein kann, jede ihrer Idee gemäß konstruierte Kunstgattung, ja fast das Kunstindividuum in der griechischen Bildung anzutreffen. Die moderne Poesie und Kunst dagegen ist die irrationale, insofern die negative Seite der alten Kunst, womit ich sie nicht herabsetzen will, da auch das Negative als solches wieder Form werden kann, die das Vollendete aufnimmt.

Friedrich Hölderlin

Griechenland

Zweite Fassung

O ihr Stimmen des Geschicks, ihr Wege des Wanderers
Denn an dem Himmel
Tönt wie der Amsel Gesang
Der Wolken sichere Stimmung gut
Gestimmt vom Dasein Gottes, dem Gewitter.
Und Rufe, wie hinausschauen, zur
Unsterblichkeit und Helden;
Viel sind Erinnerungen.
Und wo die Erde, von Verwüstungen her, Versuchungen der
Großen Gesetzen nachgeht, die Einigkeit [Heiligen
Und Zärtlichkeit und den ganzen Himmel nachher
Erscheinend singen
Gesangeswolken. Denn immer lebt
Die Natur. Wo aber allzusehr sich
Das Ungebundene zum Tode sehnet
Himmlisches einschläft, und die Treue Gottes,
Das Verständige fehlt.
Aber wie der Reigen
Zur Hochzeit,
Zu Geringem auch kann kommen
Großer Anfang.
Alltag aber wunderbar

Gott an hat ein Gewand.
Und Erkenntnissen verberget sich sein Angesicht
Und decket die Lüfte mit Kunst.
Und Luft und Zeit deckt
Den Schröcklichen, wenn zu sehr ihn
Eins liebet mit Gebeten oder
Die Seele.

Friedrich Creuzer

Die Elemente des Symbols

Die Merkmale, welche in den von Aristoteles angeführten Beispielen von Metapher (μεταφορά) und Bild (εἰκών) liegen, führen uns sofort auf die Grundbegriffe der symbolischen Darstellung. Sagt der Dichter, bemerkt jener Kunstrichter, »wie ein Löwe stürmt Achilleus daher«, so hat er in einem *Bilde* gesprochen, dahingegen der Ausdruck »der Löwe stürmte daher« auf Achilleus bezogen, eine Metapher sein würde. Es sind nämlich hier mehrere Eigenschaften, die der Kraft, die des Mutes, der unwiderstehlichen Furchtbarkeit usw. durch die metaphorische und bildliche Bezeichnung in den Brennpunkt eines einzigen Eindrucks zusammengedrängt, der sich auf einmal der Seele darstellt. Dieses gilt von allen Arten des tropischen Ausdrucks, er mag nun entweder auf einer wahrgenommenen Ähnlichkeit beruhen (Metapher), oder in einer äußeren, oder inneren Verbindung zweier Dinge (Metonymie und Synekdoche). Immer bleibt es wesentliche Eigenschaft dieser Darstellungsart, daß sie ein Einziges, ein Ungeteiltes gibt. Was der sondernde und sammelnde Verstand in sukzessiver Reihe als einzelne Merkmale zur Bildung eines Begriffs zusammenträgt, und ebenso sukzessiv wieder in seine Bestandteile trennt, das gibt jene anschauliche Weise ganz und auf einmal. Es ist ein einziger Blick; mit einem Schlage ist die Intuition vollendet, wie dann die griechische Sprache, nach obiger Erläuterung, sich wirklich dieses bildlichen Worts (προςβολή) zur Bezeichnung des Bildlichen bediente, und für die langsame Verfahrungsart des Verstandes ebenso glücklich den, an einen langen Weg erinnernden, Ausdruck διέξοδος erfand, dessen Übersetzung wir in dem Worte des diskursiven Denkens aus der römischen Sprache entlehnt haben.

Will nun die Seele das Größere versuchen, sich zur Welt der Ideen aufschwingen, und das Bildliche zum Ausdruck des Unendlichen machen, so offenbaret sich vorerst ein entschiedener, schneidender Zwiespalt. Wie könnte doch das Begrenzte so zu sagen Gefäß und Aufenthalt des Unbegrenzten werden? Oder das Sinnliche Stellvertreter dessen, was, nicht in die Sinne fallend, nur im reinen geistigen Denken erkannt zu werden vermag? Die Seele, befangen in diesem Widerspruch, und ihn wahrnehmend, siehet sich mithin vorerst in den Zustand einer Sehnsucht versetzt. Sie möchte das Wesen erfassen ganz und unverändert, und es in der Form zum Leben bringen, aber in die Schranken dieser Form will sich das Wesen nicht fügen. Es ist ein schmerzliches Sehnen, das Unendliche im Endlichen zu gebären. Der in die Nacht dieser Unterwelt gestellte Geist möchte sich erheben und hindurchdringen zu der vollen Klarheit des heiteren Tages. An sich und ohne Hülle möchte er sehen, was allein wahrhaft ist, und unveränderlich bestehet, und im Abbild es hinstellen in dieser wandelbaren Welt des schattenähnlichen Daseins.

Da die Seele demnach, so betrachtet, zwischen der Ideenwelt und dem Gebiete der Sinne schwebet, da sie beide mit einander zu verbinden und im Endlichen das Unendliche zu erringen strebt, wie kann es anders sein, als daß das, was sie erstrebt und errungen hat, die Zeichen seines Ursprungs an sich trage, und selbst in seinem Wesen jene Doppelnatur verrate? Und in der Tat lassen uns die wesentlichen Eigenschaften, und gleichsam die Elemente des Symbols, jene doppelte Herkunft deutlich erkennen.

Vorerst ist jenes *Schweben* selbst, sein Los. Ich meine jene Unentschiedenheit zwischen Form und Wesen. Es ist im Symbol ein allgemeiner Begriff aufgestiegen, der da kommt und fliehet, und indem wir ihn erfassen wollen, sich unserm Blick entzieht. So wie es einerseits aus der Welt der Ideen, wie aus dem vollen Glanze der Sonne abgestrahlt, sonnenähnlich heißen kann, einen platonischen Ausdruck zu gebrauchen, so ist es hingegen durch das Medium getrübt, wodurch es in unser Auge fällt. Und wie das Farbenspiel des Regenbogens durch das an der dunkelen Wolke gebrochene Bild der Sonne entsteht, so wird das einfache Licht der Idee im Symbol in einen farbigen Strahl von Bedeutsamkeit zerlegt.

Denn bedeutsam und erwecklich wird das Symbol eben durch jene Inkongruenz des Wesens mit der Form, und durch die Überfülle des Inhalts in Vergleichung mit seinem Ausdruck. Desto anregender daher, je mehr es zu denken gibt. Aus diesem Grunde haben es die Alten vorzüglich wirksam geachtet, um den Menschen aus der Gewohnheit des täglichen Lebens zu einem höheren Bestreben zu erwecken. Ein Kunstrichter, der über die Natur der Sprache mit ungemeinem Scharfsinne nachgedacht hat, bemerkt daher sehr treffend: »Alles was nur geahnet wird, ist furchtbarer, als was hüllenlos vor Augen liegt. Daher auch die Geheimlehren in Symbolen vorgetragen werden, wie in Nacht und Dunkel. Es ist aber das Symbolische dem Dunkeln und der Nacht zu vergleichen.«

Jenes Erweckliche und zuweilen Erschütternde hängt mit einer andern Eigenschaft zusammen, mit der *Kürze*. Es ist wie ein plötzlich erscheinender Geist, oder wie ein Blitzstrahl, der auf einmal die dunkele Nacht erleuchtet. Es ist ein Moment, der unser ganzes Wesen in Anspruch nimmt, ein Blick in eine schrankenlose Ferne, aus der unser Geist bereichert zurückkehrt. Denn dieses Momentane ist fruchtbar für das empfängliche Gemüt, und der Verstand, indem er sich das Viele, was der prägnante Moment des Bildes verschließt, in seine Bestandteile auflöset, und nach und nach zueignet, empfindet ein lebhaftes Vergnügen, und wird befriedigt durch die Fülle dieses Gewinns, den er allmählich übersiehet.

Brüder Grimm

Der goldene Schlüssel

Zur Winterszeit, als einmal ein tiefer Schnee lag, mußte ein armer Junge hinausgehen und Holz auf einem Schlitten holen. Wie er es nun zusammengesucht und aufgeladen hatte, wollte er, weil er so erfroren war, noch nicht nach Haus gehen, sondern erst Feuer anmachen und sich ein bißchen wärmen. Da scharrte er den Schnee weg, und wie er so den Erdboden aufräumte, fand er einen kleinen goldenen Schlüssel. Nun glaubte er, wo der Schlüssel wäre, müßte auch das Schloß dazu sein, grub in der Erde und fand ein eisernes Kästchen. »Wenn der Schlüssel nur paßt!« dachte er, »es sind gewiß kostbare Sachen in dem Kästchen.« Er suchte, aber es war kein Schlüsselloch da, endlich entdeckte er eins, aber so klein daß man es kaum sehen konnte. Er probierte und der Schlüssel paßte glücklich. Da drehte er einmal herum, und nun müssen wir warten bis er vollends aufgeschlossen und den Deckel aufgemacht hat, dann werden wir erfahren was für wunderbare Sachen in dem Kästchen lagen.

Wilhelm Grimm

Märchen und Sage

Es wird dem Menschen von heimatswegen ein guter Engel beigegeben, der ihn, wann er ins Leben auszieht, unter der vertraulichen Gestalt eines Mitwandernden begleitet; wer nicht ahnt, was ihm Gutes dadurch widerfährt, der mag es fühlen, wenn er die Grenzen des Vaterlandes überschreitet, wo ihn jener verläßt. Diese wohltätige Begleitung ist das unerschöpfliche Gut der Märchen, Sagen und Geschichte, welche nebeneinander stehen und uns nacheinander die Vorzeit als einen frischen und belebenden Geist nahe zu bringen streben. Jedes hat seinen eigenen Kreis. Das Märchen ist poetischer, die Sage historischer; jenes stehet beinahe nur in sich selber fest, in seiner angeborenen Blüte und Vollendung; die Sage von einer geringern Mannigfaltigkeit der Farbe, hat noch das Besondere, daß sie an etwas Bekanntem und Bewußtem hafte, an einem Ort oder einem durch die Geschichte gesicherten Namen. Aus dieser ihrer Gebundenheit folgt, daß sie nicht, gleich dem Märchen, überall zu Hause sein könne, sondern irgend eine Bedingung voraussetze, ohne welche sie bald gar nicht da, bald nur unvollkommener vorhanden sein würde. Kaum ein Flecken wird sich in ganz Deutschland finden, wo es nicht ausführliche Märchen zu hören gäbe, manche, an denen die Volkssagen bloß dünn und sparsam gesät zu sein pflegen. Diese anscheinende Dürftigkeit und Unbedeutendheit zugegeben, sind sie dafür innerlich auch weit eigentümlicher; sie gleichen den Mundarten der Sprache, in denen hin und wieder sonderbare Wörter und Bilder aus uralten Zeiten hangen geblieben sind, während die Märchen ein ganzes Stück alter Dichtung, so zu sagen, in einem Zug zu uns übersetzen. Merkwürdig stimmen auch die erzählenden Volkslieder entschieden mehr zu den Sagen, als zu den Märchen, die wiederum in ihrem Inhalt die Anlage der frühesten Poesien reiner und kräftiger bewahrt haben, als es sogar die übrig gebliebenen größeren Lieder der Vorzeit konnten. Hieraus ergibt sich ohne alle Schwierigkeit, wie es kommt, daß fast nur allein die Märchen Teile der urdeutschen Heldensage erhalten haben, ohne Namen, (außer wo diese allgemein und in sich selbst bedeutend wurden, wie der des alten Hildebrand); während in den Liedern und Sagen unseres Volks so viele einzelne, beinahe trockene Namen, Örter und Sitten aus der ältesten Zeit festhaften. Die Märchen also sind teils durch ihre äußere Verbreitung, teils ihr inneres Wesen dazu bestimmt, den reinen Gedanken einer kindlichen Weltbetrachtung zu fassen, sie nähren unmittelbar, wie die Milch, mild und lieblich, oder der Honig, süß und sättigend, ohne irdische Schwere; dahingegen die Sagen schon zu einer stärkeren Speise dienen, eine einfachere, aber desto entschiedenere Farbe tragen, und mehr Ernst und Nachdenken fordern. Über den Vorzug beider zu streiten wäre ungeschickt; auch soll durch diese Darlegung ihrer Verschiedenheit weder ihr Gemeinschaftliches übersehen, noch geleugnet werden, daß sie in unendlichen Mischungen und Wendungen in einander greifen und sich mehr oder weniger ähnlich werden. Der Geschichte stellen sich beide, das Märchen und die Sage, gegenüber, insofern sie das sinnlich Natürliche und Begreifliche stets mit dem Unbegreiflichen mischen, welches jene, wie sie unserer Bildung angemessen scheint, nicht mehr in der Darstellung selbst verträgt, sondern es auf ihre eigene Weise in der Betrachtung des Ganzen neu hervorzusuchen und zu ehren weiß. Die Kinder glauben an die Wirklichkeit der Märchen, aber auch das Volk hat noch nicht ganz aufgehört, an seine Sagen zu glauben, und sein Verstand sondert nicht viel darin; sie werden ihm aus den angegebenen Unterlagen genug bewiesen, d. h. das unleugbar nahe und sichtliche Dasein der letzteren überwiegt noch den Zweifel über das damit verknüpfte Wunder. Diese *Eingenossenschaft* der Sage ist folglich gerade ihr rechtes Zeichen. Daher auch von dem, was wirkliche Geschichte heißt (und einmal hinter einen gewissen Kreis der Gegenwart und des von jedem Geschlechte Durchlebten tritt), dem Volk eigentlich nichts zugebracht werden kann, als was sich ihm auf dem Wege der Sage vermittelt; einer in Zeit und Raum zu entrückten Begebenheit, der dieses Erfordernis abgeht, bleibt es fremd oder läßt sie bald wieder fallen. Wie unverbrüchlich sehen wir es dagegen an seinen eingeerbten und hergebrachten Sagen haften, die ihm in rechter Ferne nachrücken und sich an alle seine vertrautesten Begriffe schließen. Niemals können sie ihm langweilig werden, weil sie ihm kein eiteles Spiel, das man einmal wieder fahren läßt, sondern eine Notwendigkeit scheinen, die mit ins Haus gehört, sich von selbst versteht, und nicht anders, als mit einer gewissen, zu allen rechtschaffenen Dingen nötigen Andacht, bei dem rechten Anlaß, zur Sprache kommt. Jene stete Bewegung und dabei immerfortige Sicherheit der Volkssagen stellt sich, wenn wir es deutlich erwägen, als eine der trostreichsten und erquickendsten Gaben Gottes dar. Um alles menschlichen Sinnen Ungewöhnliche, was die Natur eines Landstrichs besitzt, oder wessen ihn die Geschichte gemahnt, sammelt sich ein Duft von Sage und Lied, wie sich die Ferne des Himmels blau anläßt und zarter, feiner Staub um Obst und Blumen setzt. Aus dem Zusammenleben und Zusammenwohnen mit Felsen, Seen, Trümmern, Bäumen, Pflanzen, entspringt bald eine Art von Verbindung, die sich auf die Eigentümlichkeit jedes dieser Gegenstände gründet und zu gewissen Stunden ihre Wunder zu vernehmen berechtigt ist. Wie mächtig das dadurch entstehende Band sei, zeigt an natürlichen Menschen jenes herzzerreißende Heimweh. Ohne diese sie begleitende Poesie müßten edele Völker vertrauern und vergehen; Sprache, Sitte und Gewohnheit würde ihnen eitel und unbedeckt dünken, ja hinter allem, was sie besäßen, eine gewisse Einfriedigung fehlen. Auf solche Weise verstehen wir das Wesen und die Tugend der deutschen Volkssage, welche Angst und Warnung vor dem Bösen und Freude an dem Guten mit gleichen Händen austeilt. Noch geht sie an Örter und Stellen, die unsere Geschichte längst nicht mehr erreichen kann, vielmehr aber fließen sie beide zusammen und untereinander; nur daß man zuweilen die an sich untrennbar gewordene Sage, wie in Strömen das aufgenommene grünere Wasser eines anderen Flusses, noch lange zu erkennen vermag.

Novalis

Hyazinth und Rosenblütchen

Vor langen Zeiten lebte weit gegen Abend ein blutjunger Mensch. Er war sehr gut, aber auch über die Maßen wunderlich. Er grämte sich unaufhörlich um nichts und wieder nichts, ging immer still für sich hin, setzte sich einsam, wenn die andern spielten und fröhlich waren, und hing seltsamen Dingen nach. Höhlen und Wälder waren sein liebster Aufenthalt, und dann sprach er immer fort mit Tieren und Vögeln, mit Bäumen und Felsen, natürlich kein vernünftiges Wort, lauter närrisches Zeug zum Totlachen. Er blieb aber immer mürrisch und ernsthaft, ungeachtet sich das Eichhörnchen, die Meerkatze, der Papagei und der Gimpel alle Mühe gaben, ihn zu zerstreuen, und ihn auf den richtigen Weg zu weisen. Die Gans erzählte Märchen, der Bach klimperte eine Ballade dazwischen, ein großer dicker Stein machte lächerliche Bockssprünge, die Rose schlich sich freundlich hinter ihm herum, kroch durch seine Locken, und der Efeu streichelte ihm die sorgenvolle Stirn. Allein der Mißmut und Ernst waren hartnäckig. Seine Eltern waren sehr betrübt, sie wußten nicht, was sie anfangen sollten. Er war gesund und aß, nie hatten sie ihn beleidigt, er war auch bis vor wenig Jahren fröhlich und lustig gewesen wie keiner; bei allen Spielen voran, von allen Mädchen gern gesehn. Er war recht bildschön, sah aus wie gemalt, tanzte wie ein Schatz. Unter den Mädchen war eine, ein köstliches, bildschönes Kind, sah aus wie Wachs, Haare wie goldne Seide, kirschrote Lippen, wie ein Püppchen gewachsen, brandrabenschwarze Augen. Wer sie sah, hätte mögen vergehn, so lieblich war sie. Damals war Rosenblüte, so hieß sie, dem bildschönen Hyazinth, so hieß er, von Herzen gut, und er hatte sie lieb zum Sterben. Die andern Kinder wußten's nicht. Ein Veilchen hatte es ihnen zuerst gesagt, die Hauskätzchen hatten es wohl gemerkt, die Häuser ihrer Eltern lagen nahe beisammen. Wenn nun Hyazinth die Nacht an seinem Fenster stand und Rosenblüte an ihrem, und die Kätzchen auf den Mäusefang da vorbeiliefen, da sahen sie die beiden stehn und lachten und kicherten oft so laut, daß sie es hörten und böse wurden. Das Veilchen hatte es der Erdbeere im Vertrauen gesagt, die sagte es ihrer Freundin der Stachelbeere, die ließ nun das Sticheln nicht, wenn Hyazinth gegangen kam; so erfuhr's denn bald der ganze Garten und der Wald, und wenn Hyazinth ausging, so rief's von allen Seiten: ›Rosenblütchen ist mein Schätzchen!‹ Nun ärgerte sich Hyazinth und mußte doch auch wieder aus Herzensgrunde lachen, wenn das Eidechschen geschlüpft kam, sich auf einen warmen Stein setzte, mit dem Schwänzchen wedelte und sang:

Rosenblütchen, das gute Kind,
Ist geworden auf einmal blind,
Denkt, die Mutter sei Hyazinth,
Fällt ihm um den Hals geschwind;
Merkt sich aber das fremde Gesicht,
Denkt nur an, da erschrickt sie nicht,
Fährt, als merkte sie kein Wort,
Immer nur mit Küssen fort.

Ach! wie bald war die Herrlichkeit vorbei. Es kam ein Mann aus fremden Landen gegangen, der war erstaunlich weit gereist, hatte einen langen Bart, tiefe Augen, entsetzliche Augenbrauen, ein wunderliches Kleid mit vielen Falten und seltsamen Figuren hineingewebt. Er setzte sich vor das Haus, das Hyazinths Eltern gehörte. Nun war Hyazinth sehr neugierig und setzte sich zu ihm und holte ihm Brot und Wein. Da tat er seinen weißen Bart voneinander und erzählte bis tief in die Nacht, und Hyazinth wich und wankte nicht und wurde auch nicht müde zuzuhören. Soviel man nachher vernahm, so hat er viel von fremden Ländern, unbekannten Gegenden, von erstaunlich wunderbaren Sachen erzählt und ist drei Tage dageblieben, und mit Hyazinth in tiefe Schachten hinuntergekrochen. Rosenblütchen hat genug den alten Hexenmeister verwünscht, denn Hyazinth ist ganz versessen auf seine Gespräche gewesen und hat sich um nichts bekümmert; kaum daß er ein wenig Speise zu sich genommen. Endlich hat jener sich fortgemacht, doch dem Hyazinth ein Büchelchen dagelassen, das kein Mensch lesen konnte. Dieser hat ihm noch Früchte, Brot und Wein mitgegeben und ihn weit weg begleitet. Und dann ist er tiefsinnig zurückgekommen und hat einen ganz neuen Lebenswandel begonnen. Rosenblütchen hat recht zum Erbarmen um ihn getan, denn von der Zeit an hat er sich wenig aus ihr gemacht und ist immer für sich geblieben. Nun begab sich's, daß er einmal nach Hause kam und war wie neugeboren. Er fiel seinen Eltern um den Hals und weinte. ›Ich muß fort in fremde Lande‹, sagte er, ›die alte wunderliche Frau im Walde hat mir erzählt, wie ich gesund werden müßte, das Buch hat sie ins Feuer geworfen und hat mich getrieben, zu euch zu gehn und euch um euren Segen zu bitten. Vielleicht komme ich bald, vielleicht nie wieder. Grüßt Rosenblütchen. Ich hätte sie gern gesprochen, ich weiß nicht, wie mir ist, es drängt mich fort; wenn ich an die alten Zeiten zurückdenken will, so kommen gleich mächtigere Gedanken dazwischen, die Ruhe ist fort, Herz und Liebe mit, ich muß sie suchen gehn. Ich wollt euch gern sagen, wohin, ich weiß selbst nicht, dahin wo die Mutter der Dinge wohnt, die verschleierte Jungfrau. Nach der ist mein Gemüt entzündet. Lebt wohl.‹ Er riß sich los und ging fort. Seine Eltern wehklagten und vergossen Tränen, Rosenblütchen blieb in ihrer Kammer und weinte bitterlich. Hyazinth lief nun, was er konnte, durch Täler und Wildnisse, über Berge und Ströme, dem geheimnisvollen Lande zu. Er fragte überall nach der heiligen Göttin (Isis) Menschen und Tiere, Felsen und Bäume. Manche lachten, manche schwiegen, nirgends erhielt er Bescheid. Im Anfange kam er durch rauhes, wildes Land, Nebel und Wolken warfen sich ihm in den Weg, es stürmte immerfort; dann fand er unabsehliche Sandwüsten, glühenden Staub, und wie er wandelte, so veränderte sich auch sein Gemüt, die Zeit wurde ihm lang, und die innre Unruhe legte sich, er wurde sanfter und das gewaltige Treiben in ihm allgemach zu einem leisen, aber starken Zuge, in den sein ganzes Gemüt sich auflöste. Es lag wie viele Jahre hinter ihm. Nun wurde die Gegend auch wieder reicher und mannigfaltiger, die Luft lau und blau, der Weg ebener, grüne Büsche lockten ihn mit anmutigen Schatten, aber er verstand ihre Sprache nicht, sie schienen auch nicht zu sprechen, und doch erfüllten sie auch sein Herz mit grünen Farben und kühlem, stillem Wesen. Immer höher wuchs jene süße Sehnsucht in ihm, und immer breiter und saftiger wurden die Blätter, immer lauter und lustiger die Vögel und Tiere, balsamischer die Früchte, dunkler der Himmel, wärmer die Luft, und heißer seine Liebe, die Zeit ging immer schneller, als sähe sie sich nahe am Ziele. Eines Tages begegnete er einem kristallnen Quell und einer Menge Blumen, die kamen in ein Tal herunter zwischen schwarzen himmelhohen Säulen. Sie grüßten ihn freundlich mit bekannten Worten. ›Liebe Landsleute‹, sagte er, ›wo find' ich wohl den geheiligten Wohnsitz der Isis? Hier herum muß er sein, und ihr seid vielleicht hier bekannter als ich.‹—›Wir gehn auch nur hier durch‹, antworteten die Blumen; ›eine Geisterfamilie ist auf der Reise, und wir bereiten ihr Weg und Quartier, indes sind wir vor kurzem durch eine Gegend gekommen, da hörten wir ihren Namen nennen. Gehe nur aufwärts, wo wir herkommen, so wirst du schon mehr erfahren.‹ Die Blumen und die Quelle lächelten, wie sie das sagten, boten ihm einen frischen Trunk und gingen weiter. Hyazinth folgte ihrem Rat, frug und frug und kam endlich zu jener längst gesuchten Wohnung, die unter Palmen und andern köstlichen Gewächsen versteckt lag. Sein Herz klopfte in unendlicher Sehnsucht, und die süßeste Bangigkeit durchdrang ihn in dieser Behausung der ewigen Jahreszeiten. Unter himmlischen Wohlgedüften entschlummerte er, weil ihn nur der Traum in das Allerheiligste führen durfte. Wunderlich führte ihn der Traum durch unendliche Gemächer voll seltsamer Sachen auf lauter reizenden Klängen und in abwechselnden Akkorden. Es dünkte ihm alles so bekannt und doch in niegesehener Herrlichkeit, da schwand auch der letzte irdische Anflug, wie in Luft verzehrt, und er stand vor der himmlischen Jungfrau, da hob er den leichten, glänzenden Schleier, und Rosenblütchen sank in seine Arme. Eine ferne Musik umgab die Geheimnisse des liebenden Wiedersehns, die Ergießungen der Sehnsucht, und schloß alles Fremde von diesem entzückenden Orte aus. Hyazinth lebte nachher noch lange mit Rosenblütchen unter seinen frohen Eltern und Gespielen, und unzählige Enkel dankten der alten wunderlichen Frau für ihren Rat und ihr Feuer; denn damals bekamen die Menschen so viel Kinder, als sie wollten.

Novalis

Nicht lange wird der schöne Fremde säumen

Nicht lange wird der schöne Fremde säumen.
Die Wärme naht, die Ewigkeit beginnt.
Die Königin erwacht aus langen Träumen,
Wenn Meer und Land in Liebesglut zerrinnt.
Die kalte Nacht wird diese Stätte räumen,
Wenn Fabel erst das alte Recht gewinnt.
In Freyas Schoß wird sich die Welt entzünden
Und jede Sehnsucht ihre Sehnsucht finden.

Jacob Grimm

Gedanken wie sich die Sagen zur Poesie und Geschichte verhalten

In unserer Zeit ist eine große Liebe für Volkslieder ausgebrochen, und wird auch die Aufmerksamkeit auf die Sagen bringen, welche sowohl unter demselben Volk herumgehen, als auch an einigen vergessenen Plätzen aufbewahrt worden sind. Oder vielmehr, (da die Sagen auch die Lieder erweckt haben würden,) die immer mehr Lebhaftigkeit gewinnende Erkenntnis des wahren Wesens der Geschichte und der Poesie hat dasjenige, was bisher verächtlich geschienen, nicht wollen vergehen lassen, welches aber die höchste Zeit geworden ist, beieinander zu versammeln.

Man streite und bestimme, wie man wolle, ewig gegründet, unter allen Völker- und Länderschaften ist ein Unterschied zwischen Natur- und Kunstpoesie (epischer und dramatischer, Poesie der Ungebildeten und Gebildeten) und hat die Bedeutung, daß in der epischen die Taten und Geschichten gleichsam einen Laut von sich geben, welcher forthallen muß und das ganze Volk durchzieht, unwillkürlich und ohne Anstrengung, so treu, so rein, so unschuldig werden sie behalten, allein um ihrer selbst willen, ein gemeinsames, teures Gut gebend, dessen ein jedweder Teil habe. Dahingegen die Kunstpoesie gerade das sagen will, daß ein menschliches Gemüt sein Inneres bloß gebe, seine Meinung und Erfahrung von dem Treiben des Lebens in die Welt gieße, welche es nicht überall begreifen wird, oder auch, ohne daß es von ihr begriffen sein wollte. So innerlich verschieden also die beiden erscheinen, so notwendig sind sie auch in der Zeit abgesondert, und können nicht gleichzeitig sein, nichts ist verkehrter geblieben, als die Anmaßung epische Gedichte dichten oder gar erdichten zu wollen, als welche sich nur selbst zu dichten vermögen.

Ferner ergibt sich, wie Poesie und Geschichte in der ersten Zeit der Völker in einem und demselben Fluß strömen, und wenn Homer von den Griechen mit Recht ein Vater der Geschichte gepriesen wird, so dürfen wir nicht länger Zweifel tragen, daß in den alten Nibelungen die erste Herrlichkeit deutscher Geschichte nur zu lange verborgen gelegen habe.

Nachdem aber die Bildung dazwischen trat, und ihre Herrschaft ohne Unterlaß erweiterte, so mußte, Poesie und Geschichte sich auseinander scheidend, die alte Poesie aus dem Kreis ihrer Nationalität unter das gemeine Volk, das der Bildung unbekümmerte, flüchten, in dessen Mitte sie niemals untergegangen ist, sondern sich fortgesetzt und vermehrt hat, jedoch in zunehmender Beengung und ohne Abwehrung unvermeidlicher Einflüsse der Gebildeten.

Dies ist der einfache Gang, den es mit allen Sagen des Volks, so wie mit seinen Liedern zu haben scheint, seitdem ihr Begriff eine etwas veränderte Richtung genommen, und sie aus Volkssagen, d. h. Nationalsagen, Volkssagen, d. h. des gemeinen Volks geworden sind. Ich wenigstens meinerseits habe es nie glauben können, daß die Erfindungen der Gebildeten dauerhaft in das Volk eingegangen, und dessen Sagen und Bücher aus dieser Quelle entsprungen wären.

Treue ist in den Sagen zu finden, fast unbezweifelbare, weil die Sage sich selber ausspricht und verbreitet, und die Einfachheit der Zeiten und Menschen, unter denen sie erhallt, wie aller Erfindung an sich fremd, auch keiner bedarf. Daher alles, was wir in ihnen für unwahr erkennen, ist es nicht, insofern es nach der alten Ansicht des Volkes von der Wunderbarkeit der Natur gerade nur so erscheinen, und mit dieser Zunge ausgesprochen werden kann. Und in allen den Sagen von Geistern, Zwergen, Zauberern und ungeheuern Wundern ist ein stiller aber wahrhaftiger Grund vergraben, vor dem wir eine innerliche Scheu tragen, welche in reinen Gemütern die Gebildetheit nimmer verwischt hat und aus jener geheimen Wahrheit zur Befriedigung aufgelöset wird.

Jemehr ich diese Volkssagen kennen lerne, desto weniger ist mir an den vielen Beispielen auffallend die weite Ausbreitung derselben, so daß an ganz verschiedenen Örtern, mit andern Namen und für verschiedene Zeiten dieselbe Geschichte erzählen gehört wird. Aber an jedem Orte vernimmt man sie so neu, Land und Boden angemessen, und den Sitten einverleibt, daß man schon darum die Vermutung aufgeben muß, als sei die Sage durch eine anderartige Betriebsamkeit der letzten Jahrhunderte unter die entlegenen Geschlechter getragen worden. Es ist das Volk dergestalt von ihr erfüllt gewesen, daß es Benennung, Zeit, und was äußerlich ist, alles vernachlässigt, nach Unschuld in irgend eine Zeit versetzt, und wie sie ihm am nächsten liegen, Namen und Örter unterschiebt, den unverderblichen Inhalt aber niemals hat fahren lassen, also daß er die Läuterung der Jahrhunderte ohne Schaden ertragen hat, angesehen die geerbte Anhänglichkeit, welche ihn nicht wollen ausheimisch werden lassen. Daher es im Einzelnen ebenso unmöglich ist, den eigentlichen Ursprung jeder Sage auszuforschen, als es erfreulich bleibt, dabei auf immer ältere Spuren zu geraten, wovon ich anderwärts einige Beispiele bekannt gemacht habe.

Auch ist ihre öftere Abgebrochenheit und Unvollständigkeit nicht zu verwundern, indem sie sich der Ursachen, Folgen und des Zusammenhangs der Begebenheiten gänzlich nicht bekümmern, und wie Fremdlinge dastehen, die man auch nicht kennet, aber nichts desto weniger versteht.

In ihnen hat das Volk seinen Glauben niedergelegt, den es von der Natur aller Dinge hegend ist, und wie es ihn mit seiner Religion verflicht, die ihm ein unbegreifliches Heiligtum erscheint voll Seligmachung.

Wiederum erklärt sein Gebrauch und seine Sitte, welche hiernach genau eingerichtet worden sind, die Beschaffenheit seiner Sage und umgekehrt, nirgends bleiben unselige Lücken.

Wenn nun Poesie nichts anders ist und sagen kann, als lebendige Erfassung und Durchgreifung des Lebens, so darf man nicht erst fragen: ob durch die Sammlung dieser Sagen ein Dienst für die Poesie geschehe. Denn sie sind so gewiß und eigentlich selber Poesie, als der helle Himmel blau ist; und hoffentlich wird die Geschichte der Poesie noch ausführlich zu zeigen haben, daß die sämtlichen Überreste unserer altdeutschen Poesie bloß auf einen lebendigen Grund von Sagen gebaut sind und der Maßstab der Beurteilung ihres eigenen Werts darauf gerichtet werden muß, ob sie diesem Grund mehr oder weniger treulos geworden sind.

Auf der andern Seite, da die Geschichte das zu tun hat, daß sie das Leben der Völker und ihre lebendige Taten erzähle, so leuchtet es ein, wie sehr die Traditionen auch ihr angehören. Diese Sagen sind grünes Holz, frisches Gewässer und reiner Laut entgegen der Dürre, Lauheit und Verwirrung unserer Geschichte, in welcher ohnedem zu viel politische Kunstgriffe spielen, statt der freien Kämpfe alter Nationen, und welche man nicht auch durch Verkennung ihrer eigentlichen Bestimmung verderben sollte. Das kritische Prinzip, welches in Wahrheit seit es in unsere Geschichte eingeführt worden, gewissermaßen den reinen Gegensatz zu diesen Sagen gemacht, und sie mit Verachtung verstoßen hat, bleibt an sich, obschon aus einer unrechten Veranlassung schädlich ausgegangen, unbezweifelt; allein, nicht zu sehen, daß es noch eine Wahrheit gibt, außer den Urkunden, Diplomen und Chroniken, das ist höchst unkritisch, und wenn die Geschichte ohne die Menge der Zahlen und Namen leicht zu bewahren und erhalten wäre, so können wir deren *in so weit* fast entübrigt sein. So lässig immer, wie bereits erwähnt worden ist, die Sagen in allem Äußern erfunden werden, so ist doch im Ganzen das innerste Leben, dessen es bedarf; wenn die Wörter noch die rechten wären, so mögte ich sagen: es ist Wahrheit in ihnen, ob auch die Sicherheit abgeht. Sie mit dem gesammelten Geschichtsvorrat in Vereinigung zu setzen, wird bloß bei wenigen gelingen, also wie einerseits dieses Unternehmen unnötige Mühe und vergeblichen Eifer nach sich ziehen müßte, würde es auf der andern Seite törig sein, die so mühsam und nicht ohne große Opfer errungene Sicherheit unserer Geschichte durch die Einmischung der Unbestimmtheit der Sagen in Gefahr zu bringen. Aber darum ist im Grunde auch denjenigen nichts an den Sagen verloren, welche lebhaft und aufrichtig gefaßt haben, daß die Geschichte nichts anderes sein solle, als die Bewahrerin alles Herrlichen und Großen, was unter dem menschlichen Geschlecht vergeht und seines Siegs über das Schlechte und Unrechte, damit jeder Einzelne und ganze Völker sich an dem unentwendbaren Schatz erfreuen, beraten, trösten, ermutigen, und ein Beispiel holen. Wenn also, mit einem Wort, die Geschichte weder andern Zweck noch Absicht haben soll, als welche das Epos hat, so muß sie aus dieser Betrachtung aufhören, eine Dienerin zu sein der Politik oder Jurisprudenz oder jeder andern Wissenschaft. Und daß wir endlich diesen Vorteil erlangen, kann durch die Kenntnis der Volkssagen erleichtert und mit der Zeit gewonnen werden.

Neunter Teil

LETZTE DINGE

Wenn ich kennte den Weg des Herrn,
Ich ging' ihn wahrhaftig gar zu gern;
Führte man mich in der Wahrheit Haus,
Bei Gott! ich ging' nicht wieder heraus.

Goethe

Johann Wolfgang von Goethe

Urworte. Orphisch

Nachstehende fünf Stanzen sind schon im zweiten Heft der Morphologie abgedruckt, allein sie verdienen wohl einem größeren Publikum bekannt zu werden; auch haben Freunde gewünscht, daß zum Verständnis derselben einiges geschähe, damit dasjenige, was sich hier fast nur ahnen läßt, auch einem klaren Sinne gemäß und einer reinen Erkenntnis übergeben sei.

Was nun von älteren und neueren Orphischen Lehren überliefert worden, hat man hier zusammenzudrängen, poetisch-kompendios, lakonisch vorzutragen gesucht. Diese wenigen Strophen enthalten viel Bedeutendes in einer Folge, die, wenn man sie erst kennt, dem Geiste die wichtigsten Betrachtungen erleichtert.

ΔΑΙΜΩΝ, Dämon

Wie an dem Tag, der dich der Welt verliehen,
Die Sonne stand zum Gruße der Planeten,
Bist alsobald und fort und fort gediehen
Nach dem Gesetz wonach du angetreten.
So mußt du sein, dir kannst du nicht entfliehen,
So sagten schon Sibyllen, so Propheten;
Und keine Zeit und keine Macht zerstückelt
Geprägte Form die lebend sich entwickelt.

Der Bezug der Überschrift auf die Strophe selbst bedarf einer Erläuterung. Der Dämon bedeutet hier die notwendige, bei der Geburt unmittelbar ausgesprochene, begrenzte Individualität der Person, das Charakteristische, wodurch sich der Einzelne von jedem andern bei noch so großer Ähnlichkeit unterscheidet. Diese Bestimmung schrieb man dem einwirkenden Gestirn zu, und es ließen sich die unendlich mannigfaltigen Bewegungen und Beziehungen der Himmelskörper unter sich selbst und zu der Erde gar schicklich mit den mannigfaltigen Abwechselungen der Geburten in Bezug stellen. Hiervon sollte nun auch das künftige Schicksal des Menschen ausgehen, und man möchte, jenes erste zugebend, gar wohl gestehen, daß angeborne Kraft und Eigenheit mehr als alles Übrige des Menschen Schicksal bestimme.

Deshalb spricht diese Strophe die Unveränderlichkeit des Individuums mit wiederholter Beteuerung aus. Das noch so entschieden Einzelne kann als ein Endliches gar wohl zerstört, aber, so lange sein Kern zusammenhält, nicht zersplittert noch zerstückelt werden, sogar durch Generationen hindurch.

Dieses feste, zähe, dieses nur aus sich selbst zu entwickelnde Wesen kommt freilich in mancherlei Beziehungen, wodurch sein erster und ursprünglicher Charakter in seinen Wirkungen gehemmt, in seinen Neigungen gehindert wird, und was hier nun eintritt, nennt unsere Philosophie

TYXH, das Zufällige

Die strenge Grenze doch umgeht gefällig
Ein Wandelndes, das mit und um uns wandelt;
Nicht einsam bleibst du, bildest dich gesellig,
Und handelst wohl so wie ein andrer handelt.
Im Leben ist's bald hin- bald widerfällig,
Es ist ein Tand und wird so durchgetandelt.
Schon hat sich still der Jahre Kreis geründet,
Die Lampe harrt der Flamme die entzündet.

Zufällig ist es jedoch nicht, daß einer aus dieser oder jener Nation, Stamm oder Familie sein Herkommen ableite: denn die auf der Erde verbreiteten Nationen sind so wie ihre mannigfaltigen Verzweigungen als Individuen anzusehen und die Tyche kann nur bei Vermischung und Durchkreuzung eingreifen. Wir sehen das wichtige Beispiel von hartnäckiger Persönlichkeit solcher Stämme an der Judenschaft; europäische Nationen, in andere Weltteile versetzt, legen ihren Charakter nicht ab, und nach mehreren hundert Jahren wird in Nordamerika der Engländer, der Franzose, der Deutsche gar wohl zu erkennen sein; zugleich aber auch werden sich bei Durchkreuzungen die Wirkungen der Tyche bemerklich machen, wie der Mestize an einer klarern Hautfarbe zu erkennen ist. Bei der Erziehung, wenn sie nicht öffentlich und nationell ist, behauptet Tyche ihre wandelbaren Rechte. Säugamme und Wärterin, Vater oder Vormund, Lehrer oder Aufseher, so wie alle die ersten Umgebungen an Gespielen, ländlicher oder städtischer Lokalität, alles bedingt die Eigentümlichkeit durch frühere Entwickelung, durch Zurückdrängen oder Beschleunigen; der Dämon freilich hält sich durch alles durch, und dieses ist denn die eigentliche Natur, der alte Adam und wie man es nennen mag, der, so oft auch ausgetrieben, immer wieder unbezwinglicher zurückkehrt.

In diesem Sinne einer notwendig aufgestellten Individualität hat man einem jeden Menschen seinen Dämon zugeschrieben, der ihm gelegentlich in's Ohr raunt was denn eigentlich zu tun sei, und so wählte Sokrates den Giftbecher, weil ihm ziemte zu sterben.

Allein Tyche läßt nicht nach und wirkt besonders auf die Jugend immerfort, die sich mit ihren Neigungen, Spielen, Geselligkeiten und flüchtigem Wesen bald da- bald dorthin wirft und nirgends Halt noch Befriedigung findet. Da entsteht denn mit dem wachsenden Tage eine ernstere Unruhe, eine gründlichere Sehnsucht; die Ankunft eines neuen Göttlichen wird erwartet.

ΕΡΩΣ, Liebe

Die bleibt nicht aus! – Er stürzt vom Himmel nieder,
Wohin er sich aus alter Öde schwang,
Er schwebt heran auf luftigem Gefieder
Um Stirn und Brust den Frühlingstag entlang,
Scheint jetzt zu fliehn, vom Fliehen kehrt er wieder,
Da wird ein Wohl im Weh, so süß und bang.
Gar manches Herz verschwebt im Allgemeinen,
Doch widmet sich das edelste dem Einen.

Hierunter ist alles begriffen, was man von der leisesten Neigung bis zur leidenschaftlichsten Raserei nur denken möchte; hier verbinden sich der individuelle Dämon und die verführende Tyche miteinander; der Mensch scheint nur sich zu gehorchen, sein eigenes Wollen walten zu lassen, seinem Triebe zu fröhnen, und doch sind es Zufälligkeiten die sich unterschieben, Fremdartiges was ihn von seinem Wege ablenkt; er glaubt zu erhaschen und wird gefangen, er glaubt gewonnen zu haben und ist schon verloren. Auch hier treibt Tyche wieder ihr Spiel, sie lockt den Verirrten zu neuen Labyrinthen, hier ist keine Grenze des Irrens: denn der Weg ist ein Irrtum. Nun kommen wir in Gefahr, uns in der Betrachtung zu verlieren, daß das, was auf das Besonderste angelegt schien, in's Allgemeine verschwebt und zerfließt. Daher will das rasche Eintreten der zwei letzten Zeilen uns einen entscheidenden Wink geben, wie man allein diesem Irrsal entkommen und davor lebenslängliche Sicherheit gewinnen möge.

Denn nun zeigt sich erst, wessen der Dämon fähig sei; er, der selbständige, selbstsüchtige, der mit unbedingtem Wollen in die Welt griff und nur mit Verdruß empfand, wenn Tyche da oder dort in den Weg trat, er fühlt nun, daß er nicht allein durch Natur bestimmt und gestempelt sei; jetzt wird er in seinem Innern gewahr, daß er sich selbst bestimmen könne, daß er den durch's Geschick ihm zugeführten Gegenstand nicht nur gewaltsam ergreifen, sondern auch sich aneignen und, was noch mehr ist, ein zweites Wesen eben wie sich selbst mit ewiger unzerstörlicher Neigung umfassen könne.

Kaum war dieser Schritt getan, so ist durch freien Entschluß die Freiheit aufgegeben; zwei Seelen sollen sich in Einen Leib, zwei Leiber in Eine Seele schicken, und indem eine solche Übereinkunft sich einleitet, so tritt zu wechselseitiger liebevoller Nötigung noch eine dritte hinzu; Eltern und Kinder müssen sich abermals zu einem Ganzen bilden, groß ist die gemeinsame Zufriedenheit, aber größer das Bedürfnis. Der aus so viel Gliedern bestehende Körper krankt gemäß dem irdischen Geschick an irgend einem Teile, und anstatt daß er sich im Ganzen freuen sollte, leidet er am Einzelnen und dessen ungeachtet wird ein solches Verhältnis so wünschenswert als notwendig gefunden. Der Vorteil zieht einen jeden an, und man läßt sich gefallen, die Nachteile zu übernehmen. Familie reiht sich an Familie, Stamm an Stamm, eine Völkerschaft hat sich zusammengefunden und wird gewahr, daß auch dem Ganzen fromme was der Einzelne beschloß, sie macht den Beschluß unwiderruflich durch's Gesetz; alles, was liebevolle Neigung freiwillig gewährte, wird nun Pflicht, welche tausend Pflichten entwickelt, und damit alles ja für Zeit und Ewigkeit abgeschlossen sei, läßt weder Staat noch Kirche noch Herkommen es an Zeremonien fehlen. Alle Teile sehen sich durch die bündigsten Kontrakte, durch die möglichsten Öffentlichkeiten vor, daß ja das Ganze in keinem kleinsten Teil durch Wankelmut und Willkür gefährdet werde.

ΑΝΑΓΚΗ, Nötigung

Das ist's denn wieder wie die Sterne wollten:
Bedingung und Gesetz und aller Wille
Ist nur ein Wollen, weil wir eben sollten,
Und vor dem Willen schweigt die Willkür stille;
Das Liebste wird vom Herzen weggescholten,
Dem harten Muß bequemt sich Will' und Grille.
So sind wir scheinfrei denn nach manchen Jahren
Nur enger dran als wir am Anfang waren.

Keiner Anmerkungen bedarf wohl diese Strophe weiter; niemand ist, dem nicht Erfahrung genugsame Noten zu einem solchen Text darreichte, niemand, der sich nicht peinlich gezwängt fühlte, wenn er nur erinnerungsweise sich solche Zustände hervorruft, gar mancher, der verzweifeln möchte, wenn ihn die Gegenwart also gefangen hält. Wie froh eilen wir daher zu den letzten Zeilen, zu denen jedes feine Gemüt sich gern den Kommentar sittlich und religios zu bilden übernehmen wird.

ΕΛΠΙΣ, Hoffnung

Doch solcher Grenze, solcher ehrnen Mauer
Höchst widerwärt'ge Pforte wird entriegelt,
Sie stehe nur mit alter Felsendauer!

Ein Wesen regt sich leicht und ungezügelt.
Aus Wolkendecke, Nebel, Regenschauer
Erhebt sie uns, mit ihr, durch sie beflügelt,
Ihr kennt sie wohl, sie schwärmt nach allen Zonen;
Ein Flügelschlag! und hinter uns Äonen.

Friedrich von Schiller

Die Größe der Welt

Die der schaffende Geist einst aus dem Chaos schlug,
Durch die schwebende Welt flieg' ich des Windes Flug,
Bis am Strande
Ihrer Wogen ich lande,
Anker werf', wo kein Hauch mehr weht
Und der Markstein der Schöpfung steht.

Sterne sah ich bereits jugendlich auferstehn,
Tausendjährigen Gangs durchs Firmament zu gehn,
Sah sie spielen
Nach den lockenden Zielen;
Irrend suchte mein Blick umher,
Sah die Räume schon – sternenleer.

Anzufeuern den Flug weiter zum Reich des Nichts,
Steur' ich mutiger fort, nehme den Flug des Lichts,
Nebligt trüber
Himmel an mir vorüber,
Weltsysteme, Fluten im Bach,
Strudeln dem Sonnenwanderer nach.

Sieh, den einsamen Pfad wandelt ein Pilger mir
Rasch entgegen –: »Halt an! Waller, was suchst du hier?«
Zum Gestade
Seiner Welt meine Pfade!
Segle hin, wo kein Hauch mehr weht
Und der Markstein der Schöpfung steht.

»Steh! du segelst umsonst – vor dir Unendlichkeit!«
Steh! du segelst umsonst – Pilger, auch hinter mir! –
Senke nieder,
Adlergedank', dein Gefieder!
Kühne Seglerin, Phantasie,
Wirf ein mutloses Anker hie!

Johannes Falk

Gespräch mit Goethe / Über letzte Dinge

An Wielands Begräbnistage, wovon tiefer unten noch Einiges beigebracht werden muß, bemerkte ich eine so feierliche Stimmung in Goethes Wesen, wie man sie selten an ihm zu sehen gewohnt ist. Es war etwas so Weiches, ich möchte fast sagen, Wehmütiges in ihm, seine Augen glänzten häufig, selbst sein Ausdruck, seine Stimme waren anders als sonst. Dies mochte auch wohl der Grund sein, daß unsere Unterhaltung diesmal eine Richtung ins Übersinnliche nahm, was Goethe in der Regel, wo nicht verschmäht doch lieber von sich ablehnt; völlig aus Grundsatz, wie mich dünkt, indem er, seinen angebornen Neigungen gemäß, sich lieber auf die Gegenwart und die lieblichen Erscheinungen beschränkt, welche Kunst und Natur in den uns zugänglichen Kreisen dem Auge und der Betrachtung darbieten. Unser abgeschiedener Freund war natürlich der Hauptinhalt unsers Gespräches. Ohne im Gange desselben besonders auszuweichen, fragte ich bei irgend einem Anlasse, wo Goethe die Fortdauer nach dem Tode, wie etwas, das sich von selbst verstehe, voraussetzte: »Und was glauben Sie wohl, daß Wielands Seele in diesen Augenblicken vornehmen möchte?« – »Nichts Kleines, nichts Unwürdiges, nichts mit der sittlichen Größe, die er sein ganzes Leben hindurch behauptete, Unverträgliches,« war die Antwort. »Aber, um nicht mißverstanden zu werden, da ich selber von diesen Dingen spreche, müßte ich wohl etwas weiter ausholen. Es ist etwas um ein achtzig Jahre hindurch so würdig und ehrenvoll geführtes Leben; es ist etwas um die Erlangung so geistig zarter Gesinnungen, wie sie in Wielands Seele so angenehm vorherrschten; es ist etwas um diesen Fleiß, um diese eiserne Beharrlichkeit und Ausdauer, worin er uns alle miteinander übertraf!« – »Möchten Sie ihm wohl einen Platz bei seinem Cicero anweisen, mit dem er sich noch bis an den Tod so fröhlich beschäftigte?« – »Stört mich nicht, wenn ich dem Gange meiner Ideen eine vollständige und ruhige Entwickelung geben soll! *Von Untergang solcher hohen Seelenkräfte kann in der Natur niemals und unter keinen Umständen die Rede sein;* so verschwenderisch behandelt sie ihre Kapitalien nie. Wielands Seele ist von Natur ein Schatz, ein wahres Kleinod. Dazu kommt, daß sein langes Leben diese geistig schönen Anlagen nicht verringert, sondern vergrößert hat. Noch einmal, bedenkt mir sorgsam diesen Umstand! Raffael war kaum in den Dreißigen, Kepler kaum einige Vierzig, als beide ihrem Leben plötzlich ein Ende machten, indes Wieland –« »Wie?« fiel ich hier Goethe mit einigem Erstaunen ins Wort, »sprechen Sie doch vom Sterben, als ob es ein Akt von Selbständigkeit wäre?« — »Das erlaube ich mir öfters,« gab er mir zur Antwort, »und wenn es Ihnen anders gefällt, so will ich Ihnen darüber auch von Grund aus, weil es mir in diesem Augenblicke erlaubt ist, meine Gedanken sagen.«

Ich bat ihn dringend, mir dieselben nicht vorzuenthalten. »Sie wissen längst,« hub er an, »daß Ideen, die eines festen Fundaments in der Sinnenwelt entbehren, bei all' ihrem übrigen Werte für mich keine Überzeugung mit sich führen, weil ich, der Natur gegenüber, wissen, nicht aber bloß vermuten und glauben will. Was nun die persönliche Fortdauer unserer Seele nach dem Tode betrifft, so ist es damit auf meinem Wege also beschaffen. Sie steht keineswegs mit den vieljährigen Beobachtungen, die ich über die Beschaffenheit unserer und aller Wesen in der Natur angestellt, im Widerspruch; im Gegenteil, sie geht sogar aus denselben mit neuer Beweiskraft hervor. Wie viel aber, oder wie wenig von dieser Persönlichkeit übrigens verdient, daß es fortdauere, ist eine andere Frage und ein Punkt, den wir Gott überlassen müssen. Vorläufig will ich nur dieses zuerst bemerken: ich nehme verschiedene Klassen und Rangordnungen der letzten Urbestandteile aller Wesen an, gleichsam der Anfangspunkte aller Erscheinungen in der Natur, die ich *Seelen* nennen möchte, weil von ihnen die Beseelung des Ganzen ausgeht, oder noch lieber *Monaden* — lassen Sie uns immer diesen leibnizischen Ausdruck beibehalten! Die Einfachheit des einfachsten Wesens auszudrücken, möchte es kaum einen bessern geben. — Nun sind einige von diesen Monaden oder Anfangspunkten, wie uns die Erfahrung zeigt, so klein, so geringfügig, daß sie sich höchstens nur zu einem untergeordneten Dienst und Dasein eignen. Andere dagegen sind gar stark und gewaltig. Die letzten pflegen daher alles, was sich ihnen naht, in ihren Kreis zu reissen und in ein ihnen Angehöriges, d. h. in einen Leib, in eine Pflanze, in ein Tier, oder noch höher herauf, in einen Stern zu verwandeln. Sie setzen dies so lange fort, bis die kleine oder große Welt, deren Intention geistig in ihnen liegt, auch nach außen leiblich zum Vorschein kommt. Nur die letzten möchte ich eigentlich Seelen nennen. Es folgt hieraus, daß es Weltmonaden, Weltseelen, wie Ameisenmonaden, Ameisenseelen gibt, und daß beide in ihrem Ursprunge, wo nicht völlig eins, doch im Urwesen verwandt sind.

Jede Sonne, jeder Planet trägt in sich eine höhere Intention, einen höhern Auftrag, vermöge dessen seine Entwickelungen ebenso regelmäßig und nach demselben Gesetze, wie die Entwickelungen eines Rosenstockes durch Blatt, Stiel und Krone, zustande kommen müssen. Mögen Sie dies eine Idee oder eine Monade nennen, wie Sie wollen, ich habe auch nichts dawider;

genug, daß diese Intention unsichtbar und früher, als die sichtbare Entwickelung aus ihr in der Natur, vorhanden ist. Die Larven der Mittelzustände, welche diese Idee in den Übergängen vornimmt, dürfen uns dabei nicht irre machen. Es ist immer nur dieselbe Metamorphose oder Verwandlungsfähigkeit der Natur, die aus dem Blatte eine Blume, eine Rose, aus dem Ei eine Raupe und aus der Raupe einen Schmetterling heraufführt. Übrigens gehorchen die niedern Monaden einer höhern, weil sie eben gehorchen müssen, nicht aber, daß es ihnen besonders zum Vergnügen gereichte. Es geht dieses auch im Ganzen sehr natürlich zu. Betrachten wir z. B. diese Hand. Sie enthält Teile, welche der Hauptmonas, die sie gleich bei ihrer Entstehung unauflöslich an sich zu knüpfen wußte, jeden Augenblick zu Dienste stehen. Ich kann dieses oder jenes Musikstück vermittelst derselben abspielen; ich kann meine Finger, wie ich will, auf den Tasten eines Klaviers umherfliegen lassen. So verschaffen sie mir allerdings einen geistig schönen Genuß; sie selbst aber sind taub, nur die Hauptmonas hört. Ich darf also voraussetzen, daß meiner Hand oder meinen Fingern wenig oder gar nichts an meinem Klavierspiele gelegen ist. Das Monadenspiel, wodurch ich mir ein Ergetzen bereite, kommt meinen Untergebenen wenig zu gute, außer, daß ich sie vielleicht ein wenig ermüde. Wie weit besser stände es um ihr Sinnenvergnügen, könnten sie, wozu allerdings eine Anlage in ihnen vorhanden ist, anstatt auf den Tasten meines Klaviers müßig herumzufliegen, lieber als emsige Bienen auf den Wiesen umherschwärmen, auf einem Baume sitzen oder sich an dessen Blütenzweigen ergetzen. Der Moment des Todes, der darum auch sehr gut eine Auflösung heißt, ist eben der, wo die regierende Hauptmonas alle ihre bisherigen Untergebenen ihres treuen Dienstes entläßt. Wie das Entstehen, so betrachte ich auch das Vergehen als einen selbständigen Akt dieser, nach ihrem eigentlichen Wesen uns völlig unbekannten Hauptmonas.

Alle Monaden aber sind von Natur so unverwüstlich, daß sie ihre Tätigkeit im Moment der Auflösung selbst nicht einstellen oder verlieren, sondern noch in demselben Augenblicke wieder fortsetzen. So scheiden sie nur aus den alten Verhältnissen, um auf der Stelle wieder neue einzugehen. Bei diesem Wechsel kommt alles darauf an, wie mächtig die Intention sei, die in dieser oder jener Monas enthalten ist. Die Monas einer gebildeten Menschenseele und die eines Bibers, eines Vogels, oder eines Fisches, das macht einen gewaltigen Unterschied. Und da stehen wir wieder an den Rangordnungen der Seelen, die wir gezwungen sind anzunehmen, sobald wir uns die Erscheinungen der Natur nur einigermaßen erklären wollen. Swedenborg hat dies auf seine Weise versucht und bedient sich zu Darstellung seiner

Ideen eines Bildes, das nicht glücklicher gewählt sein kann. Er vergleicht nämlich den Aufenthalt, worin sich die Seelen befinden, mit einem in drei Hauptgemächer eingeteilten Raume, in dessen Mitte ein großer befindlich ist. Nun wollen wir annehmen, daß aus diesen verschiedenen Gemächern sich auch verschiedene Kreaturen, z. B. Fische, Vögel, Hunde, Katzen in den großen Saal begeben; eine freilich sehr gemengte Gesellschaft! Was wird davon die unmittelbare Folge sein? Das Vergnügen, beisammenzusein, wird bald genug aufhören; aus den einander so heftig entgegengesetzten Neigungen wird sich ein ebenso heftiger Krieg entspinnen; am Ende wird sich das Gleiche zum Gleichen, die Fische zu den Fischen, die Vögel zu den Vögeln, die Hunde zu den Hunden, die Katzen zu den Katzen gesellen, und jede von diesen besondern Gattungen wird auch, wo möglich, ein besonders Gemach einzunehmen suchen. Da haben wir völlig die Geschichte von unsern Monaden nach ihrem irdischen Ableben. Jede Monade geht, wo sie hingehört, ins Wasser, in die Luft, in die Erde, ins Feuer, in die Sterne; ja der geheime Zug, der sie dahin führt, enthält zugleich das Geheimnis ihrer zukünftigen Bestimmung.

An eine Vernichtung ist gar nicht zu denken; aber von irgend einer mächtigen und dabei gemeinen Monas unterwegs angehalten und ihr untergeordnet zu werden, diese Gefahr hat allerdings etwas Bedenkliches, und die Furcht davor wüßte ich auf dem Wege einer bloßen Naturbetrachtung meinesteils nicht ganz zu beseitigen.«

Indem ließ sich ein Hund auf der Straße mit seinem Gebell zu wiederholten Malen vernehmen. Goethe, der von Natur eine Antipathie wider alle Hunde besitzt, fuhr mit Heftigkeit ans Fenster und rief ihm entgegen: »Stelle dich wie du willst, Larve, mich sollst du doch nicht unterkriegen!« Höchst befremdend für den, der den Zusammenhang goethescher Ideen nicht kennt; für den aber, der damit bekannt ist, ein humoristischer Einfall, der eben am rechten Orte war!

»Dies niedrige Weltgesindel,« nahm er nach einer Pause und etwas beruhigter wieder das Wort, »pflegt sich über die Maßen breit zu machen; es ist ein wahres Monadenpack, womit wir in diesem Planetenwinkel zusammengeraten sind, und möchte wenig Ehre von dieser Gesellschaft, wenn sie auf andern Planeten davon hörten, für uns zu erwarten sein.«

Ich fragte weiter: ob er wohl glaube, daß die Übergänge aus diesen Zuständen für die Monaden selbst mit Bewußtsein verbunden wären? Worauf Goethe erwiderte: »Daß es einen allgemein historischen Überblick, sowie daß es höhere Naturen, als wir selbst, unter den Monaden geben könne, will ich nicht in Abrede sein. Die Intention einer Weltmonade kann und wird manches aus dem dunkeln Schoße ihrer Erinnerung hervorbringen, das wie Weissagung aussieht und doch im Grunde nur dunkle Erinnerung eines abgelaufenen Zustandes, folglich Gedächtnis ist; völlig wie das menschliche Genie die Gesetztafeln über die Entstehung des Weltalls entdeckte, nicht durch trockne Anstrengung, sondern durch einen ins Dunkel fallenden Blitz der Erinnerung, weil es bei deren Abfassung selbst zugegen war. Es würde vermessen sein, solchen Aufblitzen im Gedächtnis höherer Geister ein Ziel zu setzen, oder den Grad, in welchem sich diese Erleuchtung halten müßte, zu bestimmen. So im allgemeinen und historisch gefaßt, finde ich in der Fortdauer von Persönlichkeit einer Weltmonas durchaus nichts Undenkbares.«

Johann Wolfgang von Goethe

Eins und Alles

Im Grenzenlosen sich zu finden,
Wird gern der Einzelne verschwinden,
Da löst sich aller Überdruß;
Statt heißem Wünschen, wildem Wollen,
Statt läst'gem Fordern, strengem Sollen
Sich aufzugeben ist Genuß.

Weltseele, komm, uns zu durchdringen!
Dann mit dem Weltgeist selbst zu ringen,
Wird unsrer Kräfte Hochberuf.
Teilnehmend führen gute Geister,
Gelinde leitend, höchste Meister,
Zu dem, der alles schafft und schuf.

Und umzuschaffen das Geschaffne,
Damit sich's nicht zum Starren waffne,
Wirkt ewiges, lebend'ges Tun.
Und was nicht war, nun will es werden
Zu reinen Sonnen, farb'gen Erden;
In keinem Falle darf es ruhn.

Es soll sich regen, schaffend handeln,
Erst sich gestalten, dann verwandeln;
Nur scheinbar steht's Momente still.
Das Ew'ge regt sich fort in allen;
Denn alles muß in Nichts zerfallen,
Wenn es im Sein beharren will.

Johann Wilhelm Ritter

Nacht und Tag

Beständig findet man in der Geschichte der Ideen, daß die *erste* Idee über einen Gegenstand jedesmal die *richtige* war; aber sie wurde mißverstanden, in unendliche Specialia zersplittert, bis endlich das erschöpfte Detail auf die erste Idee zurückführte. Das ist das nämliche, was mit einem organischen Wesen, welcher Art es auch sei, geschieht. – Die Idee der Befruchtung bei den Pflanzen ist die *Blüte.* Die par excellence vollkommene Pflanze wäre die ewig blühende. Die Blüte will sich rekonstruieren. Aber nur in einem Momente fällt dieser Akt ganz in sie allein; im zweiten schon äußerlich. Das Samenkorn ... wird nach und nach diese sich aus sich heraus verloren habende Blüte. Der Samen ist die verkörperte Idee der Blüte über sich selbst. Und Ideen sind überall die außer das Individuum herausfallende Rekonstruktion desselben. Ideen konsumieren demnach gewaltig. Das Individuum verzehrt sich darüber, es stirbt ab. Über der Ausbildung des Samens stirbt die Blume, über dem Keimen des Samens die Hülle, über dem Kommen der Blüte der gekeimte Samen oder die Pflanze, ab. So am Embryo die Mutter, am Kind der Embryo, am Manne das Kind, am Tode der Mann. Den Tod wollte das empfangene liebe Kind, aber der Tag zergliederte seine Nacht, und stufenweise fällt es nun in ihn zurück. Das empfangene Kind teilt mit der Mutter Eine Nacht und Liebe; immer unabhängiger aber wird es von ihr; der Tag und der Neid, – der Tag und die Eifersucht, – ergreifen es immer mehr und mehr. In der Geburt fällt es in seine eigene Nacht zurück, Liebe ist das zarte Geschöpf, wie es geboren wird; aber es erblickt das Licht des Tages, und dies löst die Liebe von neuem in Leben auf. Die Indifferenz wird immer mehr zur Differenz gestaltet. In Sehnsucht wird das ganze Wesen aufgelöst, es fällt zurück in Nacht, und *liebt.* Aber die neue Liebe geht in höhere Sehnsucht über; eine unsichtbare Sonne entfaltet die Liebe in unendliche Farben und Blätter; ganz in Sehnsucht aufgelöst fällt es abermals zurück, und *stirbt.* So wird jede Liebe zu Leben, jedes Leben fällt in höhere Liebe zurück, und aus Abend und Morgen wird der andere Tag, – die Nacht nach beiden. So geht jedes Wesen in Nacht hinunter. Gott selbst ist die tiefeste Nacht, und das Leben des Endlichen ein Kampf derselben mit dem Tage, in dem sie siegt. Die Nacht ist der *innere* Tag, das Sehen fremder Nacht der *äußere* Tag. In zween Nächten besteht die Welt, aus ihrem Wechselspiel wird Leben und Liebe in Ewigkeit erzeugt. Die Indifferenz jener Nächte ist die Nacht der Nächte. *Drei* Nächte gibt es, und ihr Zentrum – ihre Peripherie zugleich – die große

Nacht Gottes selbst. Hier die Dreieinigkeit des Höchsten, und die Dreifaltigkeit des Niedersten. Das Individuum hat eine Geschichte, nur bei ihm wechselt Tag und Nacht; in Gott ist keins von beiden. –

Novalis

Das Lied der Toten

Lobt doch unsre stillen Feste,
Unsre Gärten, unsre Zimmer,
Das bequeme Hausgeräte,
Unser Hab' und Gut.
Täglich kommen neue Gäste,
Diese früh, die andern späte,
Auf den weiten Herden immer
Lodert neue Lebensglut.

Tausend zierliche Gefäße
Einst betaut mit tausend Tränen,
Goldne Ringe, Sporen, Schwerter,
Sind in unserm Schatz:
Viel Kleinodien und Juwelen
Wissen wir in dunkeln Höhlen,
Keiner kann den Reichtum zählen,
Zählt' er auch ohn' Unterlaß.

Kinder der Vergangenheiten,
Helden aus den grauen Zeiten,
Der Gestirne Riesengeister,
Wunderlich gesellt,
Holde Frauen, ernste Meister,
Kinder und verlebte Greise
Sitzen hier in *einem* Kreise,
Wohnen in der alten Welt.

Keiner wird sich je beschweren,
Keiner wünschen fortzugehen,
Wer an unsern vollen Tischen
Einmal fröhlich saß.
Klagen sind nicht mehr zu hören,
Keine Wunden mehr zu sehen,
Keine Tränen abzuwischen;
Ewig läuft das Stundenglas.

Tiefgerührt von heil'ger Güte
Und versenkt in sel'ges Schauen
Steht der Himmel im Gemüte,
Wolkenloses Blau;
Lange fliegende Gewande
Tragen uns durch Frühlingsauen,
Und es weht in diesem Lande
Nie ein Lüftchen kalt und rauh.

Süßer Reiz der Mitternächte,
Stiller Kreis geheimer Mächte,
Wollust rätselhafter Spiele,
Wir nur kennen euch.
Wir nur sind am hohen Ziele,
Bald in Strom uns zu ergießen
Dann in Tropfen zu zerfließen
Und zu nippen auch zugleich.

Uns ward erst die Liebe, Leben;
Innig wie die Elemente
Mischen wir des Daseins Fluten,
Brausend Herz mit Herz.
Lüstern scheiden sich die Fluten,
Denn der Kampf der Elemente
Ist der Liebe höchstes Leben
Und des Herzens eignes Herz.

Leiser Wünsche süßes Plaudern
Hören wir allein, und schauen
Immerdar in sel'ge Augen,
Schmecken nichts als Mund und Kuß.
Alles was wir nur berühren
Wird zu heißen Balsamfrüchten,
Wird zu weichen zarten Brüsten,
Opfer kühner Lust.

Immer wächst und blüht Verlangen
Am Geliebten festzuhangen,
Ihn im Innern zu empfangen,
Eins mit ihm zu sein,
Seinem Durste nicht zu wehren,
Sich im Wechsel zu verzehren,
Voneinander sich zu nähren,
Voneinander nur allein.

So in Lieb' und hoher Wollust
Sind wir immerdar versunken,

Seit der wilde trübe Funken
Jener Welt erlosch;
Seit der Hügel sich geschlossen,
Und der Scheiterhaufen sprühte,
Und dem schauernden Gemüte
Nun das Erdgesicht zerfloß.

Zauber der Erinnerungen,
Heil'ger Wehmut süße Schauer
Haben innig uns durchklungen,
Kühlen unsre Glut.
Wunden gibt's, die ewig schmerzen,
Eine göttlich tiefe Trauer
Wohnt in unser aller Herzen,
Löst uns auf in *eine* Flut.

Und in dieser Flut ergießen
Wir uns auf geheime Weise
In den Ozean des Lebens
Tief in Gott hinein;
Und aus seinem Herzen fließen
Wir zurück zu unserm Kreise,
Und der Geist des höchsten Strebens
Taucht in unsre Wirbel ein.

Schüttelt eure goldnen Ketten
Mit Smaragden und Rubinen,
Und die blanken saubern Spangen,
Blitz und Klang zugleich.
Aus des feuchten Abgrunds Betten,
Aus den Gräbern und Ruinen,
Himmelsrosen auf den Wangen
Schwebt ins bunte Fabelreich.

Könnten doch die Menschen wissen,
Unsre künftigen Genossen,
Daß bei allen ihren Freuden
Wir geschäftig sind:
Jauchzend würden sie verscheiden,
Gern das bleiche Dasein missen —
O! die Zeit ist bald verflossen,
Kommt, Geliebte, doch geschwind!

Helft uns nur den Erdgeist binden,
Lernt den Sinn des Todes fassen
Und das Wort des Lebens finden;
Einmal kehrt euch um.

Deine Macht muß bald verschwinden,
Dein erborgtes Licht verblassen,
Werden dich in kurzem binden,
Erdgeist, deine Zeit ist um.

Karoline von Günderode

An Eusebio

Eine der größten Epochen meines kleinen Lebens ist vorübergegangen Eusebio! ich habe auf dem Scheidepunkt gestanden zwischen Leben und Tod. Was sträubt sich doch der Mensch: sagte ich in jenen Augenblicken zu mir selbst, vor dem Sterben? ich freue mich auf jede Nacht indem ich das Unbewußtsein und dunkele Träumen dem hellern Leben vorziehe, warum grauet mir doch vor der langen Nacht und dem tiefen Schlummer? Welche Taten warten noch meiner, oder welche bessere Erkenntnis auf Erden daß ich länger leben müßte? – Eine Notwendigkeit gebiert uns alle in die Persönlichkeit, eine gemeinsame Nacht verschlinget uns alle. Jahre werden mir keine bessere Weisheit geben, und wann Lernen, Tun und Leiden drunten noch not tut, wird ein Gott mir geben was ich bedarf. So sprach ich mir selbst zu, aber die Gedanken, die ich liebe, traten zu mir, und die Heroen die ich angebetet hatte von Jugend auf: »Was willst du am hohen Mittage die Nacht ersehnen? riefen sie mir zu! Warum untertauchen in dem alten Meer, und darin zerrinnen mit allem was dir lieb ist?« So wechselten die Vorstellungen in mir, und deiner gedacht ich, und immer deiner, und fast alles andre nur in Bezug auf dich, und wenn anders den Sterblichen vergönnt ist noch eines ihrer Güter aus dem Schiffbruch des irdischen Lebens zu retten, so hätte ich gewiß dein Andenken mit hinab genommen zu den Schatten. Daß du mir aber könntest verloren sein war der Gedanken schmerzlichster. Ich sagte daß dein Ich und das meine sollten aufgelöst werden in die alten Urstoffe der Welt, dann tröstete ich mich wieder, daß unsere befreundete Elemente, dem Gesetze der Anziehung gehorchend, sich selbst im unendlichen Raum aufsuchen und zu einander gesellen würden. So wogten Hoffnung und Zweifel auf und nieder in meiner Seele, und Mut und Zagheit. Doch das Schicksal wollte – ich lebe noch. – Aber was ist es doch, das Leben? dieses schon aufgegebene, wiedererlangte Gut! so frag' ich mich oft: was bedeutet es, daß aus der Allheit der Natur ein Wesen sich mit solchem Bewußtsein losscheidet, und sich abgerissen von ihr fühlt? Warum hängt der Mensch mit solcher Stärke an Gedanken und Meinungen, als seien sie das Ewige? warum kann er sterben für sie, da doch für ihn eben dieser Gedanke mit seinem Tode verloren ist? und warum, wenn gleichwohl diese Gedanken und Begriffe dahin sterben mit den Individuen, warum werden sie von denselben immer wieder aufs neue hervorgebracht und drängen sich so durch die Reihen des aufeinander folgenden Geschlechtes zu einer Unsterblichkeit in der Zeit? Lange wußt' ich diesen Fragen nicht Antwort, und sie verwirrten mich; da war mir plötzlich in einer Offenbarung alles deutlich, und wird es mir ewig bleiben. Zwar weiß ich, das Leben ist nur das Produkt der innigsten Berührung und Anziehung der Elemente; weiß, daß alle seine Blüten und Blätter, die wir Gedanken und Empfindungen nennen, verwelken müssen, wenn jene Berührung aufgelöst wird; und daß das einzele Leben dem Gesetz der Sterblichkeit dahin gegeben ist; aber so gewiß mir dieses ist, ebenso über allem Zweifel ist mir auch das andre, die Unsterblichkeit des Lebens im Ganzen; denn dieses Ganze ist eben das Leben, und es wogt auf und nieder in seinen Gliedern den Elementen, und was es auch sei, das durch Auflösung (die wir zuweilen Tod nennen) zu denselben zurück gegangen ist, das vermischt sich mit ihnen nach Gesetzen der Verwandtschaft, d. h. das Ähnliche zu dem Ähnlichen. Aber anders sind diese Elemente geworden, nachdem sie einmal im Organismus zum Leben hinauf getrieben gewesen, sie sind lebendiger geworden, wie Zwei, die sich in langem Kampf übten, stärker sind wenn er geendet hat als ehe sie kämpften; so die Elemente, denn sie sind lebendig, und jede lebendige Kraft stärkt sich durch Übung. Wenn sie also zurückkehren zur Erde, vermehren sie das Erdleben. Die Erde aber gebiert den ihr zurückgegebenen Lebensstoff in andern Erscheinungen wieder, bis durch immer neue Verwandlungen, alles Lebensfähige in ihr ist lebendig geworden. Dies wäre, wenn alle Massen organisch würden. –

So gibt jeder Sterbende der Erde ein erhöhteres, entwickelteres Elementarleben zurück, welches sie in aufsteigenden Formen fortbildet; und der Organismus, indem er immer entwickeltere Elemente in sich aufnimmt, muß dadurch immer vollkommener und allgemeiner werden. So wird die Allheit lebendig durch den Untergang der Einzelheit, und die Einzelheit lebt unsterblich fort in der Allheit, deren Leben sie lebend entwickelte, und nach dem Tode selbst erhöht und mehrt, und so durch Leben und Sterben die Idee der Erde realisieren hilft. Wie also auch meine Elemente zerstreut werden mögen, wenn sie sich zu schon Lebendem gesellen, werden sie es erhöhen, wenn zu dem, dessen Leben noch dem Tode gleicht, so werden sie es beseelen. Und wie mir deucht, Eusebio! so entspricht die Idee der Indier von der Seelenwanderung dieser Meinung; nur dann erst dürfen die Elemente nicht mehr wandern und suchen, wann die Erde die ihr angemessene Existenz, die organische, durchgehends erlangt hat. Alle bis jetzt hervorgebrachten Formen müssen aber wohl dem Erdgeist nicht genügen, weil er sie immer wieder zerbricht und neue sucht; die ihm ganz gleichen würde er nicht zerstören können, eben weil sie ihm gleich und von ihm untrennbar wären. Diese vollkommene Gleichheit des innern Wesens mit der Form kann, wie mir scheint, überhaupt nicht in der Mannigfaltigkeit der Formen erreicht werden; das Erdwesen ist nur eines, so dürfte also seine Form auch nur eine, nicht verschiedenartig sein; und ihr eigentliches wahres Dasein würde die Erde erst dann erlangen, wann sich alle ihre Erscheinungen in einem gemeinschaftlichen Organismus auflösen würden; wann Geist und Körper sich so durchdrängen daß alle Körper, alle Form auch zugleich Gedanken und Seele wäre und aller Gedanke zugleich Form und Leib und ein wahrhaft verklärter Leib, ohne Fehl und Krankheit und unsterblich; also ganz verschieden von dem was wir Leib oder Materie nennen, indem wir ihm Vergänglichkeit, Krankheit, Trägheit und Mangelhaftigkeit beilegen, denn diese Art von Leib ist gleichsam nur ein mißglückter Versuch jenen unsterblichen göttlichen Leib hervorzubringen. — Ob es der Erde gelingen wird sich so unsterblich zu organisieren, weiß ich nicht. Es kann in ihren Urelementen ein Mißverhältnis von Wesen und Form sein das sie immer daran hindert; und vielleicht gehört die Totalität unsers Sonnensystems dazu um dieses Gleichgewicht zustand zu bringen; vielleicht reicht dieses wiederum nicht zu, und es ist eine Aufgabe für das gesamte Universum.

In dieser Betrachtungsweise Eusebio! ist mir nun auch deutlich geworden was die großen Gedanken von Wahrheit, Gerechtigkeit, Tugend, Liebe und Schönheit wollen, die auf dem Boden der Persönlichkeit keimen und ihn bald überwachsend sich hinaufziehen nach dem freien Himmel, ein unsterbliches Gewächs das nicht untergehet mit dem Boden auf dem es sich entwickelte, sondern immer neu sich erzeugt im neuen Individuum, denn es ist das Bleibende, Ewige, das Individuum aber das zerbrechliche Gefäß für den Trank der Unsterblichkeit. — Denn, laß es uns genauer betrachten Eusebio, alle Tugenden und Trefflichkeiten sind sie nicht Annäherungen zu jenem höchst vollkommnen Zustand so viel die Einzelheit sich ihm nähern kann? Die Wahrheit ist doch nur der Ausdruck des sich selbst Gleichseins überhaupt, vollkommen wahr ist als nur das Ewige, das keinem Wechsel der Zeiten und Zustände unterworfen ist. Die Gerechtigkeit ist das Streben in der Vereinzelung untereinander gleich zu sein. Die Schönheit ist der äußere Ausdruck des erreichten Gleichgewichtes mit sich selbst. Die Liebe ist die Versöhnung der Persönlichkeit mit der Allheit, und die Tugend aller Art ist nur eine, d. h. ein Vergessen der Persönlichkeit und Einzelheit für die Allheit. Durch Liebe und Tugend also wird schon hier auf eine geistige Weise der Zustand der Auflösung der Vielheit in der Einheit vorbereitet, denn wo Liebe ist, da ist nur ein Sinn, und wo Tugend, ist einerlei Streben nach Taten der Gerechtigkeit, Güte und Eintracht. Was aber sich selbst gleich ist, und äußerlich und innerlich den Ausdruck dieses harmonischen Seins an sich trägt, und selbst dieser Ausdruck ist, was eins ist und nicht zerrissen in Vielheit, das ist gerade jenes Vollkommene, Unsterbliche und Unwandelbare, jener Organismus, den ich als das Ziel der Natur, der Geschichte und der Zeiten, kurz des Universums betrachte. Durch jede Tat der Unwahrheit, Ungerechtigkeit und Selbstsucht wird jener selige Zustand entfernt, und der Gott der Erde in neue Fesseln geschlagen, der seine Sehnsucht nach besserem Leben in jedem Gemüt durch Empfänglichkeit für das Treffliche ausspricht, im verletzten Gewissen aber klagt, daß sein seliges, göttliches Leben noch fern sei.

Clemens Brentano

Aus einem kranken Herzen

Ein Becher voll von süßer Huld
Und eine glühnde Ungeduld,
Und eine arme trunkne Schuld,
Sie lehren mich zu flehen.

O Becher, voll von süßer Huld!
Vergib der glühnden Ungeduld,
Vergib die arme trunkne Schuld,
Die ins Gericht will gehen.

Dich Becher voll von süßer Huld
Darf heut ich, glühnde Ungeduld,
Zur Buße armer trunkner Schuld
Nicht sehn und möcht vergehen.

Das freut dich, Becher süßer Huld!
Das schmerzt mich, glühnde Ungeduld!
Das schlägt die arme trunkne Schuld
Mit bittern, bittern Wehen.

O Becher, voll von süßer Huld!
Woll nicht die glühnde Ungeduld

Ob ihrer armen trunknen Schuld,
Die selbst sich straft, verschmähen.

Fließ über, Becher süßer Huld!
Werd Asche, glühnde Ungeduld,
Die soll die arme trunkne Schuld
Gemischt mit Tränen säen.

Auf daß du, Becher süßer Huld!
Um dich in Schmerzen der Geduld
Still auf dem Grab der armen Schuld
Die Lilie kann erstehen.

Die Lilie, die voll süßer Huld
Du einst im Garten der Geduld
Mit Stern und Engel ohne Schuld
Helleuchtend hast gesehen!

Heinrich von Kleist

An die Braut / Über die Bestimmung des irdischen Lebens

Alle echte Aufklärung des Weibes besteht am Ende wohl nur darin, meine liebe Freundin: *über die Bestimmung seines irdischen Lebens vernünftig nachdenken zu können.*

Über die Bestimmung unseres *ewigen* Daseins nachzudenken, auszuforschen, ob der Genuß der Glückseligkeit (wie Epikur meinte) oder die Erreichung der Vollkommenheit (wie Leibniz glaubte) oder die Erfüllung der trocknen Pflicht (wie Kant versichert) der letzte Zweck des Menschen sei, das, liebe Freundin, ist selbst für Männer unfruchtbar und oft verderblich. Solche Männer begehen die Unart, die ich beging, als ich mich im Geiste von Frankfurt nach Stralsund, und von Stralsund wieder im Geiste nach Frankfurt versetzte. Sie leben in der Zukunft, und vergessen darüber was die Gegenwart von ihnen fordert.

Urteile selbst, wie können wir beschränkte Wesen, die wir von der Ewigkeit nur ein so unendlich kleines Stück, unser spannenlanges Erdenleben übersehen, wie können wir uns getrauen, den Plan, den die Natur für die Ewigkeit entwarf, zu ergründen? Und wenn dies nicht möglich ist, wie kann irgend eine gerechte Gottheit von uns verlangen, in diesen ihren ewigen Plan einzugreifen, von uns, die wir nicht einmal imstande sind, ihn zu denken?

Aber die Bestimmung unseres *irdischen* Daseins, die können wir allerdings unzweifelhaft herausfinden, und diese zu erfüllen, das kann daher die Gottheit auch wohl mit Recht von uns fordern.

Es ist möglich, liebe Freundin, daß mir Deine Religion hierin widerspricht und daß sie Dir gebietet, auch etwas für Dein künftiges Leben zu tun. Du wirst gewiß Gründe für Deinen Glauben haben, so wie ich Gründe für den meinigen; und so fürchte ich nicht, daß diese kleine Religionszwistigkeit unsrer Liebe eben großen Abbruch tun wird. Wo nur die Vernunft herrschend ist, da vertragen sich auch die Meinungen leicht; und da die Religionstoleranz schon eine Tugend ganzer Völker geworden ist, so wird es, denke ich, der Duldung nicht sehr schwer werden, in zwei liebenden Herzen zu herrschen.

Wenn Du Dich also durch die Einflüsse Deiner früheren Erziehung gedrungen fühltest, durch die Beobachtung religiöser Zeremonien auch etwas für Dein ewiges Leben zu tun, so würde ich weiter nichts als Dich warnen, ja nicht darüber Dein irdisches Leben zu vernachlässigen.

Denn nur gar zu leicht glaubt man, man habe alles getan, wenn man die ernsten Gebräuche der Religion beobachtet, wenn man fleißig in die Kirche geht, täglich betet, und jährlich zweimal das Abendmahl nimmt.

Und doch sind dies alles nur *Zeichen* eines Gefühls, das auch ganz anders sich ausdrücken kann. Denn mit demselben Gefühle, mit welchem Du bei dem Abendmahle das Brot nimmst aus der Hand des Priesters, mit demselben Gefühle, sage ich, erwürgt der Mexikaner seinen Bruder vor dem Altare seines Götzen.

Ich will Dich dadurch nur aufmerksam machen, daß alle diese religiösen Gebräuche nichts sind, als *menschliche* Vorschriften, die zu allen Zeiten verschieden waren und noch in diesem Augenblicke an allen Orten der Erde verschieden sind. *Darin* kann also das Wesen der Religion nicht liegen, weil es ja sonst höchst schwankend und ungewiß wäre. Wer steht uns dafür, daß nicht in kurzem ein zweiter Luther unter uns aufsteht, und umwirft, was jener baute. Aber in uns flammt eine Vorschrift — und die muß göttlich sein, weil sie ewig und allgemein ist; sie heißt: *erfülle Deine Pflicht;* und dieser Satz enthält die Lehren aller Religionen.

Alle anderen Sätze folgen aus diesem und sind in ihm gegründet, oder sie sind nicht darin begriffen, und dann sind sie unfruchtbar und unnütz.

Daß ein Gott sei, daß es ein ewiges Leben, einen Lohn für die Tugend, eine Strafe für das Laster gebe, das alles sind Sätze, die in jenem nicht gegründet sind, und die wir also entbehren können. Denn gewiß sollen wir sie nach dem Willen der Gottheit selbst entbehren können, weil sie es uns selbst unmöglich gemacht hat, es einzusehen und zu begreifen. Würdest Du nicht mehr tun, was Recht ist, wenn der Gedanke an Gott und Unsterblichkeit nur ein Traum wäre? Ich nicht.

Daher *bedarf* ich zwar zu meiner Rechtschaffenheit dieser Sätze nicht; aber zuweilen, *wenn ich meine Pflicht erfüllt habe,* erlaube ich mir, mit stiller Hoffnung an einen Gott zu denken, der mich sieht und an eine frohe Ewigkeit, die meiner wartet; denn zu beiden fühle ich mich doch mit meinem Glauben hingezogen, den mein Herz mir ganz zusichert und mein Verstand mehr bestätigt, als widerspricht.

Aber dieser Glaube sei irrig, oder nicht, — gleichviel! Es warte auf mich eine Zukunft, oder nicht — gleichviel! Ich erfülle für dieses Leben meine Pflicht, und wenn Du mich fragst: *warum?* so ist die Antwort leicht: eben *weil* es meine Pflicht ist.

Ich schränke mich daher mit meiner Tätigkeit ganz für dieses Erdenleben ein. Ich will mich nicht um meine Bestimmung nach dem Tode kümmern, aus Furcht darüber meine Bestimmung für dieses Leben zu vernachlässigen. Ich fürchte nicht die Höllenstrafe der Zukunft, weil ich mein eignes Gewissen fürchte, und rechne nicht auf einen Lohn jenseits des Grabes, weil ich ihn mir diesseits desselben schon erwerben kann.

Dabei bin ich überzeugt, gewiß in den großen ewigen Plan der Natur einzugreifen, wenn ich nur den Platz ganz erfülle, auf den sie mich in dieser Erde setzte. Nicht umsonst hat sie mir diesen *gegenwärtigen* Wirkungskreis angewiesen und gesetzt ich verträumte diesen und forschte dem *zukünftigen* nach — ist denn nicht die *Zukunft* eine *kommende Gegenwart,* und soll ich denn auch *diese* Gegenwart wieder verträumen?

Doch ich kehre zu meinem Gegenstande zurück. Ich habe Dir diese Gedanken bloß zur Prüfung vorgelegt. Ich fühle mich ruhiger und sicherer, wenn ich den Gedanken an die dunkle Bestimmung der Zukunft ganz von mir entferne, und mich allein an die gewisse und deutliche Bestimmung für dieses Erdenleben halte.

Ich will Dir nun meinen ersten Hauptgedanken erklären. *Bestimmung unseres irdischen Lebens* heißt Zweck desselben, oder die Absicht, zu welcher uns Gott auf diese Erde gesetzt hat. *Vernünftig darüber nachdenken* heißt nicht nur diesen Zweck selbst deutlich kennen, sondern auch in allen Verhältnissen unseres Lebens immer die zweckmäßigsten Mittel zu seiner Erreichung herausfinden.

Das, sagte ich, wäre die ganze wahre Aufklärung des Weibes und die einzige Philosophie, die ihr ansteht.

Deine Bestimmung, liebe Freundin, oder überhaupt die Bestimmung des Weibes ist wohl unzweifelhaft und unverkennbar; denn welche andere kann es sein, als diese, *Mutter zu werden, und der Erde tugendhafte Menschen zu erziehen?*

Und wohl euch, daß eure Bestimmung so einfach und beschränkt ist! Durch euch will die Natur nur ihre Zwecke erreichen, durch uns Männer auch der Staat noch die seinigen, und daraus entwickeln sich oft die unseligsten Widersprüche.

»Bonaventura«

Monolog des wahnsinnigen Weltschöpfers

Es ist ein wunderlich Ding hier in meiner Hand, und wenn ich's von Sekunde zu Sekunde – was sie dort ein Jahrhundert heißen – durch das Vergrößerungsglas betrachte, so hat sich's immer toller auf der Kugel verwirrt, und ich weiß nicht ob ich darüber lachen oder mich ärgern soll – wenn beides sich nur überhaupt für mich schickte. Das Sonnenstäubchen, das daran herumkriecht, nennt sich Mensch; als ich es geschaffen hatte, sagte ich zwar der Sonderbarkeit wegen es sei gut – übereilt war das freilich, indes ich hatte nun einmal meine gute Laune, und alles Neue ist hier oben in der langen Ewigkeit willkommen, wo es gar keinen Zeitvertreib gibt. – Mit manchem was ich geschaffen, bin ich freilich noch jetzt zufrieden, so ergötzt mich die bunte Blumenwelt mit den Kindern die darunter spielen, und die fliegenden Blumen, die Schmetterlinge und Insekten, die sich als leichtsinnige Jugend von ihren Müttern trennten und doch zu ihnen zurückkehren um ihre Milch zu trinken und an der Mutter Brust zu schlummern und zu sterben.* – Aber dies winzige Stäubchen, dem ich einen lebendigen Atem einblies und es Mensch nannte, ärgert mich wohl hin und wieder mit seinem Fünkchen Gottheit, das ich ihm in der Übereilung anerschuf, und worüber es verrückt wurde. Ich hätte es gleich einsehen sollen, daß so wenig Gottheit nur zum Bösen führen müsse, denn die arme Kreatur weiß nicht mehr, wohin sie sich wenden soll, und die Ahnung von Gott, die sie in sich herumträgt, macht daß sie sich immer tiefer verwirret, ohne jemals damit aufs Reine zu kommen. In der einen Sekunde, die sie das goldene Zeitalter nannte, schnitzte sie Figuren lieblich anzuschauen und baute Häuserchen darüber, deren Trümmer man in der andern Sekunde anstaunte und als die Wohnung der Götter betrachtete. Dann betete sie die Sonne an, die ich ihr zur Erleuchtung anzündete und die, mit meiner Studierlampe verglichen, sich wie das Fünkchen zur Flamme verhält. Zuletzt – und das war das ärgste – dünkte sich das Stäubchen selbst Gott

* Irgend ein Naturforscher stellt die Hypothese auf, daß die ersten Insekten nur Staubfäden an Pflanzen waren, die sich durch ein Ohngefähr von ihnen trennten.

und bauete Systeme auf, worin es sich bewunderte. Beim Teufel! Ich hätte die Puppe ungeschnitzt lassen sollen! — Was soll ich nur mit ihr anfangen? — Hier oben sie in der Ewigkeit mit ihren Possen herumhüpfen lassen? — Das geht bei mir selbst nicht an; denn da sie sich dort unten schon mehr als zuviel langweilt und sich oft vergeblich bemüht in der kurzen Sekunde ihrer Existenz die Zeit sich zu vertreiben, wie müßte sie sich bei mir in der Ewigkeit, vor der ich oft selbst erschrecke, langweilen! Sie ganz und gar zu vernichten, tut mir auch leid; denn der Staub träumt doch oft gar so angenehm von der Unsterblichkeit, und meint, eben weil er so etwas träume, müsse es ihm werden. — Was soll ich beginnen? Wahrlich hier steht mein Verstand selbst still! Lasse ich die Kreatur sterben und wieder sterben, und verwische jedesmal das Fünkchen Erinnerung an sich selbst, daß es von neuem auferstehe und umherwandle? Das wird mir auf die Länge auch langweilig, denn das Possenspiel immer und immer wiederholt, muß ermüden! — Am besten ich warte überhaupt mit der Entscheidung bis es mir einfällt einen jüngsten Tag festzusetzen und mir ein klügerer Gedanke beikommt. —

Heinrich von Kleist

Der Engel am Grabe des Herrn

Als still und kalt, mit sieben Todeswunden,
Der Herr in seinem Grabe lag; das Grab,
Als sollt es zehn lebend'ge Riesen fesseln,
In eine Felskluft schmetternd eingehauen;
Gewälzet, mit der Männer Kraft, verschloß
Ein Sandstein, der Bestechung taub, die Türe;
Rings war des Landvogts Siegel aufgedrückt:
Es hätte der Gedanke selber nicht
Der Höhle unbemerkt entschlüpfen können;
Und gleichwohl noch, als ob zu fürchten sei,
Es könn auch der Granitblock sich bekehren,
Ging eine Schar von Hütern auf und ab,
Und starrte nach des Siegels Bildern hin:
Da kamen, bei des Morgens Strahl,
Des ew'gen Glaubens voll, die drei Marien her,
Zu sehn, ob Jesus noch darinnen sei:
Denn Er, versprochen hatt er ihnen,
Er werd am dritten Tage auferstehn.
Da nun die Fraun, die gläubigen, sich nahten

Der Grabeshöhle: was erblickten sie?
Die Hüter, die das Grab bewachen sollten,
Gestürzt, das Angesicht in Staub,
Wie Tote, um den Felsen lagen sie;
Der Stein war weit hinweggewälzt vom Eingang;
Und auf dem Rande saß, das Flügelpaar noch regend,
Ein Engel, wie der Blitz erscheint,
Und sein Gewand so weiß wie junger Schnee.
Da stürzten sie, wie Leichen, selbst, getroffen,
Zu Boden hin, und fühlten sich wie Staub,
Und meinten, gleich im Glanze zu vergehn:
Doch er, er sprach, der Cherub: »Fürchtet nicht!
Ihr suchet Jesum, den Gekreuzigten –
Der aber ist nicht hier, er ist erstanden:
Kommt her, und schaut die öde Stätte an.«
Und fuhr, als sie, mit hocherhobnen Händen,
Sprachlos die Grabesstätte leer erschaut,
In seiner hehren Milde also fort:
»Geht hin, ihr Fraun, und kündigt es nunmehr
Den Jüngern an, die er sich auserkoren,
Daß sie es allen Erdenvölkern lehren,
Und tun also, wie er getan« – und schwand.

FRIEDRICH HÖLDERLIN

Fragment

Immer, Liebes! gehet
Die Erd und der Himmel hält:

BIBLIOGRAPHIE

Vom Herausgeber, nicht vom Autor formulierte Überschriften sind mit einem Stern versehen. Innerhalb der abgedruckten Stücke wurde nicht gekürzt. Abgeschlossene Stücke werden nur mit ihrer Anfangsseite in der Vorlage zitiert. Aus einem größeren Zusammenhang herausgelöste Stücke sind durch die Nennung der Anfangs- und Schlußseite in der Vorlage gekennzeichnet.

Werke Goethes sind zitiert nach: Goethes Sämtliche Werke, Jubiläums-Ausgabe, Stuttgart o. J. (= JA). Stücke, die in dieser Ausgabe nicht vorkommen, finden sich in: Goethes Werke, hg. im Auftrage der Herzogin Sophie von Sachsen, Weimar 1887 ff. (= WA).

Die Rechtschreibung der Vorlagen wurde den gegenwärtigen Gepflogenheiten angenähert, die Zeichensetzung jedoch möglichst konservativ behandelt.

ERNST MORITZ ARNDT (1769–1860) *Folgen der Freiheit**: Erinnerungen aus dem äußeren Leben, Leipzig 1840, S. 310–312 – *Erziehung mit der Bibel**: ebenda, S. 9–11.

ACHIM VON ARNIM (1781–1831) *Lebensreise**: Sämtliche Werke, Band 8, Berlin 1840, S. 3–5 – *Tränennot**: ebenda, Band 8², S. 60 bis 64 – *Ahnungen**: ebenda, Band 4, S. 367–371 – *Grün im Grünen ...* : ebenda, Band 9, S. 282.

BETTINA VON ARNIM, GEB. BRENTANO (1785–1859) *Gespräche mit Hölderlins Freund**: Sämtliche Werke, Band 2, Berlin 1920, S. 339–343.

CHRISTIAN WILHELM BECHSTEDT (1787–1867) *Auf Wanderschaft in Wien**: Meine Handwerksburschenzeit 1805–1810, Köln 1925, S. 256–260.

AUGUST VON BINZER *Burschenschaftslied*: Erk und Böhme, Deutscher Liederhort, Band 3, Leipzig 1894, S. 501.

»BONAVENTURA« (Pseudonym eines unbestimmten Verfassers) *Monolog des wahnsinnigen Weltschöpfers*: Nachtwachen von Bonaventura, Weimar 1914, S. 161–164.

CLEMENS BRENTANO (1778–1842) *Wo schlägt ein Herz ...* : Gesammelte Werke, Band 1, Frankfurt am Main 1923, S. 214 – *Brautgesang*: ebenda, S. 103 – *Aus Godwis Tagebuch**: ebenda, Band 2, S. 188–199 – *An den Mond*: ebenda, Band 1, S. 32 – *Philistermorgen**: ebenda, S. 486–488 – *Nachklänge Beethovenscher Musik*: ebenda, S. 139 – *Frühes Liedchen*: ebenda, S. 51 – *Aus einem kranken Herzen*: ebenda, S. 209.

BRIEF EINES SECHZEHNJÄHRIGEN JÜNGLINGS ... In: J. Falk, Goethe aus näherm und persönlichem Umgang dargestellt, 1. Anhang, Leipzig 1832, S. 201.

CARL GUSTAV CARUS (1789–1869) *Besuch im Goethehaus**. In: Goethe als Persönlichkeit, hg. von Heinz Amelung, Band 2, Berlin 1923, S. 264.

Carl Wilhelm Salice Contessa (1777–1825) *Manon*: Kleine Geschichten ..., München 1922, S. 251.

Friedrich Creuzer (1771–1858) *Die Elemente des Symbols**: Symbolik und Mythologie der alten Völker, Band 1, Leipzig und Darmstadt 1810, S. 65–69.

Joseph Freiherr von Eichendorff (1788–1857) *Klage*: Neue Gesamtausgabe der Werke und Schriften, hg. von G. Baumann, Band 1, Stuttgart o. J., S. 213 – *Frühe*: ebenda, S. 105 – *Nachtwanderer*: ebenda, S. 335 – *Lockung*: ebenda, S. 96 – *Adelsleben auf dem Lande**: ebenda, Band 2, S. 1085–1088 – *Die Heimat*: ebenda, Band 1, S. 79 – *Im Lager der Poetischen**: ebenda, S. 558–563 – *Schläft ein Lied ...*: ebenda, S. 80. (Mit freundlicher Genehmigung der J. G. Cotta'schen Buchhandlung, Stuttgart.)

Johannes Falk (1768–1826) *Gespräch mit Goethe**: Goethes Verhältnisse zu ausgezeichneten Zeitgenossen..., Leipzig 1832, S. 114–120.

Johann Gottlieb Fichte (1762–1814) *Sprache als Lebenskraft**: Fichtes Reden an die deutsche Nation, Leipzig 1909, S. 59–64.

David Friedländer *An die Judenfeinde**: Sendschreiben an Herrn Ober Consistorial Rath und Probst Teller zu Berlin von einigen Hausvätern jüdischer Religion, Berlin 1799, S. 54–58.

Joseph Görres (1776–1848) *Die Herabkunft der Ideen und das Zeitalter*: Ausgewählte Werke und Briefe, Band 1, Kempten und München 1911, S. 98 – *Das Vermächtnis des Mittelalters**: Die teutschen Volksbücher, Berlin 1925, S. 289–296.

Frau Rat Goethe (1731–1808) *Brief nach Italien**: Goethe als Persönlichkeit, hg. Heinz Amelung, Band 1, Berlin 1925, S. 283.

Johann Wolfgang von Goethe (1749–1832) *Motto zu Teil I*: Heut und ewig, JA, Band 2, S. 183 – *Motto zu Teil II*: ebenda, S. 83 – *Motto zu Teil III*: An die T. und D., ebenda, Band 4, S. 130 – *Motto zu Teil IV:* WA I, Band 5^{2}, S. 420 – *Motto zu Teil V*: JA, Band 2, S. 182 – *Motto zu Teil VI.* Aus: Dem würdigen Bruderfeste, ebenda, S. 238 – *Motto zu Teil VII.* Aus: Künstler Lied, ebenda, S. 110 – *Motto zu Teil VIII.* Aus: Hegire, ebenda, Band 5, S. 4 – *Motto zu Teil IX*: ebenda, Band 4, S. 50.
Wenn du am breiten Flusse wohnst ... : JA, Band 2, S. 143 – *Früh, wenn Tal ...* : ebenda, S. 230 – *Das Puppenspiel**: WA I, Band 51, S. 13–18 – *Lust und Qual*: JA, Band 2, S. 213 – *Die wunderlichen Nachbarskinder*: ebenda, Band 21, S. 234 – *An die Gräfin Christine von Brühl*: ebenda, Band 3, S. 101 – *Der Bräutigam*: ebenda, Band 2, S. 229 – *Menschliche Mängel**: ebenda, Band 40, S. 265–267 – *Schwebender Genius über der Erdkugel*: ebenda, Band 2, S. 126 – *Die Jahre nahmen dir ...* : ebenda, Band 5, S. 39 – *Antikes*: ebenda, Band 34, S. 11–13 – *An Georg Wilhelm Krüger*: ebenda, Band 3, S. 161 – *In goldnen Frühlingssonnenstunden:* ebenda, Band 13, S. 264 – *Maskenzug / Musterbilder von Schillers Werken**: ebenda, Band 9, S. 359–361 – *Bei Betrachtung von Schillers Schädel*: ebenda, Band 1, S. 285 – *Natur und Kunst ...* : ebenda, Band 9, S. 235 – *Eins und Zwei**: ebenda, Band 40, S. 83–84 – *Teilen kann ich*

nicht . . . : ebenda, Band 4, S. 99 – *Bedeutende Fördernis* . . . : ebenda, Band 39, S. 48 – *Der Rheinfall zu Schaffhausen**: ebenda, Band 29, S. 121–123 – *Auf Sizilien**: ebenda, Band 26, S. 270–272 – *Nausikaa-Fragmente*: ebenda, Band 15, S. 67 f. – *Tischbeins Idyllen**: ebenda, Band 35, S. 200–207 – *Über Dichtung**: ebenda, Band 5, S. 221–225 – *Worte sind der Seele Bild* . . . : ebenda, Band 3, S. 40 – *Urworte. Orphisch*: WA I, Band 41[1], S. 215 – *Eins und Alles*: JA, Band 2, S. 244.

JACOB GRIMM (1785–1863) *Gedanken wie sich die Sagen* . . . : Kleinere Schriften, Band 1, Berlin 1864, S. 399.

WILHELM GRIMM (1786–1859) *Märchen und Sage**: Deutsche Sagen, Band 1, Berlin 1891, S. VII–IX.

BRÜDER GRIMM *Der goldene Schlüssel*: Kinder- und Hausmärchen, Band 2, Göttingen 1857, S. 462.

KAROLINE VON GÜNDERODE (1780–1806) *An Eusebio*: Gesammelte Werke, Band 2, Berlin 1922, S. 50.

JOHANN PETER HEBEL (1760–1826) Der Abendstern: Sämmtliche Werke, Band 2, Carlsruhe 1838, S. 78 – *Unverhofftes Wiedersehen*: ebenda, Band 3, S. 187.

GEORG WILHELM FRIEDRICH HEGEL (1770–1831) *Über Wallenstein:* Sämtliche Werke (Jubiläumsausgabe) 3. Aufl., Band 20, Stuttgart 1958, S. 456.

JOHANN GOTTFRIED HERDER (1744–1803) *Humanität ist der Zweck der Menschennatur* . . . : Ideen zur Philosophie der Geschichte der Menschheit. Sämmtliche Werke, hg. von B. Suphan, Band 14, Berlin 1909, S. 207–213.

FRIEDRICH HÖLDERLIN (1770–1843) *An die Deutschen*: Sämtliche Werke, Große Stuttgarter Ausgabe, Band 1, Stuttgart o. J., S. 201 – *Des Morgens*: ebenda, S. 302 – *An Landauer*: ebenda, Band 2, S. 114 – *Wohl geh' ich täglich* . . . : ebenda, Band 1, S. 313 – *Brief an den Bruder**: ebenda, Band 6, S. 326 – *Lebensalter*: ebenda, Band 2, S. 115 – *Heimat*: ebenda, S. 206 – *Fragment / Narzissen Ranunklen* . . . : ebenda, S. 335 – *An die jungen Dichter*: ebenda, Band 1, S. 255 – *Sonnenuntergang*: ebenda, S. 259 – *Griechenland*: ebenda, Band 2, S. 256 – *Fragment / Immer, Liebes!*: ebenda, S. 334 (Mit freundlicher Genehmigung des W. Kohlhammer Verlages, Stuttgart.) – *Notizen über die Mythe**: Sämtliche Werke, hg. von N. von Hellingrath, Band 3, Berlin 1922, S. 265–267.

ERNST THEODOR AMADEUS HOFFMANN (1776–1822) *Der schwebende Teller**: Sämmtliche Werke (Serapions-Ausgabe), Band 2, [Berlin] 1922, S. 67.

WILHELM VON HUMBOLDT (1767–1835) *Das Zeitalter Kants**: Gesammelte Schriften, Band 6, Berlin 1904, S. 509–511 – *Die Vorzüge des Antiken**: ebenda, Band 3, S. 191–197 – *Goethes Charakter in Hermann und Dorothea**: ebenda, Band 2, S. 222–223 – *An Körner / Über Schiller**: Schillers Persönlichkeit, Urteile der Zeitgenossen etc., hg. von J. Petersen, Teil 3, Weimar 1909, S. 344.

JEAN PAUL = JEAN PAUL FRIEDRICH RICHTER (1763–1825) *Über den Geist der Zeit*: Sämmtliche Werke, Band 36, Berlin 1827, S. 44 – *Firmian St. Siebenkäs' Abschied von Natalie**: ebenda, Band 13, S. 165–172 – *Die Nachahmer der Griechenkunst*: ebenda, Band 45, S. 13 – *Traum**: ebenda, Band 24, S. 52–57 – *Poesie des Aberglaubens*: ebenda, Band 41, S. 122.

HEINRICH VON KLEIST (1777–1811) *Was gilt es in diesem Kriege?*: Sämtliche Werke, Leipzig o. J., (Insel), S. 1084 – *Das letzte Lied*: ebenda, S. 1017 – *Klassische Leihbibliothek**: Werke, hg. von E. Schmidt, Band 1 (Briefe), Leipzig o. J., S. 128 – *Empfindungen vor Friedrichs Seelandschaft*: Sämtliche Werke, Leipzig o. J., (Insel), S. 1100 – *Brief eines Dichters an einen anderen*: ebenda, S. 1152 – *An die Braut**: Werke, hg. von E. Schmidt, Band 1 (Briefe), Leipzig o. J., S. 133–137 – *Der Engel am Grabe des Herrn*: Sämtliche Werke, Leipzig o. J., (Insel), S. 995.

KARL LUDWIG VON KNEBEL (1744–1834) *Wirkung und Gegenwirkung*: K. L. von Knebels literarischer Nachlaß und Briefwechsel, Band 3, Leipzig 1836, S. 149.

CRISTIAN GOTTFRIED KÖRNER (1756–1831) *Veredlung der Menschheit durch die Kunst**: Gesammelte Schriften, hg. von A. Stern, Leipzig 1881, S. 70–75.

AUGUST VON KOTZEBUE (1761–1819) *Die deutschen Kleinstädter*: Ausgewählte Lustspiele, Leipzig o. J., S. 34–38 – *Der hyperboreeische Esel* ... : Deutsche Literatur-Pasquille, drittes Stück, hg. von F. Blei, Leipzig 1907, S. 24.

FRIEDRICH CHRISTIAN LAUKHARD (1758–1822) *Kampagne in Frankreich**: F. Ch. Laukhard, Leben und Schicksale von ihm selbst beschrieben, Band 2, Stuttgart o. J., S. 28–33.

HEINRICH LUDEN (1780–1847) *Das Ende des teutschen Reiches**: Über das Studium der vaterländischen Geschichte, Vier Vorlesungen aus dem Jahre 1808, Gotha 1828, S. 38–42 – *Gespräch mit Goethe**: Bekanntschaft und Gespräche mit Goethe, Aus dem Nachlasse von Heinrich Luden, Jena 1847, S. 42–52.

ADAM MÜLLER (1779–1829) *Von der Idee des Staates*: Deutsche Vergangenheit und deutscher Staat, Leipzig 1935, S. 214–218.

WILHELM MÜLLER (1794–1827) *Die Braut*: Gedichte, Teil 1, Leipzig 1868, S. 101 – *Gebet in der Christnacht*: ebenda, S. 24.

NOVALIS = FRIEDRICH VON HARDENBERG (1772–1801) *An Adolf Selmnitz*: Briefe und Werke, Band 2, Berlin 1943, S. 216–220 – *Hymnen an die Nacht (V)*: ebenda, S. 285 – *Die Folgen der Reformation**: Die Christenheit oder Europa, ebenda, Band 3, S. 40–43 – *Über Wilhelm Meister**: ebenda, S. 276–277 – *Fragment über absolute Poesie**: ebenda, S. 628 – *Fragment über romantische Poesie**: ebenda, S. 623–624 – *Fragment über Philologie**: ebenda, S. 593 – *Fragment über Religion**: ebenda, S. 699 – *Hyazinth und Rosenblütchen**: Die Lehrlinge zu Sais, ebenda, Band 2, S. 216–220 –

Nicht lange wird der schöne Fremde säumen . . . : ebenda, S. 332 – *Das Lied der Toten*: ebenda, S. 339.

JOHANN WILHELM RITTER (1776–1810) *Die Physik als Kunst*: Die Physik als Kunst, München 1806, S. 56–59 – *Nacht und Tag**: Fragmente aus dem Nachlasse eines jungen Physikers, Band 2, Heidelberg 1810, S. 103–106.

PHILIPP OTTO RUNGE (1777–1810) *Die eigentliche Kunst**: Hinterlassene Schriften, Band 1, Hamburg 1840, S. 3–5.

FRIEDRICH CARL VON SAVIGNY (1779–1861) *Das Volk und das Recht**: Vom Beruf unsrer Zeit für Gesetzgebung und Rechtswissenschaft, Heidelberg 1814, S. 8–12.

FRIEDRICH WILHELM SCHELLING (1775–1854) *Voraussetzungen des Studiums**: Vorlesungen über die Methode des akademischen Studiums, Werke, Münchner Jubiläums Druck, 3. Hauptband, München 1927, S. 261–264 – *Die Mythologie**: ebenda, S. 434–437.

FRIEDRICH VON SCHILLER (1759–1805) *Der Antritt des neuen Jahrhunderts*: Sämtliche Werke, Säkular-Ausgabe, Band 1, Stuttgart und Berlin o. J., S. 155 – *Die Worte des Wahns*: ebenda, S. 164 – *Das Vermögen zur Freiheit**: Schillers Briefe, hg. von F. Jonas, Band 3, Stuttgart–Leipzig–Berlin–Wien o. J., S. 332–336 – *Die Worte des Glaubens*: Sämtliche Werke, Säkular-Ausgabe, Band 1, Stuttgart und Berlin o. J., S. 163 – *Idee / Liebe*: Philosophische Briefe, ebenda, Band 11, S. 119 – *Die Macht des Gesanges*: ebenda, Band 1, S. 216 – *Griechische Natürlichkeit**: Über naive und sentimentalische Dichtung, ebenda, Band 12, S. 179–183 – *Die deutsche Muse*: ebenda, Band 1, S. 204 – *An Goethe / Über das 8. Buch des Wilhelm Meister**: Schillers Briefe, hg. von F. Jonas, Band 5, Stuttgart–Leipzig–Berlin–Wien o. J., S. 19 – *An Goethe / Über die Bühnenfassung der Iphigenie**: ebenda, Band 6, S. 337 – *An Goethe / Über sich selbst**: ebenda, Band 3, S. 480 – *Schönheit und Freiheit**: Über die ästhetische Erziehung des Menschen, 25. Brief, Sämtliche Werke, Säkular-Ausgabe, Band 12, Stuttgart und Berlin o. J., S. 98 – *Die Größe der Welt*: ebenda, Band 1, S. 246.

AUGUST WILHELM SCHLEGEL (1767–1845) *Fastnachtsspiel vom Neuen Jahrhundert**: Sämmtliche Werke, Band 2, Leipzig 1846, S. 151–160 – *Die Idee des Rittertums**: A. W. Schlegels Vorlesungen über schöne Literatur und Kunst, Teil 3, Heilbronn 1884, S. 105–110.

DOROTHEA SCHLEGEL, GEB. MENDELSSOHN (1763–1839) *Armes Deutschland**: Briefwechsel, hg. von J. M. Raich, Band 1, Mainz 1881, S. 259.

FRIEDRICH SCHLEGEL (1772–1829) *Irrlichter*: Sämmtliche Werke, Band 9, Wien 1823, S. 56 – *Universalpoesie**: Kritische Schriften, München o. J., S. 37 – *Das System der Ironie**: ebenda, S. 347–348 – *Reden über die Religion*: Sämmtliche Werke, Band 9, Wien 1823, S. 18 – *Rede über die Mythologie*: Kritische Schriften, München o. J., S. 306–309. (Mit freundlicher Genehmigung des Carl Hauser Verlages, München.)

FRIEDRICH SCHLEIERMACHER (1768–1834) *Sprache und Sittlichkeit**: Monologen, Leipzig 1914, S. 61–66.

GOTTHILF HEINRICH VON SCHUBERT (1780–1860) *Traumbildersprache**: Die Symbolik des Traumes, Leipzig 1862, S. 8–10 – *Das ursprüngliche Verhältnis zur Natur**: Ansichten von der Nachtseite der Naturwissenschaft, Dresden 1803, S. 5–8.

KARL SOLGER (1780–1819) *Die Wahlverwandtschaften*: Solgers nachgelassene Schriften und Briefwechsel, Band 1, Leipzig 1826, S. 176–183.

HENRICH STEFFENS (1773–1845) *Die Tugend der Not**: Die gegenwärtige Zeit und wie sie geworden ..., Teil 2, Berlin 1817, S. 804–807 – *Grenzen des Staates**: Über das Verhältnis unserer Gesellschaft zum Staate, Schriften, Band 1, Abt. 2, Breslau 1827, S. 134–137.

GRAFEN ZU STOLBERG (1748–1821; 1750–1819) *Der Rheinfall zu Schaffhausen**: Gesammelte Werke der Brüder Christian und Friedrich Leopold Grafen zu Stolberg, Band 6, Hamburg 1827, S. 82–85.

LUDWIG TIECK (1773–1853) *Goethe, der wahrhafte deutsche Dichter**: Kritische Schriften, Band 2, Leipzig 1848, S. 240–243 – *Epilog zum Gestiefelten Kater*: Werke, Auswahl in 6 Teilen, Teil 2, Berlin o. J., S. 128 – *Erkennen*: Gedichte, Berlin 1841, S. 417.

LUDWIG UHLAND (1787–1862) *In ein Stammbuch*: Gedichte, Lahr 1949, S. 154 – *Der König auf dem Turme*: ebenda, S. 83 – *Bitte*: ebenda, S. 104. (Mit freundlicher Genehmigung des Verlages Moritz Schauenburg, Lahr/Baden.)

WILHELM HEINRICH WACKENRODER (1773–1798) *Von zwei wunderbaren Sprachen*: Herzens Ergießungen eines kunstliebenden Klosterbruders, Berlin 1799, S. 131.

VOLKSLIED *Bei Waterloo ...*: Erk und Böhme, Deutscher Liederhort, Band 2, Leipzig 1893, S. 176 – *Ihr Burschen hört mich an ...*: ebenda, Band 3, S. 420 – *Jetzt geht der Marsch ins Feld ...*: ebenda, S. 216.

CARL FRIEDRICH ZELTER (1758–1832) *Handwerksbräuche**: Darstellungen seines Lebens, Schriften der Goethe Gesellschaft, Band 44, Weimar 1931, S. 51–56.

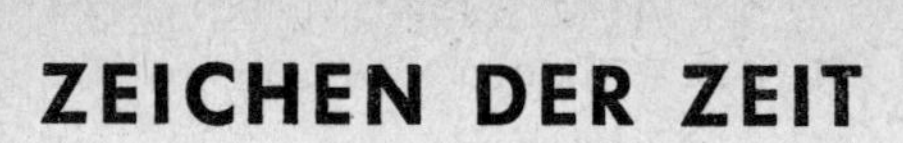

ZEICHEN DER ZEIT

Ein deutsches Lesebuch in 4 Bänden

Herausgegeben von Walther Killy
Jeder Band DM 3.30

1 AUF DEM WEGE ZUR KLASSIK

Von Lessing bis zur italienischen Reise Goethes

Was die vorklassische Zeit, eingespannt in die Polarität zwischen Vernunft und Gefühl, an eigenständigen schöpferischen Voraussetzungen für Dichten und Denken der deutschen Klassik und Romantik geleistet hat, wird meist unterschätzt. Dieser Band unternimmt es, das Zeitalter Lessings und des Sturm und Drang aus dem Schatten der nachfolgenden Epoche ins Licht geistesgeschichtlicher Erkenntnis zu rücken und — an Hand zum Teil wenig bekannter Texte — die Entwicklungslinien nachzuzeichnen, die zur Hochblüte deutschen Geistes um die Wende des 19. Jahrhunderts geführt haben. (Erscheint 1961)

2 1786-1832

Fischer Bücherei Band 347

Die hier vereinigten Texte gewähren auf knappstem Raum einen wesentlichen Einblick in die Struktur und den Gehalt der klassisch-romantischen Epoche und klären zugleich den historischen Zusammenhang ihrer Aussage.

3 1832-1880

Fischer Bücherei Band 276

Entscheidende Strömungen des 19. Jahrhunderts werden in diesem Band in den wichtigsten Zeugnissen gedeutet. Sie zeigen, wie das historische Bewußtsein zu einer alle geistigen Bereiche beherrschenden Macht wird. Zugleich dokumentieren sie die geschichtlichen Kräfte, welche die große Umwälzung der modernen Welt vorbereitet haben.

4 VERWANDLUNG DER WIRKLICHKEIT

Fischer Bücherei Band 243

Der vierte Band (vom Ende des 19. Jahrhunderts bis zum zweiten Weltkrieg) ruft vielfältige Zeugen für die Verwandlung der Wirklichkeit auf. Auf dem Gebiet des Wortes — wie auf dem der bildenden Kunst, der Seelenkunde und der Lebensordnungen — wird der äußere Zusammenhang zerrissen, um Untergründiges hervortreten zu lassen. Wie so oft, waren Dichter und Forscher die ersten und genauesten Verkünder von Entwicklungen, die erst heute als „modern" ins allgemeine Bewußtsein treten.

FISCHER BÜCHEREI